UTB **8297**

Eine Arbeitsgemeinschaft der Verlage

Beltz Verlag Weinheim · Basel · Berlin
Böhlau Verlag Köln · Weimar · Wien
Wilhelm Fink Verlag München
A. Francke Verlag Tübingen und Basel
Haupt Verlag Bern · Stuttgart · Wien
Verlag Leske + Budrich Opladen
Lucius & Lucius Verlagsgesellschaft Stuttgart
Mohr Siebeck Tübingen
C. F. Müller Verlag Heidelberg
Ernst Reinhardt Verlag München und Basel
Ferdinand Schöningh Verlag Paderborn · München · Wien · Zürich
Eugen Ulmer Verlag Stuttgart
UVK Verlagsgesellschaft Konstanz
Vandenhoeck & Ruprecht Göttingen
WUV   Facultas · Wien

Arne Heise

Einführung in die Wirtschaftspolitik

Grundlagen, Institutionen, Paradigmen

Wilhelm Fink Verlag

Arne Heise, Professor für Volkswirtschaftslehre an der Hamburger Universität für Wirtschaft und Politik, wurde 1960 in Bremen geboren. Nach dem Studium der Wirtschaftswissenschaften an den Universitäten Bremen und Manchester arbeitete er in der empirischen Wirtschaftsforschung und vertrat Professuren an den Universitäten Konstanz und Köln und der Wirtschaftsuniversität Wien. Als Mitglied der Kuratorien renommierter Wirtschaftsforschungsinstitute und Berater des Europäischen Parlaments arbeitet er außerdem an der Schnittstelle von Wissenschaft und Politik. Seine Arbeitsschwerpunkte sind: Wirtschafts- und Beschäftigungspolitik, Europäische Integration und Globalisierung, moderne Makroökonomie.

Bibliografische Information Der Deutschen Bibliothek

Die Deutsche Bibliothek verzeichnet diese Publikation in der Deutschen Nationalbibliografie; detaillierte bibliografische Daten sind im Internet über http://dnb.ddb.de abrufbar.

© 2005 Wilhelm Fink Verlag GmbH & Co. KG
ISBN 3-7705-4080-8

Printed in Germany
Einbandgestaltung: Atelier Reichert, Stuttgart
Herstellung: Ferdinand Schöningh GmbH, Paderborn

UTB-Bestellnummer: ISBN 3-8252-8297-X

Inhaltsübersicht

Abkürzungsverzeichnis

ALQ = Arbeitslosenquote
BEPG = Grundzüge der Wirtschaftspolitik (Broad Economic Policy Guidelines)
BIP= Bruttoinlandsprodukt
BSP = Bruttosozialprodukt
EGV = Vertrag über die Gründung der Europäischen Union
EPG = Beschäftigungspolitische Leitlinien (Employment Policy Guidelines)
ESZB = Europäisches System der Zentralbanken
EU = Europäische Union
EWS = Europäisches Währungssystem
EWU = Europäische Währungsunion
EZB = Europäische Zentralbank
HVPI = Harmonisierter Verbraucherpreisindex
IWF = Internationaler Währungsfonds
MI = Misery Index
NAIRU = Non-Accelerating-Inflation-Rate-of-Unemployment
NAP = Nationale Aktionspläne
PIL = Preisindex der Lebenshaltung
SWP = Stabilitäts- und Wachstumspakt
VGR = Volkswirtschaftliche Gesamtrechnung
WTO = Welthandelsorganisation

Symbolverzeichnis (wenn nicht im Text anders beschrieben)

a = Preis-Mark-up
A = Abgaben
B = Geldbasis
c = Konsumquote
C = Konsumausgaben
D = Staatsschuldenstand
e = Einkommenselastizität
E = Ersparnisse
F = monetäres Investitionsvolumen
g = BIP-Wachstumsrate
G = Staatsverbrauch
i = Zinssatz
I = Investitionen
I_{ST} = Staatsinvestitionen
IQ_{St} = Investitionsquote des Staates
k = Schuldenstandsquote *oder* Kassenhaltskoeffizient
K = Kapitalstock
L = Beschäftigungsmenge

m = Multiplikator
M = Geldmenge
M/P = Realkasse
p = relativer Preis
P = Preisniveau
Q = Gütermenge, Output
s = Sparquote
S = Ersparnisse *oder* Saldo des öffentlichen Haushaltes
S_P = Primärdefizit der öffentlichen Haushalte
t = Steuersatz
T_D = direkte Steuern
T_{IND} = indirekte Steuern
TR = Transfers
U = Nutzenfunktion *oder* Arbeitslosenquote
v = Geldumlaufgeschwindigkeit *oder* Kapitalkoeffizient
w= Nominallohnsatz
w/P = Reallohnsatz
W = Wohlfahrtsfunktion
X = Staatsausgaben
Y = Volkseinkommen
Y^n = nominelles Volkseinkommen
Y_r = reales Volkseinkommen

Δ = Veränderung
ω = Grenzproduktivität der Arbeit
π = (Durchschnitts-)Produktivität der Arbeit
ε = Elastizität
* = Gleichgewichtswert einer Variablen
^ = Veränderungsrate

Viele Lehrbücher beginnen damit zu erklären, weshalb der Autor meint, den bereits vorhandenen Lehrbüchern zu einem speziellen Thema noch ein weiteres hinzufügen zu wollen. Offensichtlich fühlen diese Autoren also einen Rechtfertigungszwang, als müssten sie dem potentiellen Leser begründen und sich geradezu entschuldigen, weshalb sie die Unübersichtlichkeit des Lehrbuchmarktes durch Hinzufügung eines weiteren Titels zu steigern beabsichtigen. Man muss sich mal vorstellen, irgendein PKW-Hersteller müsste bei der Präsentation eines neuen Automobils begründen, weshalb die bereits vorhandenen Modelle nicht ausreichen – geradezu absurd. Man produziert Autos, um damit Gewinne zu machen und hofft (bzw. setzt einen Marketing-Apparat in Gang), dass die Konsumenten die eigenen Autos in rentablem Maße den Autos der Konkurrenz vorziehen. Nicht anders sieht es bei der Produktion eines Lehrbuches aus: Der Verlag hofft auf profitable Absatzzahlen und der Autor auf ein Verkaufshonorar, dass den Einsatz des Verfassens eines mehrere hundert Seiten langen Manuskriptes rechtfertigt.

Gerade für einen professionellen Ökonomen müsste diese Motivation eigentlich hinreichen – Homo Oeconomicus der er qua Ausbildung zu sein hat. Tatsächlich aber verknüpft vermutlich jeder Autor mit der Veröffentlichung seines Werkes mehr als den schnöden materiellen Nutzen: Neben weiterem immateriellen Nutzen wie Reputation in der Wissenschaftlergemeinschaft oder Bekanntheit bei ganzen Studierendengenerationen ist damit vor allem ein pädagogisch-didaktischer Wert gemeint: die Abgrenzung und Beschreibung eines Lehrstoffes in ureigener Weise. Dies gilt besonders dann, wenn die vorhandenen Lehrbücher zum Thema als nicht hinreichend, wesentliche Aspekte des Themas ausblendend oder im methodischen Zugang als unbefriedigend empfunden werden.

Und tatsächlich, neben den materiellen Anreizen, die zu bestreiten ganz unredlich wäre, war für die Publikation dieses Lehrbuchs ausschlaggebend, dass ich seit Jahren an verschiedenen Universitäten Kurse zur Wirtschafts- und Sozialpolitik geben durfte, und großes Unbehagen bei der Zusammenstellung der zur Lektüre empfohlenen Literaturliste empfand. Damit ich nicht falsch verstanden werde: Ich möchte keineswegs die Lehrbücher geschätzter Kollegen madig machen – dazu besteht überhaupt kein Anlass, muss doch jedes Lehrbuch von seinem Zweck und Einsatz her beurteilt werden. Und da gibt es gewiss hinreichend Zwecke und Einsätze, die jedes der existierenden Lehrbücher zur Wirtschaftspolitik erklären und rechtfertigen (wenn nicht allein der materielle Nutzen für Verlag und Autor!). Nein, meine Unzufriedenheit bezog sich vor allem darauf, dass ich kein Einzelwerk vorfand, das gleichzeitig handlungs- und problemorientiert argumentierte – also die Realität und Lebenswelt der Leser berücksichtigte – und dazu einen theoretischen Rahmen spannte, auf dessen Grundlage der empirische Hintergrund, die institutionellen Bedingungen und die gesellschaftlichen Bezüge reflektiert werden konnten. Und selbst damit war mein Anspruch noch nicht hinreichend abgesteckt: Die Sozialwissenschaften sind nicht-experimentelle Wissenschaften vom menschlichen Verhalten. Die Vorstellung, ein einziges ‚Musterbeispiel‘ – Paradigma – könnte alleinigen Erklärungsanspruch erheben, ist – trotz dominanter ‚Allgemeinwissenschaft‘ (Orthodoxie) – absurd. Hartmut von Hentig, der Nestor der deutschen Pädagogik, schrieb erst jüngst: „Es mag einen die verzweifelte Hoffnung anfallen, die Wissenschaft könne das friedliche, gerechte, auskömmliche Leben für alle errechnen. Aber wir wissen doch, wohin eine solche *ex-kathedra*-Lehre einer sogenannten Wissenschaft führt! – Warum Wissenschaft solche Wahrheiten nicht geben kann, zumindest *das* muß jeder Bürger wissen." Mehr noch als die Naturwissenschaften müssen die Sozialwissenschaften durch die Konkurrenz verschiedener Paradigmen um die bessere Erklärung der sozialen Realität vorangetrieben werden. Wer tatsächlich glaubt, ‚die einzig selig machende Wahrheit‘ gefunden zu haben, verfällt in quasi-religiöse Ehrfurcht vor dem Werkzeug seiner Erkenntnisgewinnung und verliert zumeist die Fähigkeit zu kritischer Selbstreflexion. Und wer in einem Lehrbuch über Wirtschaftspolitik versucht, nur eine Sichtweise der Dinge zu erörtern – egal, ob neoliberaler oder staatsdirigistischer Orientierung –, muss sich dem Vorwurf der Interessenhörigkeit bzw. der bewussten Fehldeutung der Realität (‚Ideologie‘ mit negativer Konnotation) stellen.

Was für die sozialwissenschaftlichen Grundlagen im Allgemeinen gilt, gilt für die Theorie der Wirtschaftspolitik im Besonderen: Wer nicht bereit ist, die verschiedenen ökonomischen Paradigmen zur Kenntnis zu nehmen, wird manche wirtschaftspolitische Kontroverse nicht verstehen können und läuft vor allem Gefahr, Fragen und Probleme durch einen einschränkenden Methodenfilter zu sehen. Das zentrale didaktische Ziel dieses Lehrbuches ist es deshalb, die Pluralität wirtschaftspolitischer Ansätze zu vermitteln – auch auf die Gefahr hin, dem verständlichen Wunsch von Studierenden nach gesicherten Erkenntnissen und eindeutigen (einfachen?) Weißheiten widerstehen zu müssen. Hiermit ist dann schließlich auch die Hoffnung verbunden, zu einem besseren Verständnis unterschiedlicher wirtschaftspolitischer Standpunkte und einer Versachlichung der Diskussion beizutragen. Und nicht zuletzt wissen wir über die beschränkten kognitiven Fähigkeiten des Menschen, der in seiner Neigung zur Komplexitätsreduktion nur allzu leicht versucht, alles über einen Kamm zu scheren. Wer unter diesen Bedingungen nur über die Kenntnis eines einzigen paradigmatischen Ansatzes verfügt, sieht und versteht Dinge eben so, wie er es gewohnt ist, Dinge zu sehen und zu verstehen – oder anders: Wer nur das Hämmerchen kennt, macht alles zu einem Problem des Hämmerns.

Damit ist schon eine Reihe von Adjektiven genannt, die ich mit diesem Lehrbuch verknüpft sehen möchte: Pluralistisch, kritisch, handlungs- und problemorientiert. Gerade für ein Lehrbuch über Wirtschaftspolitik erscheint mir aber auch ein transdisziplinärer Zugang notwendig, der z.B. ökonomische Entscheidungsanalyse in geeigneter Weise mit politikwissenschaftlicher Institutionen- und Prozessanalyse verbindet – schließlich wird Wirtschaftspolitik von Handlungsträgern betrieben, die gleichermaßen im ökonomischen wie politischen Subsystem einer Gesellschaft agieren – wer dies nicht bedenkt, darf sich nicht wundern, wenn seine Vorschläge wenig Beachtung finden oder auch Studierende dem Fach den Rücken kehren.

Schließlich will das Lehrbuch auch ‚modern‘ sein, wobei sich dieser Anspruch einerseits darauf begründet, wirtschaftspolitische Reaktionen auf sich verändernde Rahmenbedingungen – z.B. die Prozesse der Europäischen Integration und der Globalisierung – aufzugreifen und andererseits auf die Betrachtung neuerer, theoretische Ansätze der Wirtschaftspolitik als Folge der Weiterentwicklung der makroökonomischen bzw. makropolitischen Forschung.

Wirtschaftspolitik ist ein ungemein weites Untersuchungsfeld. Dieses Lehrbuch ist für einen grundlegenden Kurs der Wirtschaftspolitik gedacht, der allerdings auf fundierten mikro- und makroökonomischen Kenntnissen aufbaut – Studierende des Hauptstudiums dürften sich also mit seiner Lektüre leichter tun als ökonomische Anfänger oder gar Laien. Es geht um die Frage, ob und inwieweit die großen makroökonomischen Aggregate wie Output, Beschäftigung und das Preisniveau bzw. in dynamischer Betrachtung das Wirtschaftswachstum und die Inflationsrate durch wirtschaftspolitische Interventionen gesteuert werden können und sollen, wer dies tun sollte, welche Ziele verfolgt werden sollten (normativ) und verfolgt werden (positivistisch). Gewöhnlich wird dies als ‚allgemeine Wirtschaftspolitik‘ bezeichnet im Gegensatz zur ‚speziellen Wirtschaftspolitik‘, die sich u.a. mit Regional-, Industrie-, Technologie- oder Wettbewerbspolitik befasst und hier allenfalls am Rande Erwähnung finden kann.

Das Lehrbuch ist in drei Teile unterteilt, die die grobe inhaltliche Struktur abbilden: In Teil I (‚Grundzüge‘) wird ein beschreibender und analytischer Zugang zum Thema ‚Wirtschaftspolitik‘ vermittelt – Wirtschaftspolitik als die Bereitstellung öffentlicher Güter – und die empirische Erfassung und Bestimmung ihres konkreten Umfangs dargestellt. In Teil II (‚Die verschiedenen Ebenen der Wirtschaftspolitik‘) sollen die paradigmengestützten Anforderungen an die Wirtschaftspolitik ebenso dargestellt werden wie ihre institutionellen Grundlagen und die Handlungsmotivationen der Akteure, die in der realen Welt die Wirtschaftspolitik umzusetzen haben, also wirkungsmächtig gestalten müssen. In diesem Teil geht es also um die normative Darlegung der Interventionsnotwendigkeit und die positivistische Einschätzung deren Umsetzungen in der konkreten Realität von medialen Demokratien. Oder anders: Es geht um die ‚Grenzen des Marktes‘ und die ‚Grenzen des Staates‘. In Teil III (‚Wirtschaftspolitik vor dem Hintergrund von Globalisierung und Europäischer Integration‘) schließlich wird den Entwicklungen Rechnung getragen, die die Wirtschaftspolitik auf nationaler Ebene zunehmend in Frage stellen bzw. nach einer Neuformulierung auf einer anderen Ebene (EU-weit, global) verlangen – auch dies gehört in ein Lehrbuch über Wirtschaftspolitik, das sich mit dem Adjektiv ‚modern‘ schmückt. Zur didaktischen Unterstützung sind Boxen in die Texte eingebettet, die einzelnen Stichworten oder hervorhebenswerten Gesichtspunkten einen breiteren Raum einräumen, als dies im normalen Fortgang der Darlegung oder in einer Fußnote möglich gewesen wäre. Dabei lasse ich häufig (in Zitatform) Kollegen zu Worte kommen – als Abwechselung zur Monotonie des Duktus eines einzigen Erzählers – oder nutze die Möglichkeit, Gesetzes- oder andere offiziellen Texte zu zitieren.

Die intellektuellen Verpflichtungen, die der Erwähnung notwendig wären, wenn man ein Lehrbuch schreibt, sind zu vielfältig, um redlich abgearbeitet zu werden. Viele Anregungen habe ich in den Workshops des Forschungsnetzwerkes ‚Alternative Konzeptionen der makroökonomischen Politik im Spannungsfeld von Massenarbeitslosigkeit, Globalisierung und hoher Staatsverschuldung‘ (www.metropolis-verlag.de/cgi-local/katalog.cgi?r= alternativen), die ich regelmäßig zusammen mit einigen Kollegen organisiere, bekommen. Auch die Diskussionen mit meinen Kollegen und insbesondere Studierenden an der Wirtschaftsuniversität Wien, der Universität zu Köln und der Hamburger Universität für Wirtschaft und Politik haben zahlreiche Verbesserungen möglich und mich im Vorfeld auf haarsträubende Fehler aufmerksam gemacht. Vor allem aber die akribische, beinahe schon als lektorische

Arbeit zu bezeichnenden Kommentare von Frau Dipl.-Sozialökonomin Verena Hinze und die Hinweise von Herren Raul Lohalm waren ausgesprochen hilfreich. Ein besonderer Dank gilt auch der Kritischen Akademie Inzell, wo ich in freundlichster und angenehmster Umgebung diesem Buch den letzten Schliff geben durfte. Letztlich aber ist es der freundlichen Hilfe und herzlichen Fürsprache von Herrn Prof. Zons vom Wilhelm Fink Verlag zu verdanken, dass dieses Lehrbuch jetzt vor dem geneigten Leser liegt.

Ausschließlich aus Gründen der besseren Lesbarkeit wurde in diesem Lehrbuch auf die Nennung der männlichen und weiblichen Schreibweise verzichtet. Die männliche Schreibweise schließt immer auch die weibliche ein, selbstverständlich ist keinerlei Diskriminierung der weiblichen Bevölkerungsmehrheit intendiert.

Hamburg, im Sommer 2004

TEIL I:
GRUNDZÜGE

1. Wirtschaftswissenschaften, Wirtschaftspolitik und ihre Didaktik

Lernziele

1. Um die Komplexität der Realität zu reduzieren und hinter der Erscheinungsform das Wesen der Dinge zu sehen, bedarf es modellhafter Abstraktionen.
2. Die Mathematisierung der Ökonomik ist nur als Hilfsmittel, nicht aber als Selbstzweck (,Wissenschaftlichkeit') akzeptabel.
3. Die Wirtschaftswissenschaft ist eine Sozialwissenschaft und kann nicht wertfrei betrieben werden.
4. Die Pluralität der modellhaften Ansätze (Paradigmen) ist eine wesentliche Grundlage des Erkenntnisgewinns in der Ökonomik und es entspricht deshalb dem Überwältigungsverbot, die Paradigmenvielfalt der Wirtschaftswissenschaft zu akzeptieren und für die Lehre der Wirtschaftspolitik zu nutzen.

Im Mittelpunkt dieses Lehrbuches sollen Probleme der realen Welt stehen, die die Menschen direkt berühren und zu deren Lösung Antworten von der Wissenschaft und die Tatkraft der verantwortlichen Wirtschafts- und Sozialpolitik gefordert werden: Arbeitslosigkeit, Inflation, Armut, die Verschuldung der öffentlichen Haushalte oder die Herausforderungen der Globalisierung, um nur einige zu nennen. Es soll also eine **Problem- und Handlungsorientierung** eingenommen, keine Selbstreflexion betrieben werden, die der Volkswirtschaftslehre im Allgemeinen bereits den Vorwurf des Autismus eingebracht hat und die (wirtschafts)politisch Verantwortlichen immer seltener Rat bei den professionellen Ökonomen suchen lässt. Journalistische Beobachter etwa beklagen: „Der hauptsächlich akademische Markt (der Volkswirtschaftslehre) besteht aus gelehrten Papers, aber ihr Beitrag zum Verständnis der Wirtschaft ist schwer begreifbar und nicht einmal greifbar. Für die Karriere eines Ökonomen ist sogenannte professionelle Kompetenz wichtiger. Diese beschäftigt sich weniger mit der Wirtschaft als mit der Komplexität statistischer und mathematischer Methoden sowie Hinweisen auf frühere Schriften. Die Haltung des ökonomischen Establishments gegenüber denjenigen, die sich einer anderen Ausdrucksweise bedienen, erinnert mich an Wissenschaftler des 17. Jahrhunderts, die Abhandlungen zurückwiesen, wenn sie nicht auf Latein geschrieben waren. Vielleicht ist dies auch der Grund dafür, dass Nachwuchswissenschaftler, die mich auf ökonomische Ereignisse oder Wirtschaftspolitik ansprechen, viel häufiger Politologen oder Gegenwartshistoriker sind als Volkswirte" (Brittain 2000: 15).

Um den Bezug zu den Problemen der realen Welt deutlich zu machen und mit der Erfahrungswelt des Lesers abzugleichen, aber auch um neue Erfahrungen vermitteln zu können, soll dazu permanent der **empirische Hintergrund** beschrieben werden, vor dem die wirtschafts- und sozialpolitische Politik und Praxis abgeleitet wird. Nur durch diese Rückkoppelungen kann sicher gestellt werden, dass nicht die formale Eleganz der Wissenschaft und der Produzentenstolz des Wissenschaftlers die Überhand über den Gebrauchswert seiner Ausführungen und den gesellschaftlichen Nutzen seiner Arbeit gewinnt. JOHN MAYNARD KEYNES, der vermutlich größte Ökonom des 20. Jahrhunderts, hat einmal gefordert, dass Wirtschaftswissenschaftler so brauchbar wie Zahnärzte sein sollten. Damit hat er wohl gemeint, dass sie sich ganz pragmatisch mit den ‚gesellschaftlichen Krankheiten' ihrer Patienten auseinander zu setzen hätten und durch Stellung der richtigen Diagnose und Verordnung der verfügbaren Remeduren zur Genesung beitragen müssten. Er traute dies seinen Fachkollegen offensichtlich zu.

Dies alles gesagt zu haben, heißt nun aber nicht, dass ein Lehrbuch zur Wirtschafts- und Sozialpolitik rein phänomenologisch ausgerichtet bleiben könnte. Von KARL MARX stammt folgender Ausspruch: „Alle Wissenschaft wäre überflüssig, wenn die Erscheinungsform und das Wesen der Dinge unmittelbar zusammenfielen." Leider ist die reale Welt viel zu komplex, um von den Menschen augenscheinlich erfasst werden zu können. Um hinter die verborgenen Gesetzmäßigkeiten und die tieferen Ursachen der Phänomene zu stoßen, benötigen wir **Modelle und Theorien** – und dort, wo solche Modelle und Theorien miteinander konkurrieren und entsprechend unterschiedliche Handlungsoptionen anbieten, bedarf es auch der kritischen Auseinandersetzung – also der Selbstreflexion, die allerdings nicht zur Selbstbespiegelung werden darf. Studierende an Universitäten und Fachhochschulen haben im Übrigen auch ein Anrecht darauf, in systematisch abgeleitete und widerspruchsfrei deduzierte Aussagen und entsprechende Modell eingeführt zu werden und so die **Methodik der Wissenschaft**, die sie studieren, kennen zu lernen. Theorien und Modelle helfen uns, die Wirklichkeit zu strukturieren und deren Komplexität auf ein Maß zu reduzieren, dass es für den menschlichen Verstand überschaubar wird. Die große englische Ökonomin JOAN ROBINSON soll Modelle einmal mit einer Landkarte verglichen haben: Auch Landkarten geben die Wirklichkeit nicht ohne Abstraktion wider, sondern reduzieren sie je nach Anwendungsgebiet mehr oder weniger stark. Denn, gewiss wäre ein exaktes Abbild der Wirklichkeit ganz offensichtlich ‚realitätsnäher' – ein Anspruch, den man nur allzu gerne an gebrauchsfähige Wissenschaft stellt –, und doch würde ein 1:1-Maßstab natürlich auch keine größere Hilfestellung auf der Suche nach dem rechten Weg bieten als der bloße ‚Blick aus dem Fenster'. Ganz im Sinne des obigen Zitats von KARL MARX müssen wir also **Abstraktionen** vornehmen. Überall, wo dies durch eine formale oder, anschaulicher, grafische Darstellung erleichtert werden kann oder nötig ist, um die Voraussetzungen der abgeleiteten Aussagen besser verständlich machen zu können, wird auf die Mathematik als Hilfsmittel – in möglichst rudimentärer Form – zurückgegriffen. Andererseits darf die formale Darstellung kein Selbstzweck werden, dem sich die Realitätswahrnehmung unterzuordnen hätte, bloß um den Ausführungen den Anstrich der Wissenschaftlichkeit zu verleihen und durch derartige Kodifizierung den Zugang für Nicht-Eingeweihte zu erschweren oder gar zu verunmöglichen. Wenn die Mathematisierung der Volkswirtschaftslehre im allgemeinen und auch der Theorie der

Wirtschaftspolitik dazu führen sollte, aus einer Sozial- eine (Pseudo-) Naturwissenschaft machen zu wollen, dann wird diese Disziplin ihre gesellschaftliche und gesellschaftswissenschaftliche Grundlage verlieren und auch für junge Menschen zunehmend unattraktiver werden – vielleicht ist es das, was wir überall an den Universitäten und Hochschulen bereits heute erleben.[1]

Die **Fachdidaktik** einer Wissenschaft hat die Aufgabe, eine pädagogisch geleitete Reflexion der fachwissenschaftlichen Grundlagen zu leisten. Dass heißt, sie kümmert sich darum, wie die Vermittlung von Alltagstatbeständen erfolgen soll. Dazu gehört neben der Analyse von Lehr- und Lernprozessen und der Reflexion der gesellschaftlichen Rahmenbedingungen der Institution, innerhalb deren Mauern die Vermittlung erfolgt, vor allem die Auswahl der Inhalte, die vermittelt werden sollen – es geht also vornehmlich um das **Curriculum**. Derartige fachdidaktische Überlegungen muss jede Lehrperson, ob sie sich dessen bewusst ist oder nicht, neben der Auswahl der Unterrichts(hilfs)mittel anstellen. Und für die Wirtschaftswissenschaft und insbesondere auch für die Lehre der Wirtschafts- und Sozialpolitik sind solche Überlegungen besonders wichtig, denn wir haben es mit einer Disziplin zu tun, in der vergleichsweise wenig unhinterfragte, somit gesicherte Erkenntnisse existieren. Dies liegt natürlich daran, dass wir es mit einer **multiparadigmatischen Wissenschaft** zu tun haben. Es existieren also mehrere alternative Erklärungsansätze, die mit einander um den besseren Erklärungswert der realen Welt (manchmal aber auch nur um die größere formale Eleganz) konkurrieren. Derartige **Paradigmen** (THOMAS KUHN [1962]) oder **Forschungsprogramme** (IMRE LAKATOS [1970]) unterscheiden sich in den unhinterfragbaren Grundannahmen – den Axiomen –, aus denen dann in konsistenter Weise Modelle deduziert werden.[2] Gegenwärtig konkurrieren grob gesprochen mindestens zwei Paradigmen miteinander, die durchaus in ihren Binnenstrukturen noch einmal in unterschiedliche Modelle zerfallen können[3]: Einerseits jenes Paradigma, dessen Grundkonstituens die **Tauschbeziehung** zwischen (mehr oder weniger) gleichberechtigten Partnern ist. Wirtschaft wird a priori als **Tausch- bzw. Marktwirtschaft** verstanden und modelliert. Daneben existiert ein Paradigma, dessen Grundkonstituens die **Gläubiger-Schuldner-Beziehung** zwischen augenfällig differenten Privateigentümern – der eine besitzt etwas, der andere nicht – ist. Wirtschaft wird a priori als **Kredit- bzw. Vermögensökonomie** beschrieben.[4] Zweifellos kann das neoklassisch-monetaristische Tauschparadigma gegenwärtig als der Mainstream verstanden werden, doch auch die keynesia-

---

1   Es ist schon frappierend, wie die heutige Entwicklung und die Kritik daran – vor allem von studentischer Seite – jener gleicht, die im Zuge des studentischen Protests Ende der sechziger Jahre formuliert wurde (vgl. Riese 1975: 11ff.). Scheinbar hat die Profession nichts daraus gelernt oder alles schnell wieder vergessen.

2   Künzel (1988: 223f.) überträgt die an der Naturwissenschaft orientierte Vorstellung Kuhns auf die Ökonomie und definiert, „… ein Paradigma sei eine modellhafte Problemlösung, die eine erfolgreiche empirische Forschungstradition anleitet und damit zugleich auch die gemeinsame Überzeugung der Wissenschaftlergemeinschaft ausdrückt, wie die Welt ihres Forschungsgegenstandes geordnet sei."

3   Dies mag dadurch erklärbar sein, dass zwar die Grundannahmen, nicht aber jede weitere Annahme im sogenannten ‚schützenden Gürtel' des Forschungsprogramms geteilt werden. So dürften die evolutorischen und institutionellen Ansätze ebenso weitgehend einem tauschtheoretischen Paradigma verhaftet bleiben, wie die neu- oder neokeynesianischen Theorien (vgl. z.B. Priewe 2002: 34f.). Die verschiedenen Postkeynesianismen und Ansätze strukturalistischer Regulierungsmodelle basieren hingegen auf dem vermögenstheoretischen Paradigma.

nische Heterodoxie hat weiterhin ihre Anhänger und zyklische Entwicklungen – vermutlich begründet durch die Veränderung gesamtgesellschaftlicher Rahmenbedingungen – wirtschaftstheoretischer und wirtschaftspolitischer Leitbilder verhindern die Konvergenz zu einem singulären Paradigma. Die Auswahl des Paradigmas übrigens muss letztlich in das Ermessen des Wissenschaftlers selber gestellt bleiben, jede daraus abgeleitete Erkenntnis (bzw. Prognose) muss sich umso dringlicher ständiger empirischer Kontrolle unterwerfen. Letztlich aber entspricht die Wahl eines Paradigmas einer präjudizierten Realitätswahrnehmung und ist in diesem Sinne immer eine **ideologische oder Wertentscheidung**.[5] Der Anspruch vieler Wirtschaftswissenschaftler, wert- und ideologiefreie Wissenschaft zu betreiben, kann allenfalls in dem Sinne eingelöst werden, dass nicht bewusst eine fehlerhafte, aus den eigenen Interessen abgeleitete Realitätssicht (Vorurteil) eingenommen werden darf.[6]

Box 1: Pluralismus und Pluralität

„In a sense, it is trivially true that the world is plural in that it has many facets. The world is constituted by an infinite number of things and their properties, including their behavioural features. Yet it seems possible to say that the world is one in a sense that the many theories we hold do not each create worlds of their own; plurality of theories does not imply plurality of worlds, but rather the many theories are about the one world. This is consistent to saying that the one and only world consists of a huge number of things and properties and processes and potentialities, and also that the world appears in a vast number of ways to an observer or a set of observers viewing it from different perspectives. The one world principle is consistent with a plurality of theories. The denial of ontological pluralism implies that the many facets of the world are discovered rather than created by means of the many theories and perspectives. ...

We begin with two intuitively simple ideas. The first is the distinction between *nothing but the truth* and *the whole truth*. Economists have a habit of occasionally conflating these two notions, but it is important to keep them separate. The second is the idea that theories can be

---

4   Zu den Unterschieden vgl. Heise (1991), Heine/Herr (2000), Felderer/Homburg (2003), Stadermann/Steiger (2001), Heinsohn/Steiger (2002a), Heinsohn/Steiger (2002b). Ob das marxistische Forschungsprogramm ein eigenständiges Paradigma darstellt oder einem der beiden beschriebenen Paradigmen zugeordnet werden kann, muss hier – wie der weitere Fortgang der Argumentation zeigt – nicht geklärt werden.

5   Man sollte so ehrlich sein und eingestehen, dass die Wirtschaftswissenschaft als Legitimationsmuster immer auch dazu verwendet wurde, bestehende gesellschaftliche Verhältnisse zu zementieren. Stadermann/Steiger (2001: 13) schreiben in diesem Sinne: „Die Wissenschaft von der Wirtschaft war schon oft in der Krise. Vor allem immer dann, wenn sie wegen unbefriedigend empfundener gesamtwirtschaftlicher Entwicklungen zu Rate gezogen wurde. Triumphe feierte sie dagegen immer, wenn sie den ‚Beweis‘ dafür erbrachte, dass das, was vorherrschende öffentliche Meinung ohnehin war, eine zutreffende Beschreibung der erlebbaren Wirtschaftswirklichkeit sei. Wenn also die Wirtschaftswissenschaften eine Magd ist, dann hat sie nicht die Fackel vorangetragen, damit sich die Wirtschaft in ihrem Licht orientieren konnte, sondern umgekehrt: Sie hat die ‚Konditionalsätze‘ geliefert, die es der Mehrheit in der Gesellschaft erlaubte, das, was sie ohnehin tat, als vernünftig zu begreifen.“

6   Nach Karl Mannheim (1952) kann Ideologie sowohl ‚Weltsicht‘ als auch ‚bewusste Fehlinterpretation der Realität zur Durchsetzung von Interessen‘ bedeuten (vgl. Ritsert 2002). Bernholz/Breyer (1993: 26) verweisen übrigens zurecht darauf, dass selbst eine ideologiebehaftete Sicht noch nicht deshalb falsch sein muss, weil sie von ideologischen Motiven geleitet wurde: „Ein Beweis, das die Möglichkeit der Banken, Geld zu schöpfen, die Inflation fördern kann, ist nicht deshalb falsch, weil dieser durch die Abneigung oder Haß gegen die Banken oder durch den Wunsch, minderbemittelte Rentner vor den Folgen einer Inflation zu bewahren, motiviert wurde.“

substitutes or *complements* with respect to one another. It is typical of economists to confla-
te these two cases, too. These two ideas can then be combined in a formulation of two different cases of theoretical plurality. First, a multitude of theories may be based on their being
substitutes, being *rival claims to nothing but the truth*. Second, a multitude of theories may
be based on their being complements, being *complementary claims to parts of the whole truth*.
Keeping the one world principle, we may now say that there are good *ontological* and *veristic* reasons for a plurality of theories if these theories are strong or weak complements.
Such theories do not make conflicting claims about the world; on the contrary, they are
supposed to supplement one another. On the other hand, it is less obvious that the theoretical plurality can be defended on ontological and veristic grounds if the many theories are
strong or weak substitutes. If there is only one way the world is, two or more theories making mutually inconsistent claims about the world cannot all be true at the same time. ...
The situation is different in regard to *epistemological* considerations. Given the radical epis-
temic uncertainty that characterizes economics, there seems to be good epistemological
reason for plurality of theories (...). Familiar problems related to the availability of relevant evidence and the reliability of testing constitutes an example of why the exclusion of
rival claims to nothing but the truth involves major risks."
Mäki (2002: 126ff).

Unter den Bedingungen einer multiparadigmatischen Wissenschaft muss die Frage des
Curriculums besonders drängend sein. Unter den Stichworten ‚**Kontroversität**‘ und
‚**Pluralismus**‘ möchte ich zumindest meinen fachdidaktischen Anspruch offenbaren:
Es muss ein eigenständiges Ziel eines Lehrbuches sein, die Pluralität verschiedener Forschungsprogramme und daraus abgeleiteter Erkenntnisse darzustellen und die sich fast
zwangsläufig ergebenden theoretischen und **wirtschaftspolitischen Kontroversen**
nicht zu negieren, sondern sogar zum zentralen Ankerpunkt der Didaktik zu machen
(vgl. Hedtke 2002). Dies entspricht nur dem in der politikwissenschaftlichen Fachdidaktik längst geltenden **Überwältigungsverbot**, bedeutet aber nicht gleichzeitig, dass
Anspruch auf Vollständigkeit in der Darstellung aller konkurrierenden Theorien erhoben werden muss. Das Erkenntnisziel ist die Vielfalt, nicht die Vollständigkeit (und wer
weiß schon, ob er tatsächlich alle verfügbaren Ansätze kennt?).

Abbildung 1.1: Fachdidaktische Antinomie

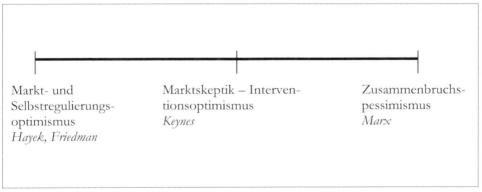

Die paradigmatische Vielfalt reicht von marktoptimistischen, marktskeptischen zu marktkritischen Modellen

Für die Wirtschafts- und Sozialpolitik lässt sich mein somit beschriebenes Vorgehen nun anhand einer didaktischen Antinomie darlegen (Abb. 1.1): Wir können zwischen zwei Extremen unterscheiden, die in ihren Auswirkungen auf die Wirtschaftspolitik allerdings vergleichbar sind: Der **Selbstregulierungsoptimismus** des ultra-liberalen Flügels des neoklassisch-monetaristischen Mainstreams – besonders verbunden mit den Namen Friedrich August von Hayek und Milton Friedman – negiert weitgehend die Notwendigkeit wirtschafts- und sozialpolitische Eingriffe, der **Zusammenbruchspessimismus** des Marxismus deren Sinnhaftigkeit angesichts eines historischen Determinismus. Dazwischen liegt der weite Bereich der verschiedenen Keynesianismen, die die Selbstregulierungskräfte des Marktes für beschränkt halten und darin **Interventionspotential** erblicken. Hierin wird nun der Kern des vorliegenden Lehrbuch bestehen, und da die verschiedenen Keynesianismen durchaus unterschiedlichen Paradigmen entspringen, kann damit allein der Anspruch des Pluralismus eingelöst werden. Wenn darüber hinaus dem Selbstregulierungsoptimismus mehr Aufmerksamkeit gewidmet werden soll als dem Zusammenbruchspessimismus, so ist dies einerseits ein Tribut an den gegenwärtig herrschenden Mainstream, andererseits aber auch darin begründet, dass es aus wirtschaftspolitischer Sicht durchaus sinnvoller sein kann, sich mit den Argumenten vertraut zu machen, die einen Interventionsverzicht begründen, weil dies als optimale Verhaltensweise empfunden wird, nicht aber weil es als politisch inopportun erscheint.

Literatur zu Kapitel 1

Bernholz, P., Breyer, F.; Grundlagen der Politischen Ökonomie, Bd 1: Theorie der Wirtschaftssysteme, Tübingen 1993

Brittain, S.; What Is Really Wrong with Today's Economics; in: Financial Times v. 21.12.2000; hier zitiert nach: Stadermann, H.-J., Steiger, O.; Eigentum und Verpflichtung – Freiheit, Transformation und Entwicklung; in: dies. (Hrsg.); Verpflichtungsökonomik. Eigentum, Freiheit und Haftung in der Geldwirtschaft, Marburg 2001, S. 9 – 30

Felderer, B., Homburg, St.; Makroökonomik und neue Makroökonomik, Heidelberg-Berlin-New York, 2003 (8. Aufl.)

Hedtke, R.; Kontroversität in der Wirtschaftsdidaktik; in: Gesellschaft, Wirtschaft, Politik, 51. Jg., Nr. 2, 2002, S. 173 – 186

Heine, M., Herr, H.; Volkswirtschaftslehre. Paradigmenorientierte Einführung in die Mikro- und Makroökonomie, München 1999

Heinsohn, Gunnar, Steiger, Otto; Eigentum, Zins und Geld. Ungelöste Rätsel der Wirtschaftswissenschaft, Marburg 2002 (2. Aufl.)

Heinsohn, Gunnar, Steiger, Otto; Eigentumstheorie des Wirtschaftens versus Wirtschaftstheorie ohne Eigentum, Marburg 2002

Heise, A.; Tauschwirtschaft und Geldökonomie. Historiographie, Dogmengeschichte und positive Theorie der monetären Produktion, Frankfurt 1991

Heise, A.; Bedeutung und Perspektiven des EU-Makrodialogs; in: ders. (Hrsg.); Neues Geld – alte Geldpolitik? Die EZB im makroökonomischen Interaktionsraum, Marburg 2002, S. 3, S. 373 – 395

Künzel, R.; Zum Verhältnis von Nationalökonomie und Politischer Ökonomie; in: Vogt, W. (Hrsg.); Politische Ökonomie heute, Regensburg 1988, S. 223 – 237

Kuhn, Th. S.; Die Struktur wissenschaftlicher Revolutionen, Frankfurt 1962

Lakatos, I.; Falsification and the Methodology of Research Programmes; in: Lakatos, I., Musgrave, A.; Criticism and the Growth of Knowledge, Cambridge 1970

Mäki, U.; The one world and the many theories; in: Hodgson, G. (Hrsg.); A Modern Reader in Institutional and Evolutionary Economics, Cheltenham 2002, S. 124 – 146

Priewe, J.; Fünf Keynesianismen. Zur Kritik des Bastard-Keynesianismus; in: Heseler, H., Huffschmid, J., Reuter, N., Troost, A. (Hrsg.); Gegen die Markt-Orthodoxie, Hamburg 2002, S. 33-47

Riese, H.; Wohlfahrt und Wirtschaftspolitik, Reinbek 1975

Ritsert, J.; Ideologie. Theoreme und Probleme der Wissenssoziologie, Münster 2002

Stadermann, Hans-Joachim, Steiger, Otto; Allgemeine Theorie der Wirtschaft, Erster Band: Schulökonomik, Tübingen 2001

2. Der Gegenstand: Was ist Wirtschafts-Politik?

Lernziele

1. Es handelt sich bei der ‚Wirtschafts-Politik' um einen vielschichtigen Untersuchungsgegenstand, der nicht allein durch eine normative Betrachtung erfasst werden kann.
2. Die Wahl der Ziele der Wirtschaftspolitik (‚Gemeinnutzen') muss als problematisch angesehen werden und beinhaltet bereits erheblichen gesellschaftspolitischen Diskussionsstoff.
3. Das Gemeinwohl als Handlungsmaxime der Wirtschaftspolitik kann nicht zweifelsfrei bestimmt werden, wenn gesellschaftliche Interessengegensätze unterstellt werden dürfen.
4. Auch eindeutig definierte Ziele der Wirtschaftspolitik können keineswegs punktgenau erreicht werden, wenn notwendige Informationen fehlen oder Wirtschaftsobjekte selbst zu Subjekten (also Handelnden) der Wirtschaftspolitik werden.

Im Folgenden wollen wir uns dem Gegenstand dieses Lehrbuches etwas genauer nähern: der Wirtschafts-Politik. Die Schreibweise deutet es bereits an, dass wir einen **transdisziplinären** Zugang zum Thema wählen wollen:

- Einerseits haben wir es mit offenbar mit einem Teilgebiet der **Politik** zu tun. Es muss uns also darum gehen, zu fragen, was ‚Politik' eigentlich meint und ob es eine ‚Logik der Politik' gibt, die wir für unseren spezifischen Untersuchungsgegenstand brauchbar machen können.
- Andererseits geht es um den Bereich menschlicher Interaktion, der sich mit der Bereitstellung von Gütern und Dienstleistungen unter Nutzung knapper Ressourcen beschäftigt, also mit der **Ökonomik**.

In der Wechselbeziehung beider Disziplinen besteht die Eigenständigkeit unseres Untersuchungsgegenstandes. Dabei wird versucht – im Gegensatz zur üblicherweise hegemonialen Usurpation des Politischen durch die Logik der Ökonomik –, eine gegenseitige Befruchtung von ökonomischen und politologischen Herangehens- und Untersuchungsweisen zu ermöglichen.

2.1. Die Logik des Politischen

Was ist eigentlich ‚Politik'? Was beinhaltet oder meint dieser Begriff? Eine Reihe von Zitaten (Box 2) macht deutlich, dass sich im Laufe der Geschichte zwar keine einheitliche Definition durchgesetzt hat, es aber doch wohl um eine zielgerichtete Aktivität im Interesse eines wie auch immer bestimmten Gemeinwesens oder eines reichlich abstrakten Staates oder einer Macht gehen muss.

Box 2: Was ist Politik?

„Politik ist die Summe der Mittel, die nötig sind, um zur Macht zu kommen und sich an der Macht zu halten ...“
Machiavelli, um 1515

„Politik ist der Kampf um die rechte Ordnung.“
Suhr/van der Gablenz 1950

„Politik ist gesellschaftliches Handeln, ..., welches darauf gerichtet ist, gesellschaftliche Konflikte über Werte verbindlich zu regeln.“
Lehmbruch 1968

„Politik ist die Führung von Gemeinwesen auf der Basis von Machtbesitz.“
Wilkens 1975

KARL MANNHEIM hat darüber hinaus darauf hingewiesen, dass ‚Politik‘ immer über **eigendefinierte Handlungsspielräume** verfügen muss, um sich von der bloßen **Administration** zu unterscheiden. Dies impliziert gleichermaßen die Zielauswahl wie die Instrumentenwahl. Während also die Administration lediglich vorgegebene Ziele durch den optimalen Mitteleinsatz zu erreichen versucht, umfasst Politik die Auswahl jener Ziele, deren (erfolgreiche?) Verfolgung dem Machterhalt der Politiker dient. Und mit ‚Macht‘ ist hierbei die Durchsetzung eigener Interessen (im Zweifel gegen die Interessen anderer) gemeint (vgl. z.B. Dowding [1996]). ‚Administration‘ ist damit der ‚Politik‘ hierarchisch untergeordnet, eine in der politischen Argumentation beliebte **Sachzwanglogik** (TINA – *There Is No Alternative*) ist dann ebenso unsinnig wie der legendäre Ausspruch eines deutschen Politikers, es gebe keine ‚linke oder rechte Wirtschaftspolitik‘ mehr, sondern nur mehr ‚moderne oder unmoderne‘ Wirtschaftspolitik. Hier wird auf der Instrumentenebene argumentiert, obwohl eigentlich die Zielebene gemeint ist.

Die politische Theorie hat eine Kategorisierung herausgearbeitet, die ich für die Wirtschafts-Politik übernehmen möchte[7]:

• Die **Policy-Ebene** beschreibt die normative Theorie der Politik. Hier wird nach der **Interventionsnotwendigkeit** eines (oder mehrerer) noch näher zu beschreibenden wirtschaftspolitischen Akteurs und den **Handlungsprogrammen** gefragt; oder kürzer: es geht um das ‚Sollen‘, für dessen Bestimmung die verschiedenen Paradigmen die Grundlage liefern. Als Beispiel soll der Themenkomplex ‚Inflation‘ dienen:
  – Es geht zunächst darum zu definieren, worin das Problem liegt.
  – Es müssen nachvollziehbare Ziele (z.B. Null-Inflation oder eine stabile Preisentwicklung) hergeleitet werden
  – Erklärung der Inflation als Phänomen preisgesteuerter Märkte (Handlungsprogramme in Abhängigkeit vom gewählten ökonomischen Paradigma)
  – Instrumenten- und Akteurswahl

---

[7] Vgl. z.B. Beck (1993); Pilz/Ortwein (2001); Meyer (2000).

- Die **Polity-Ebene** beschreibt die **Instrumente, Institutionen und Akteure** als eigenständige Problemebene. Es geht hier um die Umsetzung der auf der Policy-Ebene beschriebenen Handlungsprogramme, also das konkrete ,Können'. Als Beispiel soll die Koordinierung der Wirtschaftspolitik auf der Ebene der Europäischen Union (EU) dienen:
  - Das ,Sollen' muss auf der Policy-Ebene herausgearbeitet werden.
  - Die Akteure – im Rahmen des EU-Makrodialogs beispielsweise die Europäische Zentralbank, der Rat der Finanzminister (ECOFIN) und die europäischen Sozialpartner – müssen bestimmt und deren Kooperationsbeiträge beschrieben werden.
  - Institutionelle Einbettung zur Sicherstellung der Kooperationsbeiträge

Abbildung 2.1: Das politische Dreieck

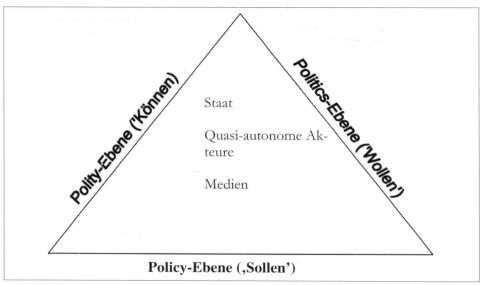

Policy-Ebene (,Können')

Politics-Ebene (,Wollen')

Staat

Quasi-autonome Akteure

Medien

Policy-Ebene (,Sollen')

Die verschiedenen Ebenen des Politischen fragen nach dem ,Sollen', dem ,Können' und dem ,Wollen'

- Schließlich muss auf der **Politics-Ebene** eine positive Theorie der Politik beschrieben werden. Hier wird danach gefragt, warum der wirtschaftspolitische Akteur genau das tut, was er in der Realität tut (und was beileibe nicht immer dem entspricht, was ihm der wirtschaftswissenschaftliche Ratgeber nahe legt); oder anders: es geht um das ,Wollen'. Im Mittelpunkt steht hier die **Interessengebundenheit** und der **gesellschaftliche Kontext** von wirtschaftspolitischen Entscheidungen. Als Beispiel mag die Umweltpolitik dienen:
  - Ziele und Handlungsprogramme auf der Policy-Ebene bestimmen (z.B. CO_2-Reduktion).
  - Instrumente festlegen
  - Realität der Politik – z.B. Blockade des Kyoto-Protokolls durch die USA – im Widerspruch zur normativen Festlegung konstatieren.

– Offenlegung der Interessen (z.B. der US-Industrie und US-Verbraucher) und gesellschaftlichen Rahmenbedingungen (weitgehendes Desinteresse an ökologischen Fragestellungen in der US-Politik).

Es lässt sich nun ein ‚politisches Dreieck‘ beschreiben (vgl. Abb. 2.1), dass nur in seiner Gesamtheit – also in der Trinität von Sollen, Können und Wollen – wirtschaftspolitische Entscheidungen in ihrer Komplexität erkennbar und nachvollziehbar macht.

Die Wirtschafts- und Sozialpolitik umfasst – und hierin unterscheidet sie sich von der Finanz- bzw. Staatswissenschaft – nicht nur den Staat als Akteur und Träger der Politik, sondern sie muss darüber hinaus quasi-autonome und kollektive Akteure betrachten, die durch ihre Entscheidungen eigenständige und klar registrierbare Auswirkungen – im Gegensatz zu atomistischen Marktteilnehmern – auf gesamtwirtschaftliche Größen wie das Wirtschaftswachstum, die Beschäftigung oder das Preisniveau haben – und folglich selbstständig Wirtschaftspolitik ‚machen‘. Außerdem müssen, wenn es um Entscheidungen und Handlungsoptionen in einer Medien-Demokratie geht, den Medien ein besonderes Augenmerk gewidmet werden – sie ‚machen‘ zwar keine Wirtschaftspolitik, sie beeinflussen aber die ‚Macher‘ (wesentlich). Dazu später mehr (vgl. Kap. 8.3).

2.2. Der Untersuchungsgegenstand

2.2.1 Ordnungspolitische und Staatskonzepte

Es geht also um Wirtschafts-Politik im Spannungsfeld von ‚Sollen‘, Können‘ und ‚Wollen‘ oder etwas eleganter formuliert: um Fragen der Steuerungs- und Interventionsnotwendigkeiten, -fähigkeiten und der Steuerungs- und Interventionswilligkeit der verschiedenen Träger der Wirtschaftspolitik als Subjekte und der Volkswirtschaft und seiner Wirtschaftsakteure als Objekte. Im weitesten Sinne ist also die Volkswirtschaft in ihren unterschiedlichsten ordnungspolitischen Ausprägungen der Untersuchungsgegenstand einer Theorie der Wirtschaftspolitik, die sich zunächst mit der Grundlage der eigenen Handlungen auseinander zu setzen hat.

Abbildung 2.2: Ordnungspolitische Konzeptionen

	Reine Marktwirtschaft	Reine Planwirtschaft	Gelenkte Marktwirtschaft
Grundlage	Privateigentum	Kollektiveigentum	Privateigentum und öffentliches Eigentum
Vorherrschender Koordinierungsmechanismus	Markt/dezentral/ horizontal Koordinierungsinstitutionen	Plan/zentral/ hierarchisch	Markt/dezentral/
Interessenkollusion Wirtschaftspolitische Eingriffe	Gering Rahmensetzung	Hoch/autoritär Totale Planung	Unterschiedlich Rahmensetzung/ Korrektur von Marktfehlern/ Verfolgung normativer Ziele

Archetypisch können wir zwischen der reinen Marktwirtschaft und der reinen Plan-wirtschaft und einer Mischform – der gelenkten Marktwirtschaft – unterscheiden. Die **reine Marktwirtschaft** basiert auf Privateigentum und der privaten Verfügungsfähig-keit über Produktions- und Konsumtionsmitteln. Die ökonomische Interaktion der Wirtschaftssubjekte – Konsumenten, Produzenten, Sparer oder Investoren – verläuft nach rein marktwirtschaftlichen Kriterien, d.h. ihre unterschiedlichen Pläne werden dezentral nach Nutzen- und Gewinnorientierung auf Märkten horizontal koordiniert. Die Bündelung verschiedener Interessen (z.B. der Konsumenten, der Arbeitnehmer oder Unternehmer) ist gering, die Verfolgung von Interessen erfolgt individuell durch Marktteilnahme. In diesem Modell des **klassischen Liberalismus** liegt die vornehm-ste Aufgabe der Wirtschaftspolitik in der Setzung eines Rechtsrahmens, der die hori-zontale Koordinierung der Aktionen der Wirtschaftssubjekte auf dem Markt ermög-licht: Sicherung der Eigentums- und Verfügungsrechte und Durchsetzung geschlossener Verträge. Als normative Konzeption wird die reine Marktwirtschaft von liberalen Ökonomen wie FRIEDRICH AUGUST VON HAYEK oder MILTON FRIEDMAN ver-treten, in der Realität findet sich diese Reinform des liberalen Kapitalismus nicht. Die **reine Planwirtschaft** hingegen basiert auf Kollektiv- oder Staatseigentum an Produk-tionsmitteln, die Interaktion der Wirtschaftssubjekte erfolgt zumindest auf der Produ-zentenebene nach strenger zentraler Planung und hierarchischer Koordination der Ak-tivitäten.[8] Die Interessen werden zumeist in autoritärer Form durch den zentralen Planer gebündelt und die wirtschaftspolitischen Eingriffe in der reinen Planwirtschaft sind allumfassend – lediglich auf der Endverbraucherebene verbleibt dem Wirtschafts-subjekt ein Minimum an eigenverantwortlicher, individueller Entscheidung. Mit dem Untergang des Sowjetimperiums und dem dramatischen Wandel der Volksrepublik China ist auch die reine Planwirtschaft weitgehend ausgestorben (vielleicht mit der Volksrepublik Nordkorea als Ausnahme). In der gegenwärtigen Realität finden wir vielmehr Mischformen beider Ordnungstypen vor, die wir unter dem Begriff ,gelenk-te Marktwirtschaft' zusammenfassen wollen. Sie basieren auf einer Koexistenz von Privat- und öffentlichem Eigentum an den Produktionsmitteln und einer prinzipiell marktlich-dezentralen Koordination der ökonomischen Interaktion – allerdings exis-tieren darüber hinaus verschiedenste Institutionen zur Koordinierung der Aktivitäten (z.B. Regulierungsbehörden, Kammern, etc.) und Kollusion der Interessen (z.B. Ge-werkschaften, Arbeitgeberverbände, etc.). Wirtschaftspolitik hat hier nun nicht nur die Aufgabe, einen Rahmen zu setzen, innerhalb dessen sich die Akteure frei bewegen können, sondern eigenständige Ziele zu verfolgen und Marktfehler (eine Begriflich-keit, die uns im Folgenden noch interessieren wird) zu beseitigen.

Im Weiteren wird davon ausgegangen, dass wir es im Wesentlichen mit ,gelenk-ten Marktwirtschaften' oder, wie es GERHARD WEGNER (1995: 12) nennt, mit ,**Marktwirtschaften in ihrer post-konstitutionellen Phase**' zu tun haben. Dann aber mag die vorstehende Charakterisierung zu ungenau sein, um die verschiedenen Facetten der ,**Varianten des Kapitalismus**'[9] abzubilden, die die neuere sozialwis-senschaftliche Forschung herausgearbeitet hat[10], aber auch die wirtschaftspolitische

---

[8] Es geht das Gerücht um, dass dem Begründer der sowjetischen Planwirtschaft – Lenin – die Deutsche Reichspost als Blaupause gedient haben soll.

[9] Zur ,Varieties of Capitalism'-Forschung, vgl. Hall/Soskice (2001).

[10] Vgl. z.B. Esping-Anderson (1996); Heinze/Schmid/Strünck (1999); Hirsch (1995); Pierson (1996).

Abbildung 2.3: Varianten des Kapitalismus

	(keynesianischer) Wohlfahrtsstaat	(schumpeterianischer) Wettbewerbsstaat
Ziel	Breiter sozialpolitischer Eingriff mit egalitärer ‚ausgleichender Gerechtigkeit‘ (ergebnisorientiert)	Funktionaler sozialpolitischer Eingriff zur Beseitigung von Notlagen + Schaffung von ‚Teilnahmegerechtigkeit‘ (ausgangsorientiert)
Orientierung	Binnenwirtschaft (Stabilisierungspolitik)	Außenwirtschaft (Standortpolitik)
Staatskonzeption	Aktiver Staat	Aktivierender Staat
Rahmenbedingungen	Rekonstruktion des Nationalstaates, regulierte Kapitalmärkte + Devisenmärkte	Globalisierung von Waren- und Finanzmärkten, regionale Integration
Dominante Herausforderung	Erhalt bzw. Rekonstruktion der ‚offenen Gesellschaft‘ (Demokratie + Kapitalismus)	Rekonstruktion der Staatlichkeit zwischen Supranationalität + anderen Vergesellschaftungsformen

Diskussion bestimmt (vgl. Abb. 2.3): Dem in den sechziger und siebziger Jahren des 20. Jahrhunderts sich entwickelnden **(keynesianischen) Wohlfahrtsstaat** wird seit geraumer Zeit der **(schumpeterianische) Wettbewerbsstaat** entgegen gestellt. Der Wohlfahrtsstaat basiert auf dem allgemein akzeptierten Ziel der ‚ausgleichenden Gerechtigkeit‘, das breite wirtschafts- und sozialpolitische Eingriffe (Stabilisierungs- und Verteilungspolitik) notwendig macht und als ‚ergebnisorientiert‘ beschrieben werden kann: es geht also um eine egalisierende Korrektur der Marktergebnisse. Dazu ist ein **starker, aktiver Staat** notwendig und eine weitgehend binnenwirtschaftliche Orientierung der Akteure die Voraussetzung. Derartige gesellschaftliche Rahmenbedingungen herrschten in der Phase der Nachkriegszeit, als es nach den katastrophalen Erfahrungen der Weltwirtschaftskrise und des 2. Weltkrieges – und insbesondere in Deutschland – zunächst darum gehen musste, die staatliche Strukturen in Form von Nationalstaaten zu rehabilitieren bzw. zu rekonstruieren und die ‚offenen Gesellschaften‘ – also Demokratie und kapitalistische Wirtschaftsstrukturen – zu erhalten und legitimieren. Dies geschah vor dem Hintergrund stark regulierter internationaler Finanz- und Devisenmärkte, einem festen Wechselkurssystem (Bretton Woods) und starker Beschränkung des internationalen Warenhandels. Der Wettbewerbsstaat hingegen reduziert die Eingriffsintensität des Staates erheblich und stellt auf eine ausgangsorientierte ‚Teilnahmegerechtigkeit‘ (es geht um die Teilnahme am Marktgeschehen, dessen Ergebnisse dann akzeptiert werden müssen) ab. Der **aktivierende Staat** fördert nur mehr in beschränktem Umfang und geknüpft an die Forderung der Eigeninitiative und der aktiven Teilnahme der Gesellschaftsmitglieder am Marktgeschehen. Mit der zunehmenden Außenwirtschaftsorientierung im Globalisierungsprozess gewinnen standortpolitische Maßnahmen größeres Gewicht, die Wettbewerbsfähigkeit der Volkswirtschaft gerät in den Blickpunkt der Gesellschaft, aber auch im Wettbewerb der wirtschafts- und sozialpolitischen Institutionen und Systeme wird ein gewünschtes **Entdeckungsverfahren** zur Evolution überlebensfähiger Strukturen gesehen – ‚Modernisierung‘ ist eines der Schlagworte dieser Kapitalismusvariante unter den Bedingungen der zunehmenden Globalisierung der Finanz-, Arbeits- und Gütermärkte.

Neben diese konstituierenden Merkmale verschiedener Kapitalismen tritt zunehmend die Problemstellung der Neudefinition und Neuverortung des National-Staates zwischen **supranationalen Vergemeinschaftungsformen** wie der Europäischen Union (EU) auf der einen Seite und völlig anderen Vergemeinschaftungsformen unterhalb der nationalen Ebene (z.B. Nachbarschaften), wie sie der **Kommunitarismus** beschreibt und die im Konzept des ‚aktivierenden Staates‘ ausdrücklich gefördert werden sollen. Zwar kann diese sozialwissenschaftliche Diskussion um die Zukunft moderner Staatlichkeit in diesem Lehrbuch nicht nachgezeichnet werden, doch wird uns später natürlich die wirtschafts- und sozialpolitische Steuerungsfähigkeit des traditionellen Nationalstaates angesichts zunehmender Globalisierung (**Global Governance**) interessieren müssen.

2.2.2 Funktionen und Ziele der Wirtschaftspolitik

In einem engeren Sinne kann der Untersuchungsgegenstand auch – wie in der ökonomischen Theorie im Allgemeinen – als die Analyse der optimalen Ressourcenverwendung zur Erstellung ‚öffentlicher Güter‘ verstanden werden, mit deren Hilfe der gesellschaftliche Nutzen in einer noch näher zu bestimmenden Weise befriedigt werden soll (vgl. Abb. 2.4).

Abbildung 2.4: Der Untersuchungsgegenstand im engeren Sinne

Ressourcenaufbringung	Öffentliche Güterverwendung	Gesellschaftlicher Nutzen
• Besteuerung/ Abgaben • Kreditaufnahme	• Allokative Funktion • Distributive Funktion • Stabilisierungsfunktion	• Sozioökonomisches Optimum • Grad der Zielerfüllung • Funktional

Die Bereitstellung öffentlicher Güter dient entweder der Funktion, die **Allokationsfähigkeit** der Märkte (wieder)herzustellen – also dem optimalen Ressourceneinsatz der privaten Güterproduktion Rechnung zu tragen. Oder sie ordnet dort, wo Marktergebnisse nicht gewünscht sind, ihre Leistungen einer **distributiven Funktion** unter, korrigiert also die personelle bzw. funktionale Einkommens- bzw. Vermögensverteilung. Schließlich lässt sich die **Stabilisierungsfunktion** der öffentlichen Güterverwendung festhalten, die auf eine Verstetigung der Wirtschaftsentwicklung konzentriert ist. In den Abschnitten der Policy-Ebene werden wir uns ausführlicher hiermit auseinander zu setzen haben.

Zur Erfüllung dieser Funktionen müssen die wirtschaftspolitischen Akteure über **Ressourcen** verfügen. Zumindest der Staat (und seine Gliederungen) – der uns an dieser Stelle besonders interessiert[11] – verfügt über die Möglichkeit, sich durch Besteuerung und Kreditaufnahme Zugang zu den erforderlichen Ressourcen zu verschaffen – dieser fiskalpolitische Teil der Wirtschaftspolitik spielt im Teilgebiet ‚Finanzwissenschaft‘ der wirtschaftswissenschaftlichen Disziplin eine herausragende Rolle und soll deshalb in einem Lehrbuch zur Wirtschafts- und Sozialpolitik eher weniger interessieren. Allerdings wird uns der Problembereich ‚öffentliche Verschuldung‘ sowohl auf der Policy-, als auch auf der Politics-Ebene später noch beschäftigen.

An dieser Stelle wollen wir uns etwas ausführlicher mit der **Zielsetzung** der Wirtschafts- und Sozialpolitik auseinander setzen. Wir haben bereits darauf hingewiesen, dass die Aktivitäten der wirtschafts- und sozialpolitischen Akteure Ziel gerichtet sein müssen, um nicht von vorne herein den Vorwurf zu provozieren, sie konstituierten einen Aktionismus, ein einfaches ‚muddling through‘. Indem intentionales Verhalten unterstellt wird, wird gleichzeitig davon Abstand genommen, idiosynkratische Motivationen wie Emotionen oder Irrsinn als Handlungsrationale betrachten zu wollen.

In Anlehnung an die Nutzentheorie der einzelnen Individuen (und Unternehmen) in der Mikroökonomik können wir ganz grundlegend zunächst formulieren – hierbei handelt es sich offenbar um eine normative Setzung – , dass die Wirtschaftspolitik einen gesellschaftlichen Nutzen erbringen muss, was wir als ‚**Maximierung der gesellschaftlichen Wohlfahrt**‘ bezeichnen wollen. Da auch der wirtschaftspolitische Akteur unter Restriktionen handelt (letztlich sind dies dieselben Restriktionen, denen auch die einzelnen Wirtschaftssubjekte unterliegen, die in ihrer Gesamtheit die Gesellschaft konstituieren), wird damit also eine Optimierungsaufgabe gestellt. Wir können – pragmatisch – zunächst annehmen, dass der **Grad der Zielerfüllung** Auskunft darüber gibt, in wie weit dieses Optimum erreicht werden konnte. Sind also alle gesteckten Ziele – z.B. Vollbeschäftigung, Preisstabilität, ein im voraus quantifiziertes Wachstumsmaß, etc. – zu 100 % erreicht, könnten wir sagen, dass die gesellschaftliche Wohlfahrt maximiert wurde. Offensichtlich lässt sich so der gesellschaftliche Nutzen nur bestimmen, wenn Ziele quantifizierbar sind – rein qualitative Ziele (z.B. eine ‚gerechte Einkommensverteilung‘, ein ‚angemessenes Wachstum‘) lassen sich so nicht als Bewertungsmaß heranziehen.

Analytisch sauberer ist deshalb der Versuch, wiederum in Anlehnung an die Nutzentheorien des Individuums, eine **gesellschaftliche Nutzen- bzw. Wohlfahrtsfunktion** zu bestimmen, die es unter Zugrundelegung der Restriktionen (z.B. gegebenes Budget oder volkswirtschaftliches Einkommen) zu optimieren gilt. In der **BERGSON-SAMUELSON-Wohlfahrtsfunktion**[12] sind verschiedene Zustände (z.B. das so genannte ‚magische Viereck‘ bestehend aus ‚hohem Beschäftigungsstand‘, ‚Preisstabilität‘, ‚angemessenem Wachstum‘ und ‚außenwirtschaflichem Gleichgewicht‘) als Argumente beschrieben:

---

[11] Unter ‚wirtschafts- und sozialpolitischem Akteur‘ bzw. ‚wirtschafts- und sozialpolitisch Verantwortlichen‘ haben wir weiter oben ausdrücklich nicht nur den Staat gefasst, sondern auch quasi-autonome, kollektive Akteure, die eigenständige Wirtschafts- und Sozialpolitik betreiben können. Damit bleibt selbstverständlich der Staat weiterhin das zentrale Subjekt, auf das wir uns allein aber nicht konzentrieren können – dies wird besonders auf der Polity- und Politics-Ebene deutlich. Geht es aber um die organisatorische und qualitative Beschreibung und quantitative Erfassung der Wirtschafts- und Sozialpolitik, so steht üblicherweise die ‚Staatstätigkeit‘ im Mittelpunkt.

[12] Diese Betrachtung geht auf Abram Bergson (1938) und Paul Samuelson (1947) zurück.

$$W = f(u_1, u_2, \dots u_n) \; ; \qquad \text{mit } u_i = \textbf{gesellschaftlicher Zustand, dem ein Nutzen beigemessen wird}$$

Neben dem auch hier offensichtlichen Probleme der klaren Beschreibung und Messung der Argumente der Wohlfahrtsfunktion stellt sich natürlich sofort die Frage, wer denn festlegt, welche gesellschaftlichen Zustände als wünschenswert und folglich Nutzen stiftend angesehen werden. Und selbst wenn man sich hierüber noch relativ schnell ‚einigen‘ könnte, so dürfte weniger einsichtig sein, mit welcher Priorität die Erreichung dieser gewünschten Zustände angestrebt werden soll. Gibt es also Institutionen, die eigenständig das ‚Gemeinwohl‘ definieren? Zumindest Ökonomen tun sich mit einer solchen Vorstellung ausgesprochen schwer.

Tauglicher scheinen deshalb jene Wohlfahrtsfunktionen zu sein, die den gesellschaftlichen Nutzen als Summe der individuellen Nutzenabwägungen im Sinne des BENTHAMschen **Utilitarismus** definieren. Auf DE GRAFF (1957) geht eine solche Nutzenfunktion zurück, deren Argumente den Nutzen der einzelnen Individuen beschreiben:

$$W = f(u_1, u_2, \dots u_i); \qquad \text{mit } u_i = \textbf{Nutzen des Individuums i}$$

Um nun nicht allzu hedonistisch argumentieren zu müssen, können wir durchaus annehmen, dass der Mensch als soziales Wesen der Gesellschaft an sich einen eigenständigen Nutzen zuordnet und damit auch altruistisch handeln darf, doch müssen solche Überlegungen sich letztlich in den individuellen Nutzenfunktionen widerspiegeln.[13] Das gesellschaftliche Wohlfahrtsmaximum ist erreicht, wenn die Individuen ihr Nutzenmaximum erzielt haben: **Das Gemeinwohl also als Aggregation der Individualnutzen**. KENNETH ARROW (1963) konnte allerdings nachweisen, dass sich auf dieser Grundlage nur unter sehr restriktiven Annahmen (z.B. homogene Individuen mit identischen Präferenzen) in konsistenter Weise eine solche gesellschaftliche Wohlfahrtsfunktion aggregieren lässt: Wir wollen annehmen, es gäbe 3 Individuen A, B und C mit unterschiedlichen Präferenzen. Dies drückt sich darin aus, dass sie in ordinaler Reihung den Zuständen x (z.B. Vollbeschäftigung), y (z.B. Preisstabilität) und z (z.B. eine egalitäre Einkommensverteilung), die das Gemeinwohl beschreiben sollen, unterschiedliche Präferenz beimessen. Individuum A legt größten Wert auf Vollbeschäftigung, hält aber auch Preisstabilität für wichtig. Eine egalitäre (gerechte?) Einkommensverteilung hingegen wird wenig gewertschätzt. Individuum B präferiert die Preisstabiliät vor einer egalitären Einkommensverteilung und geringschätzt Vollbeschäftigung. Die Präferenzordnung von Individuum C schließlich reiht die egalitäre Einkommensverteilung vor Vollbeschäftigung und der Preisstabilität.

A : x > y > z
B : y > z > x
C : z > x > y

---

[13] Das Nutzenkonzept des Homo Oeconomicus ist vielfach kritisiert worden. Je stärker die Eigennutz-Annahme (d.h. je expliziter die Berücksichtigung dritter Interessen ausgeschlossen ist), desto prognosesicherer wird ein darauf aufbauendes Modell, gleichzeitig aber umso unrealistischer.

Die Aggregation dieser Präferenzordnungen würde nun zu dem inkonsistenten – weil die Transitivität verletztenden – Phänomen führen, dass die Gesellschaft (bestehend aus den drei Individuen A, B, C) die Vollbeschäftigung der egalitären Einkommensverteilung vorzieht und diese wiederum der Vollbeschäftigung vorgezogen wird, also:

x > y > z > x

Hierin konstituiert sich ein offensichtlicher Widerspruch, der als **ARROW'sches Unmöglichkeitstheorem** bekannt wurde. Eine widerspruchsfreie Bündelung der individuellen Nutzenvorstellungen zu einer gesellschaftlichen Wohlfahrtsfunktion des utilitaristischen Typs ist nicht ohne weiteres möglich.

Es lassen sich nun eine Reihe von Auswegen aus dieser Situation denken:

- Die drei Individuen unterwerfen sich einer von ihnen anerkannten Autorität, der sie unterstellen, sie hätte nur das gemeinsame Wohl im Auge: **der wohlmeinende (benevolente) Diktator.**
- Einem der drei Individuen gelingt es, seine Präferenzordnung zur gesellschaftlichen Wohlfahrtsfunktion zu stilisieren. Dazu benötigt er ‚Macht‘ (die gerade so definiert werden kann, dass eigene Interessen gegen die Interessen anderer durchgesetzt werden können), kann also als (weniger wohlmeinender) **Diktator** verstanden werden. Aber auch PLATONS Philosophen-König – also der Vertreter einer gesellschaftlichen Elite, der allein entscheiden dürfe – könnte hierunter verstanden werden, auch wenn Platon den Philosophen-König als Konstrukt gerade dem Tyrannen entgegen stellte.
- Die Individuen versuchen durch **Wahlen** eine Präferenzordnung zu bestimmen, die mehrheitlich beschlossen wird. Hier allerdings zeigt sich ein Problem, dass schon der Franzose Marquis de CONDORCET Ende des 18. Jahrhunderts beschrieben hat, später nochmals durch KENNETH ARROW bekannt wurde: Unter der Annahme eines Mehrheits-Wahlrechts und heterogener Präferenzstruktur der Individuen lässt sich keine stabile Mehrheit für eine spezielle Präferenzordnung finden. Man stelle sich folgendes Wahlverfahren am obigen Beispiel vor:

Zustände x und y stehen zur Wahl: x würde mehrheitlich (2:1) als höherwertig gesetzt werden, da sowohl Individuum A als auch C x > y werten, gegenüber Individuum B, welches y > x setzt. In der folgenden Wahl zwischen x und z würde sich nun mehrheitlich (2:1) z durchsetzen. Diese Mehrheitswahl würde also folgende gesellschaftliche Präferenzordnung determinieren:

z > x > y

Hätte aber die erste Abstimmung nach der Alternative y oder z gefragt, so hätte sich y mehrheitlich (2:1) durchgesetzt, weil die Individuen A und B bei der Gegenstimme von C so entschieden hätten. Und in der folgenden Wahl zwischen y und x hätte sich x mehrheitlich durchgesetzt (s.o.) – die nun bestimmte gesellschaftliche Präferenzordnung hätte also folgendes Aussehen:

x > y > z

Wenn wir schließlich zuallererst x und z zur Abstimmung gebracht hätten, hätte sich mehrheitlich z durchgesetzt (s.o.) und in der zweiten Wahl zwischen z und y wäre y präferiert worden (s.o.) und die gesellschaftliche Präferenzordnung würde folgendermaßen aussehen:

$y > z > x$

Kurzum, und dies wird als **ARROW-Paradoxon** bezeichnet: Eine eindeutige gesellschaftliche Präferenz lässt sich mehrheitlich nicht bestimmen, die Reihung hängt vom Wahlverfahren, der Auswahl und dem Wahlprozess – oder allgemeiner: dem **Agenda-Setting und Framing-Prozess** – ab.[14] Je nachdem, welchem Individuum es (besser) gelingt, seine präferierten gesellschaftlichen Zustände (z.B. die Preisstabilität im Falle des Individuums B) in der Wahrnehmung der Wähler und im Wahlprozess zu platzieren, dessen Präferenzordnung wird sich schließlich durchsetzen, dessen Interessen werden zu ‚Interessen des Gemeinwohls‘. Im Gegensatz zur direkten Macht des Dikators kann dies wohl als ‚indirekte Macht‘ des ‚Agenda-Setters‘ bezeichnet werden – ein Umstand, auf den wir auf der Politics-Ebene noch genauer eingehen müssen.

Zwei weitere Anmerkungen müssen an dieser Stelle gemacht werden: (1) das eben dargestellte ARROW-Paradoxon tritt nur dann auf, wenn es tatsächlich so viele unterschiedliche Präferenzordnungen gibt, dass keine Mehrheiten gefunden werden können. Im obigen Beispiel gab es bei 3 Individuen und 3 Zuständen insgesamt 6 mögliche Präferenzordnungen (oder allgemein S(S-1), wobei S = Anzahl der Zustände). Insgesamt ergibt dies 216 (6^3 oder allgemeiner M^N, wobei M = Anzahl der Präferenzordnungen und N = Anzahl der Individuen) Kombinationsmöglichkeiten, wovon aber nur 12 (oder allgemeiner M[N-1]) das Paradoxon auslösen – in allen anderen Fällen lässt sich eine stabile Mehrheit bestimmen, d.h. eine der Präferenzordnungen stellt sich als sogenannter ‚**CONDORCET-Gewinner**‘ heraus.[15] Die Wahrscheinlichkeit, eine so heterogene Gesellschaft vorzufinden, dass das ARROW-Paradoxon auftritt, liegt in diesem Falle also bei etwa 6 % und sinkt mit der Anzahl der Individuen (vgl. z.B. Brown/Jackson 1996:100). Anders ausgedrückt: Unter der realistischen Bedingung einer relativ kleinen Anzahl an (relevanten) Zuständen, die die Wirtschaftspolitik zur Maximierung des Gemeinwohls zielgerichtet zu steuern versucht, und einer großen Anzahl an Individuen ist die Wahrscheinlichkeit nicht sehr groß, dass tatsächlich das Arrow-Paradoxon auftritt.[16] (2) Bislang haben wir unterstellt, dass die Individuen ihre Präferenzen lediglich ordinal, nicht aber kardinal ord-

---

[14] Unter ‚Agenda-Setting‘ wollen wir den Vermittlungsprozess (wirtschafts-)politischer Themen zwischen den Akteuren (Agenda-Builder) und den Wählern durch – im wesentlichen – die Medien verstehen (vgl. Scarcinelli/Schatz 2002; Hüning/Teuscher 2002), mit ‚Framing‘ ist die Deutung von Themen, die Vorgabe von Interpretationsvorschlägen zur Vereinfachung komplexer Situationen und deren Zuspitzung zu Entscheidungsalternativen gemeint (vgl. Hoffmann 2002; Seibel 2002). Neben der Wirkung auf den Wahlprozess im oben beschriebenen Sinn haben Agenda-Building, Agenda-Setting und Framing zweifellos aber auch die Aufgabe, den Prozess der Präferenzbildung bei den einzelnen Individuen zu beeinflussen.

[15] Beispiel: Wir unterstellen wieder die drei Individuen A, B und C und die möglichen Zustände x, y und z. Individuum A präferiert x > y > z, B : y > x > z und C : z > x > y. Hier nun ist x > y > z die mehrheitlich präferierte Ordnung, A der CONDORCET-Gewinner.

[16] Hierbei muss allerdings zugestanden werden, dass die Anzahl der Zustände, die den individuellen Nutzen berühren, deutlich steigen kann, wenn die weitreichenden allokativen Effekte, die Marktinterven-

nen können. Sollte es aber möglich sein, Aussagen über die individuelle Gewichtung verschiedener Zustände zu machen (z.B. indem die Individuen ihre Wertigkeit auf einer Skala zwischen 1 und 10 festlegen müssen), dann kann mithilfe der ‚Borda-Regel‘ (vgl. Grüner 2001: 11) durchaus konsistent eine gesellschaftliche Wohlfahrtsfunktion aggregiert werden, wenn der Staat – z.B. durch Umfragen – diese kardinale Wertung nur erfährt und sie verarbeiten kann. Ein derartiges Verfahren liefe auf eine – ohnehin in der jüngeren Vergangenheit zunehmend zu beobachtende – ‚Politik nach Meinungsumfrage‘ oder das ‚gläserne Individuum‘ hinaus.

Es zeigt sich also, dass das scheinbar so plausible Ziel wirtschaftspolitischer Aktivität, das Gemeinwohl, alles andere als einfach zu fassen und definieren ist. Wir sollten also skeptisch sein, wenn jemand verspricht, er würde im Sinne des Gemeinwohls handeln. Andererseits wäre die Schlussfolgerung, das Gemeinwohl (oder genauer: eine gesellschaftliche Wohlfahrtsfunktion) gebe es nicht, wohl allzu drastisch, einigermaßen unpraktisch und auch nicht gerechtfertigt. In Demokratien wird das Gemeinwohl letztlich über Wahlen bestimmt und kontrolliert. Aufgrund der indirekten Macht der ‚Agenda-Setter‘ und ‚Framer‘ im ‚Agenda-Building-Prozess‘ müssen wir dem Entstehen von Mehrheiten allerdings immer besonderes Augenmerk widmen.

Das Problem der Bestimmung des ‚Gemeinwohls‘ kann allerdings vollständig umgangen werden, wenn wir uns auf dem Boden des tauschtheoretischen Paradigmas befinden und der makroökonomischen Aggregation der Ergebnisse der Mikroökonomie in der **Allgemeinen Gleichgewichtstheorie** (AGT) Glauben schenken. Die AGT beschreibt ein intertemporales Tausch- und Produktionsgleichgewicht, dessen Kennzeichen die **Pareto-Optimalität** ist: Kein Mitglied der Gesellschaft kann mehr besser gestellt werden, ohne gleichzeitig ein anderes Mitglied schlechter stellen zu müssen. Nutzen- und gewinnmaximierendes Verhalten selbstsüchtiger Individuen und Unternehmen garantiert – quasi hinter ihrem Rücken und ohne Vorsatz (ADAM SMITH gebrauchte in diesem Zusammenhang seine bekannte Metapher von der ‚unsichtbaren Hand‘) – auch gesamtwirtschaftlich ein optimales Ergebnis, eine wahrlich PANGLOSS'sche Welt also. Natürlich würden auch Proponenten der AGT nicht behaupten wollen, dass sich die Wirtschaft eines Landes zu jedem Zeitpunkt in diesem himmlischen Zustand befindet, aber er ist der **Referenzpunkt**, zu dem eine Volkswirtschaft konvergiert, wenn die Wirtschaftssubjekte nur unter den Voraussetzungen handeln könnten, die die AGT annimmt. Wir werden weiter unten noch auf diese notwendigen und – vorweg gesagt – sehr unrealistischen Annahmen zu sprechen kommen, dürfen aber hier bereits festhalten, dass sich aus der (mathematischen) Existenz eines optimalen Tauschgleichgewichtes jene Ziele der Wirtschaftspolitik quasi **funktionalistisch** ableiten lassen, ohne aufwendig und – wie gesehen – erfolglos individuelle Nutzenfunktionen aggregieren zu müssen: Es geht lediglich darum, die Voraussetzungen zu schaffen, die einwandfrei funktionierende Märkte benötigen. Die Ziele der Wirtschaftspolitik sind also **abgeleitet** aus der überlegenen Allokationsfähigkeit des Marktes und können deshalb allenfalls als Zwischen-Ziele begriffen werden, für deren Aufstellung es keine individuellen Nutzenherleitun-

---

tionen haben können, berücksichtigt werden. Als Zustände, die das ‚Gemeinwohl‘ ausmachen, würden dann beispielsweise nicht nur die oben genannten Ziele des ‚magischen Vierecks‘ zu werten sein, sondern auch jede Veränderung der relativen Preise, die sich im Gefolge der Eingriffe in das Marktgeschehen ergeben.

gen bedarf. Funktionalität bestimmt die Wirtschaftspolitik in dieser Vorstellung, die dann allerdings konsequent nur mehr Administration wäre!

Sobald aber – wie im alternativen postkeynesianischen Paradigma – die tausch-theoretischen Fundamente des Wirtschaftens und mithin die Pareto-Optimalität des theoretischen Referenzpunktes eines gesamtwirtschaftlichen Gleichgewichts be-stritten wird, entfällt auch die Grundlage dieser funktionalistischen Herleitung der Wirtschafts-Administration.

2.2.3. Steuerungs(un-)fähigkeit

Im engsten Sinne bilden die Wirtschaftssubjekte, die Träger der Wirtschafts- und Sozialpolitik sind, den Brennpunkt unserer Untersuchung. Gewöhnlich wird davon ausgegangen, dass als handelndes Subjekt (oder auch **Prinzipal**) der ‚Staat' bzw. als dessen **Agent** die ‚Bürokratie' Maßnahmen zur Bereitstellung öffentlicher Gü-ter ergreift, und die privaten Haushalte und Unternehmungen – als Objekte –, diese öffentlichen Güter nutzen und finanzieren.

Hierbei wird unterstellt, dass das **wirtschaftspolitische Subjekt** – also der Staat im gewöhnlichen Sprachgebrauch und vertreten durch die jeweilige Regierung – ge-mäß festgelegter Ziele jene Mittel auswählt, mit deren Hilfe die Ziel führenden öf-fentlichen Güter (sei es also die Geldpolitik zur Bereitstellung des öffentlichen Gu-tes ‚Preisstabilität', die Finanzpolitik zur Bereitstellung des öffentlichen Gutes ‚hoher Beschäftigungsstand' oder etwa der Bau und Betrieb von Schulen zur Be-reitstellung des öffentlichen Gutes ‚Bildung') erzeugt und angeboten werden kön-nen. Die **wirtschaftspolitischen Objekte** sind dann die privaten Haushalte und/oder Unternehmen, die allerdings gleichzeitig die Ressourcen aufbringen müssen, mit de-nen die öffentlichen Güter hergestellt werden können.

Abbildung 2.5: Subjekte und Objekte der Wirtschaftspolitik

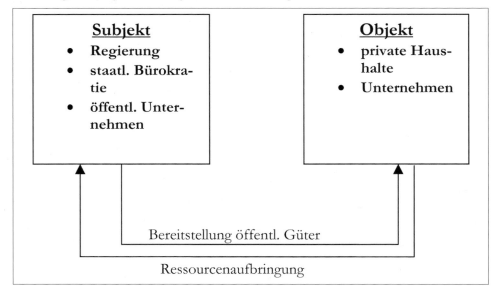

Ein derartiger **Ziel-Mittel-Ansatz** der Wirtschaftspolitik unterstellt einerseits die eindeutige Identifikation von Zielen und Mitteln und andererseits die vollständige Subordination aller Träger der Wirtschaftspolitik unter die Entscheidungs- und Handlungskompetenz des Staates. Wirtschaftspolitik wird nun zu **hydraulischer ‚Soziokybernetik'** oder, wie es JAN TINBERGEN (1952) nannte, **quantitative Wirtschaftspolitik**. In Analogie zur Lehre der Mechanik bedarf es ‚lediglich' der Auswahl der richtigen Instrumente und der richtigen Dosierung, um ein anvisiertes Ziel im vorgesehenen Ausmaß zu erreichen.

Die Gültigkeit beider Annahmen wird allerdings bestritten: FRIEDRICH AUGUST VON HAYEK negiert die Fähigkeit des wirtschaftspolitischen Akteurs, jene Mittel (besser als die Wirtschaftseinheiten selbst) kennen und wählen zu können, die die Gesamtheit der Individuen und Unternehmen, die eine Volkswirtschaft ausmachen, näher an das Ziel eines pareto-optimalen Einsatzes der vorhandenen Ressourcen bringen (Non-Dezisionismus). Aufgrund der immensen Mengen an zu verarbeitenden Informationen, die zur eindeutigen Determination eines (pareto-optimalen) ‚Allgemeinen Gleichgewichts' nötig sind, und der Beschränktheit der Informationsverarbeitungskapazität der Menschen geht HAYEK zwar davon aus, dass sich die Gesellschaft (und Volkswirtschaft) nicht ständig in diesem Optimalzustand befindet, er bestreitet aber gleichzeitig, dass der wirtschaftspolitische Akteur über mehr Informationen oder bessere Informationsverarbeitung verfügt als die individuellen Marktteilnehmer.[17] Während TINBERGEN also von einer **absoluten Steuerungsfähigkeit** der Wirtschaftspolitik (Teleokratie) ausgeht, laufen HAYEKs Überlegungen auf eine **völlige Steuerungsunfähigkeit** der durch die Gesetzmäßigkeiten nutzen- und gewinnmaximierender Individuen und Unternehmen beschriebenen Volkswirtschaft (Nomokratie) hinaus.[18] Zwar kann Wirtschaftspolitik in diese Gesetzmäßigkeiten **eingreifen**, sie kann sie nach HAYEK aber nicht Ziel gerichtet **steuern** (Non-Dezisionismus). Damit sind zwei Extrempunkte einer wirtschaftspolitischen Antinomie beschrieben.[19]

Mit der Existenz quasi-autonomer Akteure, die über **interdependente Bereiche** der Wirtschaftspolitik entscheiden, aber auch im Zuge der zunehmenden Abhängigkeit der vom Staat direkt kontrollierten Teile der Wirtschaftspolitik von **globalen Entwicklungen** einerseits (beispielsweise im Zuge der Europäischen Integration) und der **Dezentralisierung** andererseits (im föderalen Staat existieren eigenständige Gebietskörperschaften, die der Zentralregierung nicht notwendigerweise subordiniert sind) entsteht allerdings ein großer Bereich der **beschränkten Steuerungs-**

---

[17] Natürlich geht HAYEK von einem Nutzen gesteuerten Umgang der Individuen und Unternehmen mit der Informationssammlung und –verarbeitung aus: Es werden solange Informationen gesammelt und genutzt, solange der Nutzen einer zusätzlichen Informationseinheit dessen Sammlungs- und Verarbeitungskosten überschreitet.

[18] Die Unterscheidung in ‚Teleokratie' und ‚Nomokratie' geht auf Friedrich August von Hayek (1969: 224) zurück: „Eine Nomokratie (beruht) ... auf allgemeinen Regeln oder Nomoi..., während Teleokratie einer Taxis (Anordnung oder Organisation) entspricht, die auf bestimmte Ziele oder Teloi gerichtet ist. Für erstere besteht das ‚Öffentliche Wohl' oder ‚Gemeinwohl' ausschließlich in der Erhaltung jener abstrakten zweckunabhängigen Ordnung, die durch die Befolgung abstrakter Regeln gerechten Verhaltens gesichert wird.... Andererseits besteht in einer Teleokratie das Gemeinwohl aus der Summe der Einzelinteressen, d.h. der Summe der konkreten, voraussehbaren Ergebnisse, die bestimmte Menschen oder Gruppe angehen."

[19] Mit besonderer Vehemenz hat Hajo Riese (1988; 1995; 1998) auf diese Antinomie hingewiesen.

Abbildung 2.6: Wirtschaftspolitische Antinomie

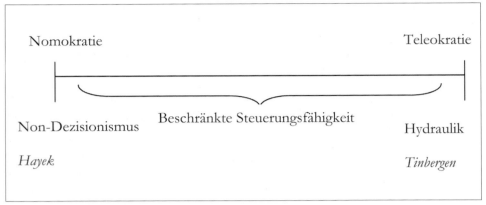

Zwischen den Extrempositionen vollständiger Steuerbarkeit einerseits und vollständiger Steuerungsunfähigkeit liegt der weite Bereich der beschränkten Steuerbarkeit

fähigkeit, der zwar die Hydraulik des teleologischen Ansatzes negiert, ohne aber gleich dem Non-Dezisionismus der HAYEK'schen Nomokratie das Wort zu reden. Die Objekte der Wirtschaftspolitik werden also zu eigenständigen Subjekten (s. Abschnitt 2.3.). Neben die Identifikation von Zielen und Instrumenten tritt hier nun die Notwendigkeit, **Kooperationen** zwischen den autonomen nationalen oder internationalen Akteuren auf verschiedenen Ebenen (innerhalb eines Politikfeldes etwa zwischen den nationalen finanzpolitischen Akteuren auf EU-Ebene oder zwischen verschiedenen Politikfeldern innerhalb des europäischen Makro-Dialogs[20] oder einer ‚konzertierten Aktion') anleiten zu müssen.

2.3. Kollektive Akteure in der Wirtschaftspolitik – einige korporatismustheoretische Überlegungen

Die Wirtschaftswissenschaft tendiert dazu, vornehmlich individuelle Marktteilnehmer zu betrachten, die auf freien Märkten ihren Nutzen zu maximieren suchen. Zwar lässt es sich nicht bestreiten, dass es auf den verschiedensten Märkten immer wieder zu einer Reduzierung der Anzahl der Anbieter und Nachfrager kommt, die der Vorstellung von atomistischer Konkurrenz zuwider läuft, doch wird dies lediglich beklagt und die negativen Auswirkungen auf die Wohlfahrt der Gesellschaft dargestellt. Es blieb weitgehend der Politikwissenschaft (u.a. GERHARD LEHMBRUCH und PHILLIP SCHMITTER 1982 und Schmitter/Lehmbruch 1979) überlassen, die Bedeutung kollektiver Akteure – als Bezeichnung für die Kollusion von Interessen individueller Marktteilnehmer – zur Erzeugung öffentlicher Güter wie ‚Lohn-, Preis- und

---

[20] Im Rahmen des Kölner Prozesses der EU-Beschäftigungspolitik ist die Abstimmung von Geld-, Lohn- und Finanzpolitik vorgesehen, die als ‚Makro-Dialog' bezeichnet wird; vgl. Heise (2002). Später wird hierauf noch zurückzukommen sein.

Systemstabilität' oder der Ermöglichung von Kooperationen zwischen den verschiedenen Trägern der Wirtschaftspolitik zum Beispiel in konzertierten Aktionen herauszustellen. Von **Korporatismus** wird dann gesprochen, wenn derart kollektive Interessenorganisationen Einfluss auf die Wirtschaftspolitik ausüben und hierzu durch formale Anerkennung (z.B. von Gewerkschaften und Arbeitgeberorganisationen als ausschließliche Träger der Tarifpolitik) oder Aufforderung (z.B. im Rahmen von ‚Bündnis für Arbeit'-Politikrunden) vom staatlichen Akteur ermächtigt sind. Häufig werden derartige Bündnisse auf die Kollusion der Interessen der Arbeitnehmer und der Arbeitgeber und deren Absprachen mit dem Staat in **tripartistischen Gremien** konzentriert – die **Sozialpartnerschaft**.

Die neoklassisch-monetaristische Markttheorie (vgl. z.B. Donges/Freytag 2001: 199ff.) sieht in organisierten Interessen – sei es auf Arbeits- oder Gütermärkten – lediglich den Versuch, gegenüber dem ungezügelten Marktergebnis **ungerechtfertigte Einkommen** (Quasi-Renten) zu erzielen (‚Rent-seeking') – die Koordination der Interaktion zweier Wirtschaftssubjekte ohne gemeinsame Zielsetzung (wie dies bei Anbietern und Nachfragern angenommen werden kann) sollte deshalb auf Märkten erfolgen, die keine derartigen Kartelle zulassen. Die Korporatismustheorie hingegen stellt darauf ab, dass die Koordination – also ein Interessenausgleich bzw. Konsens – zwischen Wirtschaftssubjekten abseits des Marktes durch einen ‚**Bargaining-Prozess**' (Austausch von Zugeständnissen) erzielt werden kann, ohne dass die Wohlfahrt der Gesellschaft leiden muss. Dies ist allerdings nur vorstellbar, wenn die Kosten dieses Bargaining-Prozesses (die z.B. in ungerechtfertigten Zugeständnissen aufgrund unterlegener Verhandlungsposition bestehen können) geringer sind, als die Kosten der Marktkoordination (die z.B. in Transaktionskosten bestehen können). Erst mit der Konstruktion ‚**umfassender Organisationen**' (encompassing organisations) durch MANCUR OLSON (1985), die die Verhandlungskosten einschätzen können und vermeiden, sind diese Überlegungen in den Ansatz des polit-ökonomischen Zwillings der herrschende Markttheorie (Public Choice) eingegangen, allerdings wird doch regelmäßig unterstellt, dass derartige Organisationen schnell in Partikularinteressen zerfallen und deshalb der ‚Korporatismus Amok läuft' (Berthold 1995: 70).

Der Einfluss des Korporatismus auf die makroökonomischen Ergebnisse – z.B. die Inflationsrate oder die Arbeitslosigkeit – wurde vielfach untersucht (vgl. z.B. Schmitter 1981; Schmidt 1982; Schmidt 1986). Im Zusammenhang mit der Wirtschaftspolitik wird uns später im Wesentlichen der Einfluss der kollektiven Akteure als quasi-autonome Träger der Wirtschaftspolitik und ihre Fähigkeit und Bereitschaft zur Kooperation mit interdependenten Politikbereichen interessieren.

Literatur zu Kapitel 2

Arrow, K.J.; Social Choice and Individual Values, New York 1963 (2. Auflage)

Beck, U.; Erfindung des Politischen – Zu einer Theorie reflexiver Modernisierung, Frankfurt 1993

Bergson, A.; A Reformulation of Certain Aspects of Welfare Economics; in: Quarterly Journal of Economics, Vol. 52, 1938, S. 310 – 354

Berthold, N.; Beschäftigungspakt – Ein gefährlicher Irrweg; in: Wirtschaftsdienst, H.2, 1995, S. 67 – 71

Coase, R.; The Problem of Social Cost; in: Journal of Law and Economics, Vol. 3, 1960, S. 1 – 44

Coase, R.; The Lighthouse in Economics; in: Journal of Law and Economics, Vol. 17, 1974, S. 357 – 376

Donges, J. B., Freytag, A.; Allgemeine Wirtschaftspolitik, Stuttgart 2001

Dowding, K.; Power, Buckingham 1996

Esping-Anderson, G. (Hrsg.); Welfare States in Transition. National Adaptions in Global Economics, London 1996

Hayek, F. A. v.; Die Sprachverwirrung im politischen Denken, Freiburger Studien, Tübingen 1969, S. 206 – 231

Heinze, R. G., Schmid, J., Strünck, Chr.; Vom Wohlfahrtsstaat zum Wettbewerbsstaat, Opladen 1999

Hirsch, J.; Der nationale Wettbewerbsstaat. Staat, Demokratie und Politik im globalen Kapitalismus, Berlin 1995

Hoffmann, J.; ‚Kinder-Inder-Clementinen‘. Ein Blick aus der Akteursperspektive auf Themenrahmung und Image-Building im nordrhein-westfälischen Landtagswahlkampf 2000; in: Scarcinelli, U., Schatz, H. (Hrsg.); Mediendemokratie im Medienland?, Opladen 2002, S. 119 – 154

Hüning, W., Teuscher, J.; Medienwirkungen von Parteistrategien. Agenda-Buildingprozesse im nordrhein-westfälischen Landtagswahlkampf 2000; in: Scarcinelli, U., Schatz, H. (Hrsg.); Mediendemokratie im Medienland?, Opladen 2002, S. 289 – 317

Kahn, A. E.; The Economics of Regulation, Cambridge (Mass.) 1988

Lehmbruch, G., Schmitter, P.; Patterns of Corporatist Policy Making, London 1982

Mannheim, K.; Ideologie und Utopie, Frankfurt 1952

Meyer, Th.; Was ist Politik?, Opladen 2000

Olson, M.; Aufstieg und Niedergang von Nationen. Ökonomisches Wachstum, Stagnation und soziale Starrheit, Tübingen 1985

Pierson, P.; The New Politics of the Welfare State; in: World Politics, Vol. 48, Nr.2, 1996, S. 143 – 179

Pilz, F., Ortwein, H.; Das politische System Deutschlands, München 2001

Riese, H.; Wider den Dezisionismus der Theorie der Wirtschaftspolitik; in: Vogt, W. (Hrsg.); Politische Ökonomie heute, Regensburg 1988, S. 91 – 115

Riese, H.; Das Grundproblem der Wirtschaftspolitik; in: Betz, K., Riese, H. (Hrsg.); Wirtschaftspolitik in einer Geldwirtschaft, Marburg 1995, S. 9 – 27

Riese, H.; Zur Reformulierung der Theorie der Makropolitik; in: Heise, A. (Hrsg.); Renaissance der Makroökonomik, Marburg 1998, S. 25 – 39

Samuelson, P. A.; The Foundations of Economic Analysis, Cambridge (Mass.) 1947

Scarcinelli, U., Schatz, H.; Von der Parteien- zur Mediendemokratie. Eine These auf dem Prüfstand; in: dies. (Hrsg.); Mediendemokratie im Medienland?, Opladen 2002, S. 9 – 32

Schmidt, M. G.; Does Corporatism Matter?, in: Lehmbruch, G., Schmitter, P. (Hrsg.); Pattern of Corporatist Policy Making, London 1982

Schmidt, M. G.; Politische Bedingungen erfolgreicher Wirtschaftspolitik; in: Journal für Sozialforschung, Jg. 26, 1986, S. 251 – 273

Schmitter, P.; Interest Intermediation and Regime Governability in Western Europe and North America; in: Berger, S. (Hrsg.); Organizing Interests in Western Europe, Cambridge 1981, S. 287 – 327

Schmitter, P., Lehmbruch, G. (Hrsg.); Trends towards corporatist intermediation, London 1979

Seibel, W.; Politische Lebenslügen als Self-Destroying Prophecies. Die Treuhandanstalt im Vereinigungsprozeß; in: Soeffner, H.-G., Tänzler, D. (Hrsg.); Figurative Politik. Zur Performanz der Macht in der modernen Gesellschaft, Opladen 2002, S. 225 – 251

Wagner, A.; Grundlegungen der politischen Ökonomie, Leipzig 1876

3. Öffentliche Güterbereitstellung – Theorie, Erfassung und Umfang wirtschaftspolitischer Aktivität

Lernziele

1. Alle Güter und Dienstleistungen sind durch zwei allgemeine Charakteristika gekennzeichnet, deren Kombination darüber entscheidet, ob sie als öffentliche oder private Güter bezeichnet werden können.
2. Der Staat muss als eigenständiger Akteur die Bereitstellung öffentlicher Güter übernehmen, weil die Selbstorganisation der individuellen Gesellschaftsmitglieder an mannigfaltigen Kooperationsproblemen zu scheitern droht.
3. Die gebräuchlichen Indikatoren der Staatstätigkeit sind problembehaftet und in ihrer Aussagekraft unsicher.
4. Das tatsächliche Ausmaß der Staatstätigkeit und seine zeitliche Entwicklung werden dargelegt und erklärt.
5. Die zeitliche Entwicklung der Staatstätigkeit kann sehr unterschiedlichen Motivationen geschuldet sein und eine Bewertung muss deshalb sehr vorsichtig vorgenommen werden.
6. Es soll ein einführender Überblick über das deutsche Steuersystem gegeben werden.

Als den Träger der Wirtschafts- und Sozialpolitik im engeren Sinne haben wir den Staat identifiziert. Als Kennzeichen moderner Nationalstaatlichkeit werden die **Ressourcen-**, die **Ziel-** und die **Anerkennungsdimension** genannt (vgl. Zürn 1998). Unter Ressourcendimension wird das uneingeschränkte Gewaltmonopol und die in klar festgelegten territorialen Grenzen durchgesetzte Ressourcenaufbringung verstanden, mit Zieldimension ist die Tatsache angesprochen, dass moderne, demokratische Staaten – im Gegensatz zu Feudalstaaten oder Diktaturen – einer wie auch immer definierten Gemeinwohlorientierung zu folgen haben. Beides zusammen beschreibt die **interne Legitimation** eines Staates, die durch die **externe Legitimation**, also die Anerkennung durch andere Staaten bzw. die Staatengemeinschaft, ergänzt wird: die Anerkennungsdimension. Wir werden später noch darauf zu sprechen kommen, dass insbesondere die Ressourcendimension moderner Staaten – also die räumlich begrenzte Aufbringung von Mitteln und die Bereitstellung von öffentlichen Gütern – im Zuge der zunehmenden Globalisierung und der Integration von Nationalstaaten in Verflechtungsräumen (wie der Europäischen Union) bedroht ist.

3.1. Theorie der öffentlichen Güter

An dieser Stelle soll zunächst auf das Vehikel der Gemeinwohlorientierung – die Bereitstellung **öffentlicher Güter** – eingegangen werden. Was also sind öffentliche Güter? All jene Güter und Dienstleistungen, die der Staat zur Verfügung stellt? Das wäre gewiss eine Tautologie und, vor allem, wenig analytisch. Außerdem werden manche Güter in dem einen Land vom Staat, in dem anderen Land aber von privaten Produzenten angeboten. Und die Entwicklungen z. B. im Bereich der Telekommunikation und des Postwesens zeigen uns, dass auch über die Zeit hinweg Güter in einem Land mal vom Staat, mal von privaten Anbietern oder gar von beiden gleichzeitig hergestellt werden. Um also analytisch an die Fragestellung heran zu gehen, müssen wir uns vor Augen halten, dass alle Güter und Dienstleistungen durch zwei Dimensionen gekennzeichnet sind: Die Ausschlussfähigkeit und die Rivalität im Konsum. Die **Ausschlussfähigkeit** fragt danach, ob es gelingt, potenzielle Konsumenten vom Genuss eines Gutes auszuschließen oder nicht. Die **Rivalität im Konsum** hingegen blickt darauf, ob die Konsumtion eines Gutes oder einer Dienstleistung durch ein Wirtschaftssubjekt andere Wirtschaftssubjekte (schlicht durch Verzehr) daran hindert, dasselbe Gut ebenfalls zu nutzen.

Gewöhnlich denken wir an **reine private Güter** wie Äpfel oder Autos, Walzstahl oder den Haarschnitt als Frisördienstleistung – die Ausschlussfähigkeit dieser Güter und Dienstleistungen konstituiert ihre Marktgängigkeit, die Konsumrivalität sorgt dafür, dass wir von additiven Kosten ausgehen können, d.h. mit der Ausbringungsmenge steigen die Produktionskosten langfristig proportional, kurzfristig gar überproportional. Die Mikroökonomie zeigt uns, dass solcherart charakterisierte Güter getrost der privaten (Produktions-)Initiative überlassen bleiben sollten, da wir eine effiziente und an den Konsumenteninteressen orientierte Produktion erwarten dürfen, wenn die entsprechenden Gütermärkte der theoretischen Vorstellung eines ‚vollkommenen Marktes‘ nur nah genug kommen.

Abbildung 3.1: Öffentliche Güter

	Ausschlußfähigkeit	**Nicht-Ausschlußfähigkeit**
Rivalität im Konsum	**Reine private Güter** (z.B. PKW, Computer)	**Gemeinschafts- oder Allmende-Güter** (z.B. Umwelt; innere Sicherheit)
Nicht-Rivalität im Konsum	**Gemischte oder Mautgüter** (z.B. Infrastruktur, Bildung)	**Reine öffentliche Güter** (z.B. Leuchttürme; äußere Sicherheit; Konjunkturstabilisierung)

Güter können nach den Charakteristika ‚Ausschlußfähigkeit‘ und ‚Konsumrivalität‘ in vier verschiedene Kategorien eingeteilt werden

Dem stehen die **reinen öffentlichen Güter** gegenüber, für die weder die Ausschlussfähigkeit hergestellt werden kann, noch die Konsumrivalität gilt: Von der Signal- und Leitungsfunktion von Leuchttürmen beispielsweise kann kein vorüberfahrendes Schiff ausgeschlossen werden, diese Dienstleistung wird aber gleichzeitig nicht ,aufgezehrt', wenn sie von einem Schiff konsumiert wurde – sie steht gleichzeitig unendlich vielen anderen Konsumenten zur Verfügung. Ähnlich sieht es mit dem reinen öffentlichen Gut ,äußere Sicherheit', ,Konjunkturstabilisierung' oder ,Preisstabilität' aus. Ohne Ausschlussfähigkeit aber wird kein Markt zu konstituieren sein, denn potenzielle Konsumenten würden sich weigern, ihre **Zahlungsbereitschaft** zu offenbaren: Warum sollten Sie einem Anbieter eine Leistung honorieren, die dieser ihnen ja aufgrund der mangelnden Ausschlussfähigkeit eh nicht vorenthalten könnte. Reine öffentliche Güter würden deshalb von privaten Anbieter, zumindest wenn sie rational sind, nicht angeboten werden.[21]

Neben diesen beiden ,reinen' gibt es noch zwei weitere Mischgüter: die Allmende- bzw. Gemeinschaftsgüter und die Mautgüter. **Allmendegüter** zeichnen sich zwar durch Rivalität im Konsum, nicht aber durch Ausschlussfähigkeit aus. Typischerweise wird hierfür die Umwelt genannt, deren ,Dienstleistungen' saubere Luft, sauberes Wasser, Ruhe, etc. zwar ,verbraucht' und damit dem Konsum durch die Mitmenschen entzogen werden kann, von dessen Nutzung aber zunächst niemand ausgeschlossen werden kann. Allerdings muss man immer ganz genau hinschauen: Vom Konsum des vom Himmel fallenden Wassers in Form von Regen kann tatsächlich niemand ausgeschlossen werden, vom Konsum des in Form eines Flusses dahinziehenden Wasser (was künftig noch zu Konflikten zwischen ganzen Nationen in wasserarmen Gebieten führen kann) oder des Trinkwassers aus der Leitung kann man sehr wohl ausgeschlossen werden. Auch die namengebende Allmende-Weide des Gebirgsdorfes wird erst dadurch zum Allmendegut, dass die Ausschlussfähigkeit ausdrücklich (und für die Analyse exogen) festgelegt wird. Im Falle der Allmendegüter tritt nun das Problem der positiven oder negativen **Externalitäten** auf: Aufgrund der mangelnden Ausschlussfähigkeit kann hier kein Markt konstituiert werden, wohl aber impliziert die Eigenschaft der Konsumrivalität Auswirkungen auf Dritte. Die Kombination der Eigenschaften macht die spezielle Problematik aus: ohne Markt keine Preisbildung, ohne Preis keine Kompensation der entstehenden Kosten (oder des Nutzens, wenn es sich um positive Externalitäten handelt). Damit aber können die Preise nicht die gesamten **gesellschaftlichen Kosten** und die wirklichen Knappheiten signalisieren. Als Beispiel sei die Einleitung von Abwasser einer Fabrik A in den Fluss W angeführt. Die Fabrik B, die sich etwas weiter flussabwärts befindet, muss nun, bevor sie das verdreckte Flusswasser benutzen kann, eine Kläranlage bauen. Die Kosten der Kläranlage gehen in die Produktion der Fabrik B, nicht aber in die Produktion von Fabrik A ein. Dadurch werden die relativen Preise der Produkte von A und B verzerrt.

Mautgüter schließlich zeichnen sich durch Ausschlussfähigkeit, aber (innerhalb gewisser Kapazitätsgrenzen) Nicht-Rivalität im Konsum aus. Beispiele hierfür sind alle Infrastruktur- und Netzwerk-Güter wie Autobahnen und Computer-Netze, aber

---

[21] Tatsächlich sind Leuchttürme in ihrer Geschichte zunächst von privaten Produzenten bereitgestellt worden, die durchaus rational gehandelt haben – eine Erklärung dieses zunächst absonderlichen Phänomens gibt es etwas weiter unter (vgl. FN 24).

auch Bildung. Aufgrund der Ausschlussfähigkeit lässt sich zwar ein Markt konstituieren, die Nicht-Rivalität im Konsum führt aber zur **Subadditivität der Kosten**: Größere Produktionseinheiten können aufgrund hoher Fix- und vernachlässigenswerter variabler Kosten (Unteilbarkeiten) mit sinkenden Durchschnittskosten kalkulieren. Bei völliger Produkthomogenität und ausreichend hoher Preiselastizität der Nachfrage müsste dies systematisch zu einem Monopol des größten Anbieters führen – das sogenannte **‚natürliche Monopol'**. Selbst wenn man die sehr restriktiven Annahmen fallen lässt, wäre die Wettbewerbsbeschränkung das Kennzeichen von Mautgütern, da allein die hohen Fixkosten gewöhnlich eine **Markteintrittsbarriere** darstellen.

Abbildung 3.2: Öffentliche, private und Mischgüter

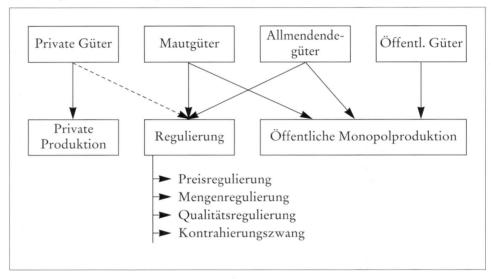

Ohne an dieser Stelle eingehend auf die wirtschaftspolitischen Konsequenzen reiner öffentlicher und Misch-Güter eingehen zu können, sollen doch einige erste Einschätzungen gemacht werden: Reine öffentliche Güter werden keine privaten Produzenten finden und müssen deshalb vom wirtschaftspolitischen Akteur – dem Staat oder der Gesellschaft – als **öffentliches Monopol** angeboten werden. Reine private Güter hingegen sollten tunlichst der **privaten Produktion** überlassen bleiben. Schwieriger stellt sich die Frage hinsichtlich der Maut- und Allmendegüter. Mautgüter lassen aufgrund der Wettbewerbsbeschränkungen **Monopol-Renten** erwarten, die nicht in private Hände fallen sollten und in jedem Fall die optimale Allokation verhindern. Hier ist entweder die **Regulierung** eines solchen Marktes oder eine **öffentliche Monopolproduktion** erforderlich. In der Wirtschaftsgeschichte finden sich hinreichend viele Beispiele, die in verschiedenen Ländern zu gleichen Zeiten oder auch in einem Land zu verschiedenen Zeiten beide Möglichkeiten zeigen: So wurden die Eisenbahnen in Europa fast ausschließlich vom Staat gebaut und betrieben, während sie in den USA privater Initiative entsprangen. Und die Post- und Fernmeldeinfrastrukturen waren in Deutschland zunächst Gegenstand öffentlichen Angebots, im Zuge der Dynamisierung und Restrukturierung der Telekommunikationsmärkte wurde auch in Deutschland die alte Bundespost in mehrere Funktionsbereiche (Deutsche Post, Postbank und Deutsche Telekom) aufgespalten und privatisiert. Ein großer Teil der Diskussion um Privatisierungen öffentlicher Unternehmen und Liberalisierung bzw. Deregulierung von Märkten reflektiert eine sich **verschiebende Balance** zwischen öffentlichem Monopolangebot und privater Bereitstellung von Mautgütern (vgl. Shy 2001: 7). Entscheidend aber ist, dass die private Produktion, wenn man sich für diese Alternative entschieden hat, reguliert werden muss.[22] Dies ist besonders deutlich geworden am Beispiel der Privatisierung der britischen Eisenbahn und des öffentlichen Transportwesens in Großbritannien, wo mangelnde Regulierung zu Qualitäts- und Sicherheitsproblemen geführt hat und Versorgungsmängel entstanden sind.

Im Falle von Externalitäten bei Allmendegütern bestehen grundsätzlich ebenfalls zwei Alternativen: Entweder wird die Ausschlussfähigkeit durch Schaffung von **Eigentumsrechten** ermöglicht – die Allmende-Weide würde also zu Privateigentum, dessen Nutzung sich ökonomischem Kalkül unterziehen muss. Ähnlich ließe sich mit den Externalitäten im Bereich der Umwelt umgehen: Durch die Ausgabe von Umweltzertifikaten kann, wenn denn die Umweltnutzung eindeutig zuzuordnen und zu messen ist, zu einer optimalen Verhandlungslösung zwischen den Umweltverbrauchern (Schädigern) und den Umweltnutzern (Geschädigten) führen, die als COASE-Theorem (vgl. Coase 1960) bezeichnet wird. Im Mittelpunkt steht hierbei ausdrücklich nicht die Verhinderung einer Umweltschädigung, sondern die ‚optimale‘ Schädigung entsprechend den Nutzenvorstellungen der Schädiger und der Geschädigten (vgl. Donges/Freytag 2001: 149ff.). Das COASE-Theorem impliziert auch, dass es gleichgültig ist, in welcher Form die Zertifikate ausgegeben werden: Als Verschmutzungsrechte, die bei den Schädigern liegen, oder als Umweltrechte, die bei den Geschädigten liegen. Als Alternative besteht die Möglichkeiten, den Externalitäten in Form einer sogenannten PIGOU-Steuer (vgl. Pigou 1932) Rechnung zu tragen, indem die entstehenden sozialen Kosten beim Verursacher internalisiert werden und somit eine Marktlösung ‚imitiert‘ wird. Dies setzt allerdings voraus, dass Informationen über die Externalitäten bestehen, diese messbar sind und dem Staat zugänglich gemacht werden. Externalitäten werden häufig in ihrer Bedeutung wesentlich unterschätzt: Fast jede Produktion und auch manche Konsumtion (z.B. von lauter Rock-Musik) geht mit Externalitäten – also Auswirkungen für Dritte – einher. Daraus sollte zwar nicht der Schluss gezogen werden, dass die öffentliche Monopolproduktion häufiger ins Auge zu fassen wäre, wohl aber, dass eine wie auch immer geartete Regulierung von Märkten eher die Regel als die Ausnahme sein müsste.

In der Realität treffen wir gelegentlich den Fall an, dass reine private Güter – von denen wir gesagt hatten, sie sollten tunlichst von privaten Produzenten im Wettbewerb miteinander angeboten werden – von öffentlichen Monopolisten bereit gestellt werden: Als Beispiele können öffentliche Bibliotheken und Schwimmbäder, aber auch die Müllentsorgung gelten. Wenn die öffentliche Güterbereitstellung einer definitiven politischen Entscheidung entspringt – z.B. weil eine bewusste ‚Überver-

---

[22] Zur Theorie der Regulierung vgl. Finsinger (1991); Kahn (1988).

sorgung' angestrebt, ein vorgegebenes Verteilungsziel erreicht oder ein ungehinderter (preisloser, ‚freier') Zugang zur Nutzung eines Gutes gewünscht wird – spricht man von **‚meritorischen Gütern'** (vgl. Musgrave 1959). Auch Mischgüter, die durchaus auf (regulierten) Märkten durch private Anbieter produziert werden könnten, bewusst aber durch den öffentlichen Monopolanbieter bereit gestellt werden, werden üblicherweise unter diese meritorischen Güter subsummiert – bekanntestes Beispiel dürfte die allgemeine (Schul-)Bildung sein.

3.2. Selbstorganisation versus Staat

Wir wissen zwar jetzt, was öffentliche und meritorische Güter sind und weshalb sie nicht, oder zumindest nicht auf unregulierten Märkten, von privaten Unternehmen angeboten werden sollten. Damit ist aber die Frage noch nicht geklärt, wie das öffentliche Güterangebot erfolgen soll: Soll eine eigenständige Institution, **der Staat**, begründet und ihr diese Aufgabe übertragen werden, oder können die Gesellschaftsmitglieder dies nicht vielleicht besser in **selbstorganisierter Form** erledigen? Wäre damit nicht sichergestellt, dass ihren individuellen Präferenzen besser gefolgt würde, als wenn eine eigenständige (‚dritte') Institution (als Agent) dies für den Prinzipal zu übernehmen hätte?

Die mit der Abstimmung von individuellen Präferenzordnungen einhergehenden Probleme haben wir bereits angesprochen – sie würden selbstverständlich auch im Rahmen einer Selbstorganisation auftreten. Hinzu aber kämen weitere Probleme, die an einem Beispiel deutlich gemacht werden sollen[23]: Eine Reisegruppe (Gesellschaft = Prinzipal)) ist mit einem Autobus unterwegs, als der Bus in unwegsamem Gebiet stecken bleibt. Selbstverständlich wollen die Mitglieder der Gruppe ihre Reise möglichst bald fortsetzen, alle haben aber gleichfalls ein Interesse daran, dies in möglichst unbeeinträchtigtem Zustand – also weder verdreckt, noch verschwitzt – tun zu können. Wie also werden die Mitglieder der Reisegruppe sich verhalten? Werden sie vorgesorgt und ein Abschlepp- bzw. Reparaturunternehmen (Staat = Agent) gegründet und mit Ressourcen ausgestattet haben, um für die Eventualität (Schaffung des öffentlichen Gutes ‚Mobilitätshilfe') abgesichert zu sein? Oder werden die Mitglieder der Reisegruppe vor Ort einen Prozess organisieren, der damit enden soll, dass alle (dazu fähigen) Mitglieder anpacken und den ‚Karren aus dem Dreck' ziehen (nur wenn es alle tun, kann das Vorhaben gelingen)?

Ein Blick in die Realität zeigt, dass das Abschleppunternehmen (Staat = Agent) die häufiger anzutreffende Organisationsform der Bereitstellung öffentlicher Güter ist als die Selbstorganisation – z.B. in Form von Nachbarschaften, Communities, Klubs etc. Ist dies Zufall bzw. dem historischen Vorlauf von Staatsgebilden vor der Herausbildung von Marktwirtschaften geschuldet? Möglich, es gibt aber auch logische Erklärungen, die die Selbstorganisation sehr fraglich werden lassen. Die Gruppe unserer Reisenden hat nämlich mit verschiedenen Formen von Kooperationsproblemen zu kämpfen, die immer dann auftreten, wenn

---

[23] In ähnlicher Weise – d.h. mit spieltheoretischer Methodik – wird der Staat hergeleitet bei Schotter (1981: 45).

- die Kooperationsbeiträge nicht klar definiert und/oder deren Erbringung nicht überprüft und gegebenenfalls sanktioniert werden kann
- die Partner nicht ausreichend miteinander kommunizieren können.

Sind die Gruppen hinreichend groß (anonym) genug, dass der erste Fall eintritt, ist der Anreiz groß, als **‚Trittbrettfahrer'** den eigenen Beitrag zum Kooperationserfolg zu verweigern und darauf zu hoffen, dass die Mitmenschen ihren Beitrag schon erbringen werden. Mit diesem Verhalten kann man also die kooperationsfreudigen Mitmenschen ausbeuten und erhält das öffentliche Gut aufgrund des Charakteristikums der Nicht-Ausschlussfähigkeit ‚frei' von eigenem Aufwand. Wenn also in unserem Beispiel die Möglichkeit besteht, ohne Aufwand an Kraft und Schweiß den Bus wieder flott zu bekommen, wenn nur all die anderen Mitreisenden ausreichend schieben, wäre es nur rational, wenn man selbst den Kooperationsbeitrag (Aufwand) verweigerte, sobald die Überprüfung nicht gelingt (wer kann schon feststellen, ob man wirklich schiebt oder nur so tut?). Andererseits müssen nun alle Reisenden so denken und der Bus wird deshalb im Dreck stecken bleiben, wenn es nicht zufällig ausreichend viele altruistische Mitreisende gibt, die sich freiwillig ausbeuten lassen und alleine den Bus freibekommen. Darauf aber darf man nicht bauen.

Noch klarer wird das Beispiel, wenn wir eine hinreichend kleine Gruppe nehmen, deren individuelles Handeln Rückwirkungen auf das Handeln der jeweils übrigen Gruppen(oder Gesellschafts-)mitglieder hat – sogenanntes **strategisches Handeln** –, aber keine Kommunikationsmöglichkeiten bestehen (hiermit ist impliziert, dass keine ‚vollständigen Verträge' abgeschlossen werden können). Diese Interaktion stellt ein ‚Spiel' dar, in dem es unter bestimmten Annahmen nicht zu einer – eigentlich von allen gewünschten – Kooperation kommen wird:

- die ‚Spieler' sind alle egoistisch-rational (also nicht altruistisch)
- alle Spieler bewerten als schlechteste aller möglichen Interaktionsformen die Gefahr, einseitig ausgebeutet zu werden – sie ziehen dann die allseitige Nicht-Kooperation vor, auch wenn dann das Ziel der Kooperation – die Erstellung des öffentlichen Gutes – nicht erreicht wird.
- Die Anzahl der Interaktionen ist begrenzt.

Nun liegt der Fall eines klassischen **‚Gefangenen-Dilemmas'** (Prisoner`s Dilemma) vor: Wir wollen den einfachsten Fall zweier Individuen A und B wählen, die – so der namengebende Fall – gemeinschaftlich ein Kapitalverbrechen begangen haben. Sie werden von der Polizei gefasst, getrennt voneinander verhört. Das Kapitalverbrechen kann ihnen aber nicht einwandfrei nachgewiesen werden, sondern nur ein minderschweres Verbrechen, wofür sie 1 Jahr Haft erhalten würden. Die Polizei verwendet nun die Kronzeugenregelung, wonach derjenige Täter freigelassen wird, der die Tat gesteht und mithin den Komplizen belastet, der dann lebenslang erhielte. Würden allerdings beide gestehen, würden sie wegen gemeinschaftlichen Kapitalverbrechens jeweils 10 Jahre erhalten. Die jeweiligen Optionen aus Sicht von Individuum A und B sind in der (Auszahlungs-)Matrix festgehalten: Wenn Individuum A gesteht und B leugnet, kommt A frei (dieses Ergebnis hat offensichtlich die höchste Wertigkeit, hier: 5), B erhielte lebenslänglich (geringste Wertigkeit, hier: 0). Wenn A und B gestehen, dann erhalten beide 10 Jahre Haft (Wertigkeit: 1), wenn beide leugnen, erhalten beide 1 Jahr Haft für das minderschwere Verbrechen (Wertigkeit:

Abbildung 3.3: Das Gefangenen-Dilemma

		Individuum A	
		Gestehen	Leugnen
Individuum B	**Gestehen**	1 / 1	0 / 5
	Leugnen	5 / 0	3 / 3

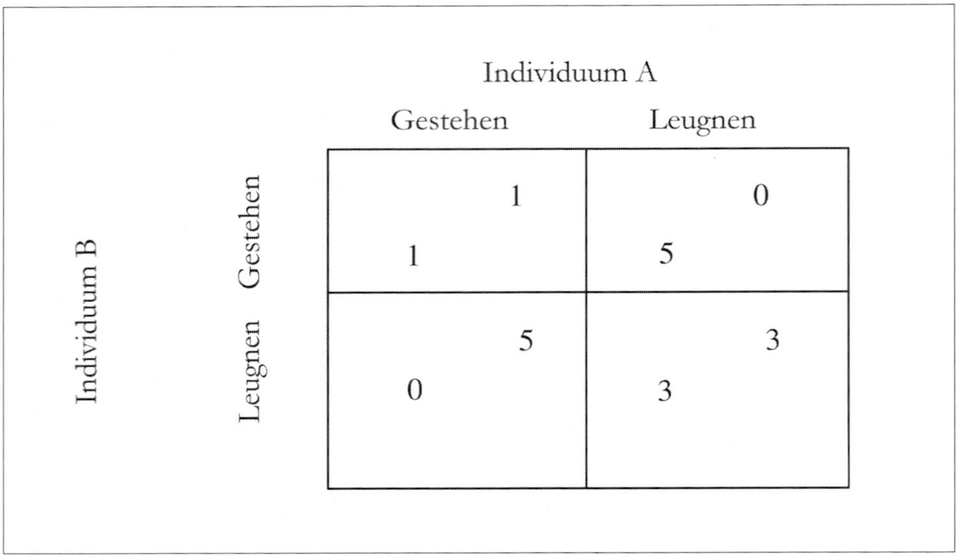

In strategischen Situationen haben Individuen immer die Möglichkeit, mit ihren Interaktionspartnern zu kooperieren oder zu defektieren. Das Gefangenen-Dilemma zeigt, dass die optimale Handlungsregel (hier: leugnen) nicht gewählt wird

3). Schließlich kann natürlich auch B gestehen und A leugnen, dann kommt B frei (Wertigkeit: 5) und A erhält lebenslänglich (Wertigkeit: 0).[24]

Intuitiv dürfte man erwarten, dass die beiden Täter leugnen werden und so beide nur für ein Jahr ins Gefängnis wandern. Doch selbst wenn sie sich vor der Tat geschworen haben, im Falle ihrer Gefangennahme zu leugnen, werden sie diesen Schwur nicht halten können: Individuum A wird sich überlegen, wie er sich zu verhalten hat, wenn B gestehen sollte – dann muss auch er gestehen, um nicht allein lebenslänglich ins Gefängnis zu gehen. Erwartet er aber, dass B leugnet, dann muss er erst recht gestehen, damit er in den Genuss der Kronzeugenregelung kommt und B lebenslänglich ins Gefängnis geht. Und natürlich sieht das Kalkül aus Sicht von B genauso aus. **Im Ergebnis also werden beide gestehen, statt – wie eigentlich im eigenen Interesse gewünscht – zu leugnen**. Oder süffisant ausgedrückt: Zwei unbedarfte Täter, die ausschließlich ihrer Intuition folgen, kommen besser davon als zwei ganz schlaue, der Spieltheorie mächtige Kriminelle, die gegenseitig befürchten müssen, übervorteilt zu werden.

---

[24] Natürlich kann die Auszahlungsmatrix auch anders aussehen: Wenn beispielsweise das Nicht-Zustandekommen der Kooperation noch geringer geschätzt wird als die Gefahr, einseitig ausgebeutet zu werden, spricht man von einem ‚Chicken-Game'. In diesem Fall ist das Ergebnis des strategischen Verhaltens nicht eindeutig (Kooperation oder Nicht-Kooperation sind gleich wahrscheinlich). Wenn allerdings nur ein Kooperationspartner durch eine ‚Chicken-Game'-Auszahlungsmatrix gekennzeichnet sein sollte, dann ist die Gefahr des Trittbrettfahrerverhaltens der anderen Akteure groß. Eine derartige Situation könnte Hintergrund der Bereitstellung des öffentlichen Leuchtfeuers durch private Leuchttürme sein (vgl. Coase 1974).

Was aber bedeutet dies nun für unsere Frage nach der Begründung wirtschaftspolitischer Aktivitäten? Klar dürfte sein, dass der Prozess der Selbstorganisation in großen, anonymen Gesellschaften schnell an seine Grenzen stößt. Zwar gibt es genügend Beispiele, in denen Kooperationen gelingen – wenn z.B. die Anzahl der Interaktionen erhöht wird (vgl. Axelrod 1995) –, doch dürfte es im Falle einer Großgesellschaft der erfolgsversprechendere Weg sein, andere Formen zur Sicherstellung des öffentlichen Güterangebots zu wählen: THOMAS HOBBES (1588 – 1679) schlägt vor, sich einer gutwilligen Macht – dem **Leviathan**[25] – bereitwillig unterzuordnen: „Der Staat ist das Instrument, die Menschen im Kampf aller gegen alle vor dem Untergang zu retten,...“(oder anders ausgedrückt: die allgemeine Nicht-Kooperation wäre sonst die Folge). Offenbar aber überschätzte er die Gutwilligkeit des Leviathans, der für Hobbes Nachfolger nur noch als Symbol für einen alles verschlingenden Moloch steht. JEAN-JACQUES ROUSSEAU (1712 – 1778) hielt es für besser, die Kooperation der Gesellschaftsmitglieder in einem Vertrag – dem **Contrat Social**[26] – festzuhalten. Damit nahm er die Verfassungen moderner Staatsgemeinschaften vorweg. KARL MARX (1818 – 1883) schließlich war davon überzeugt, dass es zumindest in einer kapitalistischen Gesellschaft der ‚herrschenden Klasse‘ – den Kapitalisten – gelingen müsste, vom Rest der Gesellschaft Kooperationsbeiträge (bei der Produktion öffentlicher wie privater Güter) einzufordern, ohne selber entsprechende Beiträge erbringen zu müssen – **die Ausbeutergesellschaft:** „Die moderne Staatsgewalt ist nur ein Ausschuß, der die gemeinschaftlichen Geschäfte der ganzen Bourgeoisklasse verwaltet“ (Marx/Engels 1983: 46). Während Hobbes und Rousseau normative Ansprüche formulierten, glaubte Marx eine positivistische Beschreibung des Zustandes Ende des 19. Jahrhunderts zu liefern. Hierauf werden wir im Kapitel zur Politics-Ebene noch zurückkommen.

3.3. Zum empirischen Ausmaß der Bereitstellung öffentlicher Güter

Die empirische Erfassung wirtschaftspolitischer Aktivitäten bereitet uns einige Schwierigkeiten: Einerseits müssen wir uns auf den wirtschaftspolitischen Akteur im engeren Sinne – also den Staat – konzentrieren, andererseits hinterlassen nicht alle wirtschaftspolitischen Eingriffe quantitativ sinnvoll messbare Spuren. So macht es wenig Sinn, die **regulativen Eingriffe** durch Summation ihrer Anzahl zu messen, obwohl damit – z.B. im Falle der Mautgüter – gleichermaßen den Präferenzen der Wirtschaftssubjekte (und Wahlbürger) entsprochen werden mag wie im Falle der **Monopolproduktion** durch den Staat. Letzteres aber ließe sich durchaus quantifizieren, da die Bereitstellung öffentlicher Güter durch den Monopolproduzenten Staat

---

[25] „Ich autorisiere diesen Menschen oder diese Versammlung von Menschen und übertrage ihnen mein Recht, mich zu regieren, unter der Bedingung, dass du ihnen ebenso dein Recht überträgst und alle ihre Handlungen autorisierst. (...) Dies ist die Erzeugung jenes großen Leviathan oder besser, (...), jenes sterblichen Gottes, dem wir unter dem unsterblichen Gott unseren Frieden und Schutz verdanken.“ (Hobbes 1966: 134f.)

[26] „Nimmt man daher von den Gesellschaftsvertrage alles Unwesentliche weg, so findet sich, daß er sich auf folgende Formel zurückbringen läßt: Jeder von uns setzt gemeinschaftlich seine Person und seine gesamte Gewalt unter die höchste Leitung des gemeinschaftlichen Willens, und wir nehmen in die Gesellschaft ein jedes Mitglied als einen von dem Ganzen untrennbaren Teil auf“ (Rousseau o.J.: 48).

budgetär erfasst wird. Natürlich hinterlassen auch die privaten Anbieter auf regulierten Märkten ihre messbaren Spuren in der Volkswirtschaftlichen Gesamtrechnung (VGR), doch wollte wohl niemand all jene Wertschöpfung unter ‚wirtschaftspolitische Aktivität‘ oder ‚öffentliche Güterbereitstellung‘ subsummieren, die dann zu erfassen wäre. Allenfalls für Vertreter vollständig unregulierter Märkte als Idealbild einer Volkswirtschaft würden dadurch Kennzahlen berechnet werden, die Aussagekraft hätten.

Wir werden uns – wie allgemein üblich – auf die Erfassung jener wirtschaftspolitischen Aktivitäten beschränken, die **budgetär erfassbar** und dem Staat zurechenbar sind. Hierin liegen bereits Probleme, die uns gleich noch beschäftigen werden.

Zunächst aber muss der ‚Staat‘ als Akteur etwas differenzierter betrachtet werden (vgl. Abb. 3.4): Zwar gibt es keine allgemein gültige Abgrenzung – sie muss sich nach der Fragestellung richten –, doch findet sich aus Gründen der Erfassung in der VGR häufig die Unterteilung in ‚Gebietskörperschaften‘, ‚Parafisci‘ und ‚öffentliche Unternehmen‘.

Abbildung 3.4: Gliederung des öffentlichen Sektors

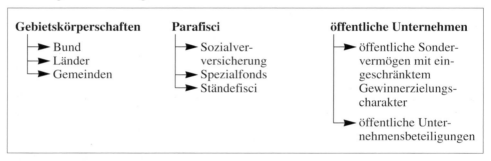

Unter **Gebietskörperschaften** wollen wir die Verwaltungsbereiche Bund, Länder und Kommunen bzw. Gemeinden verstehen. Mit **Parafisci** sind organisatorisch selbstständige, von den Gebietskörperschaften getrennte Verwaltungseinheiten gemeint, die sich durch Aufgaben bezogene Zwangsabgaben finanzieren: Die gesetzliche Sozialversicherung beispielsweise (und als größter Parafiscus), aber auch Spezialfonds wie der Lastenausgleichfonds oder der Fonds Deutsche Einheit zählen hierzu. Im weiteren Sinne können auch Ständefisci wie Handels- oder Handwerkerkammern unter Parafisci verstanden werden, obwohl sie keine staatlichen Einrichtungen sind. Die **öffentlichen Unternehmen** schließlich sind nicht nur organisatorisch, sondern auch rechtlich (eigenständige Rechtspersonen) selbständige Einheiten, die – wie die alte Bundesbahn, die frühere Post oder kommunale Versorgungs- oder Verkehrsunternehmen – die Form öffentlicher Sondervermögen mit eingeschränktem Gewinncharakter oder Beteiligungen der öffentlichen Hand an Privatunternehmen annehmen können. Die Trennlinie zwischen beiden sollte allerdings sinnvoller Weise nicht die Rechtsform (privatrechtlich wie AG, GmbH oder öffentlich-rechtlich), sondern die Frage sein, ob die Leistungsbereitstellung öffentlichen oder meritorischen Gutcharakter hat (wie z. Zt. noch bei der Deutschen Bahn AG) oder nicht (wie z.B. die Beteiligungen des Bundes oder des Landes Niedersachsen an der VW AG).

Schlicht aus Abgrenzungs- und Erfassungsgründen werden wir uns weiterhin auf die Gebietskörperschaften und Parafisci (und hier wesentlich die Sozialversicherung) beschränken, wenn der staatliche Akteur gemeint ist. Ein Blick auf Abbildung 3.5 zeigt allerdings, dass die **Aufgabenverteilung** – gemessen an der Ausgabenstruktur – und die absolute Höhe der öffentlichen Güterbereitstellung – gemessen an der weiter unten noch genauer zu erörternden Staatsquote – sehr unterschiedlich sein kann.

Abbildung 3.5: Ausgabenstruktur des staatlichen Akteurs (Stand: 1996)

	Deutschland	**Österreich**	**Schweiz**
	In % des BIP	In % des BIP	in % des BIP
Bund	8,8	18,0	5,9
Länder	9,1	6,8	9,7
Gemeinden	5,4	6,6	6,4
Sozialversicherung	22,1	16,4	11,8
Gesamter Öffentlicher Sektor	**45,3**	**47,8**	**33,8**

Quelle: Nowotny 1999: 93

In Deutschland und Österreich ist der Anteil der gesamten öffentlichen Ausgaben (in der oben genannten Abgrenzung) deutlich höher als in der Schweiz – dies könnte auf **Präferenzunterschiede** hindeuten, vielleicht aber arbeitet der öffentliche Sektor in der Schweiz auch nur **effizienter** als in Österreich und Deutschland. Diese Frage lässt sich an dieser Stelle nicht beantworten, die unterschiedlichen Interpretationsmöglichkeiten werden uns später aber noch einmal beschäftigen. Und obwohl Deutschland und Österreich eine etwa gleich hohe Staatsquote aufweisen, verteilen sich doch die Ausgaben sehr unterschiedlich auf die verschiedenen staatlichen Akteure und Akteursebenen: Den relativ hohen Anteil des Bundes in Österreich ist man geneigt, auf die geringe Bevölkerungszahl und räumliche Ausdehnung zu schieben, denn es kann spekuliert werden, dass – nach dem Subsidiaritätsprinzip – der Bund in kleineren Volkswirtschaften eher die adäquate Bereitstellungsebene öffentlicher Güter ist als in größeren Volkswirtschaften. Dann allerdings verwundert die (quantitativ) ausgesprochen geringe Bedeutung der Bundesebene der Schweiz, die allerdings auf die kulturelle und sprachliche Differenziertheit der Schweiz zurückzuführen sein mag. Besonders auffällig ist auch die unterschiedliche Quantität der Sozialversicherung, die einerseits wohl tatsächlich Präferenzunterschiede (Schweiz einerseits, Österreich und Deutschland andererseits), vielleicht aber auch Finanzierungsunterschiede (Deutschland als extremer Vertreter des Abgabe finanzierten ‚Bismarck-Systems', Österreich mit größeren Anteilen der Steuerfinanzierung nach dem ‚Beveridge-System) widerspiegelt.

3.3.1. Probleme der Erfassung der Wirtschaftspolitik in der VGR

Wir beschränken uns also bei der Messung der wirtschafts- und sozialpolitischen Aktivität auf jene Tätigkeiten, die dem Staat zurechenbare Spuren im System der

Volkswirtschaftlichen Gesamtrechnung (VGR) hinterlassen. In der VGR werden alle Güter und Dienstleistungen erfasst, die während einer festgelegten Periode – gewöhnlich ein Kalenderjahr – erzeugt werden. Hierzu, so dürfen wir erwarten, sollten auch die öffentlichen Güter zählen, denn sie befriedigen die Bedürfnisse der Wirtschaftssubjekte einer Volkswirtschaft und schaffen also Nutzen. Wenn die VGR ein – allerdings heftig umstrittenes[27] – Maß der gesamtwirtschaftlichen Leistung einer Gesellschaft sein soll, dann müssen sich auch die öffentlichen Güter darin finden lassen.

Es gibt allerdings einige Schwierigkeiten bei der Erfassung der staatlichen Aktivität:

1. In der VGR werden gewöhnlich nur jene Güter und Dienstleistungen erfasst[28], die einer **marktlichen Bewertung** unterzogen werden. Viele öffentliche Güter – insbesondere reine öffentliche oder meritorische Güter, die den Bürgern ,frei' zur Verfügung gestellt werden, unterliegen keiner marktlichen Bewertung. In diesen Fällen können allenfalls die **Kosten** (Input-Preise) als Bewertungsmaßstab herangezogen werden, was dann allerdings zu Interpretationsschwierigkeiten führt: Ohne Marktbewertung gibt es keine Informationen über die den öffentlichen Gütern entgegen gebrachte **Wertschätzung** (die Zahlungsbereitschaft muss nicht offenbart werden), andererseits gibt es auch keine Substitutionsmöglichkeiten, wenn der (Steuer-)Preis eines öffentlichen Gutes zu hoch erscheint. Es bleibt also immer offen, ob hohe Preise eine entsprechende Wertschätzung oder schlicht geringe Effizienz widerspiegeln. Auch der Begriff der Effizienz, der gewöhnlich durch die Produktivität (also Output pro Inputfaktor) gemessen wird, verliert an Erklärungskraft, wenn Input = Output.
2. Öffentliche Unternehmen werden im Kontensystem der VGR nicht im Staats-, sondern im Unternehmenskonto erfasst. Wäre also beispielsweise die Deutsche Bundesbahn als Verwaltungseinheit des Bundesverkehrministerium geführt worden, so wäre sie vollständig (also Einnahmen wie Ausgaben) im Staatskonto erfasst worden, als Sondervermögen des Bundes, erst recht nach der Überführung in eine Aktiengesellschaft wird sie aber im Unternehmenskonto verbucht – lediglich die Transferbeziehungen mit dem Bund (Gewinnabführungen oder Verlustübernahmen) erscheinen im Staatskonto.
3. Um Doppelzählungen zu vermeiden und somit Verzerrungen zu unterbinden, die durch unterschiedliche Grade der Spezialisierung und Arbeitsteilung entstehen können, erfasst die VGR nur die Netto-Wertschöpfung, eliminiert also **Vorleistungen**. Viele öffentliche Güter erfüllen aber den Tatbestand der Vorleistungen für Unternehmen oder private Haushalte. Systematisch müsste also die Faktorkostenberechnung auch auf die private Wertschöpfung angewendet werden, was aber dem Prinzip der Marktbewertung widerspricht. Indem die staatliche Aktivität durchweg als ,Staatsverbrauch' die Endnachfrage steigernd in die VGR eingeht, kann es durchaus zu Verzerrungen kommen, wenn in einer Volkswirtschaft beispielsweise eine polizeiliche Leistung durch den Staat, in einer anderen Volkswirtschaft aber durch private Wachdienste erbracht würde, die als Vorleistungen für Unternehmen oder private Haushalte abgezogen würden.

---

[27] Vgl. z.B. Eisner (1988) oder Ahrns (1989).
[28] Ausnahmen sind z.B. unveräußerte Güter, die als Lagerinvestitionen erfasst werden.

3.3.2. Kenngrößen der Staatstätigkeit

Wenn wir diese Schwierigkeiten der Erfassung wirtschaftspolitischer Aktivität auch bedenken sollten, so lassen sich doch einige Kenngrößen bilden, deren zeitlicher Verlauf (Längsschnittanalyse) oder auch internationaler Vergleich (Querschnittanalyse) bei sorgfältiger Betrachtung Aussagen über die öffentliche Güterbereitstellung ermöglichen.

Abbildung 3.6: Messung der budgetären, staatlichen Aktivität

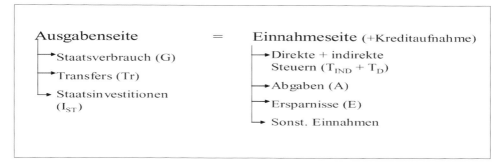

Von besonderer Bedeutung ist die Realausgabenquote q_R, die den realen Anteil des Staates am Bruttoinlandsprodukt (zu Marktpreisen) misst. Im Kontensystem der VGR sind es jene Einkommensteile, die auf dem Produktionskonto des Staates verbucht werden und kreislauftheoretisch dem öffentlichen Güterangebot (und, aufgrund der Input=Output-Orientierung des Staates in der VGR, gleichzeitig der Nachfrage des Staates) entsprechen. Mit **‚Mittelverzehr'** sollte deshalb diese Kenngröße aber keinesfalls übersetzt werden, weil dadurch dem **‚Gut-Charakter'** der staatlichen Betätigung nicht entsprochen werden kann. Im Jahre 2001 lag die Realausgabenquote auf einem seit Jahren weitgehend stabilen Niveau bei etwa 21%.

Realausgabenquote: $q_R = (G+I_{ST})/BIP_{MP}$

Werden zu den Realausgaben noch die staatlichen Transferzahlungen an private Haushalte und Unternehmen hinzuaddiert und auf das BIP bezogen, so erhalten wir die Staats- oder Staatsausgabenquote. Diese Kenngröße ist deshalb nicht ganz unproblematisch, weil die Transfers auf dem Konto der privaten Haushalte und Unternehmen ebenfalls erfasst werden (Vorleistungen!!) und sich die Staatsquote und die ‚Privatquote', die wir als Ausgaben der privaten Haushalte und der Unternehmen bilden könnten, zu mehr als 100 addieren würden.[29] Wiederum wird die häufig ver-

---

[29] Für eine ausführliche Betrachtung der Vor- und Nachteile der Staatsquote als Indikator der Staatstätigkeit vgl. Littmann (1975).

wendete Interpretation dieser Kenngröße als ‚Inanspruchnahme der Primäreinkommen' dem Gut-Charakter staatlicher Aktivität – auch z.B. der Umverteilung von Primäreinkommen – nicht gerecht. Die Staatsquote beträgt im Jahre 2002 etwa 48,6% nach einem Höchststand von 50,3% im Jahr 1996 und einem Niveau von etwa 33% im Jahre 1960. Daraus ergibt sich auch, dass der Anteil der Transfers am BIP etwa 27 % beträgt.

Staats(ausgaben)quote $q_A = (G + I_{ST} + Tr)/BIP_{MP}$

Deutlicher und mit größerer Berechtigung als auf der Ausgabenseite können die Kenngröße der Einnahmeseite als ‚Belastungen der Privateinkommen' interpretiert werden. Die Steuerquote q_T berechnet die ‚echten' Einnahmen des Staates, die sich aus direkten und indirekten Steuern zusammensetzen. Die Steuerquote hat sich seit den frühen 1960er Jahren nur unwesentlich verändert – lag sie 1960 bei 23%, so war sie im Jahr 2002 sogar knapp unter diese Marke gefallen, in der zweiten Hälfte der 1970er Jahre erreichte sie mit 25% ihre historischen Höchststände: Von einem Weg in den Steuerstaat, wie häufig räsonniert wird, kann also keine Rede sein. Eine markantere Entwicklung als im absoluten Niveau der Steuerquote zeigt sich, wenn die Struktur der Steuereinnahmen betrachtet wird: Die direkten Steuern (Besteuerung der Einkommensentstehung) verlieren kontinuierlich an Bedeutung: Betrug der Anteil der direkten Steuern am BIP zu Höchstzeiten (1977) fast 16%, so fiel er im Jahre 2001 auf 11%. Die indirekten Steuern (Besteuerung der Einkommensverwendung) machten 1977 nur etwa 9% des BIP aus, stiegen dann im Jahr 2001 auf über 11% an und haben damit die direkten Steuern als Haupteinnahmequelle des Staates abgelöst.

Steuerquote $q_T = (T_{IND} + T_D)/BIP_{MP}$

Abbildung 3.7: Gesamtwirtschaftliche Quoten (in VGR-Abgrenzung)

	1960	1991	1995	1996	1997	1998	1999	2000	2001	2002
Staats-(aus-gaben)-quote	32,9	47,1	49,3	50,3	49,3	48,8	48,8	48,4	48,3	48,6
Steuerquote	23,0	22,4	22,5	22,9	22,6	23,1	24,2	24,6	23,0	22,6
Abgaben-quote	33,4	39,6	41,3	42,3	42,3	42,4	43,2	43,2	41,5	41,0

Will man die gesamte ‚Inanspruchnahme' der Primäreinkommen durch staatliche Aktivität messen – und gerade im internationalen Vergleich ist es aufgrund der unterschiedlichen Finanzierungssysteme öffentlicher Güter im Bereich der Sozialsysteme (das Abgaben finanzierte Bismarck-System gegenüber dem Steuer finanzierten Beveridge-System) wichtig, hier genau zu differenzieren –, so muss die Abgabenquote (oder: Gesamteinnahmenquote) q_E gebildet werden. Da die Abgaben fast ausschließlich als Transfers zu den privaten Haushalten und Unternehmen zurückfließen, trifft das Bild der ‚Inanspruchnahme' aber auch in diesem Fall nicht den eigentlichen Sachverhalt. Zwar erhalten die individuellen Wirtschaftssubjekte, selbstverständlich, nicht in exakt gleichem Maße Transfers, wie sie Abgaben leisten, denn dann wäre eine Umverteilung ausgeschlossen und die Übung insgesamt unsinnig. Und doch impliziert eine Abgabenquote von 41% im Jahr 2002 keineswegs, dass auch nur einem einzigen Privateinkommen tatsächlich (netto) nur 59% verblieben und schon gar nicht, dass den Privateinkommen durchschnittlich nur 59% verblieben.

Abgabenquote $q_E = (A + T_{IND} + T_D)/BIP_{MP}$

Abbildung 3.8: Staatsquoten in historischer Entwicklung

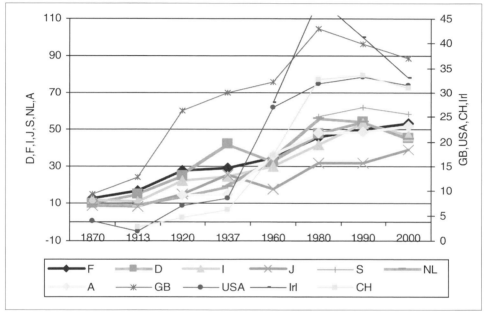

Quelle: Tanzi/Schuknecht (1997), Europäische Wirtschaft, Beiheft 5 Nr.3/4 2001

Ein internationaler Vergleich der Staatsquoten zeigt nun, dass es einerseits auch bei ausgewählten, hoch entwickelten EU- und OECD-Ländern sehr unterschiedliche Niveaus der Bereitstellung öffentlicher Güter gibt – diese schwanken zwischen 32% in der Schweiz und den USA und fast 60% in Schweden. Andererseits zeigt sich in allen Ländern bis Anfang der 1980er Jahre eine ganz ähnliches Verlaufsmuster: Überall hat sich in etwa einem Jahrhundert die Staatsquote vervielfacht. Ab 1980 wird die Entwicklung dann wieder uneinheitlicher: In einer Reihe von Ländern wie die USA, Großbritannien und Irland – in den angelsächsischen Ländern also – ist es wieder zu einer Rückführung der Staatsquote gekommen, in anderen Ländern wie Dänemark, den Niederlanden, Österreich und, trotz Einigungslasten, der Bundesrepublik ist die Staatsquote auf hohem Niveau weitgehend konstant verblieben und schließlich gab es Länder wie z.B. Japan, Frankreich und Italien, aber auch Portugal und Griechenland, in denen die Staatsquote weiter anstieg (vgl. Abb. 3.8).

3.3.3 Bestimmungsgründe der wirtschaftspolitischen Aktivität

Bereits im Jahre 1876 veröffentliche der deutsche Finanzwissenschaftler ADOLPH WAGNER seine als ‚**Wagnersches Gesetz der wachsenden Staatstätigkeit**‘ bekannt gewordene Prognose einer beständigen Ausweitung der wirtschaftspolitischen Aktivität:

„Der Staat speciell, als Wirthschaft zur Fürsorge der Bevölkerung mit gewissen Gütern, besonders Gemeingütern für gewisse Bedürfnisse aufgefasst, wird dabei absolut immer wichtiger für die Volkswirthschaft und für die Einzelnen. Aber auch seine relative Bedeutung steigt, d.h. eine immer grössere und wichtigere Quote der Gesamtbedürfnisse eines fortschreitenden Culturvolks wird durch den Staat statt durch andere Gemein- und Privatwirthschaften befriedigt,…“ (Wagner 1876: 893f.).

Dies war – wie Abbildung 3.8 andeutet – einerseits eine unglaublich präzise Vorwegnahme der tatsächlichen Entwicklung, andererseits angesichts des äußerst geringen Ausmaßes der Staatsaktivität Ende des vorletzten Jahrhunderts so prophetisch nun auch wieder nicht. Wir wollen einige Erklärungen der empirisch messbaren Entwicklung aufzeigen. Vorher aber soll zwischen zwei unterschiedlichen Varianten des Wagnerschen Gesetzes differenziert werden, die häufig genug in Mischform präsentiert werden. Einerseits kann die Entwicklung der Staatsquote schlicht über die Zeit betrachtet werden, wie in Schaubild 3.8 – es erscheint nun, als würde der Staat seine Aktivitäten beständig ausdehnen und auch Wagners Ausführungen deuten eine Interpretation an, wonach der Staat eine Tendenz zur (krakenhaften) Ausdehnung seiner Aktivitäten (zulasten der Privatinitiative?) hat. Auf derartige Überlegungen treffen wir immer wieder beim Durchblättern von staats- und interventionsskeptischen Zeitungen und Zeitschriften.

Hiervon logisch unterschieden werden muss die Entwicklung der Staatsquote in Abhängigkeit vom Volkseinkommen[30], obwohl beides in der Realität weitgehend Hand in Hand geht (wenn wir ein positives Wirtschaftswachstum als normale Entwicklung einer Volkswirtschaft unterstellen). Eine steigende Staatsquote in Abhängigkeit vom Volkseinkommen impliziert also in der Längsschnittanalyse eine **Einkommenselastizität** der Nachfrage nach öffentlichen Gütern ε, die größer als 1 sein muss:

$$\varepsilon = \frac{\Delta X/X}{\Delta Y/Y} \; ; \; \text{mit X = Gesamtausgaben des Staates; Y = Volkseinkommen}$$

In der Querschnittanalyse heißt dies, dass entwickeltere Volkswirtschaften eine höhere Staatstätigkeit aufweisen als weniger entwickelte Volkswirtschaften. Wie aber lassen sich diese Entwicklungen erklären?

Eine erste Erklärung stellt auf das Phänomen der ‚**Pfadabhängigkeit**‘ ab: In Krisenzeiten – insbesondere in Zeiten kriegerischer Auseinandersetzungen – steigt der Bedarf an öffentlichen Gütern (z.B. äußere und innere Sicherheit) an, der durch entsprechenden Ressourcenentzug (Steuern, teilweise auch Kreditaufnahme) finanziert werden muss. Sind diese Krisenphänomene dann überwunden, fällt die staatliche Aktivität aber nicht wieder auf ihr Vor-Krisenniveau zurück, sondern der staatliche

---

[30] Hiermit ist nicht die exakte Bezeichnung der VGR gemeint, sondern der umfassendere Begriff der Wertschöpfung einer Volkswirtschaft – in unserem konkreten Falle also das BIP_{MP}.

Akteur nutzt die vorhandenen Ressourcen, um andere öffentliche Güter (z.B. zur Befriedigung von Partikularinteressen) anzubieten (vgl. Peacock/Wiseman 1961). Insbesondere die **Niveauverschiebungen** während des 1. und des 2. Weltkrieges in den USA werden hierauf zurückgeführt, aber auch die vor allem in den 1950er und 1960er Jahren unter den Stichworten der ‚Great Society' bzw. der ‚sozialen Marktwirtschaft' betriebene Ausweitung der Wohlfahrtsstaaten in den USA und Deutschland (und überall in der westlichen Welt) wird auf die Umstände des ‚kalten Krieges' und der Systemkonfrontation zurückgeführt (vgl. Rowley/Tollison 1994).

Fällt eine Bewertung dieser Begründung wachsender staatlicher Aktivität noch einigermaßen schwer, so ist die Begründung Mancur Olsons (1985) schon eindeutiger unter ‚problematisch' zu klassifizieren: Hiernach entstehen im Verlauf der Zeit – also quasi als geriatrischer Prozess – immer mehr **Interessengruppen** oder es zerfallen anfänglich bestehende ‚umfassende Organisationen' (deren Interessenblickwinkel noch die gesamte Gesellschaft umfasst) zunehmend in Partikularinteressengruppen, die sich – z.B. im ‚logrolling-Verfahren' – die gegenseitige Bedienung von Eigeninteressen vermittels öffentlicher Güter (z.B. Umverteilung, Agrarsubventionen, etc.) zusichern. Da solche im demokratischen Mehrheitswahlverfahren sich zusammenfindenden Interessenkonstellationen tendenziell instabil sind, entstehen immer neue Kartelle und damit immer neue Bedarfe an öffentlichen Gütern zur Befriedigung neuer Interessengruppen. Offensichtlich spiegelt eine derartige Erklärung des Anstiegs der Staatsquote nicht den souveränen Willen der Gesellschaft wider, sondern ausschließlich die Befähigung kleiner Einflussgruppen[31] zur Durchsetzung ihrer Interessen.

Von ähnlich problematischem Zuschnitt ist die Argumentation, die sich William Baumols (1967) These von der ‚**Kostenkrankheit der Dienstleistungen**' zu nutze macht. Hiernach unterliegt die industrielle Güterproduktion in stärkerem Ausmaß dem technischen Fortschritt als Dienstleistungen. Da der technische Fortschritt als im Wesentlichen kapitalgebunden angenommen wird, kann also die kapitalintensivere Industrieproduktion den technischen Fortschritt besser nutzen als die arbeitsintensiven Dienstleistungen, was aber zu relativ steigenden Lohnstückkosten der Dienstleistungen und einer relativen Verteuerung von Dienstleistungen im Verhältnis zu Industrieprodukten führt. Das klassische Beispiel für diesen Prozess ist die Dienstleistung eines Frisörs, die seit eh und je etwa $1/2$ Stunde für einen vernünftigen Haarschnitt in Anspruch nimmt. Abseits aller modischen Strömungen hat also der technische Fortschritt keine ‚Haarschneidemaschine' hervorgebracht, die in einer $1/2$ Stunde heute 10 oder gar 100 Haarschnitte bewältigt. Andererseits benötigte vor 50 Jahren ein Industriearbeiter in der Automobilbranche vielleicht 5000 Stunden, um einen PKW herzustellen, während er heute nurmehr 500 Stunden dazu benötigt.[32] War also vor 50 Jahren ein PKW etwa 10000 Haarschnitte wert, so ist er heute nurmehr 1000 Haarschnitte wert; oder anders: der Haarschnitt ist relativ teurer geworden.

Wenn wir nun annehmen wollen, dass die öffentliche Güterproduktion im Wesentlichen, und zumindest in höherem Ausmaß als die private Produktion, Dienstleistungen umfasst, so ist klar, dass die allgemeine Kostenkrankheit der Dienstleis-

---

[31] In einer früheren Arbeit hat Olson (1968) zu zeigen versucht, dass kleinere, homogenere Gruppe ihre Interessen besser vertreten können, weil es ihnen leichter gelingt, das latente Kooperationsproblem bei der Herstellung kollektiver Güter (das Trittbrettfahrerproblem) zu überwinden.

[32] Das Zahlenbeispiel ist völlig frei gewählt.

tungen zu einer speziellen ‚**Kostenkrankheit der öffentlichen Güterbereitstellung**‘ wird: Bei Konstanz der Produktionsstruktur müsste der Anteil der für die öffentlichen Güter aufgebrachten Ressourcen beständig steigen. Dieses **kosten- bzw. angebotsseitige** Argument ist insofern problematischer Natur, als eine relative Verteuerung von Produkten gewöhnlich zu Substitutionseffekten führt: Die teurer werdenden Produkte werden durch billigere Produkte ersetzt. Dies aber ist im Falle von öffentlichen Gütern, deren Kennzeichen die Nicht-Ausschließbarkeit und Nicht-Rivalität im Konsum ist, nur begrenzt möglich. Der Anstieg der Staatsquote würde dann allerdings nicht mehr unbedingt den Präferenzen der Individuen entsprechen.

Von völlig anderer Qualität sind die Begründungen, die auf **nachfrageseitige** Argumente setzen: Nach dem Verhaltensforscher A. MASLOW (1954) ist eine Bedürfnispyramide benannt, die zunächst die Befriedigung von Basisbedürfnissen vorsieht (wesentlich landwirtschaftliche Produkte), dann die Befriedigung höherer Bedürfnisse (wesentlich durch industrielle Produkte) und schließlich die Befriedigung höchster oder Luxusbedürfnisse (wesentlich Dienstleistungen). Also erst nachdem der Mensch satt ist und bequem sitzt, lässt er sich bedienen. Mit dieser simplen und im Einzelfall sicher zu groben Einteilung (die Bodenbearbeitungsinstrumente zählen gewiss zu den Basisgütern, wohl auch der schon benannte Haarschnitt, exotische Früchte aber zu den Luxusgütern) wird der strukturelle Wandel von der Agrar- zur Dienstleistungsgesellschaft beschrieben, es würde aber auch erklären, weshalb mit steigendem Einkommen (also das Wagnersche Gesetz in seiner zweiten Auslegung) die Nachfrage nach öffentlichen Gütern überproportional steigt, wenn öffentliche Güter in höherem Maße Dienstleistungen umfassen als private Güter. Die steigende Staatsquote ist nun Ausdruck einer steigenden Nachfrage nach Bildung, sozialer Sicherheit, Infrastruktur oder konjunktureller Glättung und durchaus **präferenzkonform**.

Abbildung 3.9: Globalisierung und Wohlfahrtsstaat

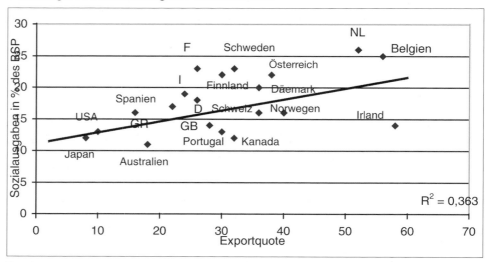

Entnommen: Rieger/Leibfried (2001: 127). Mit steigender Exportquote steigt der Anteil der Sozialabgaben am BSP an
Quelle: OECD (1999)

Ebenfalls **nachfrageseitig** ist die Erklärung, die die deutschen Sozialwissenschaftler Rieger/Leibfried (2001) und der amerikanische Ökonom Dani Rodrik (1998) unabhängig voneinander entwickelt haben: Hiernach steigt die Staatsquote mit **zunehmender Globalisierung** als Ausdruck einer steigenden Nachfrage nach dem öffentlichen Gut ,soziale Sicherheit'. Globalisierung bedeutet eine zunehmende außenwirtschaftliche Exponiertheit einer Volkswirtschaft wie sie durch den Offenheitsgrad oder die Exportquote gemessen werden kann. Globalisierung bedeutet dann auch die Einbindung in die internationale Arbeitsteilung, die mit einer erhöhten Geschwindigkeit des Strukturwandelprozesses – verglichen mit einer abgeschotteten Wirtschaft – verbunden ist und somit **Globalisierungsgewinner** (in den Branchen und Sektoren mit komparativen Wettbewerbsvorteilen) und **–verlierer** (in den Branchen und Sektoren mit komparativen Wettbewerbsnachteilen), jedenfalls aber **soziale Verunsicherung** hervorbringt. Damit diese Verunsicherung nicht zu politischer Instabilität oder einem Widerstand gegen die außenwirtschaftliche Öffnung führt, muss die Gesellschaft ein dem Globalisierungsprozess entsprechend steigendes Ausmaß an sozialer Sicherheit bereitstellen. Mit dieser **polit-ökonomischen Begründung** glauben die Autoren sowohl in Längsschnittbetrachtung den Anstieg der Staatsquoten am Beginn des 20. Jahrhunderts und den besonders ausgeprägten Ausbau des Wohlfahrtsstaates ab Mitte des 20. Jahrhunderts erklären zu können, als auch im Querschnittsvergleich die markanten Unterschiede der Staats- bzw. Sozialquote zwischen verschiedenen Volkswirtschaften (vgl. Abb. 3.9).

Zweifellos tragen alle Erklärungen, angebots- und nachfrageseitig, problematisch (weil Wohlfahrtsverluste implizierend) und problemlos (weil den Präferenzen der Wirtschaftssubjekte Rechnung tragend) einen Teil zum Verständnis der öffentlichen Güterbereitstellung dar. Damit sollte zwar einerseits einer steigenden Staatsquote immer ein gewisses Maß an Skepsis entgegen gebracht werden, andererseits sollte man sich aber auch davor hüten, eine hohe Staatsquote per se zu einem ökonomischen oder wirtschaftspolitischen Problem zu stilisieren. Damit kann dann auch eine sinkende Staatsquote – unter den Stichworten ,Rückzug des Staates oder Abbau des Wohlfahrtsstaates' – allein kein ökonomisch sinnvolles, selbsterklärendes Ziel sein.

3.4 Ressourcenaufbringung

Die Bereitstellung öffentlicher Güter erfordert, ebenso wie die private Produktion, den Einsatz von Ressourcen: Kapital und Arbeit. Im Gegensatz zur privaten Produktion aber werden diese Ressourcen nicht von den privaten Eigentümern aufgebracht bzw. gegen deren Schuldnerschaft von anderen privaten Eigentümern geliehen, um in marktlicher Produktion rentierlich eingesetzt zu werden, sondern sie werden durch Zwangsabgaben von den Wirtschaftssubjekten aufgebracht. Damit entsteht leicht der Eindruck, die Wirtschaftssubjekte würden aus ihrer Wertschöpfung den Staat finanzieren – was aber nicht richtiger ist als die Vorstellung, der Staat würde aus seiner Wertschöpfung (durch Kauf von Gütern und Dienstleistungen) die privaten Wirtschaftssubjekte finanzieren. Da die Zwangsabgaben in Form von **zweckungebundenen Steuern** und **zweckgebundenen Gebühren und Entgelten** aufgebracht werden, kann leicht argumentiert werden, die privaten Einkommen müssten vor der

Steuer da gewesen sein, andererseits sind die öffentlichen Güter – wie bereits erwähnt – zumeist Vorleistungen der privaten Wertschöpfung. In einer Kreislaufbetrachtung kann es einfach nicht gelingen, in erkenntnisfördernder Weise zwischen privater und öffentlicher Güterbereitstellung zu unterscheiden. Entscheidend ist, dass mit dem Einsatz von Ressourcen Einkommen entstehen, die ausreichen müssen um

Abbildung 3.10: Prinzipien der Besteuerung

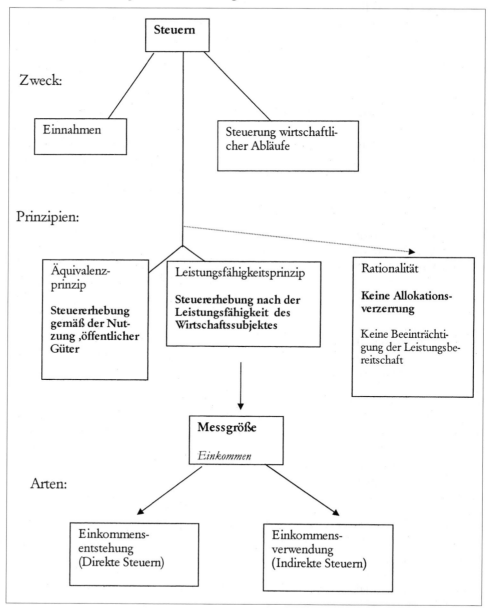

die Ressourcenbereitstellung zu rechtfertigen. Der wesentliche Unterschied zwischen privater und öffentlicher Ressourcenaufbringung liegt in der individuellen Freiwilligkeit bei direktem Bezug zur Mittelverwendung.

Wir wollen an dieser Stelle nur einen kurzen Überblick über die Ressourcenaufbringung in Form von Steuern, Gebühren und Entgelten geben – zum intensiveren Studium sei auf die einschlägige finanzwissenschaftliche Literatur verwiesen.[33] Neben den unmittelbar einsichtigen **Einnahmeaspekt** der Besteuerung kann ein weiterer Zweck treten: die **Steuerung wirtschaftlicher Abläufe**. Die Öko-Steuer beispielsweise wird vornehmlich mit dem Zweck begründet, die Nutzung knapper Ressourcen (nicht-erneuerbare Energien und die Umwelt) zu verteuern (s. Pigou-Steuer zur Internalisierung externer Effekte) und somit einen **Substitutionsprozess** auszulösen. Andererseits dienen die Einnahmen natürlich der Finanzierung der allgemeinen staatlichen Aktivität und, nach politischer Festlegung, auch speziellen Zwecken wie der Reduktion der Sozialversicherungsabgabe – was dann ein weiteres Steuerungsziel offenbart: die Substitution von Kapital durch (relativ billiger werdende) Arbeit.

Allzu häufig aber treten die beiden Ziele der Ressourcenaufbringung in **Konkurrenz** zu einander, wenn nämlich die Steuerungsaufgabe erfüllt wird und dadurch die Einnahmefunktion der Steuer unterlaufen wird – wie z.B. im Falle einer ‚erfolgreichen‘ Öko-Steuer, die den Ressourcenverbrauch und damit die Steuerbasis reduziert.[34]

Die Ressourcenaufbringung kann zweierlei Prinzipien folgen: Unmittelbar einsichtig ist das **Äquivalenzprinzip**. Hiernach sollte die Ressourcenaufbringung an die Nutzung öffentlicher Güter gebunden werden, was letztlich nur dem Prinzip der privaten Güternutzung und –finanzierung entspricht. Allerdings ist dieses so einsichtige Prinzip im Falle öffentlicher Güter problembehaftet, denn es entspricht ja der Charakteristik der öffentlichen Güter, dass weder Rivalität im Konsum besteht, noch die Ausschlussfähigkeit gewährleistet ist (oder, im Falle der meritorischen Güter, nicht gewünscht ist). Dann aber lässt sich die Inanspruchnahme nicht beobachten und die Zahlungsbereitschaft nicht direkt messen. Dies gilt selbstverständlich nicht für solche öffentlichen Güter, die durch zweckgebundene Gebühren und Entgelte direkt zurechenbar sind. Ein weiterer Grund, der dem Äquivalenzprinzip widerspricht, entspringt der Überlegung, die besonders bei solcherartigen Zurechnungs- und Nutzungsproblemen virulent wird, dass das Grenzleid einer zu leistenden Steuer-Einheit bei Wirtschaftssubjekten mit geringem Einkommen höher sein wird als bei Wirtschaftssubjekten mit hohem Einkommen. Hieraus lässt sich das **Leistungsfähigkeitsprinzip** ableiten, dessen Grundlage das Einkommen darstellt. Als Nebenbedingung der Besteuerung muss allerdings dem **Rationalitätsprinzip** Beachtung geschenkt werden, wonach die Ressourcenaufbringung keine Allokationsverzerrung auslösen darf, die insbesondere darin gesehen wird, dass der private Ressourceneinsatz (intertemporale Reallokation zulasten der Kapitalbildung oder Leistungseinschränkung der Arbeitsanbieter) eingeschränkt werden könnte. Dies ist allerdings

---

[33] Z.B. Andel (1998); Blankart (2001); Brümmerhoff (2001); Tiepelmann/Dick (1995); Zimmermann/Henke (2001); Nowotny (1999).

[34] Natürlich hängt der Einfluss des Lenkungseffektes auf den Einnahmeeffekt von der Preiselastizität der Nachfrage nach den besteuerten Gütern ab.

eher denkbar – wenn es denn wirklich ein nennenswertes Problem darstellt – im Falle der Besteuerung der **Einkommensentstehung** (was einen Keil zwischen das Brutto- und das Nettoeinkommen schiebt und die Verteilungsmassen beschneidet) als im Falle der Besteuerung der **Einkommensverwendung**.

Abbildung 3.11: Anteil der direkten und indirekten Steuern am Steueraufkommen; Steuerquote als % des BIP

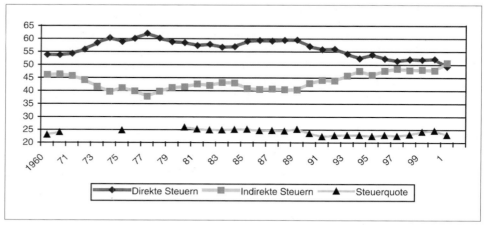

Anmerkungen: bis 1990 Westdeutschland, ab 1991 Gesamtdeutschland
Quelle: Bundesfinanzministerium, Monatsbericht, Feb. 2002, S. 160

Ein empirischer Blick auf die Quellen der Steuereinnahmen in der Bundesrepublik zeigt seit Anfang der 1990er Jahre einen beständigen relativen und absoluten Bedeutungszuwachs der **indirekten** (etwa vergleichbar der Besteuerung der Einkommensverwendung) gegenüber den **direkten Steuern** und gleichfalls als Anteil am BIP. Innerhalb der direkten Steuern wiederum sinkt das Aufkommen der Kapitalbesteuerung gegenüber den Lohn- und Einkommensteuern – und dies, obwohl die Kapitaleinkommen sich in den letzten Dekaden deutlich schneller entwickelt haben als die Einkommen aus unselbstständiger Arbeit.

Abbildung 3.12: Das Aufkommen wichtiger Steuern in der Bundesrepublik in % des Steueraufkommens

	1960	**1970**	**1980**	**1990**	**1997**	**2001**
Steuern vom Einkommen	35,6	40,1	47,6	46,4	43,3	40,5
Davon:						
Lohnsteuern	11,8	22,8	31,2	32,3	35,0	31,7
Einkommensteuern	13,1	10,4	0,7	6,6	0,8	2,1
Körperschaftsteuern	9,5	5,7	4,2	5,5	4,2	-0,3[a]
Kapitalertragsteuern	1,2	1,3	3,2	2,0	3,4	7,0[a]

a Im Jahr 2001 mussten den Unternehmen Körperschaftsteuern zurückerstattet werden, da die bislang bestehende Differenzierung der Besteuerung von ausgeschütteten (25 %) und thesaurierten Gewinnen (35 %) aufgehoben und bei einem Steuersatz von 25 % vereinheitlicht wurde. Dies ließ andrerseits die Kapitalertragsteuern anschwellen

Die verschiedenen Trends haben sowohl **systematische, dauerhafte** als auch **temporäre, transitorische** Ursachen: Um den Standort Ostdeutschland nach der Deutschen Einheit 1990 attraktiv für Anleger (z.B. zur Sanierung der maroden Bausubstanz) und Unternehmen (Sonderabschreibungen) zu machen, wurden steuerliche Privilegien gewährt, die insbesondere Einkommens- und Körperschaftssteuerzahler entlasteten. Mit dem Auslaufen dieser steuerlichen Vergünstigungen in der zweiten Hälfte der 1990er Jahre sind die Sonderentwicklungen beendet. Dauerhafter Natur hingegen sind die Entlastungen der Kapitalerträge gegenüber dem Lohn-(und zukünftig auch wieder Einkommens)steueraufkommen, die darauf zurückzuführen sind, dass ein **internationaler Trend zur Reduktion der Unternehmenssteuer im Zuge der Globalisierung** zu beobachten ist (vgl. Bach 2001) bzw. Unternehmen über Verrechnungspreise die Möglichkeiten haben, die Besteuerung am Ort der Einkommensentstehung zu unterwandern und Gewinne dort auszuweisen, wo die Steuersätze am niedrigsten sind (vgl. Grigat 1997; Grözinger 1999). Mit der zunehmender Mobilität vor allem des Produktionsfaktors Kapital wird deshalb Druck auf die Steuersysteme ausgeübt, den mobilen Faktor steuerlich zu entlasten, weil er ansonsten die Äquivalenz von Einkommensentstehung und Besteuerungsort zu unterwandern versucht oder gar mit der Abwanderung droht – **Unternehmenssteuersenkung wird dann Standortpolitik**. Die OECD (1998: 16) hat bereits vor einiger Zeit auf die schädlichen Wirkungen eines solchen Steuersenkungswettlaufes aufmerksam gemacht:

- Die Struktur der Steueraufbringung wird verlagert zulasten der weniger mobilen Einkommen bzw. der (weitgehend standortgebundenen) Einkommensverwendung. Dies kann als ungerecht empfunden werden und die Legitimität des Steuersystems untergraben
- Die fiskalische Äquivalenz der Nutzung öffentlicher Güter und ihrer Finanzierung wird durchbrochen
- Erosion der Steuerehrlichkeit

Insbesondere mit der Einführung einer gemeinsamen Währung in der Europäschen Union zum 1.1.1999 und der damit verbundenen Abschaffung des Wechselkursmechanismus, der steuerlich bedingte Verzerrungen der Lohnstückkosten (als Wettbewerbsfaktor) ausgleichen konnte, ist zusätzlich ein Druck zur Verlagerung auf indirekte Steuern (und einkommensabhängige Abgaben) entstanden – der erste Reformschritt der Rentenversicherung (Riester-Rente), der eine Absenkung des Rentenniveaus bei gleichzeitiger Förderung der privaten Vorsorge und eine Substitution der Einnahmen von Abgaben durch die Öko-Steuer vorsieht, ist ein erster Schritt in diese Richtung.

Die Verteilung der Steuereinnahmen auf die verschiedenen Ebenen der Gebietskörperschaften schließlich muss folgende Ziele erstreben:

- Es muss eine Kongruenz zwischen Aufgaben und Einnahmen der Gebietskörperschaften hergestellt werden.
- Es muss verhindert werden, dass es zu interregionalen Externalitäten kommt (z.B. durch Trittbrettfahrerverhalten oder die beschriebenen Wettbewerbseffekte) bzw. bestehende Externalitäten müssen ausgeglichen werden.

Abbildung 3.13: Anteil der Verbundsteuern am Steueraufkommen einer Gebietskörper-
schaftsebene in %

Jahr	Anteil Verbundsteuern	Eigene (Trenn-)Steuern
Bund		
1965	27,1	72,9
1975	69,3	30,7
1985	73,5	26,5
1998	61,9	38,1
Länder		
1965	77,4	22,6
1975	85,1	14,9
1985	87,9	12,1
1998	89,2	10,8
Gemeinden		
1965	–	–
1975	21,6	78,4
1985	35,5	65,5
1998	34,9	65,1

Quelle: Stat. Jahrbuch, verschiedene Jahrgänge

Im Laufe der Geschichte der Bundesrepublik ist mit der Entwicklung vom ‚**regulierten Wettbewerbsföderalismus**‘ zum ‚**kooperativen Föderalismus**‘ zumindest
auf den Ebenen mit eigenständiger Steuerlegislative eine deutliche Stärkung der Ver-
bund- zulasten der Trennsteuern entstanden. Bei Verbundsteuern handelt es sich um
Steuerarten, deren Aufkommen mehreren Gebietskörperschaftsebenen nach einem
festgelegten Schlüssel zukommen, während Trennsteuern ausschließlich einer Ge-
bietskörperschaftsebene zur Verfügung stehen. Ob diese Entwicklung Ausdruck der
besonderen Bedeutung **interregionaler Externalitäten** ist, die eine Zentralisierung
der Bereitstellung öffentlicher Güter bzw. eine Finanzierung der öffentlichen Güter
im Verbund nahe legen, oder einem Wunsch nach **Kartelllösungen** entspringt, um
die Verantwortlichkeiten bei Steuererhöhungen zu verwischen (vgl. Blankart 2001:
582f.), muss hier ungeklärt bleiben.

Literatur zu Kapitel 3

Ahrns, H.-J.; Grundzüge der Volkswirtschaftlichen Gesamtrechnungen, Regensburg 1989
Andel, N.; Finanzwissenschaft, Tübingen 1998 (4. Aufl.)
Axelrod, R.; Die Evolution der Kooperation, München, Wien 1995
Bach, St.; Die Unternehmenssteuerreform; in: Truger, A. (Hrsg.); Rot-grüne Steuerreformen
    in Deutschland. Eine Zwischenbilanz, Marburg 2001, S. 47 – 94
Baumol, W.J.; Macroeconomics of Unbalanced Growth: The Anatomy of Urban Crisis, in:
    American Economic Review, Vol. 57, 1967, S. 415 – 426
Blankart, Ch.B.; Öffentliche Finanzen in der Demokratie, München 2001 (4. Aufl.)
Brown, C.V., Jackson, P.M.; Public Sector Economics, Oxford-Cambridge (Mass.) 1996 (4.
    Auflage)

Brümmerhoff, D.; Finanzwissenschaft, München 2001 (8. Aufl.)

Coase, R.; The Problem of Social Cost; in: Journal of Law and Economics, Vol. 3, 1960, S. 1 – 44

Coase, R.; The Lighthouse in Economics; in: Journal of Law and Economics, Vol. 17, 1974, S. 357 – 376

Donges, J. B., Freytag, A.; Allgemeine Wirtschaftspolitik, Stuttgart 2001

Eisner, R.; Extended Accounts for National Income and Product; in: Journal of Economic Literature, Vol. 26, No.4, 1988, S. 1611 ff.

Finsinger, J.; Wettbewerb und Regulierung, München 1991

Grigat, H.-G.; Verlagerung von Unternehmensgewinnen in das Ausland und Steuerdumping; in: WSI-Mitteilungen, H. 6, 1997, S. 404 – 414

Grözinger, G.; Unternehmensbesteuerung in der Europäischen Union: eine politisch-praktikable Alternative zur Nirvanaharmonisierung; in: Heise, A. (Hrsg.); Makropolitik zwischen Nationalstaat und Europäischer Union, Marburg 1999, S. 233 – 286

Grüner, H. P.; Wirtschaftspolitik. Allokationstheoretische Grundlagen und politisch-ökonomische Analyse, Berlin,Heidelberg,New York 2001

Heise, A.; Bedeutung und Perspektiven des EU-Makrodialogs; in: ders. (Hrsg.); Neues Geld – alte Geldpolitik? Die EZB im makroökonomischen Interaktionsraum, Marburg 2002, S. 3, S. 373 – 395

Hobbes, Th.; Leviathan oder Stoff, Form und Gewalt eines bürgerlichen und kirchlichen Staates (1651), Neuwied und Berlin 1966

Kahn, A.E.; The Economics of Regulation, Cambridge (Mass.) 1988

Littmann, K.; Definition und Entwicklung der Staatsquote. Abgrenzung, Aussagekraft und Anwendungsbereiche unterschiedlicher Typen von Staatsquoten, Göttingen 1975

Mannheim, K.; Ideologie und Utopie, Frankfurt 1952

Marx, K., Engels, F.; Manifest der Kommunistischen Partei (1848), Berlin (Ost) 1983

Maslow, A.; Motivation and Personality, New York 1954

Musgrave, R.A.; The Theory of Public Finance, New York u.a. 1959

Nowotny, E.; Der öffentliche Sektor. Einführung in die Finanzwissenschaft, Berlin u.a. 1999

OECD; Harmful Tax Competition. An Emerging Global Issue, Paris 1998

Olson, M.; Aufstieg und Niedergang von Nationen. Ökonomisches Wachstum, Stagnation und soziale Starrheit, Tübingen 1985

Peacock, A.T., Wiseman, J.; The Growth of Public Expenditure in the United Kingdom, London 1961

Pigou, A.C. ; The Economics of Welfare, London 1932 (3. Aufl.)

Rieger, E., Leibfried, St.; Grundlagen der Globalisierung: Perspektiven des Wohlfahrtsstaates, Frankfurt 2001

Rodrik, D.; Why Do More Open Economies Have Bigger Governments?, in: Journal of Political Economy, Vol. 106, 1998, S. 999 – 1032

Rousseau, J.-J.; Der Gesellschaftsvertrag, o.J., Essen

Rowley, Ch.K., Tollison, R.D.; Peacock and Wiseman on the growth of public expenditure; in: Public Choice, Vol. 78, No.2, 1994, S. 125 – 128

Schotter, A.; The economic theory of social institutions, Cambridge 1981

Shy, O.; The Economics of Network Industries, Cambridge 2001

Tanzi, V., Schuknecht, L.; Reconsidering the Fiscal Role of Government: The International Perspective, in: American Economic Review, Papers & Proceedings, Vol. 87, 1997, S. 164 – 168

Tiepelmann, K., Dick, G.; Grundkurs Finanzwissenschaften, Hamburg 1995 (3. Aufl.)

Zimmermann, H., Henke, K.-D.; Finanzwissenschaften, München 2001 (8. Aufl.)

Zürn, M.; Regieren jenseits des Nationalstaates. Globalisierung und Denationalisierung als Chance, Frankfurt/Main 1998

TEIL II:
DIE VERSCHIEDENEN EBENEN
DER WIRTSCHAFTSPOLITIK

4. Normative Theorie der Wirtschaftspolitik: die Policy-Ebene

Lernziele

1. Vollkommene Märkte lassen einen wirtschaftspolitischen Eingriff unsinnig erscheinen, da die marktlich Koordination ein optimales individuelles und gesellschaftliches Ergebnis erbringt.
2. Die Begründung wirtschaftspolitischer Intervention liegt in der Zurückweisung der Annahme vollständiger Märkte. Durch Wirtschaftspolitik müssen dann entweder Marktfehler beseitigt oder durch Marktteilnahme jene Bedingungen geschaffen werden, die die gewünschten Marktergebnisse ermöglichen.
3. Wirtschaftspolitik kann nicht objektiv formuliert werden, sondern hängt von der Wahl des die Realität erklärenden Modells (Paradigma) und den Zielsetzungen ab.
4. Wir können zwischen einer Rahmen setzenden Ordnungspolitik un einer direkt in das Marktgeschehen eingreifenden Prozesspolitik unterscheiden.
5. Der besondere Betrachtunsgwinkel der Wirtschaftspolitik (allokativ oder stabilitätsorientiert) hängt von der Wahl des Paradigmas ab.

Nachdem wir nun die Besonderheiten von öffentlichen Gütern bestimmt und deren empirische Erfassung besprochen haben, müssen wir uns dem materiellen Teil der Lehre von der Wirtschaftspolitik zuwenden: **die Policy-Ebene**. Die Politologen Frank Pilz und Heike Ortwein (2000: 4) definieren die Policy-Ebene folgendermaßen: „In der Policy-Analyse interessieren vor allem die Fragen politischer Gestaltung und Problemlösung, d.h. welche Akteure unter welchen Bedingungen aus welchen Motiven heraus und mit welchen Instrumenten welche Ziele und Werte (Konzeptionen) verfolgen, welche Aufgaben mit welchen Ergebnissen erfüllen, ... Die Policy-Orientierung (...) widmet sich vor allem den inhaltlichen Aspekten einzelner Politikfelder wie denen der Finanz-, Wirtschafts- und Geld-, Arbeitsmarkt- und Sozialpolitik etc. (...)." Es geht also um das ‚Sollen', die normative Analyse der Wirtschaftspolitik.

Als normatives Ziel der Wirtschaftspolitik haben wir bisher das Gemeinwohl beschrieben und die Probleme bei der Bestimmung dieses Ziels kennen gelernt. Ersatzweise können **funktionale Ziele**, die sich aus der Funktionsweise des die Realität annähernden Modells ergaben, oder durch **Wahlakte vorgeschriebene Ziele** verwendet werden. In Gestalt der neoklassischen ‚**Theorie des Marktversagens**‘ werden wir die traditionelle, teleologische, wohlfahrtstheoretische Grundlage der Policy-Analyse ebenso kennenlernen, wie in Gestalt der postkeynesianischen ‚**Theorie der Marktteilnahme**‘[35] eine alternative Sichtweise, die Steuerungsunschärfen beschreibt und auf die Vorgabe normativer Ziele angewiesen sein wird.

4.1 Die neoklassische Theorie des Marktversagens

Wenn Wirtschaftspolitik nicht substanzloses Durchwursteln (‚muddling through‘) sein soll, muss sie theorie- bzw. modellgestützt sein (Fritsch/Wein/Ewers 2001: 89). Grundlage der neoklassischen Theorie des Marktversagens ist die **walrasianische Theorie** des allgemeinen Gleichgewichts, die unter Zugrundelegung einiger Annahmen[36] eine marktliche Koordination der Interaktionen der nach eigenen Handlungsmotivationen agierenden, dezentralen Wirtschaftssubjekte in einer Form beschreibt, dass daraus ein pareto-optimaler Wohlfahrtszustand der Gesellschaft erreicht wird. Die Botschaft ist klar: Ein Eingriff in diesen Koordinierungsmechanismus, der über Preissignale nachgefragte und angebotene Mengen an Gütern, Dienstleistungen und Produktionsfaktoren zum Ausgleich bringt (Marktgleichgewicht), verbietet sich, da es zu keiner Wohlfahrtssteigerung führen kann. Da die allgemeine Gleichgewichtstheorie die Verteilung des Kapitals (Vermögen) auf die Wirtschaftssubjekte schlicht als gegeben voraussetzt (Erstausstattung) und auf dieser Grundlage die mathematische Möglichkeit eines Preisvektors beschreibt, der eine allgemeine Markträumung ermöglicht, könnte Wirtschaftspolitik allenfalls eine Neuverteilung dieser Erstausstattung anstreben. Für ein derart normatives Verteilungsziel bietet die neoklassische Theorie allerdings keine Handhabe, da sie immanent keine Grundsätze einer ‚gerechten‘ Vermögensverteilung herausbilden kann (vgl. Streit 2000: 23).[37]

---

[35] Konzept und Name dieses Ansatzes der Wirtschaftspolitik gehen auf Hajo Riese (1998: 29ff.) zurück.

[36] Nicholas Kaldor (1973: 81) schrieb dazu: „Der ganze Fortschritt der mathematischen Ökonomie der letzten dreißig bis fünfzig Jahre lag darin, dieses Minimum an ‚Grundannahmen‘ genauer herauszuarbeiten: ohne irgendeinen Versuch, den Realitätsgehalt solcher Annahmen zu verifizieren und ohne jede Untersuchung, ob die resultierende Theorie der ‚Gleichgewichtspreise‘ aktuelle Preise erklären kann.“

[37] Frank Hahn (1984: 157) schreibt: „Folglich betreffen die moralischen Fragen die Verteilung der Anfangsausstattung, und das Gleichgewicht als solches ist nur von beschränkter moralischer Bedeutung. Eine unzureichende Bezeichnungsweise (Pareto-Optimum) in der Literatur, gepaart mit viel Sorglosigkeit in den Lehrbüchern, verleitet die Menschen häufig zu der Auffassung, dass es ein Theorem gibt, das behauptet, ein Wettbewerbsgleichgewicht stelle auch ein Gesellschaftsoptimum dar. Eine solche Behauptung gibt es nicht.“

4.1.1 Der vollkommene Markt und Marktfehler

Wirtschaftspolitische Eingriffe sind also nur zu rechtfertigen, wenn es zu Formen des **Marktversagens** kommt. Damit diese Vorstellung nicht in einen Widerspruch zur Vorstellung eines allgemeinen Gleichgewichts bei Paretooptimalität gerät, müssen wir uns zwangsläufig die oben kurz erwähnten **Annahmen** einmal genauer anschauen. Die grundlegende Argumentationsfigur der walrasianischen Theorie sind ‚**vollkommene Märkte**'. Vollkommene Märkte beinhalten (vgl. Frisch/Wein/Ewers 2001: 35):

- Vollständige Informationen
- Vollständige Substituierbarkeit
- Vollständige Mobilität
- Vollständigen Wettbewerb

Unter diesen Bedingungen bilden sich Tauschverhältnisse (relative Preise) heraus, die die Präferenzen der Konsumenten widerspiegeln und eine Anpassung der Produktionsmenge in einer Weise erzwingen, dass der Marktpreis gerade den Grenzkosten der Produktion entspricht – dies alles ist Gegenstand der Mikroökonomik der privaten Haushalte und Unternehmen. Makroökonomisch bedarf es einer weiteren Einflussgröße, um absolute Tauschverhältnisse und, als deren Aggregation, ein **gesamtwirtschaftliches Preisniveau** bestimmen zu können – die Geldmenge – und eine makroökonomische Klammer, die die partiellen Marktlösungen zu einem gesamtwirtschaftlichen Gleichgewicht vereint – **das Walras-Gesetz**. Im quantitätstheoretischer Verknüpfung determiniert die Geldmenge das Preisniveau. Das Walras-Gesetz, wonach die Summe der Marktungleichgewichte (Überschussnachfrage) sich gesamtwirtschaftlich zu Null addiert, erzwingt Anpassungsprozesse auf immer mindestens zwei Märkten.[38]

Alles ist auf das Beste eingerichtet![39] Wenn nur die Annahmen realistisch wären. Aber das sind sie natürlich nicht[40]:

---

[38] Das Walras-Gesetz behauptet nicht etwa, dass sich zu jedem beliebigen Zeitpunkt alle Märkte im Gleichgewicht befinden, wohl aber, dass auch der n-te Markt im Gleichgewicht sein muss, wenn sich bei n Märkten n-1 Märkte im Gleichgewicht befinden, – oder anders: wenn der n-te Markt sich im Ungleichgewicht befindet (z.B. eine Überschussnachfrage aufweist), muss mindestens ein weiterer Markt ein Ungleichgewicht ausweisen (und dann ein Überschussangebot aufweisen).

[39] „Das Wohlfahrtsoptimum kann durch eine Koordinierung der einzelwirtschaftlichen Wirtschaftspläne über Marktprozesse, also dezentral realisiert werden. Man braucht nicht den zentralen Planer bzw. den wohlmeinenden Diktator. Aus **allokationstheoretischer Sicht** gibt es **keinen Grund für die Wirtschaftspolitik, in die marktliche Allokation der Ressourcen einzugreifen**,..." (Donges/Freytag 2001: 114; Hervorhebungen im Original).

[40] Häufig wird deshalb gegen das Modell vollständiger Märkte der ‚**Nirwana-Vorwurf**' erhoben (vgl. z.B. Donges/Freytag 2001: 119f.; Fritsch/Wein/Ewers 2001: 361f.): Die Annahmen seien zu realitätsfern, um ein darauf aufbauendes Modell ernst nehmen zu können (vgl. z.B. Kaldor 1973). Doch darum geht es ja auch gar nicht. Das Modell ist ein Referenzrahmen, auf dessen Grundlage sich der Realität – durch schrittweise Änderung bzw. Lockerung der Annahmen – genähert werden soll. Fraglich und zwischen den verschiedenen Paradigmen umstritten ist allerdings, welche Folgen eine Änderung der Annahmen für die partielle Marktlösung, vor allem aber für die Gesamtwirtschaft in einer Totalbetrachtung hat.

- **Informationsprobleme** (unvollkommene Informationen) können entstehen, wenn Informationen **objektiv nicht vorhanden** sind – z.B. gibt es keine Preisinformationen, wo kein Markt existiert (reine öffentliche Güter oder Allmendegüter) oder Informationen über zukünftige Entwicklungen sind objektiv nicht vorhanden und häufig lassen sich nicht einmal alle möglichen Weltzustände und deren subjektive Eintrittswahrscheinlichkeiten bilden[41] – oder die Verteilung der vorhandenen Informationen sich **asymmetrisch** über die beteiligten Marktseiten (Anbieter und Nachfrager) verteilen.

Informationsprobleme führen ganz allgemein dazu, dass der Markt seine optimale Allokationsfunktion nur eingeschränkt oder gar nicht erfüllen kann.

- **Mobilitätsprobleme** (unvollständige Substitution und unvollkommene Mobilität) können verschiedene Ursachen haben: (1) **Sachliche Immobilität** liegt z.B. vor, wenn Komplementaritäten im Verbrauch (Kaffee und Kuchen, Uhr und Armband) oder in der Produktion (eine limitationale statt einer substitutionalen Produktionsfunktion) bestehen oder Unteilbarkeiten (z.B. macht eine Verkehrsverbindung zwischen Hamburg und Bremen nur Sinn, wenn sie vollständig gebaut wird und das Bremer mit dem Hamburger Straßennetz verbindet) eine partielle Substitution verhindern: Wenn der Straßenbau relativ zu anderen Gütern teurer (und deshalb weniger gewünscht wird) kann nicht auf eine marginale Einheit ‚Straße‘ verzichtet werden, sondern die Entscheidung kann nur heißen: Straßenbau ja oder nein. Das Problem von sachlicher Immobilität sollte nicht unterschätzt werden, denn es liegt immer dann vor, wenn aufgrund technischer Bedingtheiten Kapazitäten nur in großen Sprüngen (d.h. mit der Aufwendung großer Werte fixen Kapitals) variiert werden können: z.B. Kraftwerke, Schienenwege, Infrastrukturnetze, etc. (2) **Zeitliche Immobilität** beschreibt ‚Unverformbarkeit‘ von langlebigen Konsumgütern oder insbesondere Kapitalgütern, deren Verwendung über mehrere Perioden reicht. Eine einmal getroffene (Investitions-)Entscheidung kann nicht – jedenfalls nicht ohne Kosten – rückgängig gemacht werden. Wenn also sich die Nachfrage von Automobilen auf Fahrräder verschiebt, können die Maschinen und Fertigungsstraßen nicht ohne hohe Kosten (wenn überhaupt) in die neue Verwendung überführt werden. (3) **Räumliche Immobilität** trägt der realistischen Einschätzung Rechnung, dass eine Volkswirtschaft keine Entität ist, sondern durch räumliche Dimensionen geprägt wird. **Agglomerationsvorteile** aufeinander bezogener Wertschöpfungsprozesse (economies of scope) oder einfache Standortvorteile (z.B. aufgrund

---

[41] Man könnte zwar annehmen, dass Informationen über zukünftige Entwicklungen niemals objektiv vorhanden sind, dem ist aber nicht so. Wir wissen sehr wohl, wie die Sterne in 2 Tage, ja sogar in 2 Jahren oder 2 Dekaden stehen werden. Und auch im Casino wissen wir, wie die Kugel rollen wird – zwar können wir nicht mit absoluter Bestimmtheit sagen, welche Zahl beim Roulette kommen wird (dann wäre das Casino schnell gesprengt), wohl aber kennen wir die möglichen Ereignisse (die Zahlen von 0 bis 36) und deren Eintrittswahrscheinlichkeit (1/37). Von einer solchen sicheren oder allenfalls risikobehafteten Zukunft ist ein fundamental unsichere Zukunft zu unterscheiden (vgl. z.B. Zinn 2002: 12ff.) – wir werden später darauf zurückkommen. Die neoklassische Theorie kann in ihren Modellen sinnvollerweise nur risikobehaftete, nicht aber fundamental unsichere Entwicklungen bearbeiten – sie wählt dafür das Konstrukt der Zukunftsmärkte bzw. ‚rationale Erwartungen‘ (vgl. Heine/Herr 2000: 153ff.). Hahn (1980: 132) stellte deshalb lapidar fest: „The assumption that all intertemporal and all contingent markets exist has the effect of collapsing the future into the present“. Für die Erfassung von Unsicherheit ist dann die postkeynesianische Theorie zuständig.

von produktionsnotwendigen Rohstoffen) können dazu führen, dass marginale regionale Preisdifferenzen nicht zu sofortigen Reallokationsprozessen führen. (4) **Persönliche Immobilität** schließlich meint Mobilitätsbeschränkungen, die aus individuellen Präferenzen wie der Vorliebe für einen Wohnort oder andere nicht-ökonomische Einflussfaktoren, aber auch durch Handlungsbeschränkungen, die aus impliziten oder expliziten Regulierungen (z.B. Kündigungsschutzvorschriften auf Arbeitsmärkten oder persönliche Verbundenheiten mit einem Unternehmen – Corporate Identity) erwachsen.

Mobilitätsprobleme aller Art führen zu **Anpassungsbeschränkungen**, die kontinuierliche Preis-Menge-Veränderungen, wie sie für die Konstruktion stetiger Angebots- und Nachfragefunktionen notwendig sind, unmöglich machen. Damit aber entstehen Koordinationsmängel der marktlichen Interaktion oder: **Marktfehler**. Die Marktfehler bestehen in mengenmäßiger Anpassungsverweigerung (z.B. wenn Komplementaritäten vorliegen) und einer begrenzten Preisgestaltungsmacht: Innerhalb der durch die Mobilitäts- oder Substitutionskosten vorgegebenen Grenzen werden Preisänderungen nicht unmittelbar zu Mengenreaktionen führen (wie es ohne entsprechende Mobilitäts- und Substitutionskosten zu erwarten wäre).

Schließlich ist auch die Annahme der vollständigen Konkurrenz, also polypolistischen Wettbewerbs, nur allzu selten erfüllt. Die mikroökonomische Marktstrukturtheorie beschreibt ausführlich die Folgen **eingeschränkter Konkurrenz**: Es kommt zu Abweichungen vom Gleichgewichtspreis bei entsprechender Mengenreaktion, verzerrter Verteilung und Wohlfahrtsverlusten.

4.1.2 Marktversagen

Die Folgen von Informations-, Mobilitäts- und Wettbewerbsproblemen – also verschiedenen ‚Marktfehlern', wenn der ‚vollkommene Markt' als Referenz verstanden wird – stellen **Marktversagen** mit den entsprechenden Konsequenzen für die funktionale Angemessenheit unregulierter, marktlicher Koordination dar. Wir wollen dies anhand der bereits im vorigen Kapitel benannten Funktionen der öffentlichen Güterbereitstellung (Wirtschaftspolitik) etwas genauer betrachten:

Eingeschränkte Allokationsfunktion der Märkte

Objektiv nicht vorhandene Informationen wie die **nicht-offenbarten Zahlungsbereitschaften** der Wirtschaftssubjekte im Falle von reinen öffentlichen Gütern oder bei **unbekannten Externalitäten** führen ohne staatliche Eingriffe zu einer Unterversorgung oder Übernutzung.

Asymmetrische Informationen zwischen den Marktteilnehmern führen zu ‚**moral hazard**' (moralisches Risiko)-, oder **adverse-selection**' (negative Auslese)-Phänomenen: Moral hazard liegt vor, wenn vertragliche Leistungen nicht eindeutig spezifiziert werden können und deshalb eine **nach-vertragliche Verhaltensänderung** vorteilhaft erscheint. Wenn beispielsweise ein Versicherungsnehmer sein Verhalten ändert – also weniger Vorsicht walten lässt, sobald der Vertrag abgeschlossen ist –, wird der Versicherungsanbieter dieses moralische Risiko in die Kalkulation seines Marktpreises einbeziehen müssen und somit über das Niveau anheben müssen, dass zu erwarten wäre, wenn durch exakte Vertragsspezifikation eine nach-vertragliche Verhaltensänderung definitiv ausgeschlossen werden könnte. Damit darf auch hier mit einer Unterversorgung (zu hoher Preis) gerechnet werden. Ähnlich sieht es aus, wenn negative Auslese betrieben wird, die immer dann rationalem Verhalten entspricht, wenn die genauen **Charakteristika** (Qualität) eines Gutes (oder einer Dienstleistung) lediglich einer Marktseite bekannt sind. So kann beispielsweise ein Krankenversicherer nicht genau einschätzen, welches Krankheitsrisiko ein Versicherungsnehmer birgt. Er kann deshalb nicht entsprechend der unterschiedlichen Qualität des Versicherungsschutzes individuell gestaffelte Preise anbieten, sondern wird die Preise (Versicherungsprämien) am durchschnittlichen Risiko der (potenziellen) Versicherungsnehmer ausrichten müssen. Damit aber wird der Versicherungsschutz für chronisch Kranke (und hierüber weiß zunächst nur der Versicherungsnehmer bescheid) besonders attraktiv, da er aus ihrer Sicht billig ist, für besonders gesunde, mit hohen Abwehrkräften ausgestattete Versicherungsnehmer aber unattraktiv. Es besteht nun die Gefahr, dass sich somit die Risikostruktur einer Versicherung ständig in dem Sinne verschlechtert, dass mit höherem Krankheitsrisiko belastete Menschen einen Vertragsabschluss anstreben, mit geringerem Krankheitsrisiko belastete Menschen diesen aber scheuen bzw. vielleicht gar kündigen und sich somit die Prämie (der Preis) beständig erhöhen muss. Im Extremfall wird dann der Versicherungsschutz prohibitiv teuer bzw. es kommt nicht mehr zur Versorgung mit den eigentlich gewünschten Gütern. Fritsch/Wein/Ewers (2001: 279) unterscheiden vier Typen von Gütern (und Dienstleistungen), die nach dem potenziellen Grad der Informationsasymmetrie gestaffelt sind (vgl. Abb. 4.1): die gewöhnlichen, neoklassisch-homogenen Güter, Such- bzw. Inspektionsgüter, Erfahrungsgüter und Vertrauens- bzw. Glaubensgüter.

Abbildung 4.1: Gütertypen und Informationsasymmetrien

Gütertyp	Merkmal	Grad der potenziellen Informationsasymmetrie
Neoklassisch-homogenes Gut	Qualität ist bereits bei Vertragsabschluss vollständig bekannt	Null
Such- bzw. Inspektionsgut	Qualität ist vor Vertragsabschluss zu geringen Kosten erkennbar	Gering
Erfahrungsgut	Qualität erst nach dem Konsum des Gutes vollständig bekannt	Mittel
Vertrauens- oder Glaubensgut	Qualität ist weder vor Vertragsabschluss bekannt, noch kann sie nach Konsumtion vollständig eingeschätzt werden	Hoch

Schließlich kann man, selbst wenn man annehmen wollte, alle Informationen (über die Preise aller Waren und Dienstleistungen, deren Qualität und die Entwicklung der Zukunft) seien objektiv vorhandenen, nicht ernsthaft behaupten, die Wirtschaftssubjekte wäre auch nur ansatzweise in der Lage, all die Informationen zu sammeln und zu verarbeiten – und dies auch noch kostenlos.[42] Tatsächlich haben sich durch technische Entwicklungen (Internet) die Informationssammlungskosten in der jüngeren Vergangenheit deutlich reduziert, doch bleiben wir weiterhin weit davon entfernt, vollständige Markttransparenz als realistische Annahme zu betrachten. Nun wird häufig der Kunstgriff gemacht, den Wirtschaftssubjekten wenigstens einen ökonomischen Umgang mit der Informationssammlung und -verarbeitung zu unterstellen: Informationen werden nur solange gesammelt und verarbeitet, wie der (erwartete) Nutzen die Kosten der Sammlung und Verarbeitung überschreitet (bzw. ihnen im Gleichgewicht gerade gleich wird). Dies lässt einerseits Raum für **dynamische Entwicklungen** – z.B. Hayeks ‚**Entdeckungsverfahren**‘ und Schumpeters ‚**schöpferischen Zerstörungsprozess**‘ – wenn neue Informationen auf den ‚Informationsmarkt‘ treten oder deren eigentliche Bedeutung erst entdeckt wird. Andererseits verweist es auch auf die Grenzen des Konzeptes ‚vollständiger Informationen‘, denn für einen rationalen Umgang mit Informationen muss deren Nutzen bekannt oder zumindest objektiv erwartbar sein. Dies gilt aber sicher für ‚neue‘ Informationen bzw. Informationen über ‚neue‘ oder zukünftige Entwicklungen nicht. Das Zugeständnis eines eingeschränkt rationalen Umganges mit Informationen (‚bounded rationality‘) oder der Existenz von fundamentaler Unsicherheit und deren Rückwirkungen auf die Verhaltensweise der Individuen wird später zum entscheidenden Differenzierungskriterium für die Paradigmen.

Verteilungsmängel

Originäre Wettbewerbschränkungen, wie sie durch Oligopole, Monopole oder Kartellierungen entstehen können, und ‚natürliche Monopole‘, wie sie durch sachliche Mobilitätsbeschränkungen (Unteilbarkeiten) aufgrund der Subadditivität der Kosten entstehen können[43], führen zu distributiven Verzerrungen. Neben den mit beschränkter Konkurrenz immer einhergehenden Allokationsmängeln (Unterversorgung) tritt ein weiterer wohlfahrtsmindernder Effekt: eine **Verzerrung der Einkommensverteilung**, die nicht länger die Pareto-Optimalität kennzeichnende Bedingung der Gleichheit von Preisen und der Grenzproduktivität der Produktionsfaktoren widerspiegelt. Es kommt deshalb zu **Quasi- oder Monopol-Renten**, die nicht durch ökonomische Leistung gerechtfertigt ist.

Auch zeitliche, räumliche oder persönliche Immobilitäten können zu **Preissetzungsspielräumen** für einen der Marktakteure – z.B. für lokale Produzenten bei der Existenz von räumlichen Mobilitätskosten oder für (beschäftigte) Arbeitnehmer bei

---

[42] In einem klassischen Artikel hat Radner (1968) dargelegt, dass bereits bei recht restriktiven Annahmen (1000 Güter; 1000 mögliche Umweltzustände; 1000 Gegenwarts- und Zukunftsdaten) bereits 1 Milliarde Märkte (!) existieren müssten, über die die Wirtschaftssubjekte informiert sein müssten – eine absurde Vorstellung!

[43] Für eine genaue Bestimmung der häufig in diesem Zusammenhang synonym verwendeten Konzepte ‚Subadditivität‘, ‚sinkende Durchschnittskosten‘ und ‚steigende Skalenerträge‘ vgl. Fritsch/Wein/Ewers (2001: 193ff.).

Existenz von Kündigungsschutzregeln oder Einarbeitungskosten oder für Arbeitgeber bei der Existenz von immaterieller Bindungskraft des eigenen Unternehmens
(Corporate Identity) – führen, dessen Ergebnis Preis-Mengen-Konstellationen sind,
die vom Marktgleichgewicht eines ‚vollständigen Marktes‘ abweichen und deshalb
die gesellschaftliche Wohlfahrt reduzieren.

Anpassungsmängel und Instabilitäten

Von besonderer Bedeutung für eine Volkswirtschaft sind Anpassungsmängel und Instabilitäten, die aus einer Kombination von Informations- und Mobilitätsproblemen
entstehen können.

Die Annahme der vollständigen Mobilität impliziert auch eine sofortige, unendlich schnelle Anpassung der Marktakteure an eine veränderte Situation der Ange-
bots- oder Nachfragebedingungen (in der Ökonomensprache häufig ‚Schocks‘ genannt). Sachliche, zeitliche, räumliche und persönliche Immobilitäten können,
verstärkt durch Informationsmängel über die Dauerhaftigkeit des Schocks, nun
leicht zu **Preis- oder Mengenrigiditäten** führen, die direkt als Ressourcenver-
schwendung zu verstehen sind, aber auch aus sich selbst heraus in eine instabile, die
anfänglichen Schocks (zumindest temporär) verstärkende Entwicklung münden
können. Dies soll in einem simplen 2-Märkte-Modell verdeutlicht werden: Ausgangspunkt sei eine Volkswirtschaft im Zustand eines allgemeinen Gleichgewichts
auf dem Güter- und dem Arbeitsmarkt mit den Gleichgewichtspreisen $(w/P)^*$ und
p^* und dem Gleichgewichtsoutput Q^* bei Vollbeschäftigung L^*. Auf diese Volks-

Abbildung 4.2: Komparativ-statisches Marktgleichgewicht

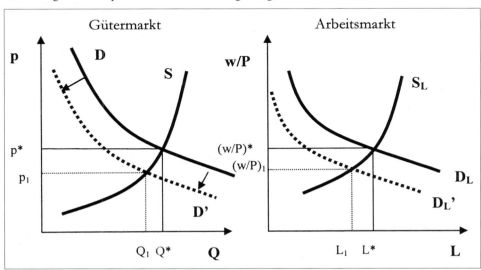

Vollständige Märkte verarbeiten einen exogenen Schock unmittelbar und produzieren ein neues allgemeines Gleichgewicht

wirtschaft wirkt nun ein exogener, negativer **Nachfrageschock** – der z.B. durch weltwirtschaftliche Einflüsse oder eine plötzliche Veränderung der Sparneigung ausgelöst werden kann –, der die Güternachfragekurve D auf D' verschiebt (Abb. 4.2).

Unterstellen wir vollständige Güter- und Arbeitsmärkte, dann wird sich sofort ein neues Gleichgewicht einstellen: Auf dem Gütermarkt wird das Preisniveau auf P_1 und der gleichgewichtige Output auf Q_1 gefallen sein, auf dem Arbeitsmarkt führt ein flexibler Reallohn zur Räumung des Arbeitsmarktes, obwohl die sinkende Güternachfrage auch die Arbeitsnachfragekurve auf D_L' absenkt. Dies impliziert dann allerdings, dass die Nominallöhne w nicht nur gegenüber der Ausgangssituation gesunken sind, sie müssen insgesamt stärker sinken als das Preisniveau, um eine Absenkung des Reallohnes auf $(w/P)_1$ zu ermöglichen. Zwar ist nun auch die Beschäftigungsmenge auf L_1 gesunken, doch entsteht daraus keine Arbeitslosigkeit, weil sich die Differenz L^*-L_1 vom Arbeitsmarkt zurückgezogen hat.

Etwas anders sieht es freilich aus, wenn wir Unsicherheit über die Dauerhaftigkeit des Nachfrageschocks – temporär oder strukturell, dauerhaft – und sachliche, zeitliche und persönliche Mobilitätsprobleme unterstellen wollen. Nun mag es rational erscheinen, weder die Nominallöhne (z.B. wegen bindender Verträge, die gegen unerwartete Einkommensschwankungen schützen sollen) noch die Preise (z.B. wegen Preisauszeichnungskosten) sofort zu senken, wenn der Nachfrageschock als transitorisch eingeschätzt wird (Preisrigiditäten). Stattdessen kommt es zu kurzfristigen Mengenanpassungen (wenn möglich, ansonsten erleben wir Umverteilungseffekte), indem der Output auf Q_1 und die Beschäftigung auf L_1 fällt (vgl. Abb. 4.3).

Da die Arbeitnehmer nun nicht das Einkommen realisieren können, von dem sie in der Ausgangssituation ausgegangen waren ($[w/P]^*L_1 < [w/P]^*L^*$), werden sie ihre Güternachfrage revidieren (,duale Entscheidungshypothese; vgl. Clower 1965) und entsprechend des geringeren, realisierten Einkommens senken – was zu einer weiteren Verschiebung der Güternachfragefunktion in die Position D'' führt. Selbst wenn mittlerweile der Preis auf dem Gütermarkt auf p_1 gesunken sein sollte, stellt dies kein Gleichgewicht mehr dar. Es wird stattdessen zu weiteren Mengenanpassungen auf Q_2 kommen. Hieraus kann sich nun eine gegenseitig aufschaukelnde Instabilität werden – spill-over-Effekte vom Güter- zum Arbeitsmarkt und zurück –, die allerdings dann nicht zum vollständigen Zusammenbruch führen muss, wenn dämpfende Auswirkungen steigender Konsumneigung und Realkasseneffekte[44] berücksichtigt werden.

Noch einfacher, weil ohne Märkte übergreifende spill-over-Effekte auskommend, können Instabilitäten dargestellt werden, wenn die beiden Marktseiten – Anbieter und Nachfrager – unterschiedliche Anpassungsreaktionen (Elastizitäten) zeigen: Ein stabiler Markt existiert nur, wenn die Preiselastizität der Nachfrage größer ist als die Preiselastizität des Angebots. Ein anfängliches Ungleichgewicht (in Abb. 4.4 liegt ein Angebotsüberschuss vor) – z.B. weil zu Transaktionsbeginn ein nicht-markträumender Preis festgelegt wurde – wird durch Herantasten an den Gleichgewichtspreis

---

[44] Realkasseneffekte werden uns weiter unten noch interessieren. Hier nur soviel: Bei gegebener nominaler Geldmenge M steigt die Realkassen M/P mit sinkendem Preisniveau. Der Realwert des Geldes steigt und wird die Wirtschaftssubjekte zu einer Verminderung der gehaltenen Geldmenge verführen – sie erhöhen dann entweder ihre Konsumnachfrage oder die Spartätigkeit, was vermittels Zinseffekt die Investitionsneigung ankurbelt.

Abbildung 4.3: Rigiditäten und Instabilitäten im 2-Märkte-Modell

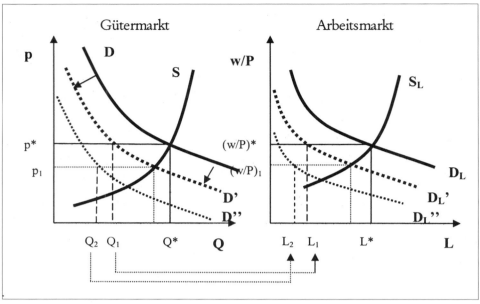

Bei Preisrigiditäten führt ein exogener Nachfrageschock zu sich verstärkenden Spill-over-Effekten auf dem Arbeitsmarkt und zurück auf den Gütermarkt

abgebaut. Angenommen, die Produktion eines Gutes dauere mindestens eine Periode und der Anbieter orientiere sich in Periode t+1 an der konstatierten Nachfrage in Periode t. In der Situation in Abb. 4.4 wird er sein Angebot von Q_2 nur durch Senkung des Preises auf p_2 absetzen können. In der nächsten Periode wird er nun sein Angebot auf Q_3 reduzieren – dies ist allerdings bereits kleiner als Q_1, da die Nachfrage stärker (=elastischer) auf Preisänderungen reagiert. Bei der Angebotsmenge Q_3 herrscht aber Nachfrageüberschuss, so dass der Anbieter seinen Preis auf p_3 erhöhen kann und in der Folgeperiode wiederum einen Angebotsüberschuss realisieren muss, der nur durch Preissenkung abgesetzt werden kann, etc. Langsam und im Zweifel über mehrere Perioden hinziehend wird das stabile Marktgleichgewicht erreicht.

Instabil wird das Szenario, wenn man unterstellt wird, dass die Preiselastizität des Angebot größer als die Preiselastizität der Nachfrage ist: Nun würde ein einmal realisiertes Marktungleichgewicht zu immer neuen Preis-Mengen-Reaktionen führen, die kumulativ vom Gleichgewicht wegführen und das anfängliche Ungleichgewicht beständig vergrößern – eine wahrlich instabile Situation (vgl. Abb. 4.5).

Was aber ist realistischer – ein preiselastischeres Angebot oder eine preiselastischere Nachfrage? Welche Marktkonstellation also dürfen wir erwarten – eine stabilisierende oder eine instabile? Dies kann allgemein nicht beantwortet werden. Grundsätzlich darf aufgrund der Aufbewahrungsfähigkeit der meisten Güter wohl von einer relativ geringen Preiselastizität des Angebotes ausgegangen werden, die im gewöhnlichen Fall von der Preiselastizität der Nachfrage übertroffen wird. Sät-

Abbildung 4.4: Marktgleichgewicht im Cobweb-Prozess

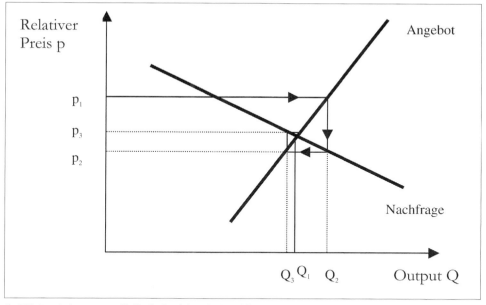

Stabilität existiert, wenn die Preiselastizität der Nachfrage größer ist als die Preiselastizität des Angebots

Abbildung 4.5: Marktungleichgewicht im Cobweb-Prozess

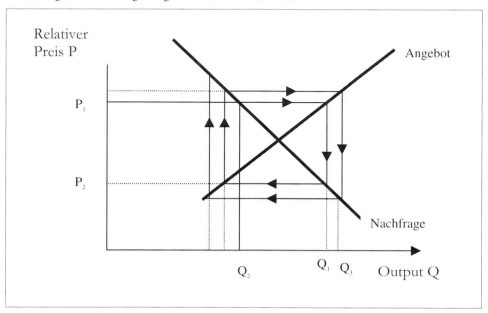

Instabilität herrscht vor, wenn das Angebot preiselastischer ist als die Nachfrage

tigungsphänomene oder eingeschränkte Substitutionsmöglichkeiten können aber auch die Preiselastizität der Nachfrage im Einzelfall deutlich beschränken. So lässt sich beispielsweise für den Arbeitsmarkt leicht eine Situation vorstellen, in der durch Substitutionsbeschränkungen (sachliche Mobilitätsprobleme aufgrund einer limitationalen Produktionsfunktion) und äußerst begrenzter ‚Lagerungsfähigkeit' (Arbeitnehmer müssen ihre Arbeitskraft verkaufen, um Einkommen zum Überleben zu erzielen) eine Konstellation gegeben ist – also hohe Preiselastizität des Angebots und geringe Preiselasizität der Nachfrage –, die eine Instabilität des Arbeitsmarktes auslösen würde, wenn nicht institutionelle Preisuntergrenzen (z.B. durch das Sozialsystem oder ‚unbeugsame Gewerkschaften' als kartellierte Interessenvertreter) bestünden.

Abb. 4.6: Marktfehler und Marktversagen

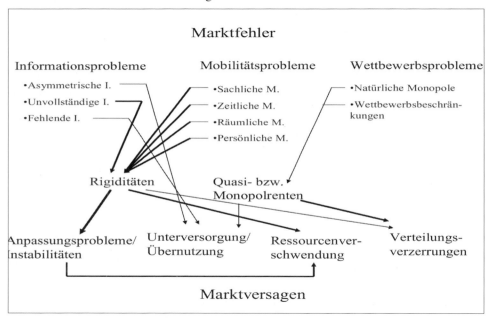

Abb. 4.6 zeigt noch einmal schematisch die verschiedenen Erscheinungsformen von Marktfehlern und deren direkte Folgen (Rigiditäten und Abweichungen von den Gleichgewichtspreisen) und verschiedenen Ausprägungen von Marktversagen. Erst im nächsten Kapitel sollen – verdichtet zu wirtschaftspolitischen Konzeptionen – Konsequenzen für staatliches Handeln gezogen werden. An dieser Stelle soll der Hinweis genügen, dass die Existenz von Marktversagen keineswegs bedeutet, dass unbedingt wirtschaftspolitisch interveniert werden müsste (vgl. Streit 2000: 22; Fritsch/Wein/Ewers 2001: 89f.) und schon gar nicht heißt es, dass privates Marktgeschehen durch ein öffentliches Güterbereitstellungsmonopol ersetzt werden müsste. Wir haben bereits im vorherigen Kapitel gesehen, dass zumindest im Falle der Mautgüter grundsätzlich die Wahl zwischen öffentlicher Monopolproduktion und Regulierung privater Produktion existiert. Und die (Re-)Justierung des Verhältnisses zwischen diesen beiden Formen des Umganges mit Marktfehlern ist in der

Konzeption des ‚aktivierenden Staates‘ zu einem wesentlichen Diskussionsfeld geworden (vgl. Corrales-Diez/Heise 2002). Dies gilt insbesondere für (Dienstleistungs-)Märkte, die als besonders dynamisch gelten müssen: Charakteristisch für die Dynamik eines Marktes ist die hohe Produkt- und Prozessinnovationskraft der gehandelten Güter oder Dienstleistungen (was sich in überdurchschnittlicher Produktivitätsentwicklung und, daraus abgeleitet, einer relativen Verbilligung der Güter äußert) und die hohe Preis- und Einkommenselastizität der Nachfrage. Beides zusammen erklärt die **positive Beschäftigungsentwicklung auf besonders dynamischen Märkten**. Bei der neoklassischen Faustformel für wirtschaftspolitische Intervention – Intervention nur dann und nur solange, wie der Nutzen der Intervention (Beseitigung oder Beschränkung des Marktfehlers) deren Kosten (Staatsversagen; dazu mehr in Kapitel 8.2) übersteigt[45] – insbesondere in dynamischen Märkten kann diese Gleichung recht schnell zulasten der Intervention ausfallen.[46] Weitere Beschränkungen ergeben sich daraus, das die Marktfehler – z.B. Informationsmängel – durch Interventionen nicht beseitigt werden können bzw. die staatliche Intervention gegebenenfalls unter den gleichen Informationsbeschränkungen handeln müsste wie die privaten Wirtschaftssubjekte – und wieso sollte er dann ‚besser‘ handeln?

Handlungstheoretisch unterstellt die Theorie des Marktversagens dem staatlichen Akteur – wiederum ganz in Anlehnung an die Konstruktion der privaten Wirtschaftssubjekte – eine am Rationalitätsprinzip orientierte, teleologische **Wahlhandlungs- bzw. Entscheidungslogik**. Wie alle Wirtschaftssubjekte, so hat auch der staatliche Akteur eine Optimierungsaufgabe zu lösen. Dies ist allerdings nur unter der ontologischen Voraussetzung einer objektiv bekannten Welt möglich (vgl. Habermas 1981: 130f.) – diese Annahme wird ex-, häufiger aber implizit gemacht.

4.2. Die postkeynesianische Theorie der Marktteilnahme

Wie die neoklassisch-monetaristische Theorie basiert auch der Postkeynesianismus[47] auf Wahlhandlungen von Wirtschaftssubjekten, deren dezentrales Koordinationsin-

---

[45] „Wenn es also um die Beurteilung der Frage geht, ob der Staat in das Wirtschaftsgeschehen eingreifen soll, so ist insbesondere zu fragen, ob man realistischerweise hoffen kann, dass sich mit staatlichem Eingriff unter Berücksichtigung der damit verbundenen Kosten ein höheres Wohlfahrtsniveau ergibt, als wenn man den nicht ‚perfekten‘ Markt sich selbst überließe. Das Ergebnis solcher Kosten-Nutzen-Betrachtungen macht sehr deutlich, dass bei weitem nicht jedes Marktversagen einen entsprechenden Eingriff erfordert" (Fritsche/Wein/Ewers 2001: 91f.). Und Streit (2000: 22) schreibt: „Anstelle eines Vergleichs der Realität mit den Ergebnissen einer perfekten Intervention käme es darauf an, die Marktlösung mit dem Interventionsergebnis zu vergleichen, das sich unter realistischen Informations- und Handlungsbedingungen einstellen würde, zu denen auch die Kosten und Eigengesetzlichkeiten (wirtschafts-)politischen Handelns gehören."

[46] Allerdings sind Vertreter der neoklassischen Theorie des Marktversagens zumeist nur bereit, die Beseitigung allokativer Mängel als Nutzen der Intervention explizit anzuerkennen. Lenkungs- oder Stabilitätsziele, die durch öffentliche Monopolproduktion dann verfolgt werden können, wenn die Konjunkturreagibilität der öffentlichen Produktion als unterdurchschnittlich vorausgesetzt wird, werden selten thematisiert.

[47] Die Bezeichnung ‚Postkeynesianismus‘ ist alles andere als eindeutig, Hamouda/Harcourt (1989) etwa identifizieren 3 verschiedene postkeynesianische ‚Stränge‘ (vgl. auch Gerlach 1990 und Spahn 1986). Gemeinsam ist allen die Ablehnung des walrasianischen Paradigmas eines allgemeinen Tauschgleichgewichts und die grundsätzliche Bereitschaft, auch den Standardkeynesianismus der 1970er Jahre-Lehrbücher als Sonderfall des walrasianischen Paradigmas zu betrachten. Für die Herausarbeitung eines ei-

strument der Markt ist. Damit bleibt grundsätzlich alles gültig, was über Märkte, deren möglichen Fehler und wohlfahrtstheoretische Auswirkungen (Marktversagen) im vorigen Abschnitt gesagt wurde. Im Gegensatz zur neoklassisch-monetaristischen (oder anders: walrasianischen) Theorie lehnt der Postkeynesianismus aber die allokationstheoretische Sichtweise der Ressourcen**beherrschung**[48], wonach die Allokation und Bewertung knapper Ressourcen durch temporalen und intertemporalen Tausch auf verschiedenen äquivalenten Märkten erfolgt, zugunsten einer vermögensmarkttheoretischen **Knapphaltung der Ressourcen** im Rahmen einer Markthierarchie ab: Durch Verfügung über den liquidesten Vermögensgegenstand einer Ökonomie (jenes Zahlungsmittel, in dem Gläubiger-Schuldner-Verhältnisse denominiert sind bzw. in dem diese Verhältnisse zu den geringsten Werterhaltungskosten aufgelöst werden können = Geld) werden auf dem Vermögens- oder Kreditmarkt[49] neben dem Geld- und Vermögenszins sowohl die Geldmenge (Zentralbank- oder Basisgeldmenge) also auch das nominelle Investitionsvolumen bestimmt, mit dessen Hilfe unter Kenntnis der produktions- und konsumtheoretischen Grundlagen (Produktionsfunktion und Einkommensmultiplikator) schließlich der **gesamtwirtschaftliche Output und die Beschäftigungsmenge** (und auch der Kapitalstock) bestimmt werden. Mit **Ressourcenbewirtschaftung** im Gegensatz zur **Ressourcenbeherrschung** ist dann gemeint, dass vor allem der kurz- bis mittelfristig angebotsunelastische Produktionsfaktor Arbeit keineswegs vollständig genutzt werden muss – **es entsteht also Arbeitslosigkeit als konsistentes Marktergebnis** und nicht etwa als Fehler eines ,unvollkommenen Marktes'.

Als weitere besondere Merkmale des postkeynesianischen Paradigmas können festgehalten werden:

• Die Bedingungen des gesamtwirtschaftlichen Gleichgewichts werden nicht auf den einzelnen, äquivalenten Märkten bestimmt, sondern hierarchisch vom Vermögensmarkt ausgehend über die Gütermärkte hin zum Beschäftigungsmarkt. Dies impliziert einerseits, dass das Walras-Gesetz keine Gültigkeit beanspruchen kann (vgl. Spahn 1999: 157), andererseits aber auch, dass das Beschäftigungsvolumen ein abgeleitetes, makroökonomisches Ergebnis ist. **Markthierarchie** bedeutet, dass die Wahlhandlungen der Vermögensbesitzer logisch und zeitlich den Wahlhandlungen der Güter- und Beschäftigungsmarktteilnehmern vorgelagert sind und

---

genständigen wirtschaftspolitischen Paradigmas allerdings eignet sich der Monetärkeynesianismus (vgl. Heise 2001: 45f.).

[48] Der walrasianischen Theorie wird explizit die Fähigkeit abgesprochen, eine Ressourcen**bewirtschaftung** erklären zu können, da es ihr gerade nicht darum geht, den Grad der Ressourcennutzung zu bestimmen, sondern bei unterstellter Vollauslastung der Ressourcen konsistent nur die ,optimale' Verteilung auf alternative Nutzungen (eben Allokation) bestimmen zu können; vgl. Stadermann/Steiger (2001: 22) und Heinsohn/Steiger (2002).

[49] Mit Vermögensmarkt sind sowohl die Gläubiger-Schuldner-Beziehungen zwischen der Notenbank und den Geschäftsbanken als auch zwischen den Geschäftsbanken und den Investoren gemeint (vgl. Heine/Herr 2000: 331 und Baisch/Kuhn 2001: 16). Von Kreditmarkt wird deshalb nur zögerlich gesprochen, weil leicht eine Verwirrung mit dem walrasianischen Markt gleichen Namens entstehen kann: Im Gegensatz zum Kreditmarkt walrasianischer Provenienz werden auf dem postkeynesianischen Vermögensmarkt nicht angebotene (gesparte) und nachgefragte (investierte) Einkommensbestandteile (eine Fluss- bzw. Stromgröße), sondern angebotene und nachgefragte Geldeinheiten (liquide Mittel, eine Bestandsgröße) zum Ausgleich gebracht.

über den angeleiteten Einkommensbildungsprozess deren **Budgetbeschränkung** bilden (vgl. Heine/Herr 2000: 318f. oder Spahn 1999: 209).

- Es existiert kein handlungsrelevanter, reallohnabhängiger Arbeitsmarkt mit immanenter Vollbeschäftigungsmechanik (vgl. Heise 2002a). Die genaue Bedeutung und Erklärung dieser Modelleigenschaft wird uns später noch interessieren, wenn wir zum Problemfeld ‚Arbeitslosigkeit‘ kommen. Hier deshalb nur so viel: Die Teilnehmer am Arbeitsmarkt können nur über nominelle Größen entscheiden – den Nominallohn –, der Reallohn ergibt sich als Resultante des gesamtwirtschaftlichen Gleichgewichts. Bei unfreiwilliger Arbeitslosigkeit würde eine Revision der Tarifverträge konsequent zunächst nur das Preisniveau (ggf. bei resultierender Konstanz des Reallohnsatzes), nicht aber eindeutig die Beschäftigungsmenge beeinflussen (vgl. Davidson 1994: 27ff.). Die mögliche Folge einer deflationären Entwicklung und beständiger Bewertungsänderungen kann nur durch Nominallohnstarrheiten verhindert werden – **Preisstarrheiten** sind damit im postkeynesianischen Modell viel weitreichendere **Stabilisatoren** der Gesamtwirtschaft als im walrasianischen Modell (vgl. die Cobweb-Prozesse).

- Der Vermögensmarkt ist ein **Zukunftsmarkt**, auf dem notwendigerweise unsichere Informationen und entsprechende Erwartungsbildungsprozesse eine bedeutsame Rolle spielen. Besonders thematisiert werden dabei die objektiv nicht-vorhandenen Informationen, die **Unsicherheit in einem fundamentalen Sinne** (und im Gegensatz zum Risiko) schaffen: Weder sind die möglichen Ereignisse notwendigerweise bekannt, noch sind objektive Eintrittswahrscheinlichkeiten erwartbar. Das geflügelte Wort von JOHN MAYNARD KEYNES ‚We simply do not know‘ heißt dann, dass die Zukunft nicht bereits determiniert ist und von den Wirtschaftssubjekten lediglich ‚entdeckt‘ bzw. erwartet werden muss (wobei es immer zu Zufallsabweichungen kommen kann, das sogenannte ‚white noise‘), sondern die Zukunft erst durch das Handeln der Wirtschaftssubjekte gestaltet wird. Davidson (1982-83) spricht von einer **nicht-ergodischen Welt**[50], in der dem liquidesten Vermögensgegenstand – Geld – eine besondere Bedeutung als Verbindungsglied zwischen Gegenwart und unsicherer Zukunft (Vermögenssicherungstitel statt Tauschmittel) und dem Geldzins (Liquiditätsprämie statt Zeitpräferenzprämie) eine besondere Bedeutung als Opportunitätskostenfaktor der Investitionsbereitschaft zukommt.

- Schließlich beschreibt das Zusammenspiel von Institutionen (z.B. Notenbankverfassung, Kollektivvertragssystem), historischen Rahmenbedingungen (z.B. Wechselkurssysteme, Marktsättigungstendenzen) und anderen politischen und gesellschaftlichen Faktoren (z.B. kollektive Stimmungen, gesellschaftliches Gedächtnis) **Marktkonstellationen**, die die genaue Lage des gesamtwirtschaftlichen Gleichgewichts in einer Geldwirtschaft bestimmen (vgl. z.B. Heine/Herr 1998: 69ff.).[51]

---

[50] Im Gegensatz dazu ist die ‚ergodische Welt‘ des walrasianischen Paradigmas folgendermaßen gekennzeichnet: „In an ergodic world, the probability function which governed the occurence of past events is the same probability distribution which determines today‘s outcomes and it is also identical with the probability function out of which future events will be drawn (…). The past, current and future economic universe is therefore presumed to be in a state of statistical control and therefore future economic outcomes can be predicted in a statistical reliable manner from past and current information" (Davidson 1988: 168)

[51] „Eine Marktkonstellation beschreibt das Zusammenspiel verschiedener ökonomischer, institutioneller und politischer Faktoren, die eine gewisse Rigidität und Dauerhaftigkeit aufweisen" (Heine/Herr 2000: 531).

Abbildung 4.7: Markthierarchie im postkeynesianischen Modell

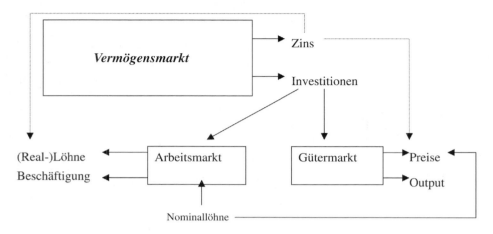

Im Gegensatz zur neoklassischen Theorie des Marktversagens ergeben sich im Rahmen der postkeynesianischen Theorie der Marktteilnahme die Ziele der Wirtschaftspolitik nicht funktional, sondern sie müssen durch **gesellschaftliche oder politische Übereinkunft** festgelegt werden. Diese Schlussfolgerung ist zwangsläufig, weil der theoretische Referenzpunkt des postkeynesianischen Modells – das gesamtwirtschaftliche Gleichgewicht – nicht notwendigerweise eine pareto-optimale Situation darstellt: Gelänge beispielsweise – ceteris paribus – eine Erhöhung des Beschäftigungsstandes gegenüber dem Ausgangsgleichgewicht, so könnten die nunmehr beschäftigten Menschen besser gestellt werden, ohne dass irgend jemand schlechter gestellt werden müsste. Doch das nun intuitiv nahe liegende Ziel der Vollbeschäftigung ergibt sich seinerseits nicht funktional, denn es kann durchaus sein, dass es nur durch die Schlechterstellung der Vermögensbesitzer – wenn beispielsweise Bewertungsveränderungen (Inflation) mit einer Beschäftigungssteigerung einhergehen wie es die Phillips-Kurve beschreibt – erreicht werden kann. Eine wohlfahrtstheoretische Zielbestimmung kann also nicht aus den Tiefen der theoretischen Grundlagen erfolgen, sondern muss **explizit** festgelegt werden. In der Bundesrepublik ist dies seit 1967 durch das **Gesetz zur Förderung der Stabilität und des Wachstums (StabG)** geschehen, in dem folgende Ziele der Wirtschaftspolitik vorgegeben sind:

- Angemessenes Wachstum
- Hoher Beschäftigungsstand
- Preisstabilität
- Außenwirtschaftliches Gleichgewicht

4.2.1 Marktteilnahme statt Marktreparatur

Die Sinnhaftigkeit der Ziele muss in jedem Einzelfall geprüft und deren Kriterien offengelegt werden. Aber auch unabhängig von den konkreten Zielen kann zweifellos festgehalten werden, dass die wirtschaftspolitischen Akteure die Marktbedingungen akzeptieren müssen und keineswegs gegen die Präferenzen der Marktakteure – und hier sind entsprechend der Markthierarchie zuerst die Vermögensmarktteilnehmer zu nennen – Politik betreiben dürfen.[52] Versuche beispielsweise, durch eine ‚Geldhaltungssteuer‘ (oder auch per Inflation) die Vermögensbesitzer dazu bewegen zu wollen, sich leichter von ihrem Geld zu trennen, muss scheitern, weil die entstehende Bewertungsunsicherheit gerade zu einer Erhöhung der Liquiditätsprämie auf Geld führen müsste. Und sollte in der Folge das gesetzliche Zahlungsmittel (Geld) nicht länger der liquideste Vermögensgegenstand der Volkswirtschaft sein, würde die Geldfunktion der Vermögenssicherung auf ein anderes Asset übergehen. Der **Zwang zur Marktteilnahme** statt ‚Marktsubstitution‘[53] bzw. ‚Marktreparatur‘ (im Konzept des neoklassischen Marktversagens) zeigt sich auch daran, dass es den wirtschaftspolitischen Akteuren nicht gelingen kann, eindeutig zwischen gewünschten Mengeneffekten (z.B. höherer Beschäftigung) und ungewünschten Preiseffekten (z.B. Inflation) im Falle der Stabilisierungspolitik und zwischen gewünschten Preis- (z.B. Disinflation) und ungewünschten Mengeneffekten (z.B. Arbeitslosigkeit) im Falle einer Preisstablitätspolitik diskriminieren zu können. „So erhält die Wirtschaftspolitik gegenüber dem individuellen Entscheidungsträger ihr spezifisches Moment der Marktteilnahme dadurch, daß ihre Entscheidungen in einen makroökonomischen Kontext eingebettet sind. Sie beziehen sich damit auf Entscheidungsträger, die Marktbedingungen akzeptieren und beeinflussen, die auf eine monetäre Steuerung des Wirtschaftsablaufs und dessen Einkommenswirkung zielen" (Riese 1998: 30).

4.2.2 Sicherheitsstiftende Institutionen

Während **Institutionen** in der neoklassisch-monetaristischen Theorie systematisch stören, weil sie dadurch zu Anpassungskosten führen, dass sie Handlungsoptionen der Wirtschaftssubjekte beschränken und der neoklassische Institutionalismus deshalb umständlich nach möglichem Nutzen von Institutionen fahnden muss und letztlich in der Senkung von **Transaktionskosten** gefunden hat (vgl. z.B. Reuter 1998; Streit 2000: 89ff.), sind Institutionen[54] in einem geldwirtschaftlichen Paradigma, dass wesentlich fundamentale Unsicherheit thematisiert, geradezu konstituierende Elemente eines stabilen Wirtschaftssystems und unverzichtbar, um unter solchermaßen gekennzeichneten Bedingungen überhaupt Entscheidungen treffen zu können.[55]

---

[52] „Man kann nur mit dem Kapitalismus leben, nicht gegen ihn. Das ist das A und O der Wirtschaftspolitik" (Riese 1995: 10).

[53] Das von Riese (1986: 177) verwendete Bild der ‚Marktsubstitution‘ im Konzept des Marktversagens trifft nicht ganz den eigentlichen Sachverhalt, denn es geht ja nicht darum, das Marktergebnis durch planvolle Aktionen zu ersetzen, sondern durch Fehlerbeseitigung zu ermöglichen.

[54] Institutionen können gleichermaßen kodifizierte Regeln wie kulturelle Normen – Sitten, Gebräuche oder Normen etwa – sein. Auch die im üblichen Wortsinne gebräuchlichere Verknüpfung mit einer Organisation ist nicht abwegig, da auch Organisationen gewöhnlich klare interne Verhaltens- und Weisungsstrukturen kennen. Im hier gebrauchten weiteren Sinne sind damit Konstruktionen wie ‚Ehe‘, ‚Verträge‘, ‚Kündigungsschutzbestimmungen‘ etc. gemeint.

[55] „The information required for rational decision making does not exist; the market mechanism cannot provide it. (...) The system reacts to the absence of the information the market cannot provide by crea-

Geld wird deshalb im Postkeynesianismus eben nicht in erster Linie als Transaktionskosten senkende Institution verstanden, sondern als sicherheitsstiftende Institution, in der der Wunsch nach Liquidität (d.h. jederzeitige Befähigung zur Auflösung von Gläubiger-Schuldner-Beziehungen) geronnen ist.

Box 3: Neuer und alter Institutionalismus

The proposition that in a sense ‚institutions count' in shaping economic coordination and change is certainly shared by all breeds of 'evolutionists' mentioned earlier with various strands of 'neo-institutionalists' (...), and also, of course, with 'old' institutionalism (...). But, clearly, the tricky issue is *in which sense* they count.

Simplifying to the extreme, two archetypical, opposing views can be found in all this literature. At one end of the spectrum, the role of institutions can be seen as that of (i) parameterizing the environmental state variables (say the comparative costs of markets, hybrids and hierarchies in Williamson (...); and (ii) constraining the menus of actions available to the agents (...). Conversely, at the opposite end, let us put under the heading of embeddedness view all those theories which claim, in different fashions, that institutions not only 'parameterize' and 'constrain', but, given any one environment, also shape the 'visions of the world', the interaction networks, the behavioural patterns and, ultimately, the very identity of the agents. (...) Note that where a theory is placed along this spectrum it has significant implications in terms of the predictions that it makes with respect to the collective outcomes of interactions and to the directions of change. On the grounds of the former view, the knowledge (by the analyst) of the (institutionally shaped) system parameters is sufficient to determine the collective outcomes (precisely, under 'perfect' rationality under the caveat of multiple equilibria; and approximately, under 'bounded' rationality). Conversely, the embeddedness view implies that in order to understand 'what happens' and the direction of change over time, much richer institutional details are needed.

... three other dichotomies are relevant here. The first concerns the origin of the institutions. Briefly put, are institutions themselves a primitive of the theory or is *self-seeking rationality* the primitive and institutions a derived concept? Under the latter view, whatever institution one observes, one has to justify it, asking the question how self-seeking agents have come to build it (...). Conversely, under the former view, the existence of an institution is 'explained' relying much more heavily on the institutions that preceded it and the mechanisms that led to the transition. (...)

The second dichotomy regards the degree of intentionality of institutional constructions, that is, whether they are purposefully built according to some sort of collective *constitutional* activity or, conversely, are mainly the outcome of an unintentional *self-organization* process.

---

ting uncertainty-reducing institutions:..." schreibt der Postkeynesianer Jan Kregel (1980: 46). Institutionalist Geoff Hodgson (1989: 109) schlägt in die gleiche Kerbe: „In other words, institutions and routines, other than acting as rigidities and constraints, enable decisions and action by providing more or less reliable information regarding the likely actions of others. One consequence of this function of institutions is that in a highly complex world, and despite uncertainty, regular and predictable behaviour is possible." Zwischen dem Postkeynesianismus und dem nicht-neoklassischen Institutionalismus bestehen deshalb auch natürliche Anknüpfungspunkte, wenngleich es bis heute zu keiner gelungenen Symbiose beider heterodoxen Theorieschulen gekommen ist; vgl. Hodgson (1989).

The third dichotomy concerns the efficiency properties (and the equilibrium nature) of institutions themselves. Do they exist *because* they 'perform a function' and, thus, are equilibrium outcome of some process that selected in favour of that function? Or conversely, ..., are they mainly 'carriers of history', in the sense that they tend to path-dependently reproduce themselves well beyond the time of their usefulness (if they ever had one)?

The four dichotomies together define the distance between any one institutionalist view and the standard 'neoclassical' paradigm (institution-free, perfectly rational agents, well-informed and invariant preferences and so on).

Weak and strong varieties of institutionalism

	,Weak' Institutionalism	**,Strong' Institutionalism**
1. Role of institutions	Parameterize system variables; constrain menu of strategies	Also ,embed' cognitive and behavioural patterns; shape identies of actors
2. ,Primitives' of the theory	(Perfectly or boundedly) rational self-seeking agents; institutions as derived entities	Institutions as ,primitives'; forms of ,rationality' and perceptions of self-interest as derived entities
3. Mechanisms of institution-formulation	Mainly intentional, ,constitutional' process	Mainly unintentional self-organization processes
4. Efficiency properties	Institutions perform useful coordinating and governance functions; may be considered equilibria in some selection space	Institutions as 'carriers of history'; reproduce path-dependently, often irrespectively of this functional efficiency

Coriat/Dosi (2002: 98ff.)

Was hier als 'weak institutionalism' bezeichnet wird, beschreibt den neoklassischen (neuen) Institutionalismus, was als ,strong institutionalism' firmiert, findet sich in der Literatur als ,alter' oder amerikanischer Institutionalismus und beschreibt den Umgang mit Institutionen im nicht-walrasianischen Paradigma

In diesem Sinne wird allen Institutionen, die in der Lage sind, die Bewertungsunsicherheiten in einer Geldwirtschaft zu reduzieren, mit großem Wohlwollen und der positivistischen Existenzberechtigungsvermutung begegnet, wenngleich mögliche Anpassungskosten nicht übersehen werden dürfen: **Kollektivvertragssysteme** – also eine Kartellierung des Arbeitsmarktes – werden deshalb als **nomineller Anker** verstanden, der eine abwärtsgerichtete Preisspirale bei dauerhafter Unterbeschäftigung verhindert. Wenn die Kollektivvertragssysteme dann auch noch so gestaltet sind, dass die Institutionen mögliche Anpassungskosten erkennen und internalisieren können, bleiben allokative Marktprobleme klein (vgl. z.B. Calmsfors/Drifill 1988; Soskice 1990).

Abbildung 4.8: Inflationshöhe und Inflationsvolatilität, 1960 – 1993

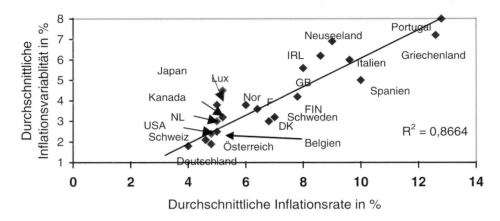

Ebenso lässt sich in der postkeynesianischen Vermögensökonomie deutlich konsistenter eine **unabhängige Notenbank** als quasi-autonome Institution der Geldpolitik etablieren als in der walrasianischen Theorie. Während letztere dem Geld nur die Funktion eines Numeraires – des Wertmaßstabes, der es ermöglicht, ein gesamtwirtschaftliches Preisniveau zu bestimmen – zugesteht ohne langfristige Auswirkungen auf die Gleichgewichtsposition der Volkswirtschaft (Quantitätstheorie des Geldes), kann das gesetzliche Zahlungsmittel seine Aufgabe als Liquiditätsspeicher umso besser erfüllen, je größer seine erwartete Wertstabilität ist. Da einerseits ein empirischer Zusammenhang zwischen Inflationshöhe und Inflationsvolatilität (als Maß der Bewertungsunsicherheit) nachweisbar ist (vgl. Abb. 4.8), andererseits sich ebenso ein empirischer Gleichlauf von Inflationshöhe und dem Grad der Unabhängigkeit der Notenbank feststellen und mithilfe des Zeitinkonsistenzproblems (vgl. Kap. 7.3) auch erklären lässt, lässt sich **liquiditätspräferenztheoretisch** leicht begründen, weshalb eine unabhängige Notenbank (c.p.) ein niedrigeres Realzinsniveau realisieren kann und somit die Akkumulationsbedingungen gegenüber einer subordinierten Notenbank verbessert. Die walrasianische Theorie hingegen muss zur Aufrechterhaltung der ‚klassischen Dichotomie‘ der Quantitätstheorie auf die umstrittene Zusammenhangslosigkeit zwischen der Unabhängigkeit der Notenbank und der Wachstumsentwicklung einer Volkswirtschaft plädieren, kann dann aber das eigene Plädoyer für die Notenbankunabhängigkeit nicht glaubhaft machen (vgl. Heise 1992).

Neben den inländischen existieren auch ausländische Märkte, auf denen eine Bewertung der Güter und Vermögensgegenstände erfolgt. Zwischen beide und als wesentliche analytische Distinktion zwischen einer nationalen und einer internationalen Wirtschaft tritt der **Wechselkurs**, der die nationalen Geldgüter vergleichbar macht. Während die walrasianische Theorie prinzipiell für eine Flexibilität der Wechselkurse plädieren muss[56], um die dauerhafte Räumung des Devisenmarktes

56 Robert Mundell (1961) hat den Anstoß für Forschungen zu einem ‚optimalen Währungsraum‘ gegeben, der die Bedingungen für feste Wechselkurse beschreibt: Ganz in neoklassischer Argumentations-

zu gewährleisten und damit das allgemeine Gleichgewicht auch einer offenen Volkswirtschaft zu sichern, spielt für die postkeynesianische Theorie die sicherheitsstiftende Funktion eines festen oder zumindest semi-flexiblen Wechselkurssystems (feste, aber anpassungsfähige Wechselkurse wie im früheren Europäischen Währungssystem) eine besondere Rolle (vgl. Davidson 1982: 260ff.). Ähnlich wie das Tarifsystem kann also das Wechselkurssystem die Rolle eines **nominellen Wechselkursankers** übernehmen (vgl. Heine/Herr 1998: 67). In dieser prinzipiellen Bevorzugung der Bewertungsstabilität eines festen Wechselkurssystems zumindest gegenüber der völligen, unregulierten Marktfreiheit des Devisenmarktes – was zweifellos Anpassungsmaßnahmen in die Binnenwirtschaft verlegt – widerspricht der Postkeynesianismus auch dem Standardkeynesianismus, der in einem flexiblen Wechselkurssystem die weitgehende Abschottungsmöglichkeit der Binnenwirtschaft von der internationalen Wirtschaft erblickte.

4.2.3 Schaffung wohlfahrtssteigernder Marktkonstellationen

Es entspricht dem Verständnis einer Theorie der Marktteilnahme, dass die wirtschaftspolitischen Akteure zwar nicht in teleologischem Sinne vorgegebene Ziele realisieren können, doch muss daraus **kein wirtschaftspolitischer Nihilismus** erwachsen. Vielmehr können sie aufgrund ihrer volumenmäßigen Potenz (im Gegensatz zu den meisten anderen Wirtschaftssubjekten) das gesamtwirtschaftliche Marktergebnis durchaus spürbar und nachhaltig beeinflussen, aber auch aufgrund ihrer Fähigkeit zur Bildung von Institutionen die Rahmen- und Handlungsbedingungen für andere, vielleicht sogar für alle anderen Marktakteure verändern. Die Einschränkungen der Steuerbarkeit im Postkeynesianismus ergeben sich wesentlich aus der Nicht-Ergodizität der realen Welt, die eine objektive Prognostizierbarkeit ökonomisch relevanter Ereignisse unmöglich macht, stattdessen an die konkreten Handlungen der Wirtschaftssubjekte und quasi-autonomen Akteure knüpft. So formulierte KEYNES die bekannte Parabel des Schönheitswettbewerbs, in dem die Teilnehmer für die korrekte Voraussage der Schönheitskönigin belohnt werden. In einem solchen Falle sollte man sich tunlichst nicht davon leiten lassen, wen man selbst für die (objektiv?) hübscheste Teilnehmerin hält, sondern ausschließlich einzuschätzen versuchen, wen die Mehrheit der Mitbewerber für die hübscheste halten könnte. Dabei muss man selbstverständlich in Rechnung stellen, dass alle anderen Vorhersagen gleichermaßen unter diesem strategischen Blickwinkel ergehen werden. Dieses Beispiel soll zeigen, dass menschliches Handeln, gerade auch in ökonomischen Angelegenheiten, stark **interdependent** ist – also nicht nur aufeinander bezogen, sondern von den möglichen Handlungen anderer Marktteilnehmer abhängig – und deshalb unmöglich derartig **prädeterminiert** sein kann, dass die wirtschaftspolitischen Akteure durch äußeren Eingriff selbst definierte

---

weise ist die Institution ‚Festkurssystem‘ solange sinnvoll, wie der erzielte Nutzen (Senkung von Transaktionskosten) nicht von entstehenden Anpassungskosten kompensiert wird. Dies ist immer dann zu erwarten, wenn die Volkswirtschaften sehr heterogene Außenhandelsstrukturen aufweisen, die Faktormobilität beschränkt und auch die Reallohnflexibilität unvollständig ist.

Ziele hydraulisch erreichen könnten. Andererseits können Regeln oder Konventionen die Anzahl der Handlungsalternativen derartig beschränken bzw. die Auswahlwahrscheinlichkeit gewisser Handlungsalternativen derart erhöhen, dass subjektive Prognosen ermöglicht und damit eigenes Handeln wahrscheinlich wird. Im Falle des Schönheitswettbewerbs beispielsweise wären klar definierte Schönheitsideale hilfreich.

Die wirtschaftspolitischen Akteure handeln nun einerseits in spezifischen Marktkonstellationen, die häufig durch politische oder kulturelle Faktoren beeinflusst werden, die sich ihrem kurzfristigen Zugriff entziehen: z.B. weltwirtschaftliche Einflüsse oder supranationale Institutionen wie Wechselkurssysteme oder die Weltfinanzarchitektur, aber auch Marktsättigungskonstellationen oder gar individuellen Grunddispositionen der Wirtschaftssubjekte, die als ‚individualistisch' oder ‚kollektivistisch' bezeichnet werden können. Allerdings können die wirtschaftspolitischen Akteure außerdem versuchen, durch eigene Aktionen – Marktteilnahme, Regelsetzung oder Schaffung von Institutionen – **die Marktkonstellation in einer Weise zu beeinflussen**, dass das angestrebte Ziel – z.B. Vollbeschäftigung oder Preisstabilität oder Vollbeschäftigung bei Preisstabilität – erreichbar erscheint. Da wir ‚Marktkonstellationen' eine gewisse Beständigkeit als Charakteristikum beigefügt hatten, bedürfen derartige wirtschaftspolitische Interventionen aber immer einer mittel- bis langfristigen Perspektive, einer Nachhaltigkeit und Planbarkeit.

Der wirtschaftspolitische Akteur im Postkeynesianismus ist niemals ein **exogener, herausgehobener Faktor**, der ausschließlich Marktfehler beseitigend und mittels dieser Korrekturen zielführend in das Wirtschaftsgeschehen eingreifen kann, sondern ein – gewiss gewichtiger – Marktteilnehmer, der sich mit den beschränkt rationalen, normenregulierten Handlungen der Wirtschaftsteilnehmer in einer durch Unsicherheit gekennzeichneten Geldwirtschaft konfrontiert sieht und – quasi aus marktendogener Position heraus – die Marktergebnisse in eine gewünschte Richtung zu lenken versucht. Die für den Ziel-Mittel-Ansatz notwendige Trennung von **Steuerungs-Subjekten** (wirtschaftspolitische Akteure) und **Steuerungs-Objekten** (Marktakteure) ist nun offensichtlich aufgehoben.

Teleologisches Handeln ist für den wirtschaftspolitischen Akteur ebenso wenig wie für jedes andere Wirtschaftssubjekt möglich, da die dafür notwendige Voraussetzung einer objektiv bekannten (Um-)Welt in der Gedankenwelt der Theorie der Marktteilnahme nicht gegeben ist – vielmehr bleibt auch dem wirtschaftspolitischen Ak-

---

Box 4: Marktkonstellation des ‚goldenen Zeitalters'

Bei einer Betrachtung der wirtschaftlichen Entwicklung hochentwickelter Ökonomien in der Zeit nach dem 2. Weltkrieg fällt nicht nur für die Bundesrepublik eine Phase besonders guter makroökonomischer Performanz auf – die sogenannten ‚goldenen Jahre' der fünfziger und sechziger Jahre, die spätestens mit der ersten Ölpreiskrise Anfang der siebziger Jahre, wahrscheinlich aber schon vorher mit dem Ende des Weltwährungssystems von Bretton Woods zu Ende ging (vgl. Heise 1996: 207ff.)

Abbildung 4.8: Erfolgskriterien einzelner Perioden

	Wirtschafts-wachstum in %	Arbeitslosen-quote in %	Haushalts-defizit[1] in % des BIP	Inflation[2] In %
Goldenes Zeit-alter[a]	6,5	1,0	-	1,8
Keynesianische Periode[b]	3,1	2,9	-1,7 (-2,2)	4,9
Neoklassisch-monetaristische Periode[c]	2,0	8,4	-2,1 (-2,2)	2,8

Anmerkungen: a: Anfang der fünfziger bis Ende der sechziger Jahre; b: Ende der sechziger bis Ende der siebziger Jahre; c: Ende der siebziger bis Ende der neunziger Jahre;1: Struktu-relles Defizit (in Klammern: Gesamtdefizit); 2: Preisindex der Lebenshaltung
Quelle: Deutsche Bundesbank; Monetäre Statistiken auf CD-Rom

Die Wachstumsraten während des ‚goldenen Zeitalters' waren überdurchschnittlich hoch, die Arbeitslosigkeit von durchschnittlich 1 % muss – bei einer Vakanzquote (Quote der offenen Stellen) von 3 – 4 % – als Überbeschäftigungssituation bezeichnet werden, dennoch lag die Inflationsrate in einem Bereich, der erst wieder im ‚monetaristischen Jahrzehnt' der neunzi-ger Jahre erreicht wurde. Trotz hoher Ausgabensteigerungen zeigten die öffentlichen Haus-halte Überschüsse, die erst Anfang der siebziger Jahre in dauerhafte Defizite umschlugen. Natürlich können hier keine spezifischen Determinanten der Wachstums- und Beschäfti-gungsentwicklung geliefert werden (vgl. Lindlar 1997), sondern es geht nur darum, im Sin-ne des Marktkonstellationsansatzes solche Faktoren zu benennen, die systematisch ein wachstums- und beschäftigungsförderliches Regime vermuten lassen:

- Das **Festkurssystem von Bretton Woods** schaffte für die kriegsbeeinträchtigten Volks-wirtschaften Europas eine verlässliche Planungsgrundlage auf dem wichtigen nordame-rikanischen Absatzmarkt (vgl. Thomasberger 1993). Außerdem ließen die USA einen dauerhaften Kapitalexportüberschuss nach Europa zu und die US-Notenbank – als No-tenbank der Leitwährung des Bretton Woods Systems – betrieb aus innenpolitischen Gründen (Korea- und Vietnam-Kriege) eine expansive Geldpolitik, die es den schnell wachsenden europäischen Volkswirtschaften und insbesondere Deutschland (mit ihren von der US-Geldpolitik abhängigen Notenbanken) erlaubten, einen passenden monetä-ren Mantel zu schneidern.
- Die **Binnenmärkte** der europäischen Volkswirtschaften und insbesondere Deutschlands wiesen **hohe Einkommenselastizitäten der Nachfrage** auf, was einerseits die geringe Wettbewerbsintensität, andererseits den geringen Sättigungsgrad dieser Märkte anzeigt. Eine solche Konstellation garantiert hohe und stabile Ertragserwartungen für die Unter-nehmen.
- Der **Nachholbedarf** in allen Bereichen des Konsums zeigte sich in einer hohen Konsumnei-gung, was einen hohen gesamtwirtschaftlichen Einkommensmultiplikator erwarten lässt.
- Stabile **Kapital-Arbeits-Beziehungen** – es hatte sich ein ‚historischer Kompromiss' der personellen Einkommensverteilung durchgesetzt (vgl. Streeck 1997), starke korporative Akteure erlaubten eine produktivitätsorientierte Tarifpolitik – verstetigten die Einkom-mensbedingungen und ermöglichten eine Orientierung an der Ausschöpfung des ‚Ver-teilungsspielraums', was die Entwicklung der größten gesamtwirtschaftlichen Nachfra-gekomponenten verstetigte und den Konsumenten Planungssicherheit verschaffte.

- Hohe **Produktivitätszuwächse** halfen, die latenten Verteilungskonflikte zu befrieden: Hohe Nominal- und Reallohnzuwächse konnten mit einer Stabilität der Lohnstückkosten verknüpft werden, was – angesichts einer im Bretton-Woods-System gebundenen Geldpolitik – zu einer außenwirtschaftlichen Absicherung des Wachstums (,stabilitätsorientierte Unterbewertung'; vgl. Herr 1992) führte.
- **Niedrige Nominalzinsen** und **hohe nominelle Wachstumsraten** des Volkseinkommens verhinderten, dass die Volkswirtschaften im ,goldenen Zeitalter' in die ,Domar'sche Verschuldungsfalle' liefen (vgl. Kap. 6.3): Die Primärhaushalte musste keinen Überschuss realisieren, um zinsbereinigt Handlungsspielräume der öffentlichen Haushalte zu erhalten. Expansive Finanzpolitik konnte deshalb ganz entspannt ohne Angst vor steigender Verschuldung und Zinslast betrieben werden.

Insgesamt zeigen die ,goldenen Jahre' eine Marktkonstellation, die Keynes in einem 3-Phasen-Modell dadurch gekennzeichnet hatte, dass die geplante (ex ante) Investition der Unternehmen die geplante (ex ante) Ersparnis übersteigt und somit ein anhaltendes Wachstum kennzeichnet (vgl. Keynes 1980; Heise 1996: 140f.). Die ex post-Identität von Investitionen und Ersparnissen wird durch den Einkommensprozess (Quasi-Renten, die eine Umverteilung zugunsten der geringkonsumierenden Profiteinkommensbezieher beinhalten) gesichert.[57]

teur, obwohl er natürlich auch Ziele verfolgt, nur **normengeleitetes Handeln** über, dass keinem objektiv formulierbaren Optimierungskalkül folgt (vgl. Habermas 1981: 127ff.).

4.3. Interventionsfelder

Wir haben nun zwei sehr verschiedene Theoriemodelle wirtschaftspolitischen Handlungsbedarfs kennengelernt und wollen jetzt – darauf aufbauend – **Interventionsfelder** ableiten. Es sollte in jedem Falle klar geworden sein, dass es **keine objektiv formulierbare, wertfreie Wirtschaftspolitik** geben kann: Wirtschaftspolitik kann als Abgleich von ,Sein' und ,Sein-Sollen' verstanden werden. Wie wir gesehen haben, gibt es gleichermaßen Differenzen in der theoretischen Durchdringung des ,Sein-Sollens' (Allgemeines Marktgleichgewicht versus Vermögensökonomie) wie des ,Seins' (Marktfehler versus Marktkonstellationen). Es kann deshalb schlechterdings keine ,richtige' oder ,falsche' Wirtschaftspolitik geben, sondern allenfalls postkeynesianische oder neoklassische (abgeleitet vom jeweiligen Paradigma) oder sozialdemokratische oder neoliberale Wirtschaftspolitik (abgeleitet von den normativen Zielsetzungen) oder gegebenenfalls moderne oder unmoderne Wirtschaftspolitik (abgeleitet vom Instrumenteneinsatz). GERHARD SCHÖDERS vielzitierte Aussage, gemacht als wirtschaftspolitischer Sprecher der Sozialdemokratischen Partei

---

[57] Die neo-marxistische Regulationstheorie entwirft sogenannte ,Akkumulationsregime'(Basis) und Regulationsmodi (Überbau), die „...zu einer Periodisierung der kapitalistischen Entwicklung..." (Hirsch 2001: 207) beitragen und den hier beschrieben Marktkonstellationen recht ähnlich sind, allerdings Marx' Krisentheorie zur Grundlage haben (vgl. Hirsch 2001; Hirsch 2002: 50ff.; Jessop 2001). Die Phase der ,goldenen Jahre' wird in der Regulationstheorie als ,Fordismus' bezeichnet.

Deutschlands (SPD), wonach es keine sozialdemokratische Wirtschaftspolitik mehr gäbe, sondern nur noch moderne oder unmoderne Wirtschaftspolitik, ist also doppelt falsch: Weder kann Wirtschaftspolitik derart zweckrational orientiert sein (Modellpluralität auf der Policy-Ebene), noch wäre es sinnvoll, der SPD eigenständige normative Zielvorstellungen abzusprechen (Ideologiepluralität auf der Politics-Ebene). Allenfalls wenn Einigkeit über Ziele und das zugrunde liegende Paradigma besteht, könnte die Intsrumentenwahl ‚falsch‘ oder ‚richtig‘, ‚modern‘ oder ‚unmodern‘ sein (vgl. Abb. 4.9).

Abbildung 4.9 : Paradigmen, Ziele und Instrumente

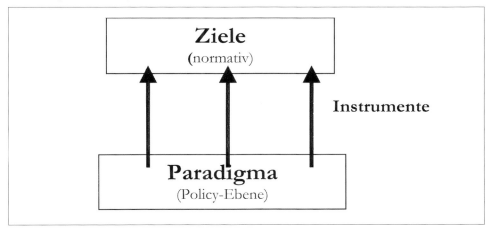

Im nächsten Kapitel wollen wir uns genauer mit verschiedenen wirtschaftspolitischen Konzeptionen beschäftigen, die sich aus unterschiedlichen **Paradigmen** herleiten bzw. unterschiedliche **normative Zielsetzungen** verfolgen (Ideologien). Vorher wollen wir kurz Interventionsbedarf und –felder klassifizieren (vgl. Abb. 4.10). Die neoklassisch-monetaristische Theorie des Marktversagens muss dabei von den Marktfunktionen ausgehen, während die postkeynesianische Theorie der Marktteilnahme die Marktkonstellationen in den Mittelpunkt der Betrachtung rückt. Folgende Marktfunktionen und ihre Interventionsfelder können festgehalten werden:

- **Die Markträumungsfunktion**: Marktliche Koordinierung soll eine Übereinstimmung von Angebot und Nachfrage ermöglichen und somit die Räumung des einzelnen Marktes (partial) wie auch aller Märkte (total) sichern. Im Falle von Marktfehlern kann **Stabilisierungs- oder Deregulierungspolitik** notwendig werden, um ein Marktversagen abzuwenden. Stabilisierungspolitik ist notwendig, wenn kurzfristig die Markträumung gefährdet erscheint. Deregulierungspolitik hingegen ist erforderlich, wenn strukturelle Marktmängel bestehen.
- **Die Renditenormalisierungsfunktion**: Vollkommene Märkte zeichnen sich außerdem dadurch aus, dass die Preise ausschließlich die Grenzkosten decken, also keinen über die Entlohnung der Produktionsfaktoren hinaus gehenden Gewinn erlauben (Gewinnlosigkeit im Marktgleichgewicht). Die optimale Allokation der Produktionsfaktoren auf konkurrierende Einsatzmöglichkeiten erfolgt dann derart,

dass alle Kapitaleinsätze die gleiche Rendite abwerfen. Sollte auf einem Markt eine überdurchschnittliche Profitrate erzielt werden, müsste es augenblicklich zu einer Reallokation der Produktionsfaktoren kommen. Voraussetzung für die Aufrechterhaltung dieser Marktfunktion ist die Existenz und die Sicherung des Wettbewerbs bzw. die Kontrolle und der Abbau von marktbeherrschenden Positionen mittels **Wettbewerbspolitik.**

- **Die Übermachterosionsfunktion**: Vollständiger Wettbewerb lässt nicht zu, dass ein Marktakteur – sei es Käufer oder Verkäufer, Produzent oder Konsument – Macht in dem Sinne erhält, dass er Preise oder Mengen jenseits der Gleichgewichtswerte festlegen könnte. Auch hier ist die Existenz und die Sicherung des Wettbewerbs mittels **Wettbewerbskontrolle und –politik** die Voraussetzung für die Erfüllung dieser Marktfunktion.

- **Die Innovationsverbreitungsfunktion**: Märkte werden gewöhnlich als statische Gebilde dargestellt. Tatsächlich aber zwingt der Wettbewerb zu ständiger Produkt- oder Prozessinnovation. Sobald Erfindungen (Inventionen) zu neuen Produkten oder Produktionsverfahren geworden sind (Innovationen), erfüllen sie besser als die Produkte vorher die Bedürfnisse der Marktteilnehmer (sonst würden sie sich auf dem Markt nicht durchsetzen) oder reduzieren die Produktionskosten gegenüber den alten Produktionsverfahren. Die Konkurrenz um die optimale Allokation der Ressourcen erzwingt nun – z.B. durch Imitation –, dass sich andere Marktteilnehmer ebenfalls der Produktion dieser neuen Güter annehmen bzw. die neuen Produktionsverfahren zur Anwendung bringen – Innovationen verbreiten sich deshalb, wenn sie nicht z.B. durch Patente vor der Verbreitung speziell geschützt werden, sehr schnell – **der Markt als Entdeckungsverfahren**. Andererseits sind Innovationen häufig mit hohen Fixkosten (z.B. in Forschungs- und Entwicklungsarbeiten) verbunden, deren Aussichten auf profitable Verwertung hingegen hochgradig unsicher sind. **Patentreglungen**, aber auch **industriepolitische Steuerungen** (z.B. durch Förderung von Forschungs- und Entwicklungsausgaben oder durch strategische Unternehmenskooperationen) können die Kosten senken bzw. die individuelle Planung sicherer machen.

- **Einkommensgenerationsfunktion**: Selbstverständlich ist die Erzielung von Einkommen die Hauptfunktion von Märkten in arbeitsteiligen, geldnutzenden Volkswirtschaften. Allerdings können nur Marktteilnehmer diese Funktion des Marktes in Anspruch nehmen – durch **Sozial- und Umverteilungspolitik** muss deshalb dort interveniert werden, wo Menschen nicht in der Lage sind, Leistungen (Güter, Dienstleistungen oder ihre Arbeitskraft) am Markt in einer Weise zu verkaufen, die ein von der Gesellschaft gewünschten Mindestlebensstandard garantiert.

Die postkeynesianische Theorie der Marktteilnahme geht von Marktkonstellationen aus, die in zwei Dimensionen Eingriffe erforderlich machen:

- **Fundamentale Unsicherheit** künftiger Bewertungen von Gütern und Vermögenswerten erfordern **sicherheitsstiftende Institutionen** und lassen **handlungsleitende Konventionen** (Daumenregeln, Bräuche, Sitten) abseits von erkennbarem Rationalkalkül notwendig werden.

- Individuelles Handeln auf dezentralen Märkten erzwingt eine **Ressourcenbewirtschaftung**, deren Ergebnis eine Unterauslastung der vorhandenen Ressourcen – Arbeitslosigkeit ist die sozial problematischste – sein kann: das **Unterbe-**

Abbildung 4.10: Marktfunktion, Marktkonstellation und Intervention

Interventionsbedarf	Marktfunktion (neoklassisch)	Interventionsfelder	Politikfunktion
Prozesspolitik/ Ordnungspolitik	Markträumungsfunktion	Stabilisierungspolitik/ Deregulierungspolitik	Stabilisierungsfunktion/ Allokationsfunktion
Ordnungspolitik	Renditenormalisierungsfunktion	Wettbewerbspolitik	Allokationsfunktion
Ordnungspolitik	Übermachterosionsfunktion	Wettbewerbspolitik	Allokationsfunktion
Prozesspolitik	Innovationsverbreitungsfunktion	Industriepolitik	Allokationsfunktion
Prozesspolitik	Einkommensgenerationsfunktion	Umverteilungspolitik/ Sozialpolitik	Distributionsfunktion
	Marktkonstellation (postkeynesianisch)		
Ordnungspolitik	Bewertungsvolatilität/ Unsicherheit	Institutionenbildung	Stabilisierungsfunktion
Prozesspolitik	Ressourcenbewirtschaftung/ Arbeitslosigkeit	Stabilisierungspolitik	Stabilisierungsfunktion

schäftigungsgleichgewicht als typische Marktkonstellation. Sollte eine andere Ressourcenauslastung – z.B. Vollbeschäftigung – von der Gesellschaft gewünscht werden, muss der wirtschaftspolitische Akteur seine ökonomische Potenz einsetzen und danach trachten, die **Ressourcenbewirtschaftung** auf dem gewünschten Niveau zu **stabilisieren**.

Die verschiedenen Interventionsfelder – Stabilisierungs-, Sozial-, Industrie-, Umverteilungs-, Wettbewerbs- und Deregulierungspolitik – lassen sich in zwei Felder des Interventionsbedarfs konzentrieren:

- **Ordnungspolitik**: Hierunter wird gewöhnlich die Festlegung von Rahmenbedingungen und Spielregeln verstanden, innerhalb derer die Wirtschaftssubjekte ihre Entscheidungen frei und nach selbstgesetzten Zielen treffen können. Die staatliche **Eingriffsintensität** kann im Falle der Ordnungspolitik als gering eingeschätzt werden, der **Zeithorizont** hingegen ist die mittlere bis lange Frist, da die festgelegten Ordnungen auch eine verhaltensstabilisierende Rolle spielen sollen (vgl. Streit 2001: 42). De- und Regulierungs- und Wettbewerbspolitik wie auch die Schaffung eines Vertrags- und Eigentumsrecht (als Voraussetzung für marktliche Transaktionen) werden zur Ordnungspolitik gerechnet.
- **Prozesspolitik**: Hierunter werden direkte, spezielle Eingriffe in die Abläufe marktlichen Geschehens verstanden. Prozesspolitik ist wesentlich **eingriffsintensiver** als die Ordnungspolitik, häufig auch **kurzfristiger** angelegt – allerdings kann zumindest die postkeynesianische Theorie der Marktteilnahme auch mittel- bis langfristige Interventionen begründen. Stabilisierungs-, Umverteilungs- und Sozial-, aber auch die Industriepolitik können als Formen der Prozesspolitik verstanden werden.

Zumindest für die neoklassisch-monetaristische Theorie des Marktversagens gilt das **Primat der Ordnungspolitik** (vgl. Donges/Freytag 2001: 225), die die alles überragende **Allokationsfunktion** der Wirtschaftspolitik sicherstellen soll, während die Stabilisierungs-, gewiss aber die Distributionsfunktion eher untergeordnet ist. Im Zentrum der postkeynesianischen Theorie der Marktteilnahme hingegen steht nicht das Allokationsoptimum, sondern die Ressourcenbewirtschaftung, was die **Stabilisierungsfunktion** der Wirtschaftspolitik in den Untersuchungsfokus treten lässt – allerdings wird damit der Prozesspolitik schon aufgrund der Steuerungsgrenzen keine Sonderstellung eingeräumt, sondern **Ordnungs- und Prozesspolitik** gleichermaßen betont.

Literatur zu Kapitel 4:

Baisch, H., Kuhn, W.; Risikowirtschaft. Eigen- und Fremdfinanzierung im gesamtwirtschaftlichen Kontext, Berlin 2001

Calmfors, L., Driffil, J.; Bargaining structure, corporatism and macroeconomic performance; in: Economic Policy, No.1, 1988, S. 14 – 61

Coriat, B., Dosi, G.; The institutional embeddedness of economic change: an appraisal of the 'evolutionary' and 'regulationist' research programmes; in: Hodgson, G. (Hrsg.); A Modern Reader in Institutional and Evolutionary Economics, Cheltenham 2002, S. 95 – 123

Corrales-Diez, N., Heise, A. ; Modernisierung im europäischen Kontext – der Cardiff-Prozess; in: perspektiven ds – Zeitschrift für Gesellschaftsanalyse und Reformpolitik, 19. Jg., H.1, 2002, S. 66 – 83

Clower, R.; Die Keynesianische Gegenrevolution: eine theoretische Kritik; in: Schweizerische Zeitschrift für Volkswirtschaft und Statistik, Bd. 99, 1963, S. 8 – 31

Davidson, P.; Rational Expectations: A Fallacious Foundation for Analyzing Crucial Decision making; in: Journal of Post Keynesian Economics, Vol. 5, 1982-83

Davidson, P.; International Money and the Real World, London/Basingstoke 1982

Davidson, P.; A Post-Keynesian View of Theories and Causes for High Real Interest Rates; in: Arestis, Ph. (Hrsg.); Post-Keynesian Monetary Economics, Aldershot 1988, S. 152 – 181

Davidson, P.; Post Keynesian Macroeconomic Theory. A Foundation for Successful Economic Policies for the Twenty-first Century, Cheltenham 1994

Donges, J.B., Freytag, A.; Allgemeine Wirtschaftspolitik, Stuttgart 2001

Fritsch, M., Wein, Th., Ewers, H.-J.; Marktversagen und Wirtschaftspolitik, München 2001 (4. Aufl.)

Gerlach, D.; Nachwort: Radikale Keynes-Auslegung und finanzielle Instabilität: Zu Minskys John Maynard Keynes; in: Minsky, H.P.; John Maynard Keynes. Finanzierungsprozesse, Investition und Instabilität des Kapitalismus, Marburg 1990, S. 217 – 228

Habermas, J.; Theorie des kommunikativen Handels, 2 Bde, Frankfurt 1981

Hahn, F.; General Equilibrium Theory; in: The Public Interest, Special Issue, 1980, S. 123 – 138

Hahn, F.H.; Die allgemeine Gleichgewichtstheorie; in: Bell, D., Kristol, I. (Hrsg.); Krise der Wirtschaftstheorie, Berlin 1984

Hamouda, O., Harcourt, G.; Post-Keynesianism: From Criticism to Coherence?; in: Pheby, J. (Hrsg.); New Directions in Post-Keynesian Economics, Aldershot 1989, S. 1 – 34

Heine, M., Herr, H.; Keynesianische Wirtschaftspolitik – Mißverständnisse und Ansatzpunkte; in: Heise, A. (Hrsg.); Renaissance der Makroökonomik, Marburg 1998, S. 51 – 81

Heine, M., Herr, H.; Volkswirtschaftslehre, München 2000 (2. Aufl.)

Heinsohn, G., Steiger, O.; Eigentumstheorie des Wirtschaftens versus Wirtschaftstheorie ohne Eigentum, Marburg 2002

Heise, A.; Geldpolitik im Disput; Konjunkturpolitik, 38. Jg. H.4, 1992, S. 175 – 194

Heise, A.; Arbeit für Alle – Vision oder Illusion?, Marburg 1996

Heise, A.; Grenzen der Deregulierung. Institutioneller und struktureller Wandel in Großbritannien und Deutschland, Berlin 1999

Heise, A.; New Politics. Integrative Wirtschaftspolitik für das 21. Jahrhundert, Münster 2001

Heise, A.; Postkeynesianische Finanzpolitik zwischen Gestaltungsoptionen und Steuerungsgrenzen; in: Prokla – Zeitschrift für kritische Sozialwissenschaft, 31.Jg., H.2, 2001a, S. 269 – 284

Heise, A.; Postkeynesianische Beschäftigungstheorie. Einige prinzipielle Überlegungen; in: WiSt – Wirtschaftswissenschaftliches Studium, 31. Jg., H.12, 2002a, S. 682 – 686

Herr, H.; Geld, Währungswettbewerb und Währungssysteme, Frankfurt 1992

Hirsch, J.; Postfordismus: Dimensionen einer neuen kapitalistischen Formation; in: Hirsch, J., Jessop, B., Poulantzas, N.; Die Zukunft des Staates, Hamburg 2001, S. 171 – 209

Hirsch, J.; Herrschaft, Hegemonie und politische Alternativen, Hamburg 2002

Hodgson, G.; Post-Keynesianism and Institutionalism: The Missing Link; in: Pheby, J. (Hrsg.); New Directions in Post-Keynesian Economics, Aldershot 1989, S. 94 – 123

Jessop, B.; Kritischer Realismus, Marxismus und Regulation; in: Candeias, M., Deppe, F. (Hrsg.); Ein neuer Kapitalismus?, Hamburg 2001, S. 17 – 40

Kaldor, N.; Die Irrelevanz der Gleichgewichtsökonomie; in: Vogt, W. (Hrsg.); Seminar: Politische Ökonomie, Frankfurt 1973, S. 80 – 102

Keynes, J.M.; The long term problem of full employment (1943); in: Moggridge, D. (Hrsg.); The Collected Writings of John Maynard Keynes, Vol. 27: Activities 1940-1946, London 1980, S. 320 – 325

Kregel, J.A.; Markets and institutions as features of a capitalist production system; in: Journal of Post Keynesian Economics, Vol. 3, No.1, 1980, S. 32 – 48

Mundell, R.; Optimum Currency Area; in: American Economic Review, Vol. 51, 1961, S. 657 – 664

Pilz, F., Ortwein, H.; Das politische System Deutschlands, München 2000 (3. Aufl.)

Radner, R.; Competitive Equilibrium Under Uncertainty; in: Econometrica, Vol. 36, No.1, 1968, S. 31 – 58

Riese, H.; Theorie der Inflation, Tübingen 1986

Riese, H.; Das Grundproblem der Wirtschaftspolitik; in: Betz, K., Riese, H. (Hrsg.); Wirtschaftspolitik in einer Geldwirtschaft, Marburg 1995, S. 9 – 27

Riese, H.; Zur Reformulierung der Theorie der Makropolitik; in: Heise, A. (Hrsg.); Renaissance der Makroökonomik, Marburg 1998, S. 25 – 39

Smithin, J.N.; The composition of Government Expenditures and the Effectivness of Fiscal Policy; in: Pheby, J. (Hrsg.); New Directions in Post-Keynesian Economics, Aldershot 1989, S. 209 – 227

Snowdon, B., Vane, H.R.; New Keynesian Economics: Introduction; in: dies. (Hrsg.); A Macroeconomic Reader, London/New York 1997, S. 439 – 444

Soskice, D.; Wage Determination: The Changing Role of Institutions in Advanced Industrialized Countries; in: Oxford Review of Economic Policy, Vol. 6, No.4, 1990, S. 36ff.

Spahn, H.-P.; Stagnation in der Geldwirtschaft, Frankfurt 1986

Spahn, H.-P.; Makroökonomie. Theoretische Grundlagen und stabilitätspolitische Strategien, Berlin 1999 (2. Aufl.)

Stadermann, H.-J., Steiger, O.; Allgemeine Theorie der Wirtschaft, Erster Band: Schulökonomik, Tübingen 2001

Streeck, W.; German Capitalism: Does It Exist? Can It Survive?; in: New Political Economy, Vol. 2, 1997, S. 237 – 256

Streit, M.; Theorie der Wirtschaftspolitik, Düsseldorf 2000 (5. Aufl.)

Thomasberger, C.; Europäische Währungsintegration und globale Währungskonkurrenz, Tübingen 1993

Zinn, K. G.; Zukunftswissen. Die nächsten zehn Jahre im Blick der Politischen Ökonomie, Hamburg 2002

5. Wirtschaftspolitische Konzeptionen

Lernziele:

1. Wirtschaftspolitische Konzeptionen sind Zielsysteme, die die Bewertung von Einzelmaßnahmen erleichtern
2. Im Gegensatz zu gesellschaftspolitischen Utopien gehen wirtschaftspolitische Konzeptionen keineswegs von Interessenharmonie aus.
3. Der Angebotspolitik liegt ein mikroökonomisch orientiertes Grundverständnis, der Nachfragepolitik und der kooperativen Wirtschaftspolitik hingegen ein makroökonomisch orientiertes Grundverständnis zugrunde.
4. Es kann zwischen den wirtschaftspolitischen Konzeptionen durchaus zu widersprüchlichen Empfehlungen kommen, die Grundlage vieler wirtschaftspolitischer Diskussionen sind.
5. Parteipolitische Wirtschaftskonzeptionen orientieren sich an der Logik des Machterhalts, nicht an der funktionalen Logik der Ökonomie.

Bevor wir uns nun mit verschiedenen theoretischen und politisch-ideologischen Konzeptionen der Wirtschaftspolitik auseinander setzen wollen, müssen wir uns zunächst kurz damit aufhalten zu klären, was eine **wirtschaftspolitische Konzeption** eigentlich ist. Nach Manfred Streit (2000: 298) ist eine Konzeption ein „umfassendes und konsistentes System von allgemeinen und langfristig bedeutsamen Zielen, ordnungspolitischen Grundsätzen und damit verträglichen zielkonformen Instrumenten für den Teilbereich Wirtschaft...". Die Aufgabe wirtschaftspolitischer Konzeptionen ist es also, eine **Generallinie** hinsichtlich der Ziele und Instrumente darzustellen, die eine Bewertung von Einzelmaßnahmen erleichtert bzw. ohne allzu großen analytischen Aufwand überhaupt erst ermöglicht (Konzeptionskonformität).

Die uns zunächst interessierenden theoretischen Konzeptionen der Wirtschaftspolitik lassen sich in einem 2-dimensionalen Raum gut beschreiben (vgl. Abb. 5.1): Wir können uns wirtschaftspolitische Konzeptionen vorstellen, die auf dem walrasianischen Paradigma mit seinem Selbststeuerungsoptimismus beruhen und solche, denen ein nicht-walrasianisches Paradigma mit seinem Interventionsoptimismus zugrunde liegt. Andererseits können wir partialanalytisch-mikroökonomisch argumentierende Konzeptionen von solchen unterscheiden, die totalanalytisch-makroökonomisch aufgebaut sind (vgl. Felderer/Homburg 2003: 16ff.)

Wir werden zunächst die neoklassisch-monetaristische Konzeption der **Angebotspolitik** kennenlernen – sie nimmt einen partialanalytischen Blickwinkel ein und argumentiert mikroökonomisch, d.h die Bezugspunkte sind die einzelnen Wirtschaftssubjekte und deren Handlungsmotive. Paradigmatisch ruht die Angebotspolitik auf gesicherter walrasianischer Grundlage (vgl. Felderer/Homburg 2003: 88ff.). Die standardkeynesianische **Nachfragepolitik** ist demgegenüber totalanalytisch orientiert und nimmt gesamtwirtschaftliche Aggregate in den Blick. Ihr paradigmatisches

Fundament bleibt allerdings ebenfalls die walrasianische Tausch- bzw. Markttheorie. Schließlich wollen wir uns der postkeynesianischen Konzeption der **kooperativen Wirtschaftspolitik** zuwenden, die ebenfalls einen totalanalytischen Blickwinkel hat und makroökonomisch argumentiert, allerdings anders als die Nachfragepolitik das walrasianische Paradigma als Referenz ausdrücklich ablehnt und durch ein vermögenswirtschaftliches Paradigma ersetzt (vgl. Heise 2001). Völlig zu unrecht wird gerade die **Differenzierung zwischen einer standard- und einer postkeynesianischen Konzeption** selten vorgenommen (vgl. Altmann (2000: 266), Adam (1995: 143ff., Felderer/Homburg (2003) oder Pilz/Ortwein [2000: 332ff.])[58] – diesem Mangel soll hier begegnet werden.

Abbildung 5.1: Dimensionen wirtschaftspolitischer Konzeptionen

Methodik		
	Partial/Mikro	Total/Makro
Walrasianisch (marktoptimistisch)	Angebotspolitik (neoklassisch-monetaristisch)	Nachfragepolitik (standardkeynesianisch)
Nicht-walrasianisch (interventionsoptimistisch)		Kooperative Wirtschaftspolitik (postkeynesianisch)

(Paradigma)

Neben diesen theoretischen werden uns noch die politisch-ideologischen Konzeptionen der **Reaganomics** bzw. des **Thatcherismus**, der **traditionellen Sozialdemokratie** und der **‚Neuen Mitte'** (oder der ‚Dritten Wege') interessieren, die nicht not-

---

[58] Felderer/Homburg und Pilz/Ortwein ist immerhin zu konzedieren, dass sie auf Erweiterungen der standardkeynesianischen Theorie aufmerksam machen.

wendig eine eindeutige theoretische Basis, dafür aber normative Zielsysteme (Ideologien) benötigen, um verstanden und beurteilt zu werden.

Schließlich sei noch darauf hingewiesen, dass wirtschaftspolitische Konzeptionen nicht mit **gesellschaftspolitischen Utopien** zu verwechseln sind, wie sie z.B. PLATONS ‚Idealstaat‘, THOMAS MORUS‘ ‚Utopia‘ oder auch KARL MARX und FRIEDRICH ENGELS ‚Kommunismus‘ darstellen[59], denn sie gehen im Gegensatz zu diesen Utopien keineswegs explizit von **Interessenharmonie** aus, sondern sind durchaus offen für unterschiedliche gesellschaftliche Interessenkonstellationen, wie wir sie in modernen Großgesellschaften gewöhnlich vorfinden. Dieser Punkt wird auf der Politics-Ebene noch Bedeutung gewinnen und betrifft die politische Durchsetzbarkeit wirtschaftspolitischer Konzeptionen.

5.1 Die Angebotspolitik

Die Angebotspolitik neoklassisch-monetaristischer Provenienz basiert auf dem walrasianischen allgemeinen Gleichgewichtsmodell mit all seinen Implikationen (vgl. Donges/Freytag 2001: 247):

- Gültigkeit des Walras-Gesetzes
- Dichotomie der Ökonomie in einen realen und einen monetären Teil
- Selbstregulierungsfähigkeit freier Märkte
- Zugeständnis von Marktfehlern, die zu Marktversagen führen können
- Primat der Ordnungspolitik

5.1.1 Das ordnungspolitische Primat

Bevor wir die prozesspolitischen Implikationen der Angebotspolitik an einem einfachen 4-Märkte-Modell darstellen können, muss zunächst dem **ordnungspolitischen Primat** des neoklassisch-monetaristischen Modells Rechnung getragen werden. Als allgemeine Voraussetzung dezentraler Verfügung über Wirtschaftsgüter, deren optimale Allokation über Märkte bewerkstelligt werden soll, sind genau definierte Handlungs-, Verfügungs- oder Nutzungsrechte (property rights)[60] für die vertraglichen Lösungen des Koordinationsproblems (Ermöglichung eines ‚kooperativen Spiels‘) notwendig. Gleichermaßen eine Grundvoraussetzung optimaler marktlicher Allokation ist die Existenz und Erhaltung von vollständiger Konkurrenz (d.h. es darf nicht zu strategischem Verhalten einzelner Marktteilnehmer kommen) und die völlige Handlungsfreiheit der Wirtschaftssubjekte. Hierfür, d.h. für die **Sicherung der Eigentumsrechte** und **des Wettbewerbs** ist die Wirtschaftspolitik

---

[59] Natürlich nahmen Marx und Engels für sich in Anspruch, einen wissenschaftlichen Kommunismus zu formulieren, der gerade gegen die utopischen Sozialisten gewandt war. Doch die Marx‘sche Vorstellung eines Endes von Interessengegensätzen in der klassenlosen Gesellschaft kann wohl nur als utopisch eingeschätzt werden.

[60] Handlungs- oder Eigentumsrechte binden die Handlungsfolgen an den Handelnden und internalisieren damit (im Idealfall) die entstehenden externen Effekte der Transaktion. Dort wo solche Rechte fehlen oder ungenau spezifiziert sind, entstehen die bereits beschriebenen Externalitätsprobleme.

ebenso zuständig wie für eine kontinuierliche Anwendung und Ausdehnung dieser privaten Eigentumsrechte auf alle (reinen) privaten Güter – dies impliziert eine **Privatisierungs- und Liberalisierungspolitik** als Kernaufgaben der Ordnungspolitik.[61] Allerdings ist eine Selbstbeschränkung durch transaktionskostensenkende **Regulierungen oder Institutionen** nach dem ökonomischen Kalkül

$$\text{Kosten der Handlungs- bzw. Anpassungsbeschränkungen} = \text{Reduktion der Transaktionskosten}$$

erlaubt. Sollten diese Regulierungen oder Transaktionskosten aufgrund des Kooperationsproblems ihrerseits öffentliche oder kollektive Güter sein, ist wiederum die Wirtschaftspolitik zwar in Gestalt der Ordnungs- oder Regulierungspolitik gefordert, aber aufgrund eines sich ständig wandelnden ökonomischen Umfeldes (und der Reglementierungswut eines der Legitimationsnotwendigkeit unterliegenden Staates) muss jede Regulierung oder Institution unter den Verdacht der ‚Überregulierung' gestellt werden und so konsequent jede Regulierungs- gleichzeitig als **Deregulierungspolitik** verstanden werden (vgl. z.B. Pilz/Ortwein 2000: 353ff.).

Schließlich wird die Ausstattung der sozialen Sicherungssysteme – deren ‚öffentliches Gut'-Charakter grundsätzlich nicht bezweifelt wird – regelmäßig als zu üppig, damit aber Mobilitäts- und Anpassungsprobleme schaffend, angesehen und eine **Reduktion des Sozialstaates** (‚Umbau') prinzipiell immer gefordert (vgl. Donges/Freytag 2001: 251f.), solange es kollektive Sozialstaatsregelungen gibt.

5.1.2 Prozesspolitische Zurückhaltung und die Politikineffizienz

Grundlage der prozesspolitischen Betrachtung sei ein einfaches Gleichgewichtsmodell bestehend aus einem Güter-, einem Arbeits-, einem Geld- und einem Kapitalmarkt (Abb. 5.2).

Auf allen Märkten herrsche Gleichgewicht bei den jeweils mit * versehenen Preis- und Mengengrößen. Auf dem Kapitalmarkt impliziert das Marktgleichgewicht die Übereinstimmung von Ersparnis und Investition, auf dem Geldmarkt determiniert die vorgegebene (von der Notenbank kontrollierte) Geldmenge M_1 das gesamtwirtschaftliche Preisniveau und ermöglicht somit die in der Quantitätstheorie angelegte Dichotomie (vgl. Box 5).

Die im Walras-Gesetz formulierten inneren Zusammenhänge der verschiedenen Märkte können vernachlässigt werden – jeder Markt schafft durch das Wirken der Marktkräfte seine Markträumung aus eigener Kraft: Sollte also z.B. der Reallohn $(w/P)_1$ kurzfristig über das Markträumungsniveau von $(w/P)^*$ steigen, würde das resultierende Überschussangebot (Arbeitslosigkeit) **automatisch und augenblicklich** zu einer Senkung dieses ‚falschen' Preises führen – wenn es keine Anpassungsprob-

---

[61] Zur Bedeutung insbesondere der Wettbewerbs- und Antimonopolpolitik im Rahmen des ordnungspolitischen Primats vgl. Ptak (2004: 174ff.).

leme auf dem Arbeitsmarkt gibt, die es z.B. durch Tarifvertragssysteme oder Mindestlohnreglungen in der Realität durchaus geben kann. Dann allerdings wird folgerichtig (im neoklassisch-monetaristischen Paradigma!) der Ruf nach **Deregulierung** – also konsequenter Ordnungspolitik – laut.

Abbildung 5.2: Einfaches Gleichgewichtsmodell

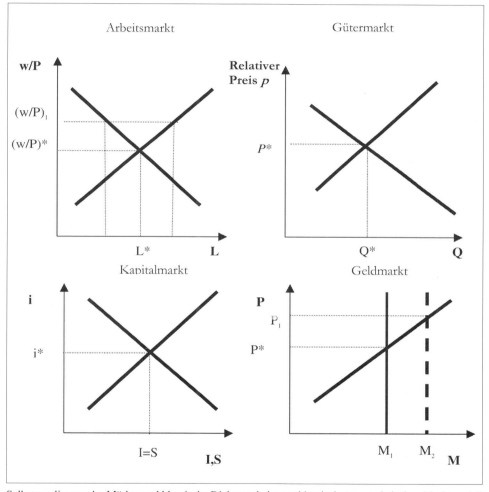

Selbstregulierung der Märkte und klassische Dichotomie im neoklassisch-monetaristischen Marktmodell

Box 5: Die klassische Dichotomie der Quantitätstheorie

„Das Geld wird in der Sicht der Klassiker lediglich als **Transaktionskasse** zur Durchführung von Tauschgeschäften verwendet, und die Einkommenskreislaufgeschwindigkeit

$$v = \frac{p * Yr}{M}$$

ist, wie die Klassiker annahmen, durch Zahlungssitten, Konzentrationsgrad der Volkswirtschaft u.ä., institutionell gegeben. Als Abbild dieser institutionellen Gegebenheiten des Zahlungsverkehrs kann die sog. **Quantitätsgleichung** angesehen werden, die sich durch bloße Umformung ergibt:

$$M * v = P * Y_r$$

Diese Quantitätsgleichung ist als Definition immer erfüllt, sie stellt eine Identität dar: Beträgt z.B. das Preisniveau 2 DM/Gütereinheit, das reale (verkaufte) Sozialprodukt 100 Gütereinheiten und die gesamte Geldmenge in der Volkswirtschaft 50 Geldeinheiten, so muß jede Geldeinheit im Durchschnitt viermal für Sozialproduktskäufe verwendet worden sein. Die Quantitätsgleichung wird erst zur klassischen Quantitätstheorie, wenn man, wie die Klassiker, annimmt, daß v nicht von Geldmengenvariationen beeinflusst wird und das reale Sozialprodukt Y_r allein vom Reallohn abhängt. Dann nämlich resultiert aus obiger Gleichung die (falsifizierbare) Aussage der **klassischen Quantitätstheorie**, dass eine Veränderung der Geldmenge zu einer proportional gleichen Veränderung des Preisniveaus P führt.

Das Geld spielt in diesem System nur eine geringe Rolle: Es bestimmt lediglich die Höhe der absoluten Preise (das Preisniveau), hat aber keinerlei Einfluß auf die relativen Preise und den realen Sektor der Wirtschaft. In diesem Sinne spricht man von der **klassischen Dichotomie**, der Trennung von realem und monetärem Bereich der Wirtschaft, und der klassischen **Neutralität** des Geldes, d.h. Geld liegt wie ein Schleier über den realen Transaktionen, beeinflusst diese aber nicht."
Baßeler/Heinrich (2001: 293)

Sollte eine derart konsequente Ordnungspolitik – zumindest kurzfristig – nicht durchsetzbar sein, könnte man darauf verfallen, die Geld- und Finanzpolitik – also prozesspolitische Maßnahmen – dafür einzusetzen, Marktungleichgewichte – z.B. Arbeitslosigkeit – zu beseitigen bzw. gar nicht erst entstehen zu lassen. Dies aber ist mit der Angebotspolitik und, insbesondere, deren walrasianischen Grundlage nicht vereinbar:

- In Abb. 5.2 ist die Wirkung einer **expansiven Geldpolitik** dargestellt, die zur Abwehr einer Beschäftigungslücke auf dem Arbeitsmarkt eingesetzt werden könnte. Ganz im Sinne der Quantitätstheorie und der impliziten klassischen Dichotomie ist das komparativ-statische Ergebnis einer solchen Maßnahme aber lediglich die **proportionale Erhöhung des gesamtwirtschaftlichen Preisniveaus.** Damit die relativen Preise und mithin auch die Mengenlösungen – also die reale Seite der Ökonomie – unverändert und unberührt bleiben können, müssen allerdings zumindest die Nominallöhne (w) sich ebenfalls proportional verändern, damit die Reallöhne (w/P) unverändert bleiben können. Warum aber sollten die Nominallöhne sich entsprechend verändern? In einer extremen Variante (**Theorie der Rationalen Erwartungen**) der walrasianischen Theorie wird unterstellt, dass alle Wirtschaftssubjekte in der Lage sind, nicht nur die wirtschaftspolitischen Aktivitäten (in diesem Falle der Notenbank) richtig zu antizipieren, sondern sie verfügen auch über den notwendigen Analyseapparat (die walrasianische Theorie!), um die Effekte (proportionaler Preisanstieg) einschätzen zu können und entsprechend in die eigenen Kalküle (Nominallohnforderungen) einzubauen. Unter diesen Annahmen aber wird die mit der Angebotspolitik assoziierte regelgebundene Geldpolitik, die die Geldpolitik auf jenes Wachstum der Geldmenge ausrichtet, dass bei einer real wachsenden Volkswirtschaft (Potenzial) Preisstabilität gewährleistet, nicht einsichtig: Wenn die Wirtschaftssubjekte tatsächlich in diesem Sinne ‚rationale Erwartungen‘ formen könnten, wäre **jede beliebige Geldpolitik** vertretbar und auch die Veränderung der nominellen Preise völlig unbedeutend. Erst wenn wir **Überraschungseffekte** der Geldpolitik und eine andere Erwartungsformation – z.B. rückwärtsbezogene und durch Lerneffekte gekennzeichnete ‚**adaptive Erwartungen**‘ – zulassen, wird verständlich, weshalb eine potenzialorientierte Geldmengensteuerung notwendig ist: Um den Wirtschaftssubjekten Planungssicherheit zu geben und den ‚Geldschleier‘ (vgl. Box 5) so transparent wie möglich zu machen. Unter diesen Annahmen aber wird die klassische Dichotomie und das Neutralitätspostulat hinfällig. Natürlich hat die Geldpolitik Auswirkungen auf den realen Teil der Ökonomie – so führt eine für die Wirtschaftssubjekte überraschende Erhöhung der Geldmenge zunächst über verschiedene Transmissionskanäle zu einer Erhöhung der Beschäftigung und des Outputs. Allerdings, so muss man im Rahmen des walrasianischen Modells argumentieren, geht dies nur, indem einige Wirtschaftssubjekte – hier: die Arbeitsanbieter, deren Reallohn bei konstantem Nominallohn und steigendem Preisniveau (als Folge der mit steigender Beschäftigung sinkenden marginalen Arbeitsproduktivität) unter das geplante Niveau gefallen ist – **getäuscht** wurden und deshalb in der nächsten Periode ihre Pläne verändern werden. Auch eine weitere Geldmengenexpansion würde nun in der Folgeperiode nicht mehr ausreichen, um den höheren Beschäftigungsstand zu halten, da die Wirtschaftssubjekte aus der Erfahrung gelernt hätten und genau diesen geldpolitischen Schritt erwarteten. Die Lösung des Dilemmas der walrasianischen Theorie, entweder unrealistische ‚rationale Erwartungen‘ annehmen zu müssen und dann der Geldpolitik einen Freibrief erteilen zu müssen oder andernfalls die Postulate der Quantitätstheorie nicht aufrechterhalten zu können, wenn die angebotspolitische Geldmengensteuerung Sinn bekommen soll, wird durch die Differenzierung in kurze und lange Frist ermöglicht: In der **kurzen Frist** kann alles mögliche passieren, in der **langen Frist** aber gilt die klassische Quantitätstheorie. Damit die langfristig als stabil erklärte Volkswirtschaft nun kurzfristig nicht durch unerwartete Aktionen der Geldpolitik destabilisiert wird, bedarf es der Geldmengenregel als glaubwürdige Vorgabe der Geldpolitik!

Box 6: Rationale und adaptive Erwartungen in der walrasianischen Theorie

„Technisch gesehen verwendet Friedman die sog. **adaptive Erwartungsbildungshypothese**. Bei dieser Hypothese wird unterstellt, dass der Ausgangspunkt der Erwartungen der Wert der Variablen – bei uns also des Preisniveaus- bzw. der Inflationsrate – in der Vorperiode ist. Dieser Wert wird korrigiert um einen bestimmten Prozentsatz des Erwartungsfehlers der Vorperiode und dem für diese Vorperiode von den Wirtschaftssubjekten erwarteten Preisniveau. (...)

Bezüglich der Theorie der Erwartungsbildung erlebte die Volkswirtschaftslehre Mitte der 70er Jahre eine kleine Revolution: Das schon in den 50er Jahren von John Muth entwickelte Konzept der ‚rationalen Erwartungen', inzwischen völlig in Vergessenheit geraten, wurde in gesamtwirtschaftliche Modelle integriert; ... . Rationale Erwartungen werden in der Literatur unterschiedlich definiert. So definiert der bekannte amerikanische Ökonom Robert L. Gordon: „Erwartungen sind rational, wenn die Leute mit den verfügbaren Daten die bestmögliche Voraussage machen. Es ist wichtig zu erkennen, dass diese Voraussage nicht korrekt sein muß ... Statt dessen argumentiert die Theorie der rationalen Erartungen, dass die Leute nicht dauerhaft die gleichen Vorhersagefehler machen" (Übersetzung durch die Autoren).

Andere Autoren definieren rationale Erwartungen sehr viel strenger (aber auch wirklichkeitsfremder). Rationale Erwartungen bedeuten in dieser strengen Version, dass die Wirtschaftseinheiten

* die Modellzusammenhänge kennen, die in der Volkswirtschaft den Wert der zu prognostizierenden Variablen bestimmen, und zwar einschließlich der konkreten Werte der Verhaltensparameter und sonstigen Parameter der Modelle,

* die Regeln kennen, nach denen der Staat seine Wirtschaftspolitik betreibt."
Baßeler/Heinrich (2001: 332)

- Auch bei der Betrachtung der **Finanzpolitik** kommen wir im Rahmen der Konzeption der Angebotspolitik zu keinem wesentlich anderen Ergebnis. Dazu sollen der Kapital- und der Gütermarkt betrachtet werden (vgl. Abb. 5.3). Ausgangspunkt sei wiederum eine Gleichgewichtssituation auf beiden Märkten bei der Gütermenge Q* und der Übereinstimmung von Ersparnis und Investition (I=S). Nun erhöht der Staat seine kreditfinanzierten Ausgaben um den Betrag ΔG, was zu einer Verschiebung der Investitionsnachfragefunktion führt. Unmittelbares Ergebnis einer derartigen staatlichen Finanzpolitik ist ein Anstieg des Zinsniveaus auf i_1 und eine Erhöhung der Ersparnis auf S_1. Obwohl der Zinsanstieg zu einem Rückgang der privaten Investition um ΔI auf I_1 geführt hat, ist der gesamtwirtschaftliche Nachfragezuwachs größer als der Ausfall privater Investitionsnachfrage: $\Delta G > -\Delta I$. Auf dem Kapitalmarkt kommt es also zu einer Verdrängung privater (Investitions-)Nachfrage durch staatliche Nachfrage (crowding out).

Abbildung 5.3: Finanzpolitik und Crowding-out im walrasianischen Modell

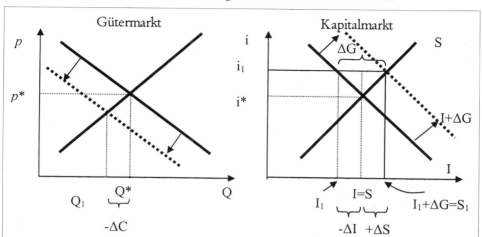

Defizitfinanzierte staatliche Nachfrage führt im walrasianischen Modell zum vollständigen Crowding out privater Konsum- und Investitionsnachfrage

Komplett wird der **Crowding-out-Effekt** aber erst, wenn auch der Gütermarkt in den Blick genommen wird. Die Erhöhung der Ersparnis auf S_1 reduziert natürlich die private Konsumnachfrage um $-\Delta C$. Aus den aus der Volkswirtschaftlichen Gesamtrechnung (VGR) bekannten Kreislaufzusammenhängen ergibt sich (Annahme: geschlossene Volkswirtschaft):

(5.1) $Y_S = C + I + G$ (Einkommensentstehung)
(5.2) $Y_D = C + S$ (Einkommensverwendung)
(5.1a) $\Delta Y_S = \Delta C + \Delta I + \Delta G$
(5.2a) $\Delta Y_D = \Delta C + \Delta S$

Im Gleichgewicht gilt:

(5.3) $\Delta Y_D = 0 = \Delta S = -\Delta C$
(5.4) $\Delta Y_S = 0 = -\Delta C - \Delta I = \Delta G$

Wir haben es also mit einem **vollständigen Crowding-out** privater Konsum- und Investitionsnachfrage durch öffentliche Ausgaben zu tun, das direkt durch den Zinsanstieg (Reduktion privater Investitionen) und indirekt durch eine Erhöhung der Ersparnis (Reduktion privater Konsumtätigkeit) hervorgerufen wird. Der Nachweis der Vollständigkeit des Crowding-out benötigt allerdings die **entscheidende Annahme**, dass das Realeinkommen der Volkswirtschaft durch die Finanzpolitik nicht beeinflusst werden kann ($\Delta Y_S = \Delta Y_D = 0$!). Ein solches Ergebnis ist allerdings banal, allenfalls nachvollziehbar, wenn es sich bei dem Ausgangseinkommen um ein Vollauslastungseinkommen (Vollauslastung aller Produktionsfaktoren) handelte – aber weshalb sollte die Wirtschaftspolitik dann finanzpolitisch eingreifen? Dieses neuerliche Erklärungsdilemma wird wiederum dadurch gelöst, dass zwischen kurzer und mittlerer bzw. langer Frist unterschieden wird: In mittlerer bzw. langer Frist gilt die Vollauslastungsannahme und mithin das vollständige Crowding-out. In kurzer Frist können die Produktionsfaktoren – insbesondere der Produktionsfaktor Arbeit – unterausgelastet sein, dann mag das Crowding out unvollständig sein (wir werden dies gleich im Rahmen der standardkeynesianischen Theorie wiederfinden).

Die Ergebnisse lassen sich folgendermaßen zusammenfassen: Langfristig setzt sich die Selbstregulierungsfähigkeit der Märkte durch, es bedarf keiner prozesspolitischen Intervention – vielmehr kann eine solche Intervention die Stabilität des privaten Sektors gefährden. Wiederum zeigt sich, dass die **allgemeine Politikineffektivitätshypothese** der Angebotspolitik unstimmig ist: Natürlich hat Geld- und Finanzpolitik Auswirkungen auf den realen Sektor, doch kann diese Auswirkung langfristig nur **negativer, destabilisierender** Art sein. Deshalb fasst die Angebotspolitik ihre prozesspolitische Zurückhaltung in klare Handlungsregeln:

* Die Geldpolitik sollte eine am Produktionspozential orientierte Geldmengensteuerung verfolgen
* Die Finanzpolitik sollte eine Politik des Null-Defizits verfolgen, also den Kapitalmarkt nicht zulasten privater Nachfrage belasten
* Wenn zusätzlich unterstellt wird, dass das öffentliche Güterangebot (mit Ausnahme des Falles reiner öffentlicher Güter) grundsätzlich weniger effizient ist als das private Güterangebot (fehlende Konkurrenz, Prinzipal-Agenten-Probleme, etc.) dann impliziert dies zusätzlich die Anforderung an eine möglichst niedrige Staatsquote, die unter Ordnungspolitik bereits als Privatisierungspolitik beschrieben wurde.

Kurzfristig hingegen lässt sich zwar im Rahmen eines walrasianischen Modells nichts gegen geld- oder finanzpolitische Interventionen einwenden – wenn die kurzfristigen Ungleichgewichte nur Ergebnis unerwarteter (nicht-antizipierter) Schocks bei kurzfristigen Rigiditäten (aber eben nicht systematischer (struktureller) Anpassungsverweigerung) sind. Ein zielgerichtetes, rechtzeitiges (d.h. antizyklisches) Eingreifen der Wirtschaftspolitik erfordert dann allerdings ein Maß an **Voraussicht oder Informiertheit**, das die Vertreter der Angebotspolitik dem wirtschaftspolitischen Akteur nicht zugestehen. Lediglich die ‚**eingebauten Stabilisatoren**'[62] gesteht die Angebotspolitik als konjunkturelle Stützung zu (vgl. Donges/Freytag 2001: 254).

---

[62] Die ‚eingebauten oder automatischen Stabilisatoren' bezeichnen keine intentionale, diskretionäre Finanzpolitik, sondern beschreiben die im Sozial- und Steuersystem eingebauten, antizyklischen Wirkungen, die dadurch entstehen, dass konjunkturelle Steuermindereinnahmen oder Mehrausgaben dann einen stabilisierenden Effekt entfalten, wenn sie nicht durch kompensierende Maßnahmen ausgeglichen werden (dann würde man von prozyklischer Parallelpolitik sprechen).

Box 7: Die Angebotspolitik in Deutschland nach der ‚Bonner Wende'

Im Jahreswirtschaftsbericht (1984: 83) der Bundesregierung unter Helmut Kohl sind die Grundzüge der ‚deutschen Angebotspolitik' festgehalten:

„– (O)rdnungspolitische Neubesinnung auf die Grundsätze der Sozialen Markt-wirtschaft, insbesondere verlässliche und widerspruchsfreie wirtschaftspoliti-sche Rahmenbedingungen, Stärkung der Leistungs- und Risikobereitschaft, Si-cherung des Wettbewerbs und Verringerung bürokratischer Hemmnisse;

– Wiederherstellung der finanzpolitischen Handlungsfähigkeit des Staates, Kon-solidierung der öffentlichen Finanzen, Rückführung des Staatsanteils, qualita-tive Verbesserung der Ausgabenstruktur und eine leistungsfreundlichere Be-steuerung;

– eine Sozialpolitik, die sich von den Grundsätzen sozialer Gerechtigkeit, Soli-darität und Subsidiarität leiten lässt und die Finanzierbarkeit der sozialen Si-cherungssysteme dauerhaft gewährleistet; sowie

– intensives Bemühen um europäische und weltwirtschaftliche Konzertierung und Kooperation zur Verbesserung der Rahmenbedingungen für eine Auswei-tung des Welthandels und die Bekämpfung der Arbeitslosigkeit."

5.1.3 Dynamische Betrachtungen

Volkswirtschaften sind zweifellos sehr dynamische Gebilde: Ständige Veränderun-gen von Präferenzen, Technologien und Produkten führen zur fortwährenden Ver-änderung der relativen Preise und strukturellen Verschiebungen des Wertschöpfungs-prozesses und der Beschäftigung in den verschiedenen Branchen und Sektoren: der **strukturelle Wandel** ist eine Facette der Dynamik moderner Ökonomien. Und es ist unmittelbar einleuchtend, dass der Strukturwandel die Bedeutung der Minimie-rung von preislichen und mengenmäßigen Anpassungsproblemen durch konsequen-te **Ordnungspolitik** im Konzept der Angebotspolitik nur bestärkt – dies beinhaltet Deregulierungs- und Liberalisierungspolitik ebenso wie Wettbewerbspolitik (vgl. Abb. 4.8). Prozesspolitische Eingriffe lassen hingegen nur dort begründen (Industrie- bzw. sektorale Strukturpolitik), wo aufgrund von Marktfehlern (Informations-probleme, Unteilbarkeiten, Externalitäten) die Bereitstellung öffentlicher Güter in Form von Humankapital, öffentlicher Infrastruktur oder Forschungs- und Entwick-lungsanstregungen angezeigt erscheint – dies wird konsequenterweise auch als **an-gebotsseitige Strukturpolitik** bezeichnet (vgl. Meißner/Fassing 1989: 168ff.).

Von größerer Bedeutung aber ist jene Facette der Dynamik, die als **Wirtschafts-wachstum** bezeichnet wird. Die zeitliche Veränderung der Wertschöpfungskraft einer Volkswirtschaft – unbetrachtet sollen zyklische (konjunkturelle) Schwankungen blei-ben – geht in der traditionellen Wachstumstheorie[63] auf zwei Komponenten zurück:

---

[63] Mittlerweile hat die ‚Neue Wachstumstheorie' mit der Betonung des Humankapitals eine dritte Kom-ponente in den Mittelpunkt der Betrachtung gerückt und damit eine Endogenisierung des Wachstums

- die Effizienzkomponente (technischer Fortschritt)
- die Mengenkomponente (Zuwachs an Produktionsfaktoren).

Über das ‚Verdoorn-Gesetz‘, wonach die Rate des technischen Fortschritts mit der Veränderungsrate des Produktionsfaktors Kapital (Akkumulationsrate) korreliert (kapitalgebundener technischer Forschritt) können die beiden Komponenten komplexitätsreduzierend aneinander gekoppelt werden. Nun wird das gleichgewichtige Wachstum g bestimmt durch den Quotient aus der gesamtwirtschaftlichen Sparquote s und dem Kapitalkoeffizenten v:

(5.5) $g = s/v$; mit $s = S/Y$ und $v = K/Y$[64]

(5.6) $g = n + \gamma$; mit n = natürliche Wachstumsrate und
                                            γ = Rate des technischen Fortschritts

Ceteris paribus erhöht also ein Anstieg der gesamtwirtschaftlichen Ersparnis als sprudelnder Quell der Investition die gleichgewichtige Wachstumsrate und mithin die zukünftige Wertschöpfung der Volkswirtschaft und die zukünftigen Konsummöglichkeiten der Wirtschaftssubjekte. Die Wahl zwischen heutigen und künftigen Konsummöglichkeiten erfolgt grundsätzlich nach den **Zeitpräferenzen der Konsumenten**.

Hier allerdings setzt die angebotspolitische Konzeption an, indem steuerpolitisch motivierte, **intertemporale Allokationsverzerrungen** angeprangert und kuriert werden sollen. Aus der Finanzwissenschaft wissen wir, dass die **Einkommens- und Kapitalertragsbesteuerung** – im Gegensatz zur Pauschal- oder Verbrauchssteuer – den relativen Preis des künftigen Konsums erhöht und somit die Ersparnis und Kapitalbildung behindert. Je höher die Einkommens- bzw. Kapitalertragssteuersätze, desto größer die Allokationsverzerrung (vgl. z.B. Blankart 2001: 218). Dieser Effekt wird verstärkt, wenn eine Progression der Besteuerung – nach Äquivalenz- oder Leistungsfähigkeitsprinzip durchaus vertretbar – höhere Einkommen mit höheren spezifischen Sparquoten besonders belastet. Die wirtschaftpolitischen Konsequenzen aus angebotspolitischer Sicht sind nun offensichtlich (vgl. Siepmann 1981/82):

- Aufgabe der Einkommens- bzw. Kapitalertragsbesteuerung zugunsten einer stärkeren Verbrauchsbesteuerung bzw. Reduktion der öffentlichen Ausgaben in ihrer Gesamtheit. Sollte dies Ziel zu ambitioniert sein, ist zumindest eine **Senkung der Durchschnitts- und besonders auch der Grenzsteuersätze** angezeigt, um die ‚doppelte Allokationsverzerrung‘ zu minimieren.
- Als weitere kompensierende Maßnahmen können **Investitionszulagen** oder **verteilungspolitische Maßnahmen** zugunsten der weniger konsumierenden Besserverdiener die Sparneigung bzw. Kapitalbildung erhöhen.

---

ermöglicht. Allerdings kann man nicht davon sprechen, dass diese Überlegung zu einer kompletten Revision wachstumstheoretischer Vorstellungen geführt hat, noch dass die Überlegungen bereits Kernbestand der angebotstheoretischen Konzeption sind. Tatsächlich spielen Humankapitalüberlegungen in der ‚linken Angebotspolitik‘ der ‚Dritten-Wege-Konzeptionen‘ eine besondere Rolle (vgl. z.B. Arestis/Sawyer 2001; Glyn 2000; Priddat 2001).

[64] Es gilt: $I = S$; $S = sY$; $K = vY$; $I = \Delta K = v\,\Delta Y = sY$; $\Delta Y/Y = s/v = g$

5.1.4 Kritik der Angebotspolitik

Wesentliche Punkte der Kritik am angebotspolitischen Konzept sind bereits erwähnt worden: Die Schlussfolgerungen leiten sich von einer theoretischen Basis her, **deren Annahmen derart heroisch sind**, dass schon sehr viel Abstraktionswunsch und Realitätsverachtung dazu gehört, sie ernsthaft unterstellen zu wollen. Die resultierende Trennung in eine lange Frist, die zur Orientierungsschnur der Wirtschaftspolitik wird, und eine kurze Frist, die als unbedeutend und transitorisch der Aufmerksamkeit entzogen wird, ist nicht nur intellektuell wenig befriedigend – ist nicht die lange Frist schließlich die Abfolge kurzer Fristen? –, sie lässt es auch mehr als fraglich erscheinen, ob sie als Leitbild der Wirtschaftspolitik tatsächlich taugt. Konkret lassen sich folgende Probleme benennen:

• Die Gültigkeit des Selbstregulierungspostulats und des zugrundliegenden Walras-Gesetzes ist weiterhin heftig umstritten.
• Ungleichgewichtssituationen und ihre Destabilisierungswirkungen werden systematisch unterschätzt.
• Es existieren erhebliche empirische Zweifel an einer Reihe von Kernzusammenhängen der Angebotspolitik: So wird eine Umverteilung der Primärfaktorentlohnung zugunsten des Kapitaleinkommens als notwendige, aber auch hinreichende Bedingung eines erhöhten Arbeitseinsatzes im Falle der Existenz von Arbeitslosigkeit (Substitution von Kapital durch Arbeit bzw. Erhöhung der Profitabilität als Voraussetzung für wachstumsfördernde Investitionen) angesehen, tatsächlich aber lassen sich für die Bundesrepublik wenig Anzeichen für derartige Zusammenhänge finden (vgl. Heise 1996: 255ff.; Heise 1999: 166ff.). Auch der in der Quantitätstheorie angelegte langfristige ‚free lunch‘ der Preisstabilisierung[65] lässt sich ernsthaft in Frage stellen.

5.2 Die Nachfragepolitik

Die Nachfragepolitik basiert auf einem **standardkeynesianischen Modell**, dass durch die Bezeichnungen der aggregierten Verhaltensfunktionen auf den Geld- und Gütermärkten auch IS-LM-Modell oder AD/AS-Modell heißt – wir werden die Bezeichnungen gleich noch näher kennen lernen. Die paradigmatische Verwandtheit zum neoklassisch-monetaristischen Modell wird auch daran deutlich, dass es häufig auch als ‚**neoklassische Synthese**‘ bezeichnet wird: eine kurzfristige Erweiterung (ein Spezialfall) der allgemeinen, walrasianischen Gleichgewichtstheorie.

Trotz der familiären Zusammengehörigkeit beschreibt doch die Nachfragepolitik eine von der Angebotspolitik deutlich verschiedene Sichtweise, die häufig als konträr bzw. alternativ dargestellt wird. Ein Großteil der Differenz wird aus der unterschiedlichen Gewichtung der kurzen Frist ableitbar[66], die wiederum zu den spezifischen Merkmalen des standardkeynesianischen Modells geführt haben:

---

[65] Mit ‚free lunch‘ ist die Nebenwirkungsfreiheit einer wirtschaftspolitischen Maßnahme im Gegensatz zu sonst recht weit verbreiteten ‚trade-offs‘, also der Inkaufnahme negativer Externalitäten auf andere ökonomische Variablen, gemeint.

[66] Konsequenterweise führt die Neue Keynesianische Makroökonomie dann auch beide Zeithorizonte zusammen und präsentiert ‚neoklassische‘ wie ‚keynesianische‘ Ergebnisse (vgl. z.B. Malinvaud 1977; Malinvaud 1984; Hagemann 1981).

- Abweichungen vom allgemeinen Gleichgewicht aller Märkte sind aufgrund des Zusammenspiels von monetärer und realer Sphäre einer Volkswirtschaft möglich, ja sogar wahrscheinlich.
- Rigiditäten des Systems (insbesondere Preis- und Lohnrigiditäten) stabilisieren zwar die Ökonomie, verstetigen aber gleichzeitig Ungleichgewichtsphänomene.
- Wirtschaftspolitik zur Stabilisierung der Volkswirtschaft auf hohem Aktivitätsniveau (Vollbeschäftigung) ist verfügbar.
- Das Walras-Gesetz gilt konsistent lediglich im Gleichgewicht, nicht aber zwingend während der – möglicherweise langwierigen – Anpassungsprozesse zwischen zwei Gleichgewichtspositionen.

Zur theoretischen Ableitung der wirtschaftspolitischen Vorstellungen der Nachfragepolitik gehen wir von einem einfachen IS-LM-Modell mit Arbeitsmarkt aus (Abb. 5.4). Das **Güter- und Kapitalmarktgleichgewicht** findet sich in der **IS-Kurve**, die nach der Übereinstimmung von Ersparnis (*Savings*) und *I*nvestitionen (und damit implizit auch der Räumung des Gütermarktes) benannt ist. Anders als im neoklassisch-monetaristischen Allokationsmodell ist die Identität von Ersparnis und Investitionen aber kein Gleichgewichts**punkt**, sondern ein Gleichgewichts**lokus** bei unterschiedlichen Y-i-Kombinationen. Ein höheres Zinsniveau muss dabei mit einem geringeren Einkommen verknüpft sein, weil der höhere Zins bei gegebener Profitabilität des Kapitals (in keynesianischer Terminologie: Grenzleistungsfähigkeit des Kapitals) lediglich ein geringeres Investitionsniveau profitabel macht. Die Identität von reduziertem Investitionsvolumen und Ersparnis kann nun nur bei reduziertem Einkommen, mit dem die Ersparnis positiv korreliert ist, hergestellt werden. Güter- und Kapitalmarktgleichgewicht allein können also weder ein eindeutiges Zins- noch ein eindeutiges Einkommensniveau determinieren. Auch das **Geldmarktgleichgewicht** kann seinerseits kein eindeutiges Zins- oder Einkommensniveau bestimmen, sondern ebenfalls nur einen Gleichgewichtsort bei unterschiedlichen Y-i-Kombinationen: die **LM-Kurve**, die nach der Übereinstimmung von Geldangebot (M = exogen gegebene Geldmenge) und Geldnachfrage (L = Liquidität) benannt ist. Ein steigender Zinssatz ist hier mit einem steigenden Einkommen verknüpft, weil der Zinsanstieg eine Substitution von Geldhaltung für **spekulative Zwecke** zugunsten einer Geldhaltung für **Transaktionszwecke** andeutet. Da die Geldhaltung für Transaktionszwecke positiv mit dem Einkommen korreliert ist, muss also mit steigendem Zinssatz auch das Einkommen steigen, um die Identität von unverändertem Geldangebot und Geldnachfrage zu spekulativen und Transaktionszwecken aufrechtzuerhalten.

Erst die Interaktion von realer und monetärer Sphäre ermöglicht die eindeutige Bestimmung jenes Einkommensniveaus (Y*) und Zinssatz (i*) bei dem gleichzeitig Kapital-, Güter- und Geldmarkt im Gleichgewicht sind. Mithilfe der **aggregierten Nachfragefunktion** (AD$_1$), die das (Real-)Einkommen mit jenem Preisniveau verbindet, für das bei gegebener Geldmenge M$_1$ und gegebenem Nominallohnsatz der monetäre Rahmen passt, lässt sich nun das gesamtwirtschaftliche Preisniveau P* bestimmen. Die Kenntnis der **Produktionsfunktion** schließlich ermöglicht einerseits die Determination des Beschäftigungsvolumens L*, welches mit dem Gleichgewicht auf den Geld-, Kapital- und Gütermärkten korrespondiert, seinerseits

Abbildung 5.4: IS/LM-Modell mit Arbeitsmarkt

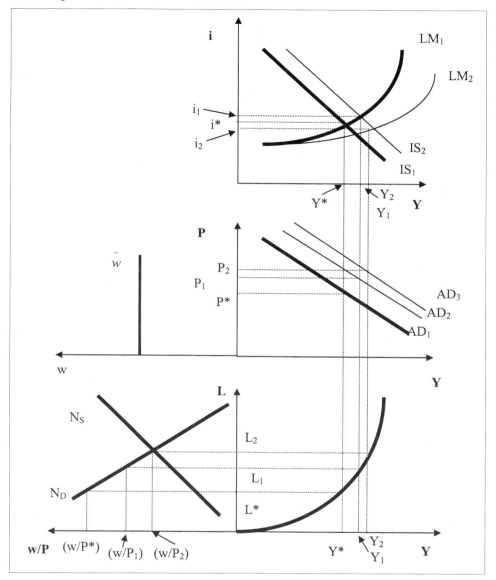

Interaktion von Güter-, Geld- und Kapitalmarkt ergibt ein
gesamtwirtschaftliches Gleichgewicht bei Unterbeschäftigung

aber kein Gleichgewicht auf dem Arbeitsmarkt konstituiert: **das keynesianische Un-**
terbeschäftigungsgleichgewicht. Die aggregierte Nachfrage AD_1 reicht nicht aus,
um unter diesen Bedingungen – d.h. beim gegebenen Nominallohnsatz und der von

der Notenbank festgelegten Geldmenge M_1 – ein Vollbeschäftigungseinkommen zu ermöglichen.

Der reallohnbestimmte Arbeitsmarkt zeigt dann allerdings auch, dass dieses Ungleichgewicht mit einem nicht-markträumenden Reallohn (w/P*) einhergeht. Selbstverständlich ist es **grundsätzlich und langfristig** möglich, durch Anpassung des Reallohnes an sein Gleichgewichtsniveau – was instrumentell durch eine hinreichende Senkung des Nominallohnsatzes erfolgen muss – das Arbeitsmarktgleichgewicht wieder herzustellen: Die Senkung des Nominallohnsatzes bei unveränderter Geldmenge führt zu einem neuen Geldmarktgleichgewicht (Verschiebung der LM-Kurve) und einem neuen gesamtwirtschaftlichen Gleichgewicht bei höherem Einkommen, höherer Beschäftigung und niedrigerem Preisniveau. Allerdings wird die Senkung des Preisniveaus niedriger ausfallen als die Senkung des Nominallohnniveaus, denn ansonsten könnte der Reallohn ja nicht auf sein markträumendes Niveau sinken. Die Unterproportionalität der Senkung des Preisniveaus wird letztlich durch die in der Produktionsfunktion manifestierten Annahme sinkender Grenzproduktivität der Arbeit gesichert – es ist also zum Besten eingerichtet.

Erst durch Einführung von **Preis- und insbesondere Lohnrigiditäten** kann dieser Anpassungsmechanismus temporär außer Kraft gesetzt werden – der Standardkeynesianismus wird deshalb auch als **Fixpreismodell** bzw. als ‚Theorie der Imperfektionen' verstanden (vgl. Heine/Herr 2000: 465ff.). Der Neukeynesianismus (vgl. z.B. Felderer/Homburg 2003: 277ff.) hat sich um die **mikroökonomische Fundierung**[67] dieser **Imperfektionen** verdient gemacht, damit aber auch die makroökonomische Sichtweise des Keynesianismus preisgegeben.

Box 8: Alter und Neuer Keynesianismus

„Instead the younger generation of professional economists tried to translate Keynes's conclusions into formalizations of the evolving axiomatic (neo)classical theory that was coming into vogue during this period ... Unable to decipher Keynes's 'non-Euclidean' message, they tried to develop his insights through the classical theory that they had been brought up on by introducing ad hoc supply constraints (e.g., the fixed money wages and fixprice models) on the workings of the 'invisible hand'.

(...) Beginning in the 1980s a New Keynesian macroeconomic school of thought developed. Like the earlier generation of Old Keynesians, the New Keynesians still profess allegiance to the axioms of classical demand theory as the bedrock microfoundations of macroeconomics. The New Keynesians' advance over the Old Keynesian model is the development of sophisticated ad hoc constraints on the conditions of aggregate supply (in terms of fixed nominal values, coordination failures and/or asymmetric information upon which supply decisions are made).

(...) In truth, these Old and New Keynesian models accept that the classical system is the general theory, while Keynesian unemployment is a special case that occurs in the short run because of some unfortunate market (supply) imperfections."
Davidson (1994: 9ff.)

---

67 So können z.B. Preisänderungskosten (menue cost), versicherungstheoretische Überlegungen (Kontrakttheorie) oder effizienzlohntheoretische Argumentationen kurzfristige Preis- und Lohnrigiditäten als Ergebnis rationalen Handels erklären (vgl. z.B. Mankiw 1992; Snowdon/Vane 1997)

"New Keynesian economics is far different from old Keynesian economics – so different, in fact, that today the label 'Keynesian' may generate more confusion than understanding. With new Keynesians looking so much like old classicals, perhaps we should conclude that the term 'Keynesian' has out-lived its usefulness."
Mankiw (1992: 565)

5.2.1 Prozesspolitische Hydraulik und der Vorrang für Finanzpolitik

Verhindert also eine eingeschränkte Preis- und Lohnflexibilität die jederzeitige, automatische Anpassung aller Märkte an den gewünschten Optimalzustand der Räumung und wird der Zeitraum des damit begründbaren Ungleichgewichts als hinreichend lang angesehen, um volkswirtschaftliche Kosten zu begründen, die vermieden werden sollen – an dieser Stelle wird gerne auf das geflügelte Wort von JOHN MAYNARD KEYNES verwiesen, der mit seinem ‚In the long run, we are all dead' die Bedeutung der kurzen bis mittleren Frist herausstellte –, dann treten prozesspolitische Interventionen in der Mittelpunkt der Betrachtung. Hier sind – das zeigt die empirische Erfahrung seit Aufzeichnung ökonomischer Daten – eindeutig jene Situationen relevanter, die eine Unterausnutzung der Potentialfaktoren kennzeichnen als der andere, mögliche Fall einer Überausnutzung (z.B. Überbeschäftigungssituationen, wie es sie temporär in den sechziger Jahren einmal gegeben hat):

- **Finanzpolitik als ‚deficit spending'**: Um das Niveau der aggregierten Nachfrage zu steigern (z.B. auf AD_2 in Abb. 5.4), muss der öffentliche Haushalt seine Netto-Nachfrage (also Ausgaben abzüglich von den Wirtschaftssubjekten aufgebrachte Einnahmen) erhöhen – das so entstehende Defizit wirkt auf den Kapitalmarkt und verändert dessen Gleichgewichtslokus: es kommt zu einer Verschiebung der IS-Kurve in die neue Lage IS_2 bei (in komparativ-statischer Betrachtung) höherem Zinssatz i_1 und höherem Einkommen Y_1. Die Belastung des Kapitalmarktes durch die Verschuldung der öffentlichen Haushalte führt mittels Zinsanstieg also – ähnlich wie im neoklassisch-monetaristischen Modell – zwar zu einem **Crowding-out** privater Investitionen, doch ist dieser Effekt – anders als im neoklassisch-monetaristischen Modell – nicht vollständig, sondern nur **partiell** (vgl. z.B. Kromphardt 2001: 123ff.). Ein vollständiges Crowding-out wird durch die Zinselastizität der Geldnachfrage verhindert: Der steigende Zins führt zu einer Überführung von Geldbeständen aus der Spekulationskasse in die Transaktionskasse, die ausschließlich zu Konsum- oder Investitionszwecken von den Wirtschaftssubjekten gehalten wird.
  Die Erhöhung der aggregierten Nachfrage impliziert nun aber auch, bei unverändertem Nominallohnsatz, einen Anstieg des Preisniveaus und einen Rückgang des Reallohnsatzes – dies ist die Voraussetzung für einen Beschäftigungsanstieg auf das Niveau L_1.
  Um die so beschriebenen Wirkungen eines ‚deficit spendings' zu erzeugen, kann der staatliche Akteur übrigens (1) die eigenen Ausgaben erhöhen, (2) durch Transfers an private Haushalte oder Unternehmen deren Ausgabevolumen zu erhöhen

versuchen oder (3) durch Steuersenkungen das Netto-Einkommen der Wirtschaftssubjekte erhöhen und auf eine resultierende Erhöhung des Nachfrage hoffen. Die
Effekte dieser Maßnahmen sind qualitativ, nicht aber quantitativ vergleichbar: Je
nach Annahmen über die Sparquote der Wirtschaftssubjekte wird der Einkommensmultiplikator bei (2) und (3) geringer ausfallen als bei (1).

- **Geldpolitik als ‚Politik der leichten Hand'**: Wir können nun aber auch die Annahme auflösen, die Notenbank hielte an einer gegebenen Geldmenge fest. Angesichts des Unterbeschäftigungsgleichgewichts kann die Notenbank sich bereit erklären, einen expansiveren Kurs zu fahren, indem sie die Geldmenge um eine noch
  zu bestimmende Menge erhöht. Ähnlich wie im Falle expansiver Finanzpolitik
  führt auch expansive Geldpolitik zu einer Erhöhung der aggregierten Nachfrage
  (AD_3) bei höherem Einkommensniveau Y_2 und höherem Preisniveau P_2. Letzteres ist, bei konstantem Nominallohnsatz, die Voraussetzung für eine Beschäfti-
  gungserhöhung auf L_2 bei gleichzeitig reduziertem Reallohnsatz (w/P_2). Im Gegensatz zur expansiven Finanzpolitik ermöglicht (erfordert!) eine ‚Geldpolitik der
  leichten Hand' allerdings eine Senkung des Zinssatzes i_2. Letzteres hat nicht nur
  verteilungspolitische Konsequenzen, sondern entlastet auch den staatlichen Akteur als zinspflichtigen Schuldner. Vor allem aber erhöht ein gesunkener Zinssatz
  die private Investitionstätigkeit – es kommt also zu einem ‚Crowding-in' (Keynes-Effekt).

Selbstverständlich können beide Elemente, das finanzpolitische ‚deficit spending'
und die ‚Politik der leichten Hand', zusammengeführt werden – sie umfassen die
beiden Instrumente des ‚**demand managements**', die in Deutschland durch KARL
SCHILLER als ‚**Globalsteuerung**' bekannt wurden.[68] In einem Policy mix gilt es also, die gesamtwirtschaftlichen Nachfrageaggregate ‚global', d.h. ohne regionale oder
strukturelle Differenzierung, so zu beeinflussen, dass die gewünschte Marktpositi-
on – das allgemeine Gleichgewicht – erreicht wird. Natürlich impliziert dies, dass
in Zeiten der Überauslastung der Produktionsfaktoren das ‚demand management'
gleichermaßen zur Dämpfung der aggregierten Nachfrage einzusetzen ist.

Welcher Politikbereich im Policy mix die Führung übernimmt, kann entweder nur
über die Festlegung weiterer Ziele (z.B. das Verteilungsziel) entschieden werden
oder ergibt sich aus Beschränkungen der Wirkung eines Politikinstruments. Später
(s. Teil III) werden wir mögliche Beschränkungen kennen lernen, die sich aus der
zunehmenden Globalisierung der Märkte ergeben (können). Hier soll nur auf solche Beschränkungen geblickt werden, die sich aus binnenwirtschaftlichen Abläu-
fen ergeben (vgl. Abb. 5.5 und 5.6): **die Liquiditäts- und die Investitionsfalle**.

Man kann sich vorstellen, dass der **Zinssatz eine Untergrenze** bereits vor Erreichen des Null-Niveaus kennt, bei der alle Wirtschaftssubjekte auf einen künftigen
Wiederanstieg spekulieren und deshalb jede von der Notenbank zur Verfügung ge-
stellte Geldeinheit sofort in der **Spekulationskasse** verschwindet – die LM-Kurve
wird dann **vollkommen zinselastisch**. In Abb. 5.5 ist dieses Mindestniveau bei i*

---

[68] Vgl. z.B. Schiller (1964). Erstaunlicherweise kommen neue Lehrbücher zur Wirtschaftspolitik (z.B.
Donges/Freytag 2001) ohne Hinweis auf dieses in den sechziger und siebziger Jahren so einflussreiche
Politikmuster aus, obwohl es noch heute im Stabilitäts- und Wachstumsgesetz als ‚wirtschaftspoliti-
sches Grundgesetz' Gültigkeit beanspruchen kann.

Abbildung 5.5: Liquiditätsfalle im IS-LM-Modell

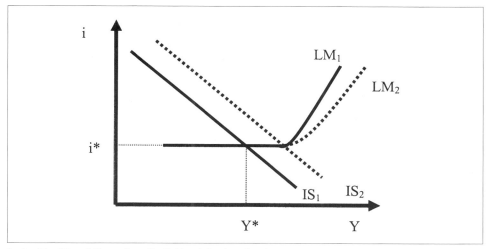

In der Liquiditätsfalle verliert die Geld-, nicht aber die Finanzpolitik ihre Wirksamkeit

erreicht, eine Ausweitung der Geldmenge bewirkt zumindest im zinselastischen Teil der LM-Kurve keine Veränderung des Schnittpunktes mit der IS-Kurve – die Wirkung auf das Volkseinkommen, die aggregierte Nachfrage und die Beschäftigung (letztere ist hier nicht dargestellt) bliebe aus, weil der Keynes-Effekt nicht zum tragen kommt. Selbst in dieser Situation, die zweifellos eine Extremsituation darstellt[69],

Abbildung 5.6: Investitionsfalle im IS-LM-Modell

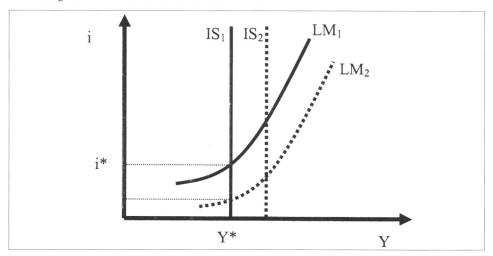

In der Investitionsfalle verliert die Geld-, nicht aber die Finanzpolitik ihre Wirksamkeit

---

[69] Die Situation in Japan in der zweiten Hälfte der neunziger Jahre könnte als Beispiel einer Liquiditätsfalle interpretiert werden: Obwohl die japanische Notenbank ein extrem expansive Geldpolitik betrieb, zeigten sich keine expansiven Auswirkungen auf die aggregierte Nachfrage.

bleibt der Finanzpolitik die Wirksamkeit: Eine finanzpolitisch initiierte Verschiebung der IS-Kurve bewahrt all die gewünschten Effekte auf das Volkseinkommen, die aggregierte Nachfrage und die Beschäftigung.

Eine zweite, nicht minder extreme und doch denkbare Situation tritt ein, wenn die Investitionen völlig **zinsunelastisch** reagieren, weil z.B. bei einer extrem ungünstigen Einschätzung der künftigen konjunkturellen Entwicklung auch eine Senkung der Zinssätze als Finanzierungs- oder Opportunitätskosten der Investition dennoch zu keiner mengenmäßigen Ausweitung der Kapitalakkumulation führen: **die Investitionsfalle**. In diesem Fall verliert die Geldpolitik abermals ihre Wirksamkeit, obwohl die gewünschte Senkung des Zinsniveaus zwar gelingt, dennoch aber der Keynes-Effekt nicht eintritt (vgl. Abb. 5.6): Trotz einer ‚Politik der leichten Hand‘ bleibt das Volkseinkommen, die aggregierte Nachfrage und die Beschäftigung (letztere ist hier nicht dargestellt) unverändert. Aber selbst wenn sich eine Volkswirtschaft in einer Investitionsfalle befindet, die private Investitionsnachfrage also durch geldpolitische Maßnahmen nicht mehr befördert werden kann, kommt man mit ‚deficit spending‘ trotzdem zum Ziel: Nun muss eben die defizitfinanzierte, staatliche Nachfrage (Verschiebung der IS-Kurve) für die gewünschte Erhöhung von Volkseinkommen, aggregierter Nachfrage und Beschäftigung sorgen. Und Abb. 5.6 zeigt auch, dass eine geldpolitische Unterstützung immerhin den aus Sicht des staatlichen Schuldners sicherlich wünschenswerten Effekt einer Senkung des Zinsniveaus hat (und, was hier nicht dargestellt wird, den weniger wünschenswerten Effekt eines zusätzlichen Anstiegs des Preisniveaus).

Box 9: Globalsteuerung

„Die keynesianische Auffassung ist Grundlage des Konzepts der Globalsteuerung, das die gesamtwirtschaftlichen Größen ‚im Rahmen der marktwirtschaftlichen Ordnung‘ durch fiskalpolitische und geldpolitische Interventionen so zu beeinflussen sucht, dass die gesamtwirtschaftlichen Ziele erreicht werden. Mit der Ausrichtung der Stabilisierungspolitik auf die gesamtwirtschaftlichen (globalen) Größen werden dem Staat Grenzen hinsichtlich der Eingriffe im mikroökonomischen Bereich gezogen, um den Rahmen der marktwirtschaftlichen Ordnung zu wahren. Der Staat soll nur Vergünstigungen und Anreize in der konjunkturellen Abschwungphase anbieten bzw. finanzielle Benachteiligungen in der konjunkturellen Aufschwungphase vorsehen, wobei es aber grundsätzlich den privaten Haushalten und Unternehmen überlassen bleibt, inwieweit sie von den Anreizen oder Vergünstigungen Gebrauch machen bzw. auf Benachteiligungen (z.B. Steuererhöhungen) im Sinne der gesamtwirtschaftlichen Ziele reagieren.“
Friedrich (1986: 98)

Selbst wenn Liquiditäts- und Investitionsfalle nur Extremfälle der Wirtschaftsentwicklung sind, ihre Eintrittswahrscheinlichkeit nimmt mit der Abweichung vom Marktgleichgewicht (also jener krisenhaften Situation, die eine Intervention erst nötig werden lässt) gewiss zu. Aufgrund der Unmöglichkeit, ex ante (also vor Eintritt des Falles) zu wissen, ob sich die Volkswirtschaft in einer der beiden Extremsituationen befindet, bietet sich für den wirtschaftspolitischen Akteur die Finanzpolitik als besser geeignetes, weil immer wirksames Politikinstrument an: diese **Dominanz der Finanz-**

politik gegenüber der im Zweifel unwirksamen Geldpolitik hat dazu geführt, dass die Konzeption der Nachfragepolitik auch als ‚**Fiskalismus**' bezeichnet wird.[70]

5.2.2 Umverteilungspolitik

Geradezu konträr zu den Empfehlungen der Angebotspolitik führt eine fiskalpolitisch ermöglichte **Einkommens- bzw. Kaufkraftnivellierung** (Umverteilung zugunsten der Geringerverdienenden) zu einer Erhöhung von Volkseinkommen, aggregierter Nachfrage und Beschäftigung (vgl. z.B. Nolte/Schaaff 1994: 182f.). Dieses Resultat wird einleuchtend, wenn eine **Multiplikatoranalyse** angestellt wird: Der Investitionsmultiplikator beschreibt den Einkommenseffekt, den eine Einheit Investitionsgüternachfrage erzielt.

Der Investitionsmultiplikator lässt sich folgendermaßen herleiten:

(5.7) $\quad Y = C + I \quad\quad$; mit $C = c\,Y$ und c als Konsumquote C/Y

(5.8) $\quad Y = cY + I$

(5.9) $\quad Y - cY = I$

(5.10) $\quad (1-c)Y = I$

(5.11) $\quad Y = [1/(1-c)]I$

Nun wird klar, dass der Investitionsmultiplikator von der Konsumquote c bestimmt wird : **Je höher die Konsumquote, desto größer der Investitionsmultiplikator**. Bei gegebener Investitionshöhe ergibt sich also ein umso höheres Volkseinkommen, je höher die gesamtwirtschaftliche Konsumquote ist. Anders formuliert bedeutet dies aber auch, dass das Volkseinkommen mit steigender Sparquote ($s = 1 - c$) sinkt – dies ist als keynesianisches ‚**Sparparadoxon**' bekannt geworden (vgl. Kromphardt 2001: 76ff.). Da die gesamtwirtschaftliche Konsumquote c einen Durchschnitt der anteilsgewichteten Konsumquoten einzelner Einkommensbezieher darstellt, ist leicht einsichtig, dass die gesamtwirtschaftliche Konsumquote steigt, wenn der Anteil der Geringverdiener (und Höherkonsumierenden) im Verhältnis zu den Höherverdienenden (und Geringerkonsumierenden) steigt:

(5.12) $\quad c = \beta c_G + (1-\beta)c_H$; mit $c_G > c_H$ = Konsumquote der Gering- bzw. der Höherverdienenden, β = Anteil der Geringverdienenden am Volkseinkommen

Eine derartige Umverteilung kann gleichermaßen durch eine **progressive Einkommensbesteuerung** wie einen **Netto-Transfer** zugunsten der Geringverdienenden ermöglicht werden. Allerdings darf neben dem Einkommens- der Substitutionseffekt verteilungspolitischer Maßnahmen nicht unberücksichtig bleiben: Zwar spielt der bereits benannte Allokationseffekt einer Einkommensbesteuerung zulasten des Zu-

---

[70] Und damit lässt sich die Nachfragepolitik plakativer in Opposition zum Monetarismus bringen.

kunftskonsums dem gewünschten Einkommenseffekt in die Hände, doch der Allokationseffekt zugunsten der Freizeit reduziert die Leistungsbereitschaft und unterminiert damit die Einkommensentstehung als Grundlage der Umverteilung.

5.2.3 Kritik der Nachfragepolitik

Die Kritik an der nachfragepolitischen Konzeption, deren realpolitische Dominanz in den siebziger Jahren ihren Zenit überschritten hatte, machte sich an empirischen Entwicklungen, dem scheinbar beschränkten Zeithorizont und der vorgeblich falschen Prioritätensetzung fest. Wir wollen mit Letzterem beginnen: Grundlage der geld- und finanzpolitischen Intervention im Sinne der Globalsteuerung sind im standardkeynesianischen Modell Rigiditäten, die zu Marktimperfektionen führen. Statt hierauf mit einer Nachfragesteuerung zu reagieren – also an den **Symptomen herumzudoktern** –, so die Kritik, sollten besser gleich die Wurzeln des Übels – also die Marktstrukturen oder –institutionen und –regulierungen – angegangen werden. Dies besonders auch deshalb, weil es dem staatlichen Akteur schwer fallen muss, zwischen **temporären, globalen Nachfrageverschiebungen** und **dauerhaften, sektoralen Struktur- und Präferenzänderungen** zu unterscheiden. Globalsteuernde Nachfragepolitik, so der Vorwurf, wird zu häufig anstelle von sektoraler Struktur- oder gar Deregulierungs- und Liberalisierungspolitik eingesetzt.[71]

Die nachfragepolitische Konzeption wird grundsätzlich als reine Konjunkturpolitik verstanden, die ausschließlich die kurze bis mittlere Frist eines Konjunkturzyklus' im Blick hat – Keynes' ‚In the long run, we are all dead' wird dann als **Ablehnung einer langfristigen Perspektive** ausgelegt. Damit aber lässt sich nicht nur die eben formulierte Kritik aussprechen, sondern auch der Vorwurf erheben, die Nachfragepolitik würde die Folgen ihres Handelns – z.B. die Kumulation der öffentlichen Verschuldung bei lang anhaltendem ‚deficit spending' – aus dem Blick verlieren. Diese Kritik kann unter zwei Annahmen kaum von der Hand gewiesen werden: (1) Wenn eine **Asymmetrie** zwischen ‚deficit spending' im Konjunkturabschwung und Aufbau eines Haushaltsüberschusses im Konjunkturaufschwung besteht. Ein solches Verhalten wird insbesondere von den konstitutionellen Ökonomen um JAMES M. BUCHANAN, GEOFFREY BRENNAN und RICHARD E. WAGNER mit Blick auf die polit-ökonomischen Schwierigkeiten eines ‚sparsamen' staatlichen Akteurs angenommen (vgl. z.B. Buchanan/Wagner 1977 und die Vertiefungen in Kap. 8). (2) Der konjunkturpolitische Ansatz des ‚deficit spending' unterstellt, dass sich die konjunkturelle Entwicklung zyklisch um einen Wachstumspfad bewegt, der als dynamische Version des allgemeinen Gleichgewichts verstanden werden kann.

In Abb. 5.7 stellt g_1 einen solchen **allgemeinen Vollauslastungs-Gleichgewichtspfad** dar, z_1 das (stilisierte) konjunkturelle Muster der wirtschaftlichen Entwicklung. Die konjunkturpolitische Interpretation der Nachfragepolitik liefe nun auf eine Glättung der zyklischen Entwicklung hinaus. Ein dauerhaftes ‚deficit spending' im Sin-

---

[71] In Deutschland übte der Sachverständigen zur Begutachtung der gesamtwirtschaftlichen Entwicklung (SVR), der frühzeitig durch Wissenschaftler neoklassisch-monetaristischer Provenienz dominiert war, letztere Kritik, während neoklassische Keynesianer den Verlust ihres Steuerungsoptimismus' in ersterer Kritik zum Ausdruck brachten.

Abbildung 5.7: Konjunkturelle Entwicklung und der Wachstumspfad

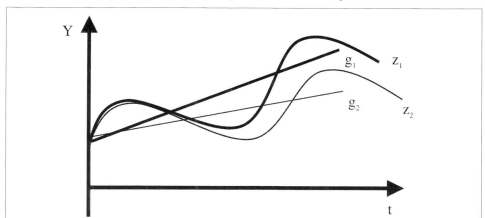

ne von BUCHANAN, BRENNAN und WAGNER müsste in inflationärer Entwicklung bei ungewissem Effekt auf die gesamtwirtschaftliche Defizitquote (führen die prozyklischen Mehreinnahmen zu einem Ausgleich bzw. Überschuss der öffentlichen Haushalte?) enden. Die Interpretation von g_1 als Vollauslastungs- Gleichgewichtspfad entspricht natürlich den Postulaten des walrasianischen Paradigmas, auf dem der Standardkeynesianismus ruht – insofern erscheint sie zwangsläufig. Anders hingegen sieht es aus, wenn man auf Grundlage des postkeynesianischen Paradigmas g_2 als jenen Trend-Wachstumspfad verstehen will, der der zyklischen Verknüpfung z_2 von **Unterbeschäftigungs-Gleichgewichten** zugrunde liegt. Nun freilich kann es der Nachfragepolitik nicht nur darum gehen, die **zyklische** Entwicklung zu glätten, sondern gleichzeitig muss sie versuchen, den Wachstumspfad insgesamt von g_2 auf g_1 **dauerhaft** anzuheben.[72] Zumindest wenn der staatliche Akteur dafür die expansiv wirkenden Instrumente der Globalsteuerung – also die Politik des ‚leichten Geldes‘ und das ‚deficit spending‘ – verwenden will, läuft er leicht Gefahr, sich mit einem dauerhaften Anstieg der öffentlichen Verschuldung konfrontiert zu sehen. In jedem Fall aber muss die kurze bis mittlere Perspektive der konjunkturpolitischen Interpretation um eine langfristig **orientierte Nachhaltigkeitssichtweise** bereichert werden.

Indem die nachfragepolitische Konzeption lediglich auf die Erhöhung der aggregierten Nachfrage abstellt, differenziert sie ihr finanzpolitisches Instrumentarium nicht ausreichend zwischen **verschiedenen Formen öffentlicher Ausgaben** – es geht lediglich um eine Erhöhung der staatlichen Nachfrage, die nicht durch Steuererhöhungen zulasten der privaten Nachfrage kompensiert werden darf.[73] Öffentli-

---

[72] „The implication is that the actual macroeconomic problem under discussion was that of improving the average performance of the economy in regard to such variables as output growth and employment, rather than modifying fluctuations around the average level" (Smithin 1989: 216).

[73] Nach dem sogenannten Haavelmo-Theorem erhöht sich das Volkseinkommen allerdings bei angenommener Konsumquote der öffentlichen Haushalte von 1 auch im Falle einer vollständigen Steuerfinanzierung öffentlicher Ausgaben um eine Einheit.

che Investitionen und öffentliche Konsumausgaben werden gewöhnlich zur Kategorie ‚Staatsausgaben' zusammengefasst.[74] Dieses Versäumnis (‚composition does not matter') mag wiederum bei der kurzfristigen Betrachtung der konjunkturpolitischen Interpretation unerheblich sein, sobald aber **Nachhaltigkeitsüberlegungen** eine Rolle spielen (zur Definition von Nachhaltigkeit s. nächster Abschnitt), müssen die unterschiedlichen Einkommensmultiplikatoren von öffentlichen Konsum- und Investitionsausgaben Bedeutung erlangen.

Von besonderer Qualität ist die Kritik an einer **mangelnden Differenzierung zwischen Preis- und Mengeneffekten** der geld- und finanzpolitischen Maßnahmen und der dynamischen Interaktion mit der Lohnpolitik. Der Nominallohnsatz wird als exogen gegeben angenommen, mögliche Reaktionen, die sich aus dem mit dem Beschäftigungswachstum einhergehenden Anstieg des Preisniveaus und entsprechender Reduktion des Reallohnsatzes ergeben mögen, bleiben vollständig unberücksichtigt. Es wurde also ein **stabiler Phillips-Kurven-Zusammenhang** angenommen, der einen wirtschaftspolitisch nutzbaren Trade-off zwischen Inflation und Beschäftigung (bzw. Arbeitslosigkeit) postuliert. Sowohl der empirische Befund einer Gleichzeitigkeit von Inflation und Arbeitslosigkeit Ende der siebziger Jahre wie auch die theoretischen Reaktionen innerhalb des walrasianischen Paradigmas auf die Keynessche Betonung der Unsicherheit in Form **verbesserter Erwartungsformationstheorien** (adaptive bzw. rationale Erwartungen; vgl. Box 6) sprachen gegen diese Stabilität bzw. schufen das Modell einer ‚langfristigen Phillips-Kurve', die mit ihrem vertikalen Verlauf den Trade-off der Nachfragepolitik negierte.

Box 10: Die Phillips-Kurve

„1958 veröffentlichte der englische Nationalökonom A.W. Phillips eine Untersuchung über das Verhältnis von Lohnsatzänderungen zum Grad der Arbeitslosigkeit in Großbritannien während des Zeitraums von 1861 bis 1957. Dabei kam Phillips zu dem Ergebnis, dass die Höhe der prozentualen Lohnsatzänderung weitgehend vom Beschäftigungsgrad abhängig ist, und zwar in der Weise, dass bei einem Produktivitätszuwachs von jährlich 2% eine Arbeitslosenquote von etwa 2,5% erforderlich ist, um die Lohnerhöhungen im Rahmen des Produktivitätszuwachses zu halten. Unter der Annahme, dass das Preisniveau stabil bleibt, wenn die prozentuale Lohnerhöhung gerade dem Produktivitätszuwachs entspricht, und das Preisniveau um den gleichen Prozentsatz ansteigt, um den die Lohnerhöhungen über dem Produktivitätszuwachs liegen, lässt sich aus der Phillipskurve der Schluß ziehen, dass unter den in Großbritannien gegebenen Bedingungen Preisstabilität nur bei einer Arbeitslosenquote von 2,5% zu erwarten war.

Von Samuelson und Solow wurde der Zusammenhang zwischen Anstieg des Preisniveaus und Grad der Arbeitslosigkeit für die Vereinigten Staaten von Amerika 1933 bis 1958 untersucht mit dem Ergebnis, dass der zur Preisstabilität erforderliche Grad an Arbeitslosigkeit in den Vereinigten Staaten auf 5 bis 6% geschätzt wurde. Samuelson und Solow haben die Phillipskurve als eine ‚Speisekarte' bezeichnet, von der man verschiedene

---

[74] Robert L. Heilbroner (1992: 48) klagt zurecht: „In the national income accounts and in our basic Keynesian model for income determination, we define three main categories of aggregate demand: consumption spending, designated by ‚C', private investment, ‚I', and government spending, ‚G'. Note that 'G' is not broken down into public consumption and public investment. All 'G' is assumed to be 'C'.

Preissteigerungsraten zum Preis verschiedener Arbeitslosenraten wählen könne. (…) Während bei Phillips und Samuelson/Solow die Phillipskurve auf empirischem Material über einen längeren Zeitraum basiert und somit als Aussage über einen grundsätzlichen Zielkonflikt zu werten ist, wird die Existenz bei einer langfristigen Phillipskurve aus neoklassischer Sicht (...) entschieden bestritten."
Friedrich (1986: 46ff.)

„Nach Friedman und Phelps bestehen auf lange Sicht keine zu wählenden Alternativen zwischen Inflationsrate und Arbeitslosenquote. Das Wachstum der Geldmenge bestimmt lediglich die Höhe der Inflationsrate. Unabhängig von der Inflationsrate tendiert die Arbeitslosenquote zur natürlichen Arbeitslosenquote hin. Deshalb verläuft die langfristige Phillips-Kurve senkrecht.

... Zunächst mag einem die Ablehnung einer langfristig bestehenden Alternative zwischen Inflationsraten- und Arbeitslosenquotenhöhe durch Friedman und Phelps nicht sehr überzeugend vorkommen. Sie geschah unter Berufung auf die *Theorie*. Im Gegensatz dazu basierte ja die diagnostizierte negative Korrelation zwischen Inflationsrate und Arbeitslosenquote durch Phillips, Samuelson und Solow auf *Daten*. Warum sollte irgend jemand überzeugt sein, Wirtschaftspolitiker hätten es mit einer senkrechten Phillipskurve zu tun, wenn die Welt durch statistische Daten doch anscheinend eine Phillipskurve mit negativer Steigung liefert? Sollten uns nicht die empirischen Befunde von Phillips, Samuelson und Solow vielmehr dazu veranlassen, die klassische Hypothese von der Neutralität des Geldes zu verwerfen?
Friedman und Phelps waren sich dieser Spannung wohl bewusst und boten etwas an, mit dem man die klassische makroökonomische Theorie mit den empirischen Befunden einer fallenden Phillipskurve in Einklang bringt. Sie sagten, der negative Zusammenhang sei kurzfristig haltbar, aber nicht langfristig gültig."
Mankiw (2001: 809ff.)

5.3 Die kooperative Wirtschaftspolitik

Grundlage der kooperativen Wirtschaftspolitik ist das postkeynesianische Paradigma einer Vermögens- oder Geldwirtschaft. Diese paradigmatische Umbasierung gegenüber den beiden auf dem walrasianischen Paradigma einer Tauschwirtschaft beruhenden Konzeptionen der Wirtschaftspolitik macht sich zunächst an der grundsätzlichen Ablehnung fest, die Handlungsbegründung des (bzw. der) wirtschaftspolitischen Akteurs (bzw. Akteure) in **teleologischen Entscheidungsstrategien** zu sehen – stattdessen gründet die kooperative Wirtschaftspolitik auf einer **normengeleiteten Handlungsstrategie**, die nicht teleologischen Optimierungskalkülen, sondern institutionell bzw. normengestützten Politikregeln folgt, die auf eine Reduktion von Unsicherheit und Steuerungsunschärfe im Rahmen von Marktkonstellationen zielen.
Bevor wir die Generallinien der kooperativen Wirtschaftspolitik auf der Grundlage eines einfachen postkeynesianischen Gleichgewichtsmodells nachzeichnen können, wollen wir einige Präliminarien festhalten, die mit der Verwendung eines postkeynesianischen Modells verknüpft sind:

- Der Vermögensmarkt steht an der Spitze einer **Markthierarchie**. Die Kalküle der Vermögensmarktteilnehmer sind damit den Kalkülen aller anderen ‚realen' Märkte (logisch) vorgelagert und setzen diesen ihre Budgetbeschränkung. Damit wird nicht nur in statischer Betrachtung die Gleichgewichtslage einer Volkswirtschaft wesentlich vom Vermögensmarkt bestimmt, auch die Dynamik einer Volkswirtschaft (Akkumulation) entscheidet sich auf diesem Markt.
- Dauerhafte **Unterbeschäftigung** ist das marktlogische Ergebnis der Ressourcenbewirtschaftung in einer Geldwirtschaft, keine marktinforme Abweichung vom Zustand der optimalen Ressourcenallokation. Damit kann auch das Walras-Gesetz in einer Geldwirtschaft keine allgemeine Akzeptanz reklamieren.
- Die Triebfeder einer Geldwirtschaft ist der zinsbelastete Ressourceneinsatz (**Investition**), der notwendigerweise einen Überschuss oder Mehrwert (nicht notwendigerweise ein physisches Mehrprodukt) generieren muss.
- Wirtschaftspolitik unter diesen Voraussetzungen kann keine ‚Marktkorrektur' darstellen, sondern muss als normengeleitete ‚**Marktteilnahme**' verstanden werden.

In Abbildung 5.8 findet sich die Darstellung eines einfachen postkeynesianischen Gleichgewichtsmodells. An der Spitze der Markthierarchie steht der Vermögensmarkt (A), auf dem durch die Disposition über liquide Mittel (‚Finance' in Keynesscher Terminologie) das monetäre Investitionsvolumen F* bestimmt wird. Der Einfachheit halber wird angenommen, dass diese Investitionen ausschließlich einer realen, kapazitätsschaffenden Verwendung zugeführt werden (F* = I*).

Mithilfe des Investitionsmultiplikators lässt sich nun auf dem Gütermarkt (B) das gleichgewichtige (nominelle) Volkseinkommen Y* und auf dem Beschäftigungsmarkt (C) mithilfe der aggregierten Angebots- und Nachfragefunktionen das Beschäftigungsvolumen L* determinieren[75], das keineswegs dem Vollbeschäftigungsniveau entsprechen muss (L_{Voll}). Das gesamtwirtschaftliche Preisniveau P* ergibt sich aus der Gleichgewichtsbedingung P=a(w/ω) (mit a = durch Wettbewerbsbeschränkungen bestimmter Mark-up[76]; w = Nominallohn; ω = Grenzproduktivität der Arbeit). Schließlich kann auf dem reallohnabhängigen Arbeitsmarkt (E) erhellt werden, was in einer solcherart bestimmten Gleichgewichtslage ‚unfreiwillige Arbeitslosigkeit' bedeuten kann: Wenn bei herrschendem Nominallohnsatz w_1 nicht alle arbeitswilligen Menschen (N_S) auch Arbeit angeboten bekommen (N_D). Der reallohnabhängige Arbeitsmarkt ist allerdings durch eine gestrichelte Linie vom Rest des postkeynesianischen Modells getrennt, was daraufhin deuten soll, dass es sich hierbei nicht um einen ‚wirklichen' Markt handelt, auf dem Akteure in effektiver Interaktion einander gegenüber stehen – die Darstellung trägt deshalb rein explikativen Charakter.

---

[75] Der postkeynesianische Beschäftigungsmarkt wird ausführlicher in Kap. 6.1.3.2 beschrieben.
[76] Bei herkömmlicher Annahme vollständiger Konkurrenz ergibt sich a = 1.

Abbildung 5.8: Ein einfaches postkeynesianisches Modell

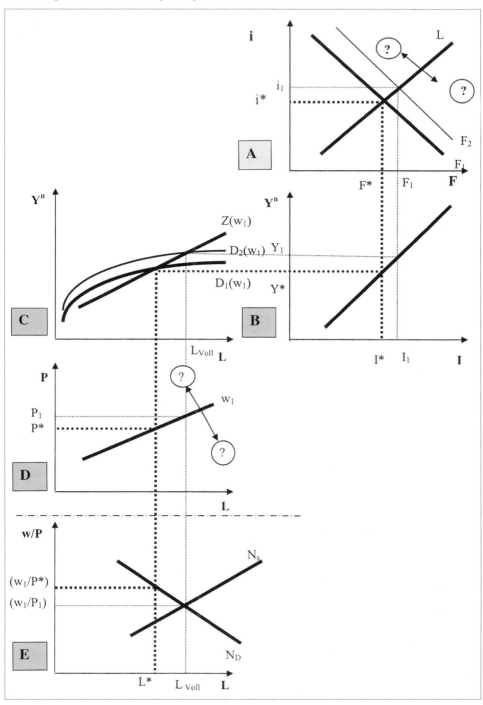

5.3.1 Steuerungsunschärfe der Prozesspolitik – Das Ende cartesianischer Machbarkeitsvorstellungen

Das Ergebnis des einfachen postkeynesianischen Makromodelles – Unterbeschäftigung als Gleichgewichtsphänomen – wirft zunächst die Frage auf, welche Ziele wir der Wirtschaftspolitik unterstellen wollen. Eine Anhebung der Wirtschaftsaktivität bis zu einem Punkt, an dem Vollbeschäftigung erreicht ist, erscheint sinnvoll, weil ein höheres Einkommens- und, so darf vermutet werden, gesellschaftliches Nutzenniveau erreicht werden kann. Es ergibt sich aber eben nicht funktional aus dem zugrunde liegenden Modell, sondern müsste durch gesellschaftliche Entscheidungsfindung normativ festgelegt werden.

Der nicht-walrasianische Charakter der kooperativen Wirtschaftspolitik zeigt sich sehr schnell daran, dass sie nicht auf eine Selbstkorrektur der Märkte bzw. der Pläne der Marktteilnehmer setzt: Der ‚Arbeitsmarkt' (E) kann nicht – wie im neoklassisch-monetaristischen Modell – zur Selbstkorrektur ansetzen, weil der Reallohn keine verhandelbare Größe (Determinante) der Wirtschaftsakteure darstellt, sondern sich endogen aus dem Wirtschaftsgeschehen erst ergibt (Resultante). Die Preissetzungsfunktion (D) macht aber auch deutlich, dass dieses Problem nicht gelöst werden kann, indem es der Nominallohn-(Tarif-)politik übertragen wird: Sollte die Arbeitslosigkeit dazu genutzt werden, die Nominallohnentwicklung zu beeinflussen, so würde sich dies lediglich in einer konsequenten Entwicklung des Preisniveaus niederschlagen – mit der Folge, dass die Bewertung der Wirtschaftsgüter und Vermögensgegenstände unsicher bzw. volatil wird.[77] Anders als im Standardkeynesianismus wird die Selbstkorrektur des Arbeitsmarktes also nicht durch Rigiditäten behindert (die gleichwohl bestehen können und, wie wir noch sehen werden, sogar sinnvoll sein mögen), sondern lässt sich auch durch eine Flexibilisierung der (Nominal-)Löhne nicht erzwingen.

Der staatliche Akteur kann nun versuchen, durch **finanzpolitische Intervention** das gesamtwirtschaftliche Aktivitätsniveau zu erhöhen: Eine kreditfinanzierte Erhöhung der Staatsausgaben würde die Nachfrage nach liquiden Mitteln von F_1 auf F_2 auf dem Vermögensmarkt erweitern und – ceteris paribus – zu einer Erhöhung des Investitionsvolumens von I^* auf I_1, des Volkseinkommens von Y^* auf Y_1 und – wenn ausreichend dosiert – der Beschäftigung von L^* auf L_{Voll} führen. Da nun auch das Preisniveau aufgrund der impliziten Annahme sinkender Grenzproduktivität der Arbeit (und mithin steigender Lohnstückkosten) von P^* auf P_1 steigt, kommt es im Ergebnis zu einer Reduktion des Reallohnsatzes von (w_1/P^*) auf (w_1/P_1). Soweit weicht das Ergebnis nicht von der standardkeynesianischen Argumentation ab. Allerdings spricht wenig dafür, und diese **Erwartungsunsicherheiten** thematisiert der Postkeynesianismus in besonderem Maße, dass alle anderen Marktteilnehmer angesichts der Intervention der Wirtschaftspolitik in ihren Aktivitäten unverändert und unbeeindruckt fortfahren werden: (1) Es erscheint schwer einsichtig, weshalb die Tarifparteien eine resultierende Reduktion des Reallohnes ohne Revision ihrer Nominallohn-(Tarif-)politik hinnehmen sollten. (2) Es ist völlig offen, wie die Vermögensbesitzer auf eine derartige wirtschaftspolitische Intervention angesichts des abgeleiteten Preisniveaueffekts reagieren. Die **Reaktions- und Ergebniskontingenz**

---

[77] Eine genauere Analyse der Tarifpolitik im postkeynesianischen Paradigma findet sich in Kap. 6.1.3.2.

wird umso größer, wenn ihre Reflexivität und eine hier noch völlig unbeachtete, mögliche Reaktion der Notenbank berücksichtigt wird. In Abb. 5.8 wird diese Ergebnisoffenheit, die die **Komplexität** von Geldwirtschaften kennzeichnet, durch die unbestimmte Verschiebung der Nominallohn- bzw. Liquiditätspräferenzkurven angedeutet – es entsteht eine **Steuerungsunschärfe**.

Stellt die Unterauslastung produktiver Ressourcen ein Dauerphänomen von Geldwirtschaften dar, so reicht es nicht aus, wenn die Finanzpolitik nur eine ‚Initialimpuls' leistet, also nur kurzfristig, antizyklisch interveniert. Sollte es ihr – trotz aller Steuerungsunschärfe, der wir uns gleich noch intensiver widmen müssen – gelingen, das Aktivitätsniveau in die gewünschte Richtung zu beeinflussen, dann muss dieser Impuls fortgesetzt werden – allerdings ist denkbar, dass ein Initialimpuls mittels Akzeleratoreffekten[78] auch zu endogenen Verstärkungen durch die privaten Wirtschaftssubjekte führt. Eine dauerhafte finanzpolitische Intervention mittels kreditfinanzierter, staatlicher Ausgaben stellt aber besondere Anforderungen an die langfristige **Nachhaltigkeit der Finanzpolitik**, weil sonst die privaten Wirtschaftssubjekte in Zukunft mit geld- oder fiskalpolitischen Maßnahmen zur Wiederherstellung der finanzpolitischen Handlungsfähigkeit oder Solidität (monetäres ‚bail-out' oder Steuererhöhungen) rechnen müssen, die über Erwartungseffekte (sog. ‚Erwartungs-Crowding-out') auf die private Konsum- und Investitionsnachfrage drücken und das gesamtwirtschaftliche Ergebnis noch ergebnisoffener (kontingenter) werden lassen:

- Der Begriff ‚**Nachhaltigkeit**' muss im Zusammenhang mit Finanzpolitik definiert und Leitlinien müssen herausgearbeitet werden. Im ökologischen Sprachgebrauch meint ‚Nachhaltigkeit' einen Umgang mit natürlichen Ressourcen, der zumindest eine Regeneration dieser Ressourcen (Konstanz des Naturkapitals) erlaubt und mithin die Lebensgrundlagen künftiger Generationen zumindest nicht einschränkt. ‚Nachhaltigkeit' also als Sicherung künftiger Handlungsspielräume – **Zukunftsfähigkeit**'. Finanzpolitisch gewendet kann ‚Nachhaltigkeit' deshalb als Sicherung künftiger Handlungsspielräume verstanden werden, was – ceteris paribus – die Konstanz einer ‚gewünschten' oder als ‚gesellschaftlich optimal empfundenen' **Staatsschuldenquote** impliziert (vgl. Heise 2001a).[79] Nachhaltige Finanzpolitik bezieht sich also nicht auf das laufende Defizit der öffentlichen Haushalte (eine Stromgröße), sondern auf die Bestandsgröße ‚Schuldenstand' bezogen auf die Wertschöpfungskraft einer Volkswirtschaft und meint auch keineswegs die Schuldenfreiheit – wie wir gleich sehen werden – weder der laufenden Verschuldung (Defizit), noch des Schuldenstandes.

$$(5.13) \quad \Delta(D/Y) = 0 \qquad\qquad ; \text{mit } (D/Y) \quad = \text{Schuldenstandsquote}$$
$$(5.14) \quad Y \, \Delta D - D \, \Delta Y = 0$$
$$(5.15) \quad Y \, \Delta D = D \, \Delta Y \qquad\quad ; \Delta Y = gY \qquad g = \text{Wachstumsrate des BIP}$$
$$(5.16) \quad Y \, \Delta D = DgY \qquad\qquad ; |{:}Y$$

---

[78] Das Multiplikatorprinzip knüpft die Sozialproduktsentwicklung an die Investitionsentwicklung, das Akzeleratorprinzip knüpft die Investitionsentwicklung an die Sozialproduktionsentwicklung. Aus dem Zusammenspiel beider Prinzipien lassen sich leicht endogene Konjunkturzyklen gewinnen; vgl. Baßeler/Heinrich (2001: 732).

[79] Das Konzept der Nachhaltigkeit der Finanzpolitik wird in Kap. 6.3.2 noch intensiver diskutiert.

(5.17) $\Delta D = Dg$; $\Delta D = -S$;S = Budgetsaldo
(5.18) $S = -Dg$;   l:Y
(5.19) $S/Y = -g(D/Y)$;   (S/Y) = nachhaltige Defizitquote

Diese simple Finanzarithmetik nach EVSEY DOMAR (1944) zeigt, dass eine Defizit-quote S/Y, die durch die nominelle Wachstumsrate des Sozialprodukts g und die zu stabilisierende Schuldenquote D/Y bestimmt wird, als nachhaltig bezeichnet wer-den kann. Genau so wurde übrigens das **Defizitkriterium des Maastrichter Ver-trags** über die Bildung einer Europäischen Währungsunion bestimmt: Unter der von der Europäischen Kommission und dem Ministerrat als ‚optimal‘ bestimmten Ver-schuldungsquote von 60% des BIP[80] und einer langfristig erwarteten Wachstumsra-te des nominellen BIP von 5% ergeben sich jene 3% Neuverschuldung des BIP, die seit den neunziger Jahren zunehmend die Finanzpolitik in Europa bestimmen.

- Die **Komposition der Staatsausgaben** – insbesondere der defizitfinanzierten –
  erhält ihre Bedeutung dadurch, dass der Multiplikatoreffekt der Ausgaben hinrei-chen groß sein muss, um die Nachhaltigkeit der Finanzpolitik im oben genannten Sinne zu ermöglichen. Der **‚nachhaltige‘ (durch Defizite finanzierte) Einkom-mensmultiplikator öffentlicher Ausgaben** wird dabei von der zu stabilisieren-den Schuldenstandsquote bestimmt:

(5.20) $\Delta Y = -m_G \Delta D$;$\Delta G = \Delta D = -S$ = öffentliches Defizit ;
                                  m_G = Multiplikator des öffentlichen Ausgaben
(5.21) $\Delta Y = -m_G S$; $\Delta Y = gY$; g = Wachstumsrate des
                                  BIP
(5.22) $g = -m_G (S/Y)$; (S/Y) = -g (D/Y)
(5.23) $g/m_G = g (D/Y)$
(5.24) $m_G = (Y/D) = 1/k$; k = (D/Y) = 'gewünschte'
                                  Schuldenquote

Zumindest empirisch von größerem Wert als der Multiplikator der Staatsausgaben dürfte allerdings der **Einkommensmultiplikator des öffentlichen Defizits** (das sich endogen erst am Ende des Multiplikatorprozesses faktisch herausstellt) sein, der mit Nachhaltigkeit vereinbar ist. In Gleichung (5.20) haben wir unterstellt, dass das öf-fentliche Defizit S der Veränderung der öffentlichen Ausgaben ΔG identisch ist. Dies stimmt allerdings nur, wenn der Ausgabenmultiplikator Null ist oder wir von einer einkommensabhängigen Besteuerung absehen wollen – beides ist sicher unrealistisch. Bei positivem Steuersatz t und $m_G > 0$ ergibt sich für die initialen Staatsausgaben ΔG:

(5.25) $\Delta Y = -m_G S$; S = $t\Delta Y - \Delta G$; t = Steuersatz
(5.26) $\Delta Y = -m_G (t\Delta Y - \Delta G)$
(5.27) $\Delta Y = -tm_G\Delta Y + m_G\Delta G$
(5.28) $\Delta Y/\Delta G = m_G/(1+tm_G) = m_D$

---

[80] Es gibt einige Mythenbildungen über die Herkunft dieser ‚optimalen Verschuldungsquote‘: Einerseits wird darauf hingewiesen, dass es etwa dem Durchschnitt der Schuldenstandsquoten der damaligen Eu-ropäischen Union der 12 entspräche, andererseits kam in der ersten Hälfte der neunziger Jahre auch die Verschuldungsquote Deutschlands und Frankreichs – der beiden Motoren der europäischen Integrati-on – auffällig nahe an diese Quote heran.

Zur Stabilisierung einer Verschuldungsquote von 60% des BIP etwa ist ein Einkommensmultiplikator der Staatsausgaben von 1,67 erforderlich und bei einem (marginalen) Steuersatz von t = 0,3 (also 30%) respektive ein Einkommensmultiplikator des öffentlichen Defizits von 1,1 (in Abb. 5.9 sind eine Reihe von ‚nachhaltigen‘ Einkommensmultiplikatoren des öffentlichen Defizits und der Staatsausgaben dargestellt).

Abbildung 5.9: Alternative Berechnungen ‚nachhaltiger Multiplikatoren‘

Schuldenstandsquote →	20%		40%		60%	
Multiplikatoren → Steuersatz ↓	m_G	m_D	m_G	m_D	m_G	m_D
0,4	5,00	1,67	2,50	1,25	1,67	1,00
0,3	5,00	2,00	2,50	1,43	1,67	1,10
0,2	5,00	2,5	2,50	1,67	1,67	1,25

Ökonometrische Berechnungen zeigen, dass derartige Größenordnungen durchaus realistisch sind (vgl. Abb. 5.10). Sind die Einkommensmultiplikatoren nur hoch genug ($m_D > 1/t$), dann ist sogar möglich, dass eine Erhöhung der Staatsausgaben ohne zusätzliche öffentliche Verschuldung vorstellbar wird bzw. eine Senkung der Staatsausgaben würde unter solchen Bedingungen sogar zu einer Erhöhung der öffentlichen Defizite beitragen – das sogenannte **Schuldenparadox** (vgl. Oberhauser 1985).

Abbildung 5.10: Ökonometrische Berechungen von Einkommensmultiplikatoren der Staatsausgaben

Quelle	Referenzperiode	Einkommensmultiplikator der Staatsausgaben							
		Jahr 1				Jahr 2			
		I.Q.	II.Q.	III.Q.	IV.Q.	I.Q.	II.Q.	III.Q	IV.Q.
Dieckheuer	1968 – 1973	1,20	1,73	2,14	2,51	2,54	2,76	2,76	2,76
Deutsche Bundesbank	1974 – 1981	1,36	1,59	1,64	1,83	1,81	1,97	1,92	1,84
Zwiener	1974 – 1981	1,13	1,29	1,48	1,73	1,82	2,01	2,06	2,27
Heilemann	1980 – 1981	1,30	1,30	1,50	1,70	1,90	2,10	2,30	2,60

Quelle: Caesar (1985: 268)

Die Höhe des Ausgabenmultiplikators hängt davon ab, wie lang der dadurch ausgelöste Einkommensgenerationsprozess ist: Transferausgaben, die direkt auf die Endverbraucherebene zielen, lösen sicher einen kürzeren Einkommensbildungsprozess aus als staatliche Investitionsausgaben.

Analog zur eingeschränkten Steuerungsschärfe der Finanzpolitik lässt sich nun auch eine Steuerungsunschärfe der Geldpolitik begründen. Wir wollen dies hier nicht explizit ausführen, sondern im Folgenden vielmehr auf die hier schon angedeuteten Interdependenzen der makroökonomischen Politik- und Interventionsbereiche zu sprechen kommen.

5.3.2 Makro-Konflikte und die Schaffung kooperationsfördernder Institutionen zur Reduktion der Steuerungsunschärfe

Es war einer der wesentlichen Kritikpunkte an der nachfragepolitischen Konzeption, die **Interaktionen der verschiedenen Träger** der makroökonomischen Wirtschafts- und Interventionspolitik nicht beachtet und modelliert zu haben – dies wäre allenfalls vertretbar gewesen, wenn sowohl die Tarif-, wie auch die Geldpolitik dem staatlichen Akteur subordiniert wäre – bei quasi-autonomen Akteuren (Tarif- und Notenbankautonomie) aber ist eine solche Annahme unhaltbar.

Im Folgenden sollen lediglich die Interaktionen jeweils zweier Akteure – der Finanz- und der Geldpolitik einerseits und der Tarif- und der Geldpolitik andererseits – aufgezeigt werden[81], weil eine Dreieck-Interaktion zu komplex ist, um hier einführend dargestellt werden zu können.

Abb. 5.11 zeigt einen **Makro-Konflikt**, der eintritt, wenn der **geldpolitische und der finanzpolitische Akteur** – also die Notenbank und der Staat – **unterschiedliche Ziele** verfolgen: Hier sei angenommen, sie würden ein jeweils unterschiedliches Niveau der aggregierten Nachfrage D_F und D_M anstreben (D). Ausgangspunkt sei das gesamtwirtschaftliche Gleichgewicht bei Volkseinkommen Y_1 und Beschäftigungsmenge L_1. Der Vermögensmarkt ist hier in einen Kreditmarkt (B) und einen Geldmarkt (A) unterteilt: Auf dem Geldmarkt wird die Basisgeldmenge B_1 bei zinselastischem Zentralbankgeldangebot M_1 durch die Notenbank und der auf dem Kreditmarkt bestimmten Nachfrage nach Zentralbankgeld durch die Finanzintermediäre bestimmt. Die Finanzintermediäre ihrerseits schöpfen **Giralgeld**, indem Sie durch Fristentransformation aus Zentralbankgeld (kurzfristige Verschuldung) langfristige Gläubigerpositionen gegenüber den Investoren aufbauen – das monetäre Investitionsvolumen F generiert auf dem Gütermarkt (C) Einkommen und auf dem Beschäftigungsmarkt (D) jene Beschäftigungshöhe L_1, die nicht notwendigerweise mit den normativen Zielvorstellungen des staatlichen Akteurs (z.B. Vollbeschäftigung) übereinstimmen muss. In einem ersten Schritt (1) würde nun also der staatliche Akteur mittels expansiver Finanzpolitik (B) die aggregierte Nachfrage auf das Niveau D_F (bei gegebenem Nominallohn w!) anzuheben versuchen, indem er durch ‚deficit spending' die Nachfrage nach liquiden Mitteln auf F_2 erhöht. Gelingt die Erhöhung der aggregierten Nachfrage in ausreichendem Unfang, kann Vollbeschäftigung N_{Voll} realisiert werden – allerdings müsste die Notenbank diese Expansion durch eine **endogene** Erhöhung der Geldbasis auf B_2 **akkommodieren**. Soweit wäre alles in Ordnung und mit den Ergebnissen der nachfragepolitischen Konzeption identisch. Aus Abb. 5.8 wissen wir allerdings, dass mit der Erhöhung der gleichgewichtigen Beschäftigungsmenge auch eine **Erhöhung des Preisniveaus** verbunden ist (zunächst bei konstantem Nominallohnsatz!) und wir wissen nicht augenblicklich, ob die Erhöhung der staatlichen Ausgaben ‚nachhaltig' im oben genannten Sinne ist. Es spricht deshalb einiges dafür, dass die Notenbank in einem zweiten Schritt (2) durch eine Restriktion ihrer Geldpolitik versuchen wird, die aggregierte Nachfrage wieder auf das Ausgangsniveau zurückzuführen, welches mit Preisstabilität verbunden ist. Sie signalisiert damit dem staatlichen Akteur und, wichtiger noch, den Vermö-

---

[81] Vgl. dazu z.B. Nordhaus (1994); Heise (2001); Power/Rowe (1998) und Rankin (1998).

Abbildung 5.11: Makro-Konflikt zwischen Geld- und Finanzpolitik

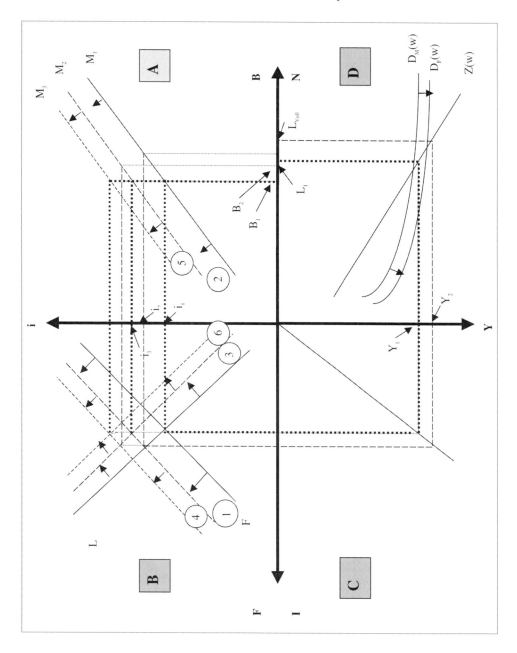

gensmarktakteuren, gleichzeitig, dass sie nicht gewillt ist, die finanzpolitischen Zielvorstellungen der Wirtschaftspolitik zu akkommodieren bzw. im Zweifel gar ein monetäres ‚Bail out' zu betreiben.[82] Als Folge würde nun der Giralgeldschöpfungsprozess (3) vermindert werden und der Zinssatz von i_2 auf i_3 steigen. Außerdem würde das Einkommens- und Beschäftigungsniveau zu den Ausgangspunkten Y_1 und L_1 zurückkehren. Dies würde nun wiederum den staatlichen Akteur herausfordern, seine Finanzpolitik erneut expansiver zu gestalten (4), worauf dann die Notenbank mit einer zusätzlichen Restriktion (5) antworten müsste, usw. – ein **gegenseitiges Aufschaukeln** von finanzpolitischer Expansion und geldpolitischer Restriktion wäre die Folge.

Abbildung 5.12: Bestimmung der Kontraktkurve

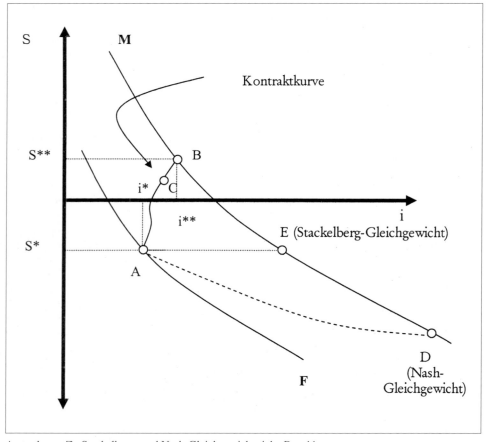

Anmerkung: Zu Stackelberg- und Nash-Gleichgewicht siehe Box 11

---

82 Unter monetärem ‚bail out' wird die Versuchung der Geldpolitik verstanden, die realen Schuldenlast des Staates durch eine unerwartete Inflationierung des Preisniveaus zu reduzieren.

In Abbildung 5.12 ist dieser Makro-Konflikt noch einmal anhand der Instrumenten-variablen Zinssatz i und Saldo des öffentlichen Haushalts S dargestellt. Die Kurven M und F stellen die von der Notenbank bzw. dem staatlichen Akteur gewünschte ag-gregierte Nachfrage bei alternativen Zins-Defizit-Kombinationen dar. Die jeweils vom staatlichen Akteur bzw. der Notenbank als optimal empfundene Kombination A bzw. B auf den jeweiligen Nachfragekurven lässt sich mithilfe einer Phillips-Kur-ven-Analyse bestimmen (vgl. Heise 2001: 56ff.): Es ist jene Kombination, bei der die Ziel- bzw. Nutzenfunktion der Akteure, in die sowohl das Ziel der Preisstabili-tät als auch der Vollbeschäftigung in allerdings unterschiedlicher Gewichtung ein-gehen, optimiert werden. Der staatliche Akteur bevorzugt eine expansivere Geld- und Finanzpolitik, die Notenbank eine restriktivere Geld- und Finanzpolitik. Beide Kombinationen A und B sind aber offensichtlich gleichzeitig nicht zu realisieren – es gibt drei Reaktionsmöglichkeiten: (1) Es kommt zu einer **Kooperation beider Akteure**, in der durch gegenseitige Zugeständnisse z.B. der Punkt C auf der Kon-traktkurve erreicht wird. Die Kontraktkurve gibt die pareto-optimalen ‚Tauschmög-lichkeiten' an, zwischen denen kooperationsbereite Akteure im Verhandlungspro-zess (concession bargaining) auswählen können. (2) Der Punkt D hingegen beschreibt den Endpunkt des eben beschriebenen Makro-Konfliktes – **ein nicht-ko-operatives Nash-Gleichgewicht**. Letztlich setzt sich die Notenbank in dem Sinne durch, dass die Gleichgewichtslösung auf ihrer aggregierten Nachfragefunktion liegt, allerdings weit entfernt von der eigentlich gewünschten Position B. Die Do-minanz der Geldpolitik ergibt sich daraus, dass der staatliche Akteur im Verlaufe des Makro-Konfliktes eine beständige Beschneidung seines Handlungsspielraumes erlebt, der sich aus der im Laufe des Makro-Konfliktes steigenden Zinsbelastung er-gibt: Mit steigendem Defizit und gleichzeitig steigendem Zinssatz wird der zusätz-liche (Grenz-)Nutzen steigender Verschuldung immer geringer. (3) Schließlich wä-re vorstellbar, dass der staatliche Akteur die Dominanz der Notenbank akzeptiert, gleichwohl ein gewisses Zieldefizit zur Bedienung von Partikularinteressen verfolgt. Es wird dann der Punkt D realisiert – hierbei handelt es sich um eine **nicht-koope-ratives Stackelberg-Gleichgewicht**.

Box 11: Nash- und Stackelberg-Gleichgewichte

„Eine Strategiekombination ist dann ein **Nash-Gleichgewicht**, wenn die Gleichgewichts-strategie jedes Spielers seinen (erwarteten) Nutzen maximiert, vorausgesetzt dass alle an-deren Spieler ihre Gleichgewichtsstrategie spielen. ...

Ein Nash-Gleichgewicht ist eine Strategiekombination s*, bei der jeder Spieler eine opti-male Strategie s_i* wählt – gegeben die optimalen Strategien aller anderen Spieler; d.h. es gilt:

$U_i(s_i^*, s_{-i}^*) \geq u_i(s_i, s_{-i}^*)$ für alle i, für alle $s_i \, \varepsilon S_i$

Ausgehend von einem Nash-Gleichgewicht, besteht für keinen Spieler ein Anreiz, von sei-ner Gleichgewichtsstrategie abzuweichen. Damit werden die Erwartungen über das Ver-halten der Mitspieler bestätigt; die Strategiewahl für Spieler i erweist sich in der Tat als op-timal, Spieler i kann bei den gegebenen Entscheidungen der anderen Spieler keine höhere Auszahlung erzielen."
Holler/Illing (1996: 9ff.)

„In a two-player game, the player moving first is the Stackelberg leader and the other player is the Stackelberg follower. The distinguishing characteristic of a **Stackelberg equilibrium** is that one player gets to commit himself first. ...

An alternative definition is that a Stackelberg equilibrium is a strategy combination in which players select strategies in a given order, and in which each player's strategy is a best response to the fixed strategies of the players preceding him and yet-to-be-chosen strategies of players succeeding him, ..."
Rasmusen (1989: 79ff.)

Die Kooperations-Lösung C wird dann den nicht-kooperativen Lösungen D und E vorgezogen, wenn hierdurch einerseits die Akteure profitieren können (was immer dann der Fall ist, wenn sie nicht extrem die Verfolgung eines der beiden Ziele Preisstabilität oder Vollbeschäftigung einer Zielkombination vorziehen; vgl. Heise 2001: 62ff.), andererseits Vorkehrungen getroffen sind, die das Zuschnappen der **Kooperationsfalle** (Gefangenen-Dilemma) verhindern – hierzu gleich weitere Ausführungen.

Zunächst aber wollen wir einen weiteren Makro-Konflikt betrachten: Bislang haben wir von einer Reaktion der Lohnpolitik und einer genaueren Modellierung der Bestimmung der Tarifpolitik abgesehen – dieses Versäumnis soll nun überwunden werden und eine **Interaktion von Lohn- und Geldpolitik** betrachtet werden.[83] Dazu wollen wir davon ausgehen, dass bei Vollbeschäftigung der Anspruch der Tarifparteien an das Sozialprodukt übermäßig wird, d.h. die von den Arbeitnehmern und ihren Gewerkschaften intendierte Lohnquote und die von den Arbeitgebern und ihren Arbeitgeberverbänden intendierte Profitquote summieren sich zusammen auf mehr als 1. Eine derartige **Überinanspruchnahme des Sozialproduktes** führt zu einer akzelerierenden Inflation: Wenn es den Arbeitgebern gelingt, durch Preissetzungen ihre Verteilungsansprüche durchzusetzen (Überwälzung von Kosten und Profitansprüchen auf die Preise), müssten die Arbeitnehmer – deren Verteilungsansprüche unbefriedigt blieben – durch steigende Nominallohnforderungen versuchen, die Verteilung zu ihren Gunsten zu verändern. Dies bleibt aber solange erfolglos, solange die steigenden Lohnkosten wiederum auf die Preise abgewälzt werden können.

Es obliegt in diesem **Verteilungskonflikt** nun der an Preisstabilität orientierten Notenbank, durch Schaffung einer dauerhaften Quasi-Stagnation die Verteilungsansprüche so zu ‚harmonisieren‘, dass die Inflationierung des Preisniveaus unterbunden werden kann – dies geht nur mittels Schaffung von Arbeitslosigkeit, wenn unterstellt wird, dass die gewerkschaftlichen Verteilungsansprüche wesentlich von der Höhe der Arbeitslosigkeit bestimmt werden. In Abb. 5.13 ist eine solche Interaktion zwischen der Geldpolitik und der Tarifpolitik dargestellt: w^r_b stellt den von den Arbeitnehmern und ihren Gewerkschaften angestrebten Reallohn, w^r_p bezeichnet den durch die Produktivität (abzüglich des Mark up) gedeckten Reallohn, den die Unternehmen bereit sind, zu zahlen. Bei Vollbeschäftigung (hier LF = 1, d.h die gesamte Bestand an Erwerbspersonen befindet sich in Beschäftigung) übersteigt $w^r_b > w^r_p$ und es käme folglich zu Inflation.

---

[83] Die Darstellung geht im Wesentlichen zurück auf Hein (2002).

Abbildung 5.13: Verteilungskonflikt und Arbeitslosigkeit

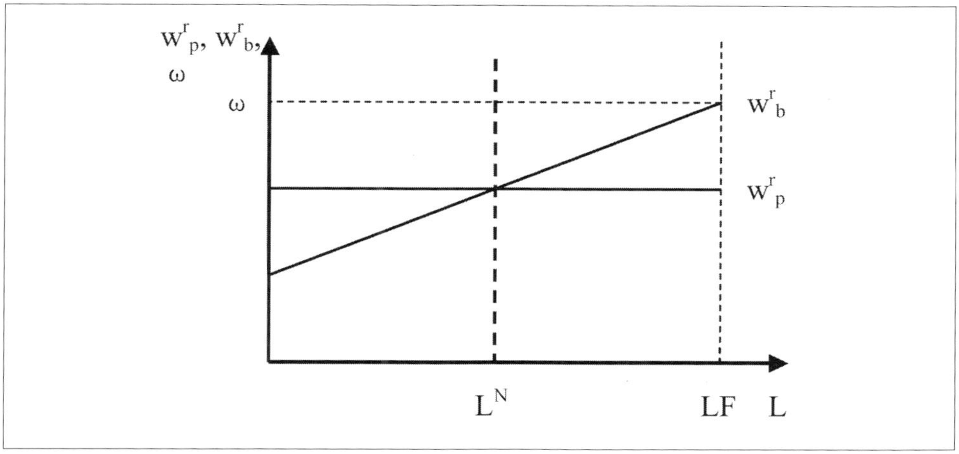

Anmerkung: ω = Arbeitsproduktivität

Im Punkt L^N, der mittels restriktiver Geldpolitik erzwungen werden muss, sind die Verteilungsansprüche harmonisiert, allerdings herrscht auch Arbeitslosigkeit in Höhe $LF - L^N$. Der genaue Verlauf der w^r_b –Kurve, der offensichtlich über die Höhe der Preisstabilität gewährleistenden Arbeitslosigkeit – eine postkeynesianische Interpretation der Non-Accelerating-Inflation-Rate-of-Unemployment (NAIRU)[84] – entscheidet, hängt wesentlich davon ab, wie das **Tarifvertragssystem**, in dem die Tarifparteien Lohnpolitik betreiben, gestaltet ist: Je nachdem, ob die Tarifvertragsparteien in der Lage und Willens sind, die gesamtwirtschaftlichen Effekte ihres Handelns (Preisüberwälzung und Konflikt mit der Geldpolitik) einzuschätzen und in ihre Handlungen einzubeziehen, wird die NAIRU höher oder niedriger sein. Empirische Studien und korporatismustheoretische Ansätze (s. Kap. 2.3) verweisen darauf, dass ein buckelförmiger bzw. sogar positiv-linearer Zusammenhang zwischen dem Grad der Zentralität eines Tarifvertragssystems und der Internalisierungsbereitschaft des Verteilungskonfliktes besteht (vgl. Box 12): ‚Umfassende Organisationen' sind besser in der Lage das Kollektivgut ‚befriedeter Verteilungskonflikt' herzustellen als individuelle oder dezentrale Marktakteure.

Box 12: Die ‚Hump-Shape-Hypothese'

"Die in der jüngsten Vergangenheit neu aufgeflammte Diskussion um den Flächentarifvertrag hat die Rolle eines optimalen Zentralisierungsgrades der Lohnverhandlungen deutlich warden lassen. In einer vielbeachteten Studie kommen Calmfors und Driffill (1988) zu dem

---

[84] Die NAIRU ist eigentlich ein neukeynesianisches Konzept, in dem verschiedene mikroökonomisch begründete Lohnrigiditäten eine gleichgewichtige Arbeitslosenquote erklären. Im Gegensatz zum postkeynesianischen NAIRU-Ansatz wird die Arbeitslosigkeit hier aber – typisch für ein walrasianisches Modell – allein auf dem Arbeitsmarkt, nicht in der Interaktion von Geld- und Lohnpolitik bestimmt.

Ergebnis, dass die beiden Extreme ‚völlige Dezentralisierung' und ‚völlige Zentralisierung' aus makroökonomischer Sicht die für die Reallohnhöhe und damit für die Beschäftigung besten Resultate erbringen, das heißt der Zusammenhang zwischen Reallohn und Zentralisierungsgrad nimmt die Form eines umgekehrten U an.

Die Begründung für diesen Verlauf liegt in den beiden folgenden gegenläufigen Effekten. Einerseits kann bei einer dezentralen Lohnbildung den firmenspezifischen Erfordernissen beispielsweise im Hinblick auf die Produktivitätsentwicklung stärker Rechnung getragen werden. Lohnerhöhungen sind nur in eingeschränktem Umfang möglich, wenn sich die Firma auf dem Absatzmarkt starkem Konkurrenzdruck ausgeliefert sieht. Mit zunehmendem Zentralisierungsgrad schwindet dieser Vorteil, weil die Gewerkschaften nun für mehrere oder sämtliche Unternehmen eines Industriezweiges Lohnerhöhungen durchsetzen können, so dass die erwähnte Wettbewerbseinbuße der Firma entfällt. Mit zunehmendem Zentralisierungsgrad der Lohnverhandlungen kontrolliert die Gewerkschaft überdies in größerem Umfang das für die Firmen relevante Arbeitsangebot. Im Ergebnis lässt dies einen positiven (negativen) Zusammenhang zwischen Zentralisierungsgrad und Lohnhöhe (Beschäftigung) vermuten.

Der gegenläufige Effekt entspringt der Überlegung, dass bei sehr dezentralen Lohnverhandlungen die Gewerkschaften davon ausgehen können, dass Nominallohnerhöhungen gleich hohe Reallohnzuwächse bedeuten, weil die Auswirkungen der eigenen Lohnerhöhungen auf das aggregierte Konsumgüterpreisniveau nahezu vollständig in Steigerungen des Konsumlohns niederschlagen. Bei zunehmendem Zentralisierungsgrad hingegen vergegenwärtigen Gewerkschaften eher die mit der Teuerung einhergehenden Reallohneinbußen, so dass sie nunmehr in größerem Umfang die Inflationswirkungen von Lohnerhöhungen einkalkulieren und zu niedrigeren Lohnabschlüssen tendieren. Von daher gesehen könnte auf einen eher negativen (positiven) Zusammenhang zwischen Zentralisierungsgrad und Lohnhöhe (Beschäftigung) geschlossen werden."
Franz (1999: 293f.)

In Abb. 5.14 ist die Modifikation der Interaktion von Geld- und Lohnpolitik dargestellt, die sich ergibt, wenn ein zentrales Kollektivvertragssystem eine **Internalisierung des Verteilungskonfliktes** – zumindest über einen wesentlichen Beschäftigungsbereich vor Erreichen der Vollbeschäftigung – in Aussicht stellt und damit die Geldpolitik aus der Position befreit, eine Arbeitslosigkeit in Höhe von L^N_1 erzeugen zu müssen, um Preisstabilität garantieren zu können. Vielmehr erhält sie jetzt zusätzlichen Spielraum für eine expansivere Geldpolitik ohne Inflationsgefahren zumindest bis zur Beschäftigungsmenge L^N_2. Ob die Notenbank diesen allerdings nutzen wird oder nicht, hängt wesentlich von der Form der Interaktion ab: Im Falle einer ex- oder impliziten **Kooperation** mit der Lohnpolitik würde die expansivere geldpolitische Strategie gewählt werden, im Falle einer Nicht-Kooperation, was am ehesten als **Stackelberg-Führerschaft** der Geldpolitik modellierbar ist, bliebe es bei der restriktiven Geldpolitik als Signal der Kompromisslosigkeit an die Tarifparteien.

Es ist also für die gesamtwirtschaftliche Entwicklung, aber auch für die Wirkungszusammenhänge der Wirtschaftspolitik von großer Bedeutung, ob es zu einer **Abstimmung der makroökonomischen Akteure** der Lohn-, Geld- und Finanzpolitik kommt oder nicht. Eine Kooperation erhöht nicht nur den Nutzen der einzelnen Akteure, sondern reduziert auch die **Steuerungsunschärfe** der einzelnen wirtschafts-

Abbildung 5.14: Verteilungskonflikt bei zentralen Tarifparteien

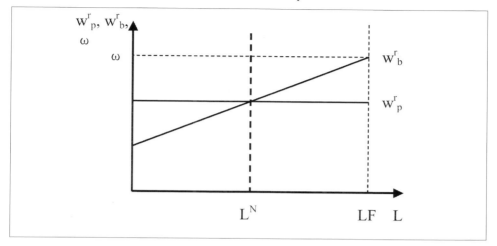

politischen Interventionen und damit die Ergebniskontingenz. Kommt es aber nun im Selbstlauf zur Kooperation der Akteure bzw. zur Koordination der Politikfelder? Wir haben bereits mehrfach auf strategische Handlungssituationen und die bestehenden Kooperationsprobleme (,Gefangenen-Dilemma; s. Kap. 3.2) hingewiesen – ohne eine klare Institutionalisierung, die aus den Interdependenzen der Politikbereiche erst eine wirkliche Interaktion der Akteure macht, ist deshalb mehr als eine akzidentielle Kooperation nicht zu erwarten.

Ein Kernelement der **kooperativen Wirtschaftspolitik** ist es deshalb, **institutionelle Strukturen** für eine bessere Verhaltensabstimmung der Makro-Akteure zu schaffen. Weitere Ausführungen dazu werden in Kap. 7 gemacht, hier können nur kurz die Voraussetzungen benannt werden, unter denen die **Kooperationsprobleme** grundsätzlich lösbar werden (vgl. Heise 2001: 88ff.):

- **Kommunikation** über die ,Spiel-Situation', die Kooperationsbeiträge der Akteure und die Vor- und Nachteile der Kooperation
- **Überprüfung** der Verhaltensweise der Akteure (Erbringung der Kooperationsbeiträge). Dazu sind allgemein akzeptierte **Politikregeln** notwendig.
- Festlegung einer **Sequenz**, um die ,first-mover-trap' (die Angst des ersten Schrittes) zu überwinden
- Wahl einer allgemein akzeptierten **Handlungsstrategie**, die die Gefahr der einseitigen Ausbeutung der kooperierenden Akteurs minimiert und gleichzeitig einfach genug ist, um von allen Spielern durchschaut zu werden.

Experimentelle Überprüfungen haben gezeigt, dass – obwohl die Schaffung von Kooperationen zwar sehr voraussetzungsreich ist und Kooperationen immer latent instabil bleiben – es aber gleichwohl möglich ist und im Alltag auch vielfältige Beweise dafür gibt, dass Kooperationen zustande kommen und Bestand haben.

5.3.3 Schaffung und Erhalt sicherheitsstiftender Institutionen

Institutionen bekommen in einer Welt besondere Bedeutung, in der teleologisches Optimierungshandeln aufgrund von Informationsverarbeitungsproblemen, der Unsicherheiten über künftige Entwicklungen relevanter Faktoren (z.B. der Bewertungen von Vermögensgegenständen) und Verhaltensweisen der Akteure unmöglich wird. Institutionen und Regeln beschränken dann zwar die Handlungsmöglichkeiten der Wirtschaftssubjekte, doch ist dies nicht in erster Linie als Beschränkung der Optimierungsstrategien zu beklagen, sondern als **Voraussetzung von wirtschaftlichem Handeln** in ‚imperfekten Umwelten' zu verstehen – wenn dadurch die Sicherheit der Wirtschaftssubjekte erhöht wird, dann äußert sich dies in einer zunehmenden Verfügungsbereitschaft über den liquidesten Vermögensgegenstand der Ökonomie (Geld), der gerade zum Erhalt von Handlungsmöglichkeiten in unsicherer Umwelt gehalten wird (Liquiditätspräferenz). In Abb. 5.8 äußert sich eine durch sicherheitsstiftende Institutionen bewirkte Senkung der Liquiditätspräferenz der Wirtschaftssubjekte in einer Verschiebung der L-Kurve auf dem Vermögensmarkt (A) dergestalt, dass ein höheres monetäres Investitionsvolumen, ein höheres Volkseinkommen und mehr Beschäftigung möglich wird.

Da die Preissetzungsfunktion (Abb. 5.8 D) dem Nominallohnsatz eine besondere Rolle für die Bestimmung des gleichgewichtigen Preisniveau zuweist, muss dem **Kollektivvertragssystem** in der kooperativen Wirtschaftspolitik gleichfalls eine besondere Rolle zukommen:

• Es muss sicherstellen, dass es nicht in der Situation eines Unterbeschäftigungsgleichgewichtes zu einer destabilisierenden Deflation kommt (Nominalanker).
• Es muss sicherstellen, dass eine Verhaltensabsprache mit anderen Makro-Akteuren durch eine Internalisierung der externen Effekte der Lohnpolitik auf die Preis- und Beschäftigungsentwicklung möglich wird.

Spieltheoretische Überlegungen und empirische Untersuchungen (vgl. z.B. Franzese/Hall 2000; Calmfors/Driffill 1988; Soskice 1990) sprechen eindeutig dafür, das zentrale Kollektivvertragssysteme[85] besser in der Lage sind, diese Bedingungen zu erfüllen als dezentrale, betriebliche oder gar intermediäre Kollektivvertragssysteme (s. Abb. 5.15). Deshalb setzt die kooperative Wirtschaftspolitik, ganz im Gegensatz zur angebotspolitischen Konzeption, auf den Erhalt bzw. den Ausbau zentraler, **hochgradig koordinierter Kollektivvertragssysteme** und sieht in einer Verbetrieblichung (Dezentralisierung) einen falschen, im schlimmsten Falle destabilisierenden Weg.

In Abb. 5.15 ist ein weiterer Aspekt sicherheitsstiftender Institutionen – die **Unabhängigkeit der Notenbank** – mit dem Koordinierungsgrad des Kollektivvertrags-

---

85 Zentralität meint nicht unbedingt die Verhandlungs- oder Abschlussebene der Tarifpolitik, sondern den Grad der Koordinierung zwischen den tatsächlich handelnden Akteuren. Obwohl die Verhandlungsebene der Tarifpolitik in Deutschland z.B. die regional-sektorale Ebene ist, wird das deutsche Kollektivvertragssystem gleichwohl gemeinhin als ‚zentral' eingeschätzt, weil ein hohes Maß an interner Koordinierung innerhalb der regional-sektoral handelnden Gewerkschaften innerhalb des Deutschen Gewerkschaftsbundes (DGB) und innerhalb der Arbeitgeberverbände innerhalb des Dachverbandes Bundesvereinigung der deutschen Arbeitgeberverbände (BDA) stattfindet.

Abbildung 5.15: Wirtschaftliche Performanz unter verschiedenen institutionellen Arrangements; jahresdurchschnittliche Werte der OECD-Länder 1955 – 1990

| | | Grad der Notenbank-Unabhängigkeit | |
		Gering	Hoch
Koordinierungsgrad des Kollektiv-vertragssystems	Gering	Infl.:7,5 ALQ:4,7 MI: 12,2	Infl.: 4,8 ALQ: 6,1 MI: 10,9
	Hoch	Infl.: 6,2 ALQ: 2,3 MI: 8,9	Infl.: 4,8 ALQ: 2,8 MI: 7,6

Anmerkung: Infl. = Inflation; ALQ = Arbeitslosenquote; MI = Misery-Index= Infl. + ALQ; insgesamt wurden 16 OECD-Länder untersucht

Quelle: Franzese/Hall (2000: 195)

systems anhand der historischen Entwicklung der OECD-Mitgliedsländer verknüpft: Der Einfluss der Zentralität der Lohnpolitik auf Inflation, Beschäftigung und – als Kombination – den Misery-Index ist offensichtlich, der Einfluss der Notenbank-Unabhängigkeit hingegen ist zwiespältig. Zwar ist der Misery-Index und die Inflation niedriger, wenn die Notenbank unabhängig(er) ist, doch die Arbeitslosigkeit liegt über der Arbeitslosigkeit in Ländern mit geringerer Notenbank-Unabhängigkeit. Hier könnte sich eine mangelnde Kooperation kenntlich machen, die im Falle einer weniger unabhängigen Notenbank zu einer Stackelberg-Führerschaft der Lohnpolitik, im Falle einer unabhängigeren Notenbank zu einer Stackelberg-Führerschaft der Notenbank bei hohem Zentralitätsgrad der Tarifsysteme, zu einem unkooperativen Nash-Gleichgewicht bei geringem Zentralitätsgrad der Tarifsysteme führen mag.

5.3.4 Kritik der kooperativen Wirtschaftspolitik und abschließende Gegenüberstellung

Als eigenständige wirtschaftspolitische Konzeption nimmt die kooperative Wirtschaftspolitik – ebenso wie das zugrundeliegende postkeynesianische Paradigma – gegenwärtig zweifellos die Rolle der Heterodoxie, wenn nicht gar der Häresie ein. Das macht ihre Aussagen und Implikationen zwar keineswegs weniger bedenkenswert oder weniger überzeugend, erklärt aber, weshalb sich die kritische Auseinandersetzung mit ihr bislang in engen Grenzen hält. Dies ist auch einer der gelegentlich vorgebrachten Kritikpunkte:

• Die unterstellten Modellstrukturen werden als ‚exotisch‘ betrachtet und deshalb die daraus folgenden wirtschaftspolitischen Implikationen als zu wenig in der Disziplin verankert zurückgewiesen.
• Die sich aus dem Paradigma bildenden Annahmen ergebende Betonung der ökonomischen Unsicherheit, modelltheoretischen Indeterminiertheit und Steuerungsunschärfe der Wirtschaftspolitik wird gelegentlich von Kritikern als ‚Nihilismus‘

interpretiert, aber auch von Proponenten als ‚Non-Dezisionismus' betrachtet, der sich der wirtschaftspolitischen Instrumentalisierung verschließe.

- Die makroökonomische, hoch aggregierte Betrachtungs- und Argumentationsweise lässt allokative Probleme – z.B. des Einsatzes verschiedener Qualifikationen auf differenzierten Arbeitsmärkten – unbeachtet.
- Eine gesamtwirtschaftlich ausgerichtete Wirtschaftspolitik muss sich den Strukturproblemen einer Volkswirtschaft verschließen.
- Mit dem Hinweis auf die Kooperationsnotwendigkeit der wirtschaftspolitischen Akteure werden die klaren Verantwortlichkeiten für einzelne Zielvariablen verwischt. Statt den marktlichen Druck für das ‚Wohlverhalten' der Akteure zu nutzen, müssen Ressourcen verschlingende Zugeständnisse (concession bargaining) gemacht werden – der ‚Korporatismus läuft Amok' (Berthold 1995).

Abschließend sollen die drei wirtschaftspolitischen Konzeptionen noch einmal einander gegenübergestellt werden (vgl. Abb. 5.16): Die angebotspolitische Konzeption betont – anders als die Nachfragepolitik oder die kooperative Wirtschaftspolitik – die Allokationsfunktion der Wirtschaftspolitik, ohne gleichzeitig die Stabilisierungsfunktion für unwichtig zu halten. Allerdings besteht die Stabilisierung hierbei darin, auf eigene Impulse zu verzichten – dies sollte allerdings nicht mit Passivität gleichgesetzt werden. Die Nachfragepolitik ebenso wie die kooperative Wirtschaftspolitik legen ihren Schwerpunkt auf die Stabilisierungspolitik – allerdings setzt die Nachfragepolitik stärker auf die Segnungen der Prozesspolitik als die kooperative Wirtschaftspolitik. Die Allokationsfunktion wird von beiden wirtschaftspolitischen Konzeptionen nicht betont, allerdings sind wettbewerbs-, arbeitsmarkt- und industriepolitische Maßnahmen durchaus vorstellbar. Außerdem spielt sowohl in der Nachfragepolitik wie auch in der kooperativen Wirtschaftspolitik der Eingriff in die Primärverteilung als Teil der Stabilisierungs- und Distributionsfunktion eine erwähnenswerte Rolle, nicht so in der Angebotspolitik.

Abbildung 5.16: Wirtschaftspolitische Konzeptionen in der Gegenüberstellung

	Angebotspolitik	Nachfragepolitik	Kooperative Wirtschaftspolitik
Stabilisierungs- funktion	• **Preisstabilitäts- orientierte Geld- politik** • **Null-Defizit** • Deregulierungs- politik	• **Geldpolitik der ‚leichten Hand'** • **Deficit spending** • Umverteilungs-/ Sozialpolitik	• **Nachhaltige Finanzpolitik** • **Sicherheits- stiftende Institutionen** • **Kooperations- fördernde Institu- tionen**
Allokationsfunktion	• **Deregulierungs- politik** • **Privatisierungs- politik**	• Wettbewerbspolitik • Arbeitsmarktpolitik	• Wettbewerbspolitik • Industriepolitik
Distributionsfunktion	• Umverteilungspolitik	• Umverteilungspolitik	

Fett = wesentliche Bestandteile einer Konzeption

5.4 Politisch-ideologische Konzeptionen der Wirtschaftspolitik

Die wirtschaftspolitische Realität wird nicht von Wissenschaftlern, sondern von Politikern bestimmt, die ihre Aktionen daran ausrichten, vorgegebene Ziele zu erreichen. Diese Ziele müssen, wie immer, in End- und Zwischenziele unterteilt werden. Als Endziel haben Politiker ausschließlich die Sicherung ihrer **Macht durch Amtsausübung** im Auge (hierzu mehr in Kap. 8), als Zwischenziele müssen sie dann aber auch ökonomische und nicht-ökonomische Zielgrößen formulieren, deren Erfüllung darüber (mit)entscheidet, ob das Endziel erreicht wird.

Die ökonomischen Zwischenziele, die uns im Folgenden interessieren sollen, werden wiederum zu politisch-ideologischen Konzeptionen (Visionen) zusammengefasst, um ihre Kommunizierbarkeit und Sichtbarkeit zu erhöhen. Im Gegensatz zu den wissenschaftlichen Konzeptionen leiten sich die politisch-ideologischen Konzeptionen nicht notwendigerweise konsistent aus einem wirtschaftstheoretischen Paradigma ab, sondern stellen die **normativen Zielvorstellungen** (Ideologien) in den Mittelpunkt, die politische Mehrheiten in Aussicht stellen.

Zwar wird jede Regierung beanspruchen, eine sichtbare (wirtschafts)politische Konzeption als Alleinstellungsmerkmal zu besitzen, doch wollen wir uns auf einige wenige Politikprogramme beschränken, die weitreichende Beachtung und Anerkennung gefunden haben:

- Die Reaganomics in den USA und den Thatcherismus in Großbritannien während der 1980er und frühen 1990er Jahre
- Die (alte oder traditionelle) sozialdemokratische Wirtschaftspolitik der siebziger Jahre
- Die neue sozialdemokratische Wirtschaftspolitik – die ‚Politik der Neuen Mitte‘ – die ‚Politik der Dritten Wege‘ der neunziger Jahre.

5.4.1 Reaganomics und Thatcherismus

Fast zeitgleich kam es in den USA und Großbritannien zu einer politischen Wende, die nachträglich als epochal bezeichnet werden kann und wesentlich durch die ökonomische Entwicklung bzw. die wirtschaftspolitischen Vorstellungen der neugewählten Regierungen ausgelöst wurde: In den USA wurde 1978 Ronald Reagan und in Großbritannien 1979 Margret Thatcher als Reaktion auf die krisenhaften Entwicklungen in der zweiten Hälfte der siebziger Jahre gewählt. In beiden Ländern hatten die beiden Ölpreiskrisen der siebziger Jahre zu einem parallelen Anstieg von Arbeitslosigkeit und Inflation geführt – Stagflation –, dem mit den keynesianisch inspirierten Nachfragepolitiken der Kandidaten der Demokratischen Partei (USA) und der Labour Party (GB) nicht beizukommen schien. In Großbritannien machte sich die ‚british desease‘ (britische Krankheit) breit, die eine unterdurchschnittliche Produktivitätsentwicklung mit geringem Wirtschaftswachstum und überdurchschnittlich hoher Inflation koppelte, in den USA brachen ganze Industriesektoren unter hoher Importpenetration zusammen (geringe Wettbewerbsfähigkeit, die sich auch in hohen Leistungsbilanzdefiziten zeigte). Die **wirtschaftspolitischen Ziele**, mit denen Thatcher und Reagan Anfang der 1980er Jahre antraten und die Wahlen gewannen, klangen sehr ähnlich:

- Förderung der Privatinitiative als Quell der Innovation und des Wirtschaftswachstums
- Rückzug des Staates (also Reduktion der Staatsausgabenquote), da dieser als Belastung der Privateinkommen empfunden wurde
- Verstärkte Durchsetzung von Marktergebnissen (z.B. Höhe und Differenzierung der Lohnsätze)
- Vordringliche Inflationsbekämpfung
- Stärkung der militärischen Position der USA (Reaganomics)
- Brechung der Gewerkschaftsmacht (Thatcherismus)

Es handelte sich also um konservative, auf die **Selbstheilungskräfte** des Marktes setzende Ideologien und Visionen, die sich ein Zurückdrängen des Kollektivismus der Nachkriegszeit zugunsten des Individualismus auf ihre Fahnen geschrieben hatten. MARGRET THATCHER wird damit zitiert, in Anlehnung an ihren Mentor FRIEDRICH AUGUST VON HAYEK, überhaupt die Bedeutung der Gesellschaft zu bestreiten – für sie gab es nur Individuen, die in ihrer Summe eine Gesellschaft bilden, aber nur durch ihre individuellen Interessen gekennzeichnet sind.

Die wirtschaftspolitischen Maßnahmen von Thatcherismus und Reaganomics – die als angewandte Beispiele der **Angebotspolitik** verstanden werden – sind wiederum einander sehr ähnlich:

- Mithilfe einer drastischen **Senkung der Grenz- und Durchschnittsteuern** auf Arbeits- und Kapitaleinkommen sollen drei Effekte gleichzeitig erzielt werden: (1) die allokative Verzerrung der Einkommensteuer zulasten der Ersparnis sollte reduziert und damit, in Anlehnung an das neoklassisch-monetaristische Modell, die Akkumulation und das Wirtschaftswachstum beschleunigt werden, (2) mit der gleichzeitig implizierten Reduktion des Progressionsgrades der Besteuerung sollte dieser Effekt verstärkt und zusätzlich die allokative Verzerrung zugunsten der Nicht-Betätigung (Freizeit) reduziert werden, (3) schließlich sollte – trotz sinkenden Steuersatzes – das Steueraufkommen erhöht werden.

Abbildung 5.17: Die Laffer-Kurve

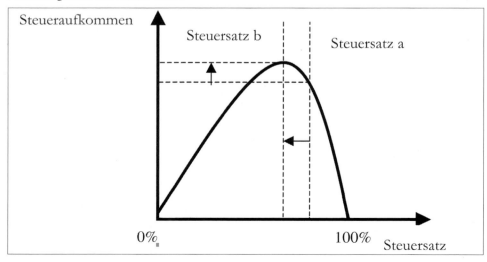

Diese scheinbare Paradoxie geht auf ARTHUR B. LAFFER zurück, der einen buckel-förmigen Zusammenhang zwischen Steuersatz und Steueraufkommen postulierte (vgl. Abb. 5. 17): Bei einem Steuersatz von 0% muss das Steueraufkommen Null betragen, bei einem Steuersatz von 100% wird das Steueraufkommen ebenso Null betragen, da bei totaler Besteuerung niemand mehr (ohne Zwang) bereit sein wird, legal Einkommen zu generieren. Da die Erfahrung aber zeigt, dass es bei Steuersätzen zwischen 0% und 100% sowohl zur Einkommensgeneration als auch zu positiven Steuereinnahmen kommt, muss es irgendwo einen Steuersatz geben, bei dem das Steueraufkommen maximal wird. Wird der Steuersatz über dieses optimale Niveau angehoben, sinkt durch Ausweitung der Schattenwirtschaft oder Rückzug der Wirtschaftssubjekte in die Nicht-Tätigkeit (Freizeit) die Steuerbasis so stark, dass der Anstieg des Steuersatzes kompensiert wird.

Die Vorstellung der **Laffer-Kurve** ist also, dass sich das Steueraufkommen erhöht, wenn der Steuersatz z.B. von a auf b gesenkt wird. Da der Zusammenhang von Steuersatzreduktion und Steueraufkommenssteigerung aber nur bis zum optimalen Steuersatz (in Abb. 4.16 ist dies der Steuersatz b) gilt, wird auch klar, warum der besondere Fokus der Reaganomics und des Thatcherismus auf einer Senkung der Spitzensteuersätze lag: „Man muss die Reichen füttern, damit für die Armen auch etwas abfällt" war das Credo.[86]

- Zur Bekämpfung der Inflation wurde eine strikte Regelbindung der Geldpolitik im Sinne einer **Geldmengenorientierung** postuliert.
- Verstärkte **Privatisierung** öffentlicher Güterbereitstellung (z.B. Postwesen, Telekommunikation, Eisenbahn) und Abbau der Subventionierung verstaatlichter Industrien (z.B. Bergbau in Großbritannien) sollte die Effizienz der Produktion erhöhen.
- **Konsolidierung** der öffentlichen Haushalte durch eine Orientierung an einer Finanzpolitik ausgeglichener öffentlicher Haushalte und **Reduktion der Staatstätigkeit** durch den Abbau von konsumtiven Sozialausgaben. Damit sollte die ‚verdrängte' Privatinitiative (Crowding-out) wiederbelebt und die Schwächung der Antriebskräfte der Arbeitslosen überwunden werden
- Drastische Ausweitung der **Militärausgaben** in den USA
- Aufgabe des Prinzips der **Non-Intervention** des Staates in die Arbeits- und Tarifbeziehungen durch eine gewerkschaftsfeindliche Streikgesetzgebung und Deregulierung des Arbeitsmarktes in Großbritannien

Hier kann keine Wirkungsanalyse zur Bewertung von Reaganomics und Thatcherismus durchgeführt werden. Vielmehr sollen einige markante Entwicklungen zusammengetragen werden, die die wirtschaftliche Entwicklung in den USA und Großbritannien zu Zeiten der Reaganomics und des Thatcherismus kennzeichneten:

- In beiden Ländern kam es in den achtziger Jahren zu einer deutlichen **Reduktion der Inflation** – allerdings war dies ein weltweiter Trend, der u.a. dem Rückgang

---

[86] „Um etwas für die Armen und die Mittelschicht zu tun, muß man die Steuersätze der Reichen drastisch senken" (Gilder 1981), John Kenneth Galbraith soll entgegnet haben: „Die Reichen arbeiten nicht genug, weil sie nicht genug verdienen; Die Armen arbeiten zu wenig, weil sie zuviel verdienen. Wer das glaubt, dem kann man doch alles erzählen" (zitiert nach Franz 1985: 240).

der Rohstoffpreise geschuldet war. Im Vergleich z.B. mit der Bundesrepublik war die Inflationsentwicklung in den USA oder Großbritannien enttäuschend (d.h. die jahresdurchschnittliche Inflationsrate lag in den USA und Großbritannien über derjenigen in Deutschland).

- In beiden Ländern stieg die **Arbeitslosigkeit** zunächst deutlich und im internationalen Vergleich überdurchschnittlich stark an. Ob die gute Beschäftigungsentwicklung in beiden Ländern in den neunziger Jahren das verspätete Ergebnis der Reaganomics bzw. des Thatcherismus ist, ist zumindest umstritten.
- In beiden Länder hat die **Einkommensdispersion**, die bis Ende der siebziger Jahre egalitärer geworden war, dramatisch zugenommen und historische Höchststände erreicht.
- In den USA ist es zum sogenannten ‚**twin deficit**' gekommen: Die Neuverschuldung der öffentlichen Haushalte hat historische Höchststände in Friedenszeiten erreicht (teilweise werden die Reaganomics als ‚Militärkeynesianismus' bezeichnet) ebenso wie das Leistungsbilanzdefizit der USA.
- In Großbritannien hat es einen Strukturbruch in der **Produktivitätsentwicklung** gegeben – allerdings gibt dieser fast ausschließlich den Einmaleffekt verschiedener arbeitspolitischer Maßnahmen wieder.
- Schließlich setzte in beiden Länder früher als anderswo der **Rückgang der Staatsausgabenquote** ein – angesichts der Zunahme einiger Ausgabekomponenten (wie z.B. Militärausgaben in den USA) impliziert dies auch eine deutliche Strukturverschiebung innerhalb der öffentlichen Haushalte zulasten der Sozialausgaben.

5.4.2 Alte oder traditionelle sozialdemokratische Wirtschaftspolitik

Der Keynesianismus wurde einmal als ‚Geschenk des Himmels' für die Sozialdemokratie bezeichnet, weil er versprach, die Ziele der nach dem Godesberger Programm (1959) erneuerten, mit dem Kapitalismus versöhnten Sozialdemokratie erreichbar zu machen, ohne die Systemfrage stellen zu müssen. Die drei großen Ziele der Sozialdemokratie – **Gerechtigkeit, Solidarität und Chancengleichheit** – fanden dabei ihre zeitgenössische Interpretation im Godesberger Programm als ‚soziale Gerechtigkeit', die als ‚ausgleichende Gerechtigkeit' ihren Ausdruck in einer Korrektur der Primärverteilung fand, Solidarität durch solidarisch finanzierte Sozialpolitik und Chancengleichheit als das Versprechen auf allzeitige Beschäftigungsteilhabe (Vollbeschäftigung) und Partizipation an den Entscheidungen des Wirtschaftsgeschehens (Mitbestimmung). Sozialpolitik und soziale Gerechtigkeit waren historische Grundpfeiler der Arbeiterbewegung, Vollbeschäftigung und Mitbestimmung die systemimmanenten Abschwächungen radikalerer Konzepte wie ‚Verstaatlichungen', ‚Investitionslenkungen' etc. Vor dem Hintergrund der Systemkonkurrenz mit dem in den siebziger Jahren noch fidelen Staatssozialismus in der DDR musste ein Höchstmaß an Effizienz mit Beteiligung breiter Massen an Einkommen, sozialer Sicherheit und Mitwirkung an wirtschaftlichen Entscheidungen kombiniert werden.

Die Sozialdemokratie setzte dabei auf eine nachfragepolitische Konzeption standardkeynesianischer Provenienz bereichert um Maßnahmen der Mitbestimmung und der Arbeitsmarktpolitik:

- **Globalsteuerung** als sozialdemokratische Variante des ‚demand managements‘ aus expansiver Finanz- und Geldpolitik (Bundeskanzler HELMUT SCHMIDTs Verdikt: „Lieber 5 Prozent Inflation als 5 Prozent Arbeitslosigkeit" spielt auf die bevorzugte Position auf der ‚keynesianischen‘ Phillips-Kurve an) wurde im Stabilitäts- und Wachstumsgesetz (s. Box 13) festgeschrieben.
- **Konzertierte Aktion** als Instrument der Abstimmung zunächst der makroökonomischen Politikbereiche Geld-, Finanz- und Lohnpolitik (policy mix), später nur mehr als Instrument der Einkommenspolitik (preisstabilisierende Lohnpolitik).
- **Umverteilung** durch progressive Besteuerung und Ausbau des Sozialstaates als zusätzliches Stabilisierungsmoment, vor allem aber als Instrument der Verteilungspolitik
- Betriebliche (Betriebsräte) und überbetriebliche **Mitbestimmung** (Aufsichtsräte) wurden als sozialdemokratische Version der Wirtschaftsdemokratie kodifiziert.
- **Arbeitsmarktpolitik** (Weiterqualifikation, Mobilitätshilfen, etc.) im Arbeitsförderungsgesetz von 1969 als prophylaktische Vollbeschäftigungspolitik.

Box 13: Das Stabilitäts- und Wachstumsgesetz

„Gesetz zur Förderung der Stabilität und des Wachstums der Wirtschaft vom 8. Juni 1967 (...). Rechtliche Regelung der Bund und Länder obliegenden Pflicht, bei ihren wirtschafts- und finanzpolitischen Maßnahmen die Erfordernisse des gesamtwirtschaftlichen Gleichgewichts zu beachten (...). Diese Maßnahmen sollen so getroffen werden, dass sie im Rahmen der marktwirtschaftlichen Ordnung gleichzeitig zur *Stabilität des Preisniveaus*, zu einem *hohen Beschäftigungsstand* und *außenwirtschaftlichem Gleichgewicht* bei *stetigem und angemessenem Wirtschaftswachstum* beitragen (sog. ‚magisches Viereck‘).
Maßnahmen: 1. Zur allgemeinen Information ist der *Jahreswirtschaftsbericht* der Bundesregierung vorgeschrieben. – 2. Zur Beratung der Bundesregierung wurde der *Konjunkturrat* für die öffentliche Hand gebildet. – 3. Im Falle der Gefährdung der Ziele des Gesetzes ist eine Orientierungshilfe für die *konzertierte Aktion* vorgesehen. – 4. Bei *außenwirtschaftlichen Störungen* des gesamtwirtschaftlichen Gleichgewichts, deren Abwehr durch binnenwirtschaftliche Maßnahmen nicht oder nur unzureichend möglich ist, hat die Bundesregierung alle Möglichkeiten an internationaler Koordination zu nutzen; notfalls setzt sie die ihr zur Verfügung stehenden Mittel ein (Absicherungsgesetz). – 5. Zur Abwehr einer Störung des gesamtwirtschaftlichen Gleichgewichts ist die Bundesregierung ermächtigt, durch Rechtsverordnung *steuerliche Maßnahmen* zu ergreifen. Sie kann insbesondere Vorschriften erlassen, nach denen die Inanspruchnahme von Sonderabschreibungen und erhöhten Absetzungen für Abnutzungen sowie die Bemessung der Absetzungen in fallenden Jahresbeträgen (degressive Abschreibung) ganz oder teilweise ausgeschlossen werden kann; sie kann weiter Vorschriften erlassen, nach denen die Einkommenssteuer, Lohnsteuer und Kapitalertragssteuer um höchstens 10 v.H. herabgesetzt oder erhöht werden kann. Entsprechendes gilt u.a. für die Körperschafts- und die Gewerbesteuer. ..."
Gablers Wirtschaftslexikon

„Das Gesetz entspricht in der Tat einer Synthese des Freiburger Imperatives (der marktwirtschaftlichen Ordnung) mit der keynesianischen Botschaft (der Steuerung der gesamtwirtschaftlichen Nachfrage).
Die staatliche Konjunkturpolitik soll entsprechend dem Geiste des Gesetzes behutsam, aber beharrlich dazu beitragen, dass die gesamtwirtschaftliche Nachfrage jeweils dem vorhandenen und wachsenden Produktionspotential entspricht. ...

> Sicherlich wird hier nicht einem schrankenlosen Laissez-faire das Wort geredet. Ein hoher Beschäftigungsgrad und Stabilität sind insofern politische Ziele, als Staat und Notenbank immer wieder die Rahmenbedingungen hierfür herzustellen haben; das wirtschaftliche Wachstum aber sollte den Kräften des Marktes überlassen sein, der Staat sollte nur die Abweichungen vom Wachstumspfad nach oben wie nach unten zu mildern versuchen – so sah es die insofern keineswegs überehrgeizige Philosophie des Stabilitäts- und Wachstumsgesetzes."
> *Karl Schiller (1983: 81f.)*

Die traditionelle Sozialdemokratie ging also von einem interventionsbedürftigen, aber auch reformfähigen Kapitalismus aus, der Markt wird als Koordinationsinstrument anerkannt, aber auch die Instabilitäten werden gesehen und zur Grundlage der Politik gemacht. KARL SCHILLERS Verdikt ‚Soviel Markt wie möglich, soviel Planung wie nötig‘ bringt das wirtschaftspolitische Verständnis zum Ausdruck. Die Praxis der sozialdemokratischen Wirtschaftspolitik[87] ist geprägt von einem konsequenten Steuerungsoptimismus, der es erlaubte, die großen Aggregate (Konsum, Investition, Beschäftigung, Preisniveau) zielgerecht zu beeinflussen, ohne direkt in die Entscheidungsbefugnisse der einzelnen Wirtschaftseinheiten eingreifen zu müssen oder gar die Eigentumsfrage zu stellen. Außerdem sollte die Einkommens- und Vermögensverteilung durch Korrektur der Marktergebnisse ‚gerechter‘ gemacht werden, ohne die zugrunde liegenden Marktkoordination aufheben zu müssen. Die Ergebnisse freilich, die hier auch nur unkontrolliert wiedergegeben werden können, sind ernüchternd:

- Zweifellos gelang es nicht, das ‚Ende der Konjunktur‘ einzuläuten. Andererseits gelang es sowohl nach der ersten Konjunkturdelle 1966/67 und nach der ersten Ölpreiskrise Mitte der siebziger Jahre, recht schnell wieder an die Wachstumsraten der Vorkrisenzeit anzuknüpfen.
- Ein Anschwellen der Arbeitslosigkeit konnte ebenso wenig verhindert werden, wie eine Rückführung auf das Vorkrisenniveau gelang.
- Die zweite Hälfte der siebziger Jahre erlebte eine Stagflation – eine Kombination von Inflation und Arbeitslosigkeit –, die im standardkeynesianischen Modell nicht vorgesehen war.
- Staatsquote, Neuverschuldung und Schuldenstandsquote stiegen – allerdings teilweise von sehr niedrigem Niveau (Staatsschuldenquote) – erheblich an.
- Nach anfänglich zunehmender Egalisierung (bis Mitte der siebziger Jahre) verblieb die Einkommensverteilung weitgehend konstant.

5.4.3 Politik der ‚Neuen Mitte‘ bzw. die Wirtschaftspolitik der ‚Dritten Wege‘

Befasst man sich mit der Politik der ‚Neuen Mitte‘, in Großbritannien auch ‚Blairism‘ und in den USA ‚Clintonics‘ genannt, begibt man sich auf unsicheren Grund,

---

[87] Da die Sozialdemokratie in Deutschland immer nur Koalitionsregierungen führte, kann darüber gestritten werden, ob es eine ‚waschechte‘ sozialdemokratische Wirtschaftspolitik in der Praxis überhaupt gegeben hat.

denn noch ist nicht ausgemacht, was sich dahinter im Einzelnen verbirgt. Klar allerdings ist, dass damit eine neue Version sozialdemokratischer Wirtschafts- und Gesellschaftspolitik gemeint sein soll, die durch die bahnbrechenden Arbeiten von ANTHONY GIDDENS (1997; 1999) inspiriert wurde. Ausgangspunkte einer ‚Modernisierung‘ sozialdemokratischer (Wirtschafts-)Politik sind folgende, als signifikant empfundene Veränderungen der Rahmenbedingungen in den letzten 1 – 2 Dekaden:

- Das Aufbrechen traditioneller Millieus (‚Arbeiterschaft‘) mit zunehmendem Trend zur ‚**Vermittung**‘ der Gesellschaft als zentralem Wählerreservoir
- Die zunehmende **Individualisierung** der Gesellschaft, die solidarische Bereitstellung öffentlicher Güter unter zunehmenden Legitimationszwang setzt
- Das Ende der **Ideologien** zwischen Rechts und Links
- Die zunehmende **Globalisierung** der Volkswirtschaften, die anscheinend die nationalen Handlungsspielräume der Wirtschaftspolitik einschränkt (dazu mehr in Kap. 9) bzw. die Aspekte von Standortfaktoren im internationalen Wettbewerb betonen lassen
- Die zunehmende Bedeutung der Medien als Transporteur und Gestalter von Politik in der ‚**Mediokratie**‘ (dazu mehr in Kap. 8)

Die Konsequenzen für die sozialdemokratische Politik der ‚Neuen Mitte‘, die hieraus gezogen werden, sind einerseits eine **Re-Interpretation** der alten sozialdemokratischen Werte ‚Gerechtigkeit, Solidarität und Chancengleichheit‘, andererseits eine Annäherung der Wirtschaftspolitik an die angebotspolitische Konzeption, die mit ‚**linke Angebotspolitik**‘ beschrieben dennoch ein ‚Alleinstellungsmerkmal‘ bekommen soll.

Zunächst ein paar Anmerkungen zu Re-Interpretation der traditionellen **Werte und Ziele** der Sozialdemokratie: Gerechtigkeit wird von ausgleichender Gerechtigkeit umdefiniert in ‚**Teilnahmegerechtigkeit**‘ – nicht das Ergebnis (z.B. die Einkommensverteilung nach Umverteilung) sondern der Startpunkt ist entscheidend. Als gerecht wird deklariert, wenn die Teilnahme am Marktgeschehen für alle gesichert ist, für die ‚Verwertung‘ am Markt ist dann jeder selbst zuständig. Auf den Arbeitsmarkt bezogen heißt der Leitspruch dieses Gerechtigkeitskonzeptes: ‚Gerecht ist, was Arbeit schafft‘ – auch wenn es mit größerer Einkommens**un**gleichheit im Ergebnis einhergeht. ‚Inklusion‘ ist der zentrale Gerechtigkeitsbegriff. Solidarität wird im Konzept der ‚**aktivierenden Sozialpolitik**‘ vom reinen Versorgungsprinzip getrennt und in ein staatlich unterstütztes Ertüchtigungsprinzip verwandelt: ‚Fördern und fordern‘ soll die Abhängigkeiten vom aktiven Wohlfahrtsstaat reduzieren und die Legitimation der solidarischen Sicherung an individuelle Leistungsbereitschaft binden. Chancengleichheit schließlich meint nicht länger Vollbeschäftigung und Wirtschaftsdemokratie, sondern ‚**Beschäftigungsfähigkeit**‘ (employability) und größtmögliche Selbstbestimmung als Humankapitalbesitzer. Konsequent werden damit das Inklusionsprinzip und das Prinzip des aktivierenden Sozialstaates durchdekliniert: das Ziel ist nicht das Versprechen an alle arbeitswilligen Menschen, einen Arbeitsplatz zu erhalten und an diesem Arbeitsplatz über wirtschaftliche Entscheidungen mitzubestimmen, sondern mit den grundsätzlichen Fähigkeiten und Qualifikationen ausgestattet zu werden, am Arbeitsmarkt zu konkurrieren oder sich selbstständig zu machen – unabhängig davon, ob ausreichend Arbeitsplätze zur Verfügung stehen.

Die so formulierten Ziele glaubt man mit Mitteln der Angebotspolitik besser erreichen zu können als durch makroökonomische Interventionen im Sinne der nachfragepolitischen Konzeption oder gar der kooperativen Wirtschaftspolitik. ‚Linke Angebotspolitik' der ‚Neuen Mitte'-Konzeption umfasst dann:

- **Verzicht auf expansive makroökonomische Interventionen** zugunsten einer restriktiven Geldpolitik und einer Haushaltspolitik des ‚Null-Defizits' – dies wird gelegentlich als ‚neuer Monetarismus' bezeichnet (vgl. Arestis/Sawyer 1998).
- **Arbeitsmarkt- und bildungspolitische Instrumente** (z.B. Mobilitäts- und Strukturanpassungshilfe, ‚Ich-AG', etc.) zur Schaffung und Aufrechterhaltung des Humankapitals
- **Reduktion von Durchschnitts- und Spitzensteuersätzen** zur Reduktion der allokativen Verzerrungen zwischen Gegenwarts- und Zukunftskonsum und zwischen Einkommensgenerierung und Einkommensverzicht (also Anreizsetzung für die Arbeitsaufnahme)
- **Schaffung eines Niedriglohnsektors** zur Beseitigung der Allokationsverzerrungen am Arbeitsmarkt
- **Reduktion der Staatsausgabenquote** als Nachweis eines sich zurückziehenden Staates

Die ‚Neue-Mitte-Sozialdemokratie' geht von einem insgesamt stabilen, selbstregulierenden Marktgeschehen aus, in dessen Abläufe nur bei offensichtlichen Marktfehlern eingegriffen werden sollte. Dies umfasst allerdings eine sozialpolitische Dimensionierung, die weit über den neoliberalen Minimalstaat hinausgeht, reduziert aber gleichzeitig seine Steuerungskapazitäten vor dem Hintergrund eines beklagten Staatsversagens (vgl. Kap. 8). Es geht um eine ‚**Neue Balance zwischen Staat und Markt**' (vgl. Schroeder 2001), um eine Rejustierung des Verhältnissen von öffentlicher Monopolproduktion und (regulierter?) Privatwirtschaft. GERHARD SCHRÖDERS Diktum ‚Der Staat solle nicht mehr selber rudern, sondern nur noch steuern' drückt dieses neue Verständnis des staatlichen Akteurs gut aus. Das spezifisch sozialdemokratische an der (Wirtschafts-)Politik der ‚Neuen Mitte' sind deshalb auch nicht so sehr die Politikinhalte, also vielmehr das Politikverfahren: Statt auf Politik ‚von oben herab' (top down) zu bauen oder schlicht ausschließlich auf verstärkte Marktmechanismen zu setzen (z.B. im Bereich des Arbeitsmarktes), werden die angebotspolitischen Maßnahmen an ein Verfahren geknüpft, in dem die relevanten Gesellschaftsgruppen durch Verhandlungs- und Abstimmungsprozesse die gewünschten Resultate selbst erzeugen – das ‚**Bündnis für Arbeit**' ist dieses korporatistische Instrument, mit dem die Ergebnisse legitimiert werden sollen (vgl. Pilz/Ortwein 2000: 314ff. und Arlt/Nehls 1999).

5.4.4 Ein kurzer Vergleich

Zum Abschluss sollen noch einmal die drei dargestellten politisch-ideologischen Konzeptionen der Wirtschaftspolitik einander gegenübergestellt werden (vgl. Abb. 5.18).

Ein direkter Vergleich der verschiedenen ideologisch-politischen Konzeptionen ist aus verschiedenen Gründen nicht möglich: Einerseits waren die Rahmenbedingungen und Ausgangspunkte recht unterschiedlich, andererseits die Zeiträume, in denen die jeweilige Konzeption wirkungsmächtig verblieb, unterschiedlich lang. Besser geeignet erscheint deshalb ein Vergleich mit einer Referenzgruppe von Ländern etwa gleichen Entwicklungsniveaus – hier: Die EU-15-Länder.

Relativ deutlich lässt sich die restriktive Ausrichtung der Geldpolitik im Thatcherismus und in den Reaganomics erkennen, ebenso die relativ restriktive Ausrichtung der Finanzpolitik im Thatcherismus – hier allerdings gehen stark zyklische Entwicklungen (z.B. der Lawson-Boom Ende der achtziger Jahre) hinter den Durchschnittswerten verloren. Auch die deutlich unterdurchschnittliche öffentliche Investitionsquote passt zur finanzpolitischen Zurückhaltung des Thatcherismus. Die Reaganomics versprachen zwar auch eine Konsolidierung der öffentlichen Finanzen, steuerten mit einem militärischen Expansionskurs und massiven Steuersenkungen (Laffer-Kurve) faktisch aber einen expansiven finanzpolitischen Kurs. Während sich der Misery-Index (Arbeitslosenquote und Inflationsrate) in Großbritannien etwa auf durchschnittlicher Höhe bewegte, lag er in den USA unter Ronald Reagan unterdurchschnittlich.

Abbildung 5.18: Ideologisch-politische Konzeptionen im Vergleich

	Reagan-omics (1979 – 1988)	Thatcher-ismus (1980 – 1996)	‚alte' Sozial-demokratie (1970 – 1982)	Blairismus (1997 – 2002)	Clintonics (1992 – 2001)
Indirekte Variablen					
BIP[1]	2,7 (2,2)	2,1 (2,0)	2,4 (2,8)	2,8 (2,7)	3,1 (2,1)
BIP*[1]	0,9 (1,7)	1,9 (1,9)	2,6 (2,5)	1,7 (1,4)	1,7 (1,6)
PIL[1]	5,7 (7,9)	6,0 (6,0)	5,1 (10,3)	1,9 (2,0)	2,3 (3,1)
ALQ	7,3 (9,0)	9,4 (9,2)	2,5 (4,5)	6,2 (9,1)	5,6 (9,5)
ΔALQ	-0,3 (+3,8)	+2,6 (+5,1)	+5,1 (+6,4)	-1,2 (-2,9)	-2,1 (-0,5)
TotalDef	-2,8 (-4,0)	-3,4 (-4,3)	-2,1 (-2,4)	0,2 (-1,5)	-1,9 (-3,2)
Direkte Variablen					
StrukDef	-3,5 (-3,6)	-3,0 (-4,1)	-2,5 (-2,4)	-0,2 (-1,1)	-2,1(-3,1)
RKZ	3,4 (3,0)	4,6 (4,0)	2,6 (-0,5)	3,5 (4,4)	2,8 (2,9)
IQ_{St}	2,6 (2,9)	2,0 (2,8)	3,7 (3,6)	1,3 (2,5)	2,9 (2,5)

Anmerkungen: * = reales BIP pro Beschäftigten; *in Klammer sind die jeweiligen Durchschnittswerte der EU-15-Länder zum Vergleich* ; [1] = durchschnittliche Veränderung in %; PIL = Preisindex der Lebenshaltung; RKZ = realer Kurzfristzins; IQ_{ST} = Investitionsquote des Staates; TotalDef = gesamtwirtschaftliche Defizitquote; StrukDef = strukturelle Defizitquote

Quelle: Europäische Wirtschaft versch. Jge, eigene Berrechnungen

Einigermaßen erstaunlich dürfte die klar restriktive Geldpolitik im policy mix der traditionellen Sozialdemokratie in Deutschland sein – nach standardkeynesianischer Interpretation wäre eher eine expansive Geldpolitik zur Unterstützung der expansiven Finanzpolitik zu erwarten gewesen. Allerdings verfolgte die Deutsche Bundesbank seit dem Zusammenbruch des Bretton-Woods-Systems (1971 bzw. 1973) eine unabhängige, allein auf Preisstabilität orientierte Geldpolitik, die sich auch in keine Konzertierte Aktion einbinden ließ: Zumindest konnte damit eine klar unterdurchschnittliche Inflationsperformanz gesichert werden.

Blairismus wie Clintonics zeigen einen expansiven geldpolitischen Kurs – der im Falle der Clintonics besonders deutlich wird, wenn das Zins-Wachstums-Differential betrachtet wird –, der vor allem im Blairismus von einer restriktiven Finanzpolitik begleitet wird. Allerdings werden die ausgewiesenen Werte für die strukturellen und gesamtwirtschaftlichen Defizite durch verschiedene Einmaleffekte (z.B. UMTS-Erlöse, Privatisierungserlöse) stark verzerrt. Erstaunlicherweise weisen sowohl die Clintonics als auch der Blairismus – trotz der positiven Beschäftigungseffekte und der expansiven Geldpolitik – insgesamt unterdurchschnittliche Inflationsraten auf. Hieraus wurde bereits das ‚Ende der Phillipskurve' abgeleitet – später zeigte sich, dass ebenfalls Sonderentwicklungen (z.B. das Sinken der Rohstoffpreise) für die positive Inflationsperformanz verantwortlich sind.

Abbildung: 5.19: Stilisierte Ordnung der ideologisch-politischen Konzeptionen

		Finanzpolitik	
		Expansiv	Restriktiv
Geldpolitik	Expansiv		Blairismus U: 6,2 (+) I: 1,9 MI: 8,1 **Clintonics** U: 5,6 (++) I: 2,3 (+) MI: 7,9
	Restriktiv	Reaganomics U: 7,3 (+) I: 5,7 (+) MI: 13,0 **Traditionelle Sozialdemokratie** U: 2,5 (+) I: 5,1 (++) MI: 7,6	Thatcherismus U: 9,4 I: 6,0 MI: 15,4

Anmerkungen: U = Arbeitslosenquote; I = Inflationsrate; MI = Misery Index; + = leicht besser als der Durchschnitt der EU-15-Länder; ++ = deutlich besser als der Durchschnitt der EU-15-Länder

Die Clintonics und die traditionelle Sozialdemokratie schneiden in diesem kleinen Vergleich besonders gut ab: Während aber die traditionelle Sozialdemokratie in der Mischung aus restriktiver Geld- und expansiver Finanzpolitik eine besonders gute Inflationsentwicklung zeigt, können die Clintonics bei (moderat) expansiver Geld-, und (moderat) restriktiver Finanzpolitik vor allem eine besonders gute Beschäftigungsentwicklung vorweisen – allerdings mag sich hinter dieser Entwicklung auch ein Kondratieff-Zyklus[88] verbergen.

---

[88] Ein Kondratieff-Zyklus beschreibt einen durch basistechnologische Entwicklungen ausgelösten langfristigen Wachstumszyklus, der Ende der neunziger Jahre als ‚New Economy' bezeichnet wurde.

Abbildung 5.20: Ideologisch-politische Konzeptionen in der Übersicht

	Thatcherismus	Reaganomics	Alte Sozialdeomakratische Wirtschaftspolitik	Neue-Mitte-Konzeption
Wissenschaftliche Basis	Neoklassisch-monetaristisch; Angebots-politik	Neoklassisch-monetaristisch; Angebotspolitik	Standardkeynesianisch; Nachfragepolitik	Neukeynesianisch; (linke) Angebotspolitik
Stellung des Staates	Interventionsskeptisch	Interventionsskeptisch; starker Staat (z.B. Innen-politik, Militär)	Interventionsoptimistisch, aktiv	Interventionsskeptisch aktivierend
Stellung des Marktes	Markteuphorisch	Markteuphorisch	Marktskeptisch	Marktoptimistisch
Dominantes Wirtschaftsproblem	Inflation	Inflation	Konjunktur	Arbeitslosigkeit, Verschuldung
Makropolitik	Regelgebundener Monetarismus	Regelgebundener Monetarismus	Policy mix	Untergeordnet
Dominante Interessen	Finanzoligarchie	Finanzoligarchie; Militär	Aufstrebende Arbeiterschaft	Hochqualifizierte Angestellte, „neue' Selbstständige
Umverteilung	Minimal	Stark (regressiv)	Hoch, ergebnisorientiert	Hoch, zugangsorientiert

Literatur zu Kapitel 5:

Adam, H.; Wirtschaftspolitik und Regierungssystem der Bundesrepublik Deutschland, Opladen 1995 (3. Aufl.)

Altmann, J.; Wirtschaftspolitik. Eine praxisorientierte Einführung, Stuttgart 2000 (7. Auf.)

Arestis, P., Sawyer, M.; New labour, new monetarism; in: Soundings, Vol. 9 (Summer), S. 24 – 41

Arestis, P., Sawyer, M.; Economics of the ‚third way‘: Introduction; dies. (Hrsg.); The Economics of the Third Way – Experiences from Around the World, Cheltenham 2001, S. 1 – 10

Arlt, H.-J., Nehls, S. (Hrsg.); Bündnis für Arbeit. Konstruktion-Kritik-Karriere, Opladen/Wiesbaden 1999

Baßeler, U., Heinrich, J.; Grundlagen und Probleme der Volkswirtschaft, Stuttgart 2001 (16. Aufl.)

Berthold, N.; Beschäftigungspakt – Ein gefährlicher Irrweg; in: Wirtschaftsdienst, H.2, 1995, S. 67-71

Blankart, Ch.B.; Öffentliche Finanzen in der Demokratie, München 2001 (4. Aufl.)

Buchanan, J.M., Wagner, R.; Democracy in Deficit: The Political Legacy of Lord Keynes, New York 1977

Caesar, R.; Crowding out in der Bundesrepublik Deutschland: Eine empirische Bestandsaufnahme; in: Kredit und Kapital, H. 2, 1985

Calmfors, L., Driffil, J.; Bargaining structure, corporatism and macroeconomic performance; in: Economic Policy, No.1, 1988, S. 14 – 61

Davidson, P.; A Post-Keynesian View of Theories and Causes for High Real Interest Rates; in: Arestis, Ph. (Hrsg.); Post-Keynesian Monetary Economics, Aldershot 1988, S. 152 – 181

Davidson, P.; Post Keynesian Macroeconomic Theory. A Foundation for Successful Economic Policies for the Twenty-first Century, Cheltenham 1994

Domar, E.D.; The 'burden of debt' and National Income; in: American Economic Review, Vol. 34, 1944, S. 798 – 827

Donges, J.B., Freytag, A.; Allgemeine Wirtschaftspolitik, Stuttgart 2001

Felderer, B., Homburg, St.; Makroökonomik und neue Makroökonomik, Heidelberg-Berlin-New York, 2003 (8. Aufl.)

Franz, W.; Reagan versus Keynes. Eine Zwischenbilanz der angebotsorientierten Politik; in: Jahrbuch für Sozialwissenschaften, Bd. 36/3, 1985, S. 240 – 261

Franz, W.; Arbeitsmarktökonomik, Berlin u.a., 1999 (4. Aufl.)

Franzese, R.J., Hall, P.A.; Institutional Dimensions of Coordinating Wage Bargaining and Monetary Policy; in: Iversen, T., Pontusson, J., Soskice, D. (Hrsg.); Unions, Employers, And Central Banks. Macroeconomic Coordination and Institutional Change in Social Market Economies, Cambridge 2000, S. 173 – 203

Friedrich, H.; Stabilisierungspolitik, Wiesbaden 1986 (2. Aufl.)

Fritsch, M., Wein, Th., Ewers, H.-J.; Marktversagen und Wirtschaftspolitik, München 2001 (4. Aufl.)

Giddens, A.; Jenseits von Rechts und Links, Frankfurt 1997

Giddens, A.; Der dritte Weg. Die Erneuerung der sozialen Demokratie, Frankfurt 1999

Gilder, G.; Reichtum und Armut, Berlin 1981

Glyn, A.; Die Wirtschaftspolitik von New Labour; in: Hein, E., Truger, A. (Hrsg.); Perspektiven sozialdemokratischer Wirtschaftspolitik in Europa, Marburg 2000, S. 51 – 88

Hagemann, H.; Zu Malinvauds Neufundierung der Unterbeschäftigungstheorie; in: Hagemann, H., Kurz, H.-D., Schäfer, W. (Hrsg.); Die neue Makroökonomik, Frankfurt 1981, S. 163 – 203

Hamouda, O., Harcourt, G.; Post-Keynesianism: From Criticism to Coherence?; in: Pheby, J. (Hrsg.); New Directions in Post-Keynesian Economics, Aldershot 1989, S. 1 – 34

Heilbroner, R.L.; Where is Capitalism going? In: Challenge, Vol. 35, N0.6, 1992

Hein, E.; Geldpolitik und Lohnverhandlungssysteme in der EWU; in: Heise, A. (Hrsg.); Neues Geld – alte Geldpolitik? Die EZB im makroökonomischen Interaktionsraum, Marburg 2002, S. 199 – 227

Heine, M., Herr, H.; Volkswirtschaftslehre, München 2000 (2. Aufl.)

Heise, A.; Geldpolitik im Disput; Konjunkturpolitik, 38. Jg. H.4, 1992, S. 175 – 194

Heise, A.; Arbeit für Alle – Vision oder Illusion?, Marburg 1996

Heise, A.; Grenzen der Deregulierung. Institutioneller und struktureller Wandel in Großbritannien und Deutschland, Berlin 1999

Heise, A.; New Politics. Integrative Wirtschaftspolitik für das 21. Jahrhundert, Münster 2001

Heise, A.; Postkeynesianische Finanzpolitik zwischen Gestaltungsoptionen und Steuerungsgrenzen; in: Prokla – Zeitschrift für kritische Sozialwissenschaft, 31.Jg., H.2, 2001a, S. 269 – 284

Holler, M., Illing, G.; Einführung in die Spieltheorie, Berlin 1996

Kromphardt, J.; Grundlagen der Makroökonomie, München 2001 (2. Aufl.)

Malinvaud, E.; The Theory of Unemployment Reconsidered, Oxford 1977

Malinvaud, E.; Mass Unemployment, Oxford 1984

Mankiw, N.G.; The Reincarnation of Keynesian Economics; in: European Economic Review, Vol. 36, 1992, S. 559 – 565

Mankiw, N.G.; Grundzüge der Volkswirtschaftslehre, Stuttgart 2001

Meißner, W., Fassing, W.; Wirtschaftsstruktur und Strukturpolitik, München 1989

Nolte, D., Schaaff, H.; Keynes als Stagnationstheoretiker. Eine Interpretation; in: Heise, A. et al. (Hrsg.); Marx und Keynes und die Krise der Neunziger, Marburg 1994, S. 169 – 202

Nordhaus, W.D.; Policy Games: Coordination and Independence in Monetary and Fiscal Policies; Brookings Papers on Economic Activity, No.2, 1994, S. 139 – 216

Oberhauser, A.; Das Schuldenparadox; in: Jahrbücher für Nationalökonomie und Statistik, Bd. 200, H.4, 1985, S. 333 – 348

Pilz, F., Ortwein, H.; Das politische System Deutschlands, München 2000 (3. Aufl.)

Power, S., Rowe, N.; Independent Central Banks: Coordination Problems and Budget Deficits; in: Economic Issues, Vol. 3, 1998, S. 69 – 75

Pridatt, B.; Linke Angebotspolitik; in: Schroeder, W. (Hrsg.); Neue Balance zwischen Markt und Staat?, S. 99 – 115

Rankin, N.; Is Delegeting Half of Demand Management Sensible?; in: International Review of Applied Economics, Vol. 12, No. 3, 1998, S. 415 – 422

Rasmusen, E.; Games and Information, Oxford 1989

Schiller, K.; Wirtschaftspolitik (1962); in: ders.; Der Ökonom und die Gesellschaft. Das freiheitliche und soziale Element in der modernen Wirtschaftspolitik, Stuttgart 1964, S. 63 – 91

Schiller, K.; Das Stabilitäts- und Wachstumsgesetz und die Globalsteuerung; in: Kurlbaum, G., Jens, U. (Hrsg.); Beiträge zur sozialdemokratischen Wirtschaftspolitik, Bonn 1983, S. 79 – 88

Schroeder, W. (Hrsg.); Neue Balance zwischen Markt und Staat? Sozialdemokratische Reformstrategien in Deutschland, Frankreich und Großbritannien, Schwalbach/Ts. 2001

Siepmann, U.; Das Konzept angebotsorientierter Wirtschaftspolitik; in: List Forum, Bd. 11, H. 1- 6, 1981/82

Smithin, J.N.; The composition of Government Expenditures and the Effectiveness of Fiscal Policy; in: Pheby, J. (Hrsg.); New Directions in Post-Keynesian Economics, Aldershot 1989, S. 209 – 227

Streit, M.; Theorie der Wirtschaftspolitik, Düsseldorf 2000 (5. Aufl.)

6. Ausgewählte Handlungsfelder

Lernziele:

1. Arbeitslosigkeit als sozial drängendstes Problem hochentwickelter Volkswirtschaften ist ein vielschichtiges Phänomen, für das es keine einfachen Erklärungen geben kann.
2. Die wirtschaftspolitischen Empfehlungen zur Bekämpfung der Arbeitslosigkeit hängen nicht nur entscheidend davon ab, welche Art der Arbeitslosigkeit identifiziert werden kann, sondern auch davon, auf welcher paradigmatischen Grundlage wir das Problem analysieren.
3. Moderate Inflation schmiert das Getriebe der Realwirtschaft, höhere Inflationsraten hingegen sind ,Sand im Getriebe' der Realwirtschaft.
4. Eine nachhaltige Finanzpolitik kann nur in Abhängigkeit von der zulässigen Schuldenquote und dem Wirtschaftswachstum beschrieben werden.
5. Die Konsolidierung der öffentlichen Finanzen kann durchaus kurz- wie auch langfristig zulasten von Wachstumschancen der Volkswirtschaft gehen.
6. Die sozialen Sicherungssysteme dienen neben der solidarischen Versicherung gegen die Wechselfälle des Lebens auch der Aufrechterhaltung der ökonomischen Funktionsfähigkeit einer Gesellschaft.

Ging es bislang immer um die Wirtschaft in ihrer Gesamtheit, so sollen im folgenden einige spezielle Phänomene betrachtet, deren gesellschaftliche Problematik dargestellt und die Interventionsnotwendigkeit und –möglichkeiten der Wirtschaftspolitik untersucht werden. Es liegt in der Kontinuität dieses Lehrbuchs, auch in diesem Kapitel verschiedene Erklärungsmodelle entlang der bereits kennen gelernten Paradigmen zu betrachten und so die in den vorangegangenen Kapiteln immer wieder hingenommenen Undifferenziertheiten nun durch vertiefte Analyse zu bereinigen.

6.1 Handlungs- und Problemfeld ,Arbeitslosigkeit'

Es dürfte außer Frage stehen, dass die Arbeitslosigkeit in den hochentwickelten Volkswirtschaften als das sozial drängendste Problem verstanden wird. In Umfragen rangiert ,Arbeitslosigkeit' seit langer Zeit immer auf den vordersten Plätzen, wenn die Bevölkerung danach befragt wird, was ihr am stärksten am Herzen liegt bzw. worin sie die größte Bedrohung des gesellschaftliche und sozialen Friedens sieht. Und auch bei Wahlentscheidungen spielt die Kompetenz, die man einer Partei bei der Bekämpfung der Arbeitslosigkeit beimisst, eine ganz wichtige Rolle: Mit Slogans wie ,Arbeit, Arbeit, Arbeit' oder ,It's the economy, stupid' (was insbesondere an die Arbeitslosigkeit gemahnen soll) werden ganze Wahlkämpfe bestritten.

6.1.1 Zur Empirie des Arbeitsmarktes

Bevor wir uns dem Problem- und Handlungsfeld ‚Arbeitslosigkeit‘ im eigentlichen Sinne nähern können, müssen wir zunächst einige Begrifflichkeiten im Zusammenhang mit dem Arbeitsmarkt klären. Wir wollen uns zunächst der Angebotsseite des Arbeitsmarktes zuwenden (Abb. 6.1): Ausgangspunkt sind alle Männer und Frauen im erwerbsfähigen Alter zwischen 15 und 65 – dies beschreibt das **Erwerbspersonenpotential**, das in der Bundesrepublik im Jahr 2002 etwa 55 Mio. Menschen umfasste. Tatsächlich steht dem Arbeitsmarkt aber nur ein Teil des Erwerbspersonenpotentials zur Verfügung – etwa 39 Mio. Menschen –, während sich ein gehöriger Teil noch in der Ausbildung (Schule, Studium, Berufsausbildung) befindet, bereits in den Rentenstand getreten ist oder aus anderen Gründen (z.B. weil man bzw. frau sich der innerfamilialen Reproduktionsarbeit widmet) nicht auf den Arbeitsmarkt drängt. Die tatsächlich dem Arbeitsmarkt zur Verfügung stehenden Männer und Frauen werden als **Erwerbspersonen** bezeichnet. Darüber hinaus gibt es eine sogenannte ‚**stille Reserve**‘ – etwa 1,5 – 2 Mio. Menschen –, die zwar auch dem Arbeitsmarkt zur Verfügung stehen, aber dennoch nicht zu den Erwerbspersonen zählen, weil sie weder als **Erwerbstätige** – ca. 35 Mio. Menschen – noch als **Arbeitslose** – ca. 4 Mio. Menschen – erfasst sind. Als Begründung für ein Verschwinden in der ‚stillen Reserve‘ mag man an die Schwellenangst vieler Menschen denken, die sie davon abhält, zum Arbeitsamt zu gehen – zumal dann, wenn kein Anspruch auf Lohnersatzleistung (Arbeitslosengeld oder –hilfe) besteht. Die Existenz der ‚stillen Reserve‘ wird immer dann deutlich, wenn bei zunehmender Nachfrage nach Arbeitskräften die Arbeitslosigkeit weniger sinkt als die Beschäftigungszahl steigt!

Schließlich teilen sich die Erwerbstätigen in **abhängig Beschäftigte** (ca. 31 Mio.) und **Selbstständige** (ca. 4 Mio.) auf, wobei diese Differenzierung heutzutage immer schwerer fällt – ‚Scheinselbstständigkeit‘ ist ein sich ausbreitendes Phänomen der neuen Arbeitswelt.

Arbeitslose sind also jene Erwerbspersonen, die a) offiziell als arbeitslos bei den Arbeitsämtern registriert sind, b) dem Arbeitsmarkt uneingeschränkt zur Verfügung stehen, c) in keinem Arbeitsverhältnis (außer: geringfügige Beschäftigung) stehen. Die Arbeitslosenquote als Indikator des Arbeitsmarktes ist deshalb – zumindest im internationalen (Querschnitts-)Vergleich, unter Umständen aber auch im zeitlichen Längsschnittvergleich problematisch, weil der Zähler – die Zahl der Arbeitslosen – international unterschiedlich definiert sein kann (so gilt in den USA nicht als arbeitslos, wer wenigsten 1 Tag pro Monat gearbeitet hat!), aber auch weil der Nenner – die Bezugsgröße – uneinheitlich sein kann: Werden alle Erwerbspersonen oder nur die abhängigen Erwerbspersonen oder nur die zivilen Erwerbspersonen (also ausschließlich der Angehörigen der Streitkräfte) als Bezugsgröße gewählt? Entscheidend ist nicht so sehr, welche Bezugsgröße gewählt wird, sondern dass in Quer- und Längsschnittvergleichen die selben Bezugsgrößen gewählt werden – dies sollen die sogenannten ‚**standardisierten Arbeitslosenquoten**‘ leisten, die von internationalen Organisationen wie der OECD oder der Europäischen Union berechnet werden.

Abbildung 6.1: Kategorien des Arbeitsangebotes

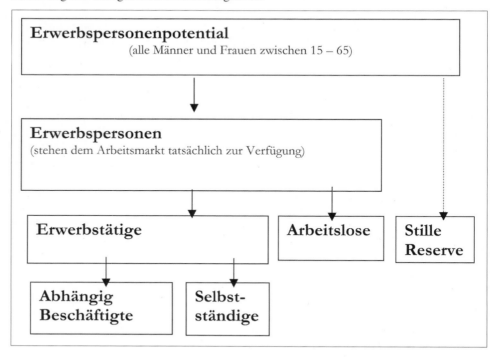

Abbildung 6.2: Entwicklung der standardisierten Arbeitslosenquoten in Deutschland und dem EUROland 1980 – 2000

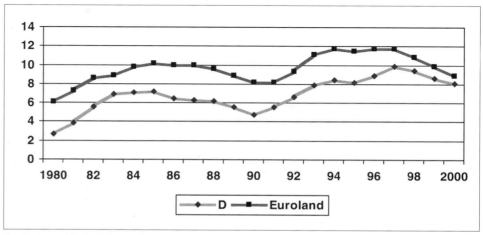

Quelle: Europäische Wirtschaft, versch. Jge

Abb. 6.2 zeigt den weitgehend parallelen Verlauf der Arbeitslosigkeit in Deutschland und den Mitgliedern der Europäischen Währungsunion (EWU oder EUROland einschließlich Deutschland). Seit Anfang der achtziger Jahre hat sich die Arbeitslosigkeit in zwei großen Schüben in Deutschland mehr als verdreifacht, im EUROland liegt sie am Ende der neunziger Jahre auch immerhin um das Anderthalbfache über dem Niveau Anfang der achtziger Jahre. Damit stellt sich – nicht nur, aber besonders drängend – für Deutschland die bange Frage, ob uns die Arbeit ausgeht? Insbesondere der Trend der Entwicklung und die Tatsache, dass die stufenförmig in den Krisen Anfang der achtziger und Anfang der neunziger Jahre angestiegene Arbeitslosigkeit nie wieder auf ihr Ausgangsniveau zurückkehrte, macht diese Frage so bedrückend.

Allerdings muss relativierend gesagt werden, dass einerseits die Zahl der Erwerbstätigen im gleichen Zeitraum zumindest in Westdeutschland von etwa 26,5 Mio. Menschen auf 28 Mio. Menschen gestiegen ist[89] – es geht also nicht die Arbeit aus, aber sie scheint volumenmäßig nicht so stark zu wachsen wie das Arbeitskräfteangebot. Außerdem sagt die schiere Höhe der Arbeitslosigkeit oder der Arbeitslosenquote noch nichts über die Binnenstruktur der Arbeitslosigkeit: Einer Sanduhr gleich (vgl. Abb. 6.3) kann der Arbeitslosenbestand verstanden werden als jene Größe, die sich aus Zugängen in und Abgängen aus der Arbeitslosigkeit zusammensetzt.

Abbildung 6.3: Strom- und Bestandsgrößen am Arbeitsmarkt

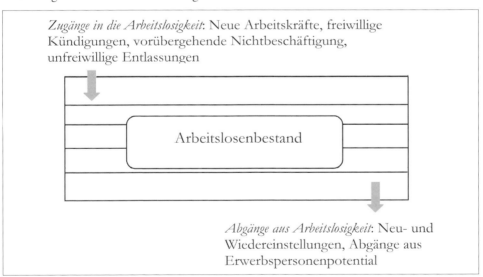

Ein Arbeitslosenbestand von 4 Mio. etwa kann gleichermaßen bedeuten, dass 4 Millionen Individuen für genau 1 Jahr arbeitslos sind (dann hätten wir einen absolut statischen Arbeitsmarkt bzw. zumindest einen monolithischen Block an Arbeitslosigkeit) oder aber dass 8 Millionen Menschen jeweils ein halbes Jahr arbeitslos waren

---

[89] Ostdeutschland kann hier nicht betrachtet werden, da für die Beschäftigungsentwicklung in Ostdeutschland nach 1990 ganz spezielle Gründe der Transformation verantwortlich sind.

oder 16 Millionen Menschen jeweils 3 Monate, etc. Hinter der Arbeitslosenzahl (und, entsprechend, der Arbeitslosenquote) können sich also sehr unterschiedlich **dynamische Arbeitsmärkte** verbergen – zwar deutet eine hohe Arbeitslosigkeit immer an, dass Ressourcen vergeudet werden, aber die soziale Problematik mag ungleich kleiner sein, wenn Viele kurzzeitig von Arbeitslosigkeit betroffen sind, als wenn Wenige langzeitig oder gar dauerhaft betroffen sind. Wir müssen uns deshalb die Binnenstruktur der Arbeitslosigkeit etwas genauer anschauen.

Die Arbeitsmarktdynamik (vgl. Abb. 6.4) hat in den letzten Jahrzehnten deutlich zugenommen: Wechselten Anfang der siebziger Jahre noch nur etwa 1 Millionen Arbeitslosen in abhängige Beschäftigungsverhältnisse und ebenfalls etwa 1 Millionen abhängige Erwerbstätige in die registrierte Arbeitslosigkeit pro Jahr, so hat sich diese Zahl auf fast 5 Millionen pro Jahr Ende der neunziger Jahre mehr als vervierfacht. Entsprechend hat sich die Umschlagquote, also das Verhältnis von Erwerbstätigen zu Abgängen aus der Arbeitslosigkeit, entwickelt: Wurde Anfang der siebziger Jahre noch nur etwa jeder 15te Arbeitsplatz mit einem Arbeitslosen besetzt, so ist es Ende der neunziger Jahre etwa jeder 5te Arbeitsplatz. Und diese Bewegungen zeigen nur die externe Arbeitsmarktdynamik an – also jene zwischen Beschäftigung und Arbeitslosigkeit, nicht aber jene interne Dynamik, die auftritt, wenn Beschäftigte einen neuen Job antreten.

Abbildung 6.4: Arbeitsmarktdynamik in Westdeutschland

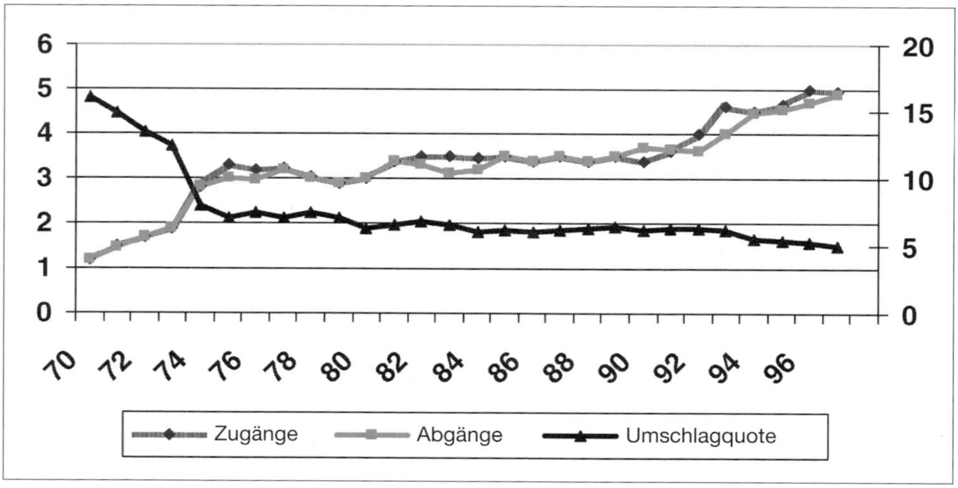

Anmerkungen: rechte Skale: Beschäftigte Arbeitnehmer pro Abgang aus der Arbeitslosigkeit (Umschlagquote); linke Skala Zu- und Abgänge in die bzw. aus der registrierten Arbeitslosigkeit in Mio.

Quelle: Pfahler 1994 und Sachverständigenrat – Jahresgutachten 1997/98

Bei einem kurzen Blick auf die Arbeitslosigkeit fällt nun zunächst die Parallelität der Entwicklung von Höhe und Dauer der Arbeitslosigkeit ins Auge (vgl. Abb. 6.5) – der Anstieg der Arbeitslosigkeit erklärt sich also zumindest teilweise durch einen erhöhten durchschnittlichen Verbleib der arbeitslosen Menschen im Zustand der Arbeitslosigkeit. Allerdings sind die Ursache-Wirkungs-Zusammenhänge durch den

Augenschein noch nicht klar: Einerseits könnte ein Anstieg der Arbeitslosigkeit z.B. durch Diskriminierungs- und Selektionsprozesse zu einer höheren Verbleibsdauer einiger Merkmalsträger führen und dadurch die durchschnittliche Verbleibsdauer erhöhen. Andererseits könnte aber auch die zunehmende Verbleibsdauer durch Verhärtungs- oder Signaleffekte (z.B. könnten Qualifikationen entwertet werden) zu einem eigenständigen Erklärungsfaktor (sogenannte Hysteresis) der Arbeitslosigkeit werden. Tatsächlich gibt es Anzeichen dafür, dass beides geschieht: Für **Hysteresis-Effekte** spricht, dass Langzeitarbeitslose in den Lohnbildungsprozessen nicht mehr hinreichend berücksichtigt werden – empirische Lohnfunktionen zeigen häufig einen signifikanteren Einfluss für die um die Langzeitarbeitslosen bereinigte Arbeitslosenquote denn für die unbereinigte Arbeitslosenquote. Für **Diskriminierungseffekt** spricht, dass die Dauer der Arbeitslosigkeit hochgradig mit ganz wenigen Merkmalen (geringe Qualifikation, körperliche Einschränkungen, Alter und Geschlecht) korreliert (vgl. z.B. Klein/Strasser 1997).

Abbildung 6.5: Entwicklung und Dauer der Arbeitslosigkeit in Westdeutschland; linke Skala in %, rechte Skala in Monaten

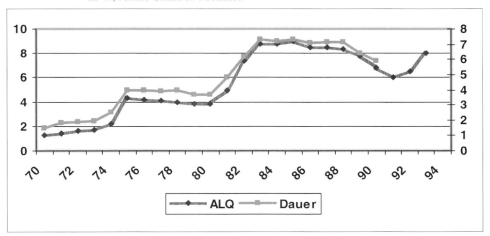

Quelle: Sachverständigenrat; Jahresgutachten 1994; Pfahler 1994: 124

Die Differenziertheit der Arbeitslosigkeit wird auch deutlich, wenn die qualifikationsspezifischen Arbeitslosenquoten betrachtet werden (vgl. Abb. 6.6): Mit steigender Qualifikation sinkt die Arbeitslosenquote, wobei dies insbesondere auf eine deutlich geringere Verweildauer bei signifikant höherer Anzahl an Stellenangeboten für Höherqualifizierte zurückzuführen ist.

Arbeitslosigkeit ist also ein sehr vielschichtiges, differenziertes Phänomen, dass dann am wenigsten verstanden werden kann, wenn man es als Ergebnis eines statischen, eindimensionalen Prozesses sieht, dessen Ursache monokausal ist und dessen Lösung einfache Wege beschreiten kann. Bevor wir aber zu Theorien der Arbeitslosigkeit und der Beschäftigungspolitik kommen können und vorher noch einige Formen der Arbeitslosigkeit betrachtet und gegeneinander abgegrenzt haben, wollen wir auf einen Zusammenhang hinweisen, der zumindest im Rahmen der Theorien

Abbildung 6.6: Arbeitslosenquoten nach beruflicher Ausbildung

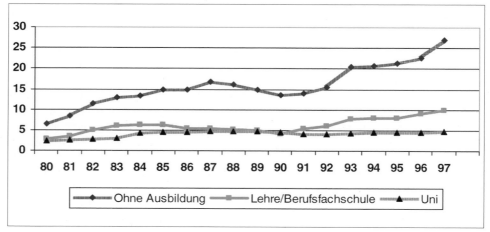

Quelle: IAB-Werkstattbericht Nr. 15, 1998, S. 3

Abbildung 6.7: Entwicklung der standardisierten Arbeitslosenquote und der Inflationsrate in der Europäischen Union; 1975 – 2000

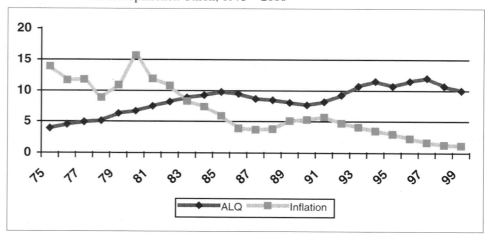

Anmerkung: Inflationsrate = Preisdeflator des Privaten Verbrauchs

Quelle: Europäische Wirtschaft, versch. Jge.

erklärbar sein muss: Wir erleben eine engen inversen Zusammenhang zwischen der Entwicklung der Inflationsrate und der Entwicklung der Arbeitslosigkeit (vgl. Abb. 6.7).

Es sieht also so aus, also hätte die Bekämpfung der Inflation in den frühen achtziger und frühen neunziger Jahren nur zum Preis einer steigenden Arbeitslosigkeit erfolgen können – Preisstabilität also kein 'free lunch' –, es könnte aber auch sein, dass die zyklisch steigende Arbeitslosigkeit als Druckpotential auf die Nominallöhne eine entsprechende Disinflation erst bewirkt hat. Der empirische Augenschein sagt also noch nichts über die inneren Zusammenhänge, über die uns die Theorie Auskunft erteilen muss.

6.1.2 Formen der Arbeitslosigkeit

Arbeitslosigkeit ist zweifellos das sozial drängendste Problem unserer Zeit: Für den ganz überwiegenden Teil der Bevölkerung stellt die Bereitstellung der eigenen Arbeitskraft die wesentliche oder gar alleinige Grundlage des Einkommensbezugs dar, die meisten wiederum begeben sich in abhängige Beschäftigung. Aber Arbeit ist nicht nur Reproduktionsgrundlage, Arbeit ist häufig genug Identifikationsgrundlage und der gewöhnliche Integrationsmodus in die gesellschaftliche und soziale Umwelt (vgl. z.B. Bongartz/Gröhnke 1997; Schweer 1997). Unter diesen Bedingungen erscheint es merkwürdig, wenn auf einer ersten Stufe zwischen **freiwilliger** und **unfreiwilliger Arbeitslosigkeit** unterschieden werden soll. Wer wird schon freiwillig auf Einkommen und Identität verzichten wollen? Oder sind damit jene ganz wenigen Menschen gemeint, die aufgrund welcher Umstände auch immer (Erbschaft, Vermögen, etc.) darauf verzichten können, erwerbstätig zu werden und sich über die Arbeit zu definieren? Nein, an diese Menschen ist am aller wenigsten gedacht, wenn von ‚unfreiwilliger Arbeitslosigkeit' die Rede ist. Aber es wäre ja denkbar, dass jemand deshalb keinen Job bekommt, weil er Lohnforderungen stellt, die weit über dem liegen, was Arbeitnehmer mit vergleichbarer Qualifikation erhalten. Ist er dann freiwillig arbeitslos, weil er sich nicht bescheiden will? Oder wie sieht es mit jemandem aus, der seinen Arbeitsplatz aus betrieblichen Gründen (z.B. Konkurs) verloren hat und nur mehr Jobangebote bekommt, deren Entlohnung deutlich unter dem Niveau des früheren Jobs liegen – muss er diese dann annehmen und ist er im gegenteiligen Fall sonst ‚freiwillig' arbeitslos?

Besonders kniffelig wird die Frage, wenn die Löhne nicht von den einzelnen Arbeitsanbietern selbst mit ihren Unternehmen ausgehandelt werden, sondern von ihren Vertretern (Gewerkschaften). Wäre dann die Arbeitslosigkeit aufgrund zu hoher Löhne als ‚freiwillig' zu bezeichnen, auch wenn der einzelne Arbeitnehmer durchaus bereit wäre, zu einem niedrigeren Lohn zu arbeiten? Es zeigt sich also sehr schnell, dass es zunächst einer konsistenten Definition bedarf, wann Arbeitslosigkeit als ‚unfreiwillig' zu bezeichnen ist – und nur diese wird uns weiterhin interessieren (vgl. Abb. 6.8): Arbeitslosigkeit wird häufig dann als ‚unfreiwillig' angesehen werden, wenn sie das Ergebnis nicht einer Einzel- oder Individualentscheidung ist, sondern als Marktfehler verstanden werden kann (vgl. Franz 1999: 341).

Diese Logik gilt aber konsistent nur im neoklassisch-monetaristischen Paradigma, nicht im postkeynesianischen Paradigma einer Vermögensökonomie. Etwas breiter formuliert könnte man deshalb sagen, dass Arbeitslosigkeit dann als ‚unfreiwillig' aufzufassen ist, wenn die Betroffenen unter den **herrschenden Bedingungen** (insbesondere was die Lohnhöhe angeht) bereit sind, Arbeit anzunehmen. Oder, wie es JOHN MAYNARD KEYNES (1936: 13) formulierte: „Arbeiter sind unfreiwillig arbeitslos, wenn im Falle einer geringen Preissteigerung von Lohngütern im Verhältnis zum Geldlohn sowohl das gesamte Angebot von Arbeit, die bereit wäre, zum laufenden Geldlohn zu arbeiten, als auch die gesamte Nachfrage nach Beschäftigung zu diesem Lohn größer wäre als die bestehende Beschäftigungsmenge."

Im Mittelpunkt der Betrachtung soll also die unfreiwillige Arbeitslosigkeit stehen, die nun ihrerseits in zwei prinzipiell voneinander zu unterscheidende Formen getrennt werden soll: Jene Arbeitslosigkeit, die grundsätzlich mit dem tauschtheoretischen Paradigma der Neoklassik vereinbar ist und deshalb auf Informations- oder Mobilitätsprobleme (Marktfehler) und folgende Anpassungsverweigerung (Marktversagen) bauen muss, die entweder transitorischer, friktioneller oder auch dauerhafter Natur sein können, in jedem Falle aber **Ungleichgewichtsphänomene** anzeigen[90]. Andererseits aber gibt es jene Arbeitslosigkeit, die im postkeynesianischen Paradigma das Ergebnis rationaler Ressourcenbewirtschaftung ist und als **Gleichgewichtsphänomen** systematisch-dauerhafter Natur ist.

Abbildung 6.8: Formen der Arbeitslosigkeit

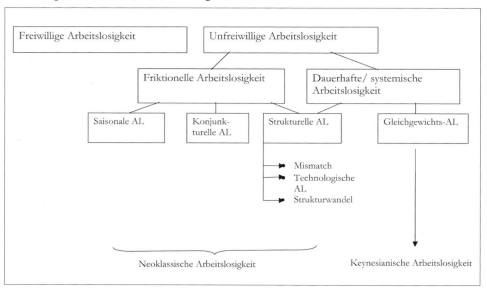

Eindeutig friktioneller Natur ist die **saisonale** und **konjunkturelle** Arbeitslosigkeit. Saisonal ist Arbeitslosigkeit, wenn aufgrund rein saisonaler Gründe die Nachfrage nach Arbeitskräften kurzzeitig zurückgeht oder ganz ausfällt: Dies mag z.B. im Baugewerbe in den Wintermonaten oder in der Tourismusbranche in der Zwischensaison (wenn es die noch gibt) geschehen, wenn eine Lagerhaltung (z.B. bei Dienstleistungen) nicht möglich ist. Auch die konjunkturelle Arbeitslosigkeit, die eine zyklische Abweichung vom langfristigen Beschäftigungsstand anzeigt, ist *per definitione* transitorischer Natur und geht auf endogene oder exogene Anstöße zurück.

---

[90] Hier wird der Gleichgewichtsbegriff als ‚Markträumung' interpretiert. Teilweise findet sich in der Literatur auch eine Gleichgewichtsarbeitslosigkeit im Rahmen des neoklassisch-monetaristischen Paradigmas (vgl. z.B. Franz 1999: 361ff.) – dieser Interpretation wird hier ausdrücklich nicht gefolgt.

Weniger klar einzuordnen ist die **strukturelle Form** der Arbeitslosigkeit, die gleichermaßen transitorisch wie persistent sein kann: Die Dynamik von Volkswirtschaften zeigt sich u.a. im beständigen Zugewinn und Fortfall von Arbeitsplätzen innerhalb bestehender Unternehmen oder durch Gründung neuer und Auflösung alter Unternehmen – die hohe externe Arbeitsmarktdynamik haben wir bereits in Abb. 6.4 betrachten können, die zusätzliche interne Arbeitsmarktdynamik führt dazu, dass in jedem Jahr etwa jeder dritte Arbeitsplatz in Deutschland neu besetzt wird. Hierbei kann es leicht zu einer Parallelentwicklung von offenen Stellen und Arbeitslosigkeit kommen, wenn aufgrund von Informations- und Mobilitätsproblemen oder wegen qualifikatorischer Defizite die beiden Arbeitsmarktseiten – also das Arbeitsangebot und die –nachfrage – nicht zueinander finden (**Mismatch**). WILLIAM BEVERIDGE, englischer Sozialökonom und Politiker, definiert eine Situation, in der die Zahl der Arbeitslosen durch die Zahl der offenen Stellen (Vakanzen) mindestens erreicht wird[91], zwar als Vollbeschäftigungssituation, gleichwohl würde in einem solchen Fall die Arbeitslosenstatistik ‚unfreiwillige Arbeitslosigkeit' ausweisen.

Auch der **sektorale Strukturwandel** einer Volkswirtschaft, der durch Präferenzänderungen der Wirtschaftssubjekte oder technische Neuerungen (Prozess- oder Produktinnovationen) ausgelöst wird, kann zu struktureller Arbeitslosigkeit führen, wenn Anpassungsprobleme (Mobilität, Informationen) dazu führen, dass nicht alle in schrumpfenden Sektoren (sun set industries) freigesetzten Arbeitnehmer umstandslos in wachsenden Sektoren (sun rise industries) aufgenommen werden können. Und schließlich wird spätestens seit DAVID RICARDO die Wirkung des **technischen Fortschritts** auf die Beschäftigung und die Arbeitslosigkeit diskutiert[92]: Ganz mechanistisch kann man zunächst einmal festhalten, dass arbeitssparender technischer Fortschritt, der sich in einer Erhöhung der Arbeitsproduktivität auswirkt, eine Schwelle festlegt (die sogenannte **Beschäftigungsschwelle**), die das Wirtschaftswachstum mindestens erreichen muss, wenn nicht Arbeitslosigkeit entstehen soll:

(6.1) $\qquad Y = (Y/N)N$; mit $(Y/N) = $ Arbeitsproduktivität

(6.2) $\qquad \Delta Y = (Y/N) \Delta N + N \Delta(Y/N)$

(6.3) $\qquad \Delta N = 0 \rightarrow \Delta Y = N \Delta(Y/N)$

(6.4) $\qquad \Delta Y/Y = (N/Y) \Delta(Y/N) = \Delta(Y/N)/(Y/N)$

So eindeutig aber dieser **Freisetzungseffekt** des technischen Fortschritts ist, so unklar muss zunächst bleiben, ob die **Kompensationseffekte**, die aus der steigenden Faktorentlohnung (bei produktivitätsorientierter Entlohnung) und erhöhter Investitionsdynamik erwachsen, nicht zumindest langfristig gerade ausreichen müssten, um die Freisetzungseffekte auszugleichen (vgl. Hagemann/Kalmbach 1983; Kalmbach/Kurz 1992; Lederer 1938). Alle drei Unterformen der strukturellen Arbeitslosigkeit sind in jedem Falle nicht wasserdicht gegeneinander abzugrenzen, sondern sie ergänzen sich vielmehr: Sowohl technischer Forschritt als auch der sektorale Strukturwandel können zu Mismatch-Problemen führen, der technische Forschritt ist

---

[91] Die Verbindung von Arbeitslosigkeit und Vakanzen wird deshalb auch als ‚Beveridge-Kurve' bezeichnet.

[92] Besonders prominent ist das Kapitel ‚On Machinery' in David Ricardos ‚Principles'; vgl. Jeck/Kurz (1983).

ein Faktor des sektoralen Strukturwandels und Mismatch-Probleme können zu verstärkten Anstrengungen in Richtung arbeitssparendem technischen Fortschritts sein.

Schließlich bleibt noch die **Gleichgewichts-Arbeitslosigkeit**, die das Ergebnis rationaler Ressourcenbewirtschaftung in einer von Unsicherheit gekennzeichneten Vermögensökonomie ist, mithin als dauerhaftes, systematisches Phänomen zu begreifen ist. Im Gegensatz zur strukturellen Arbeitslosigkeit, die auch als dauerhafter ‚Marktfehler‘ verstanden werden kann, steht sie als Gleichgewichtsphänomen außerhalb des Erklärungsspektrums der neoklassisch-monetaristischen Theorie.

Abbildung 6.9: Konjunkturelle und strukturelle Arbeitslosigkeit in Deutschland in Mio.

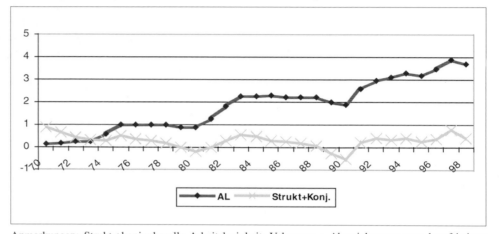

Anmerkungen: Strukt.+konjunkruelle Arbeitslosigkeit: Vakanzen + Abweichungen vom langfristigen Trend; bis 1991: Westdeutschland; ab 1991: Gesamtdeutschland

Quelle: SVR-Jahresgutachten, versch. Jge

In Abb. 6.9 ist der Versuch unternommen worden, verschiedene Formen der Arbeitslosigkeit zu quantifizieren: Der steigenden Gesamtzahl an ‚unfreiwillig‘ Arbeitslosen wird eine um ein Mittel von etwa 350.000 schwankendes Aggregat gegenübergestellt, das hier als strukturelle und konjunkturelle Arbeitslosigkeit ausgewiesen ist. Als strukturelle Arbeitslosigkeit ist dabei allerdings nur die Anzahl der registrierten, offenen Stellen erfasst – sozusagen der Mismatch-Teil. Natürlich kann man zurecht argumentieren, nicht nur die registrierten, sondern auch die nicht-registrierten Vakanzen müssten sinnvoller Weise erfasst werden, liegt doch der Einschaltungsgrad – also der Anteil der gemeldeten offenen Stellen an der Gesamtzahl der Vakanzen – nur etwa bei einem Drittel (vgl. Franz 1999: 104). Doch dann müsste auch die ‚verdeckte‘ Arbeitslosigkeit – also die ‚stille Reserve‘ und jene Arbeitslosen, die in arbeitsmarktpolitischen Maßnahmen (ABM, Fortbildung, etc.) stecken – in Anrechnung gebracht werden. Wir wollen bei den jeweils registrierten Größenordnungen verbleiben und müssen feststellen, dass ein zunehmender Anteil der Gesamtarbeitslosigkeit nicht durch konjunkturelle und strukturelle Formen (im genannten Sinne) erklärt werden kann. Wir wollen nun die Theorie befragen, ob Sie Antworten auf diesen Erklärungsbedarf hat.

6.1.3 Theorien der Arbeitslosigkeit

Wir haben bereits in den vorangegangen Kapitel gesehen, dass die verschiedenen Paradigmen sehr unterschiedliche Erklärungen für die Existenzmöglichkeit und Dauerhaftigkeit von Arbeitslosigkeit abgeben. Wir wollen hier noch einmal vertieft in die Modelle eindringen und unter dem besonderen Aspekt der Beschäftigungsbestimmung beleuchten. Dafür wollen wir neben den traditionellen Ansatz des **neoklassischen Arbeitsmarktes** und dem alternativen Ansatz eines **postkeynesianischen Beschäftigungsmarktes**, die beide eine statische Sichtweise einnehmen, ein **strukturalistisches Modell** kennen lernen, das zwar grundsätzlich mit dem neoklassischen Arbeitsmarktmodell vereinbar ist, aber spezifische Gesichtspunkte des Strukturwandels aufnimmt und somit zumindest weniger statisch und auf weniger aggregierter Ebene als das neoklassische Allokationsmodell argumentiert.

6.1.3.1 Der traditionelle Ansatz

Die Sichtweise des neoklassisch-monetaristischen Paradigmas ist partialanalytisch und mikroökonomisch, d.h. die zu betrachtenden Probleme werden dort untersucht, wo sie sich zeigen und es geht schließlich darum, Begründungen zu finden, die in den Handlungsmotivationen der betroffenen Individuen oder Marktakteure liegen. Für das Handlungs- und Problemfeld ,Arbeitslosigkeit' bedeutet dies, dass wir uns mit dem Arbeitsmarkt zu beschäftigen haben und die Entscheidungskalküle der Arbeitsanbieter und –nachfrage untersuchen müssen.

Der neoklassische Arbeitsmarkt (vgl. Abb. 6.10) lässt sich durch eine reallohnabhängige Arbeitsnachfrage und ein ebenso reallohnabhängiges Arbeitsangebot konstituieren. Die Arbeitsnachfragekurve leitet sich aus dem Gewinnmaximierungskalkül der Unternehmen ab, für das (unter der Annahme vollständiger Konkurrenz) die Gleichheit von Reallohn und Grenzproduktivität der Arbeit bestimmend ist: Jedes Unternehmen wird seine Arbeitsnachfrage vom Vergleich der durch eine zusätzlich eingesetzte Einheit Arbeit erzeugten Produktion mit den von dieser Einheit Arbeit verlangten Entlohnung abhängig machen. Bei der üblichen Annahme einer sinkenden Grenzproduktivität der Arbeit muss also der Reallohn sinken, wenn zusätzliche Beschäftigung geschaffen werden soll. Das Arbeitsangebot hingegen wird von der Abwägung ,Einkommen gegen Freizeitentzug' bestimmt. Die Haushalte bieten zusätzliche Arbeit nur an, wenn der zunehmende Nutzen des knapper werdenden Gutes ,Freizeit' entsprechend abgegolten wird: also ein positiver Zusammenhang zwischen Reallohn und Arbeitsangebot.

Im Schnittpunkt von Angebots- und Nachfragekurve ist der Vollbeschäftigungspunkt L^* beim Vollbeschäftigungs-Reallohn $(w/P)^*$ bestimmt. Hiermit vereinbar ist die Arbeitslosigkeit $L^* - L_1$, die sich aus der Differenz zwischen dem theoretischen Vollbeschäftigungspunkt und den tatsächlich zustande kommenden Arbeitskontrakten ergibt: In gleicher Größenordnung der Arbeitslosigkeit (nicht-beschäftigtes Arbeitsangebot) stehen offene Stellen (nicht-besetzte Arbeitsstellen) zur Verfügung, die aufgrund von Matching-Problemen vakant bleiben – deshalb wird diese Arbeitslosigkeit oft auch **Gleichgewichts- oder ,natürliche' Arbeitslosigkeit** genannt, ob-

Abbildung 6.10: Der neoklassische Arbeitsmarkt

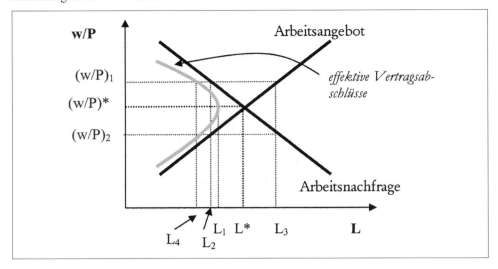

wohl nichts an ihr natürlich ist und sie auch keine Gleichgewichtssituation (im Sinne einer Markträumung) beschreibt.[93]

Was aber passiert, wenn sich der Gleichgewichts-Reallohn $(w/P)^*$ nicht ohne weiteres einstellt? Angenommen, die Arbeitsmarktparteien einigten sich auf den Reallohn $(w/P)_1 > (w/P)^*$, dann würde die Arbeitsnachfrage auf L_2 zurückgehen, während das Arbeitsangebot sogar auf L_3 stiege. Im Ausmaß von $L_3 - L_2$ würde also ein Arbeitsangebotsüberschuss entstehen, im Ausmaß $L_2 - L_4$ würden darüber hinaus angebotene Arbeitsplätze nicht besetzt werden können und folglich vakant bleiben – bei gleichzeitiger Existenz eines Arbeitsangebotsüberschusses! Klar ist, das die Arbeitslosigkeit im Ausmaß $L_2 - L_4$ als strukturelle Arbeitslosigkeit (bzw. als ‚natürliche' Arbeitslosigkeit) im Sinne der Abb. 6.8 zu verstehen ist, wie aber sieht es mit dem Überschussangebot $L_3 - L_2$ aus? Handelt es sich hier um ‚freiwillige' oder ‚unfreiwillige' Arbeitslosigkeit? Und würde sie – abseits unserer Modelle – in der Arbeitslosenstatistik auftauchen? Beide Fragen sind nicht ganz so leicht zu beantworten: Grundsätzlich müsste man wohl von ‚freiwilliger' Arbeitslosigkeit sprechen, schließlich steht es den Arbeitsanbietern offen, durch Reallohnsenkungen einen Ausgleich von Angebot und Nachfrage (wenn auch keine Markträumung, da die Matching-Probleme blieben) zu erwirken. Andererseits mag es eine Reihe von Gründen geben (die wir noch betrachten werden), die eine Senkung des Reallohnes auf $(w/P)^*$ verhindert – zumindest der einzelne Arbeitnehmer ist dann ‚unfreiwillig' arbeitslos, weil er den zu hohen Reallohnsatz nicht beeinflussen kann. Auch unsere Definition

---

[93] Die Bezeichnung geht auf Milton Friedman (1968: 8) zurück, der sie folgendermaßen definierte: „Die ‚natürliche Arbeitslosenquote' ist dasjenige Niveau (der Arbeitslosigkeit), das aus einem walrasianischen System allgemeiner Gleichgewichtsgleichungen herauskäme, vorausgesetzt, die tatsächlichen Strukturmerkmale der Arbeits- und Gütermärkte finden Eingang in die Gleichungen, einschliesslich Marktunvollkommenheiten, stochastische Variabilität von Angebot und Nachfrage, Kosten der Beschaffung von Informationen über offene Stellen und verfügbare Arbeitskräfte, Mobilitätskosten, und so weiter" (hier zitiert nach Landmann/Jerger 1999: 122); vgl. auch Box 14.

von ‚unfreiwilliger Arbeitslosigkeit' gibt keine abschließende Antwort auf die Frage, denn was genau ist mit ‚herrschenden Bedingungen' gemeint: der Gleichgewichts-Reallohnsatz (w/P)* oder der höhere Lohnsatz $(w/P)_1$? Und auch wer offiziell als arbeitslos registriert sein wird, ist nicht leicht zu beantworten: Ist L* bzw. L_1 der Ausgangspunkt und eine plötzlich Erhöhung des Reallohnsatzes führt zur Reduktion der Arbeitsnachfrage auf L_2 bzw. L_4, dann würde wohl L* – L_4 als arbeitslos registriert werden. War aber L_3 die ursprüngliche Gleichgewichtslage (was nur bei einer nach außen verschobenen Arbeitsnachfragekurve möglich wäre) und eine schockartige Reduktion der Arbeitsnachfrage (z.B. aufgrund der Änderung der weltwirtschaftlichen Rahmenbedingungen) führt zu einem neuen Gleichgewicht L* beim neuen Gleichgewichtsreallohn (w/P)*, dann mag L_3 – L_4 als arbeitslos registriert werden, wenn der Reallohn rigide verbleibt.

Wir können jetzt zunächst einmal innehalten und eine erste Einschätzung der Arbeitsmarktsicht der Arbeitslosigkeit treffen:

- Arbeitslosigkeit, die über die ‚natürliche' Arbeitslosigkeit hinausgeht, hat immer und notwendigerweise etwas mit dem (Real)Lohn zu tun. Zwar haben wir noch keine hinreichenden Motive benannt, wieso der Reallohnsatz zumindest für eine hinreichend lange Zeit über dem Gleichgewichtsniveau verharren sollte (dazu gleich mehr), aber dies ist immer die letztendliche Begründung.[94]
- Ist der (Real)Lohn nur flexibel genug, stellt sich immer Vollbeschäftigung ein bzw. fällt die Arbeitslosigkeit immer auf ihr ‚natürliches' Niveau
- Die Arbeitsmarktakteure sind in der Lage, über reale Werte zu verhandeln und diese eindeutig festzulegen: Reallöhne. Dies geschieht, indem die Nominallöhne ausgehandelt werden und das Preisniveau von der Notenbank fixiert wird. Bei somit gegebenem Preisniveau bedeutet Nominal- immer auch gleichzeitig Reallohnpolitik. Dabei müssen wir unterstellen, dass die Notenbank eine einschätzbare Geldpolitik betreibt (einfachste Annahme: sie sichert die Stabilität des Preisniveaus). Andererseits impliziert der schließlich ausgehandelte Nominal- und Reallohn die Befriedung eines Verteilungskonflikts, denn es ist genau jener Punkt, an dem sich die Ansprüche an das Sozialprodukt durch die Arbeitgeber und die Arbeitnehmer gerade zum gesamten Sozialprodukt aufaddieren. Wollte man mehr als L* Arbeitnehmer beschäftigen, dann müsste man den Arbeitnehmern einen Reallohn bieten, der (zumindest bei der entsprechenden Beschäftigungsmenge von z.B. L_3) nicht dem Grenzprodukt der Arbeit entspräche und nur aus der Entlohnung des Faktors Kapital bezahlt werden könnte – dies aber würden die Kapitalbesitzer nicht dauerhaft tolerieren und stattdessen die Beschäftigungsmenge einschränken. Im umgekehrten Falle einer Beschäftigung unterhalb von L* würde der Reallohn $(w/P)_2$ unter dem Grenzprodukt der Arbeit liegen und den Kapitaleigentümern einen Extra-Profit ermöglichen – den die zwar sicher gerne akzeptieren würden, aber durch Konkurrenzdruck unter Erhöhung der Beschäftigung an die Arbeitnehmer abgeben müssten (so die Logik eines Konkurrenzmarktes!). Der Vollbeschäftigungspunkt L* ist deshalb auch keineswegs der Punkt, an dem alle Erwerbspersonen einen Arbeits-

---

94 Der frühere Staatssekretär und spätere Wirtschaftsprofessor Johann Eekhof (1994: 17) schrieb einmal: „Man kann es drehen und wenden, wie man will, niemand kommt an der schlichten Logik vorbei, dass anhaltende Arbeitslosigkeit etwas mit dem Niveau oder der Differenzierung von Löhnen zu tun hat."

platz gefunden haben, sondern lediglich der Punkt, an dem Angebot und Nachfrage ausgeglichen sind – über L* hinaus gibt es durchaus noch Arbeitnehmer, die Arbeit suchen, allerdings nicht zum herrschenden Gleichgewichts-Reallohn!

Wir müssen jetzt noch untersuchen, wieso Arbeitnehmer dauerhaft einen nichtmarkträumenden Reallohn fordern und erhalten bzw. akzeptieren sollten, wenn solches Verhalten mit Arbeitslosigkeit bestraft wird – und dies entspricht ja zumindest unserem empirischen Augenschein. Im Grunde liegt die Antwort in allen Ansätzen gleichermaßen darin, eine **Verschärfung des Verteilungskonfliktes** aufgrund verschiedener Interessenabwägungen zu diagnostizieren, die eine Erhöhung der tatsächlichen Arbeitslosigkeit über die ‚natürliche Arbeitslosigkeit' hinaus erklärt. Die Befriedung dieses verschärften Verteilungskonfliktes zeigt sich dann darin, dass die Ansprüche an das Sozialprodukt bei Inflationsstabilität (als dynamische Variante der Preisstabilität im Standardmodell) harmonisiert sind: die **inflationsstabile Arbeitslosenrate** (NAIRU – Non-Accelerating-Inflation Rate of Unemployment)[95] übernimmt die Disziplinierungsrolle.

Box 14: NRU, NAIRU, NAWRU, QERU

„Der Begriff der ‚natural rate of unemployment' wurde in den einflussreichen Papieren von Edmund Phelps (1967) und Milton Friedman (1968) in die makroökonomische Debatte eingeführt. Bekanntermaßen ging es den Autoren darum, darauf hinzuweisen, dass der – seinerzeit in den Köpfen von Ökonomen und Wirtschaftspolitikern fest verankerte – ursprüngliche Phillipskurven trade-off zwischen (Lohn-)Inflation und Arbeitslosigkeit a la Samuelson/Solow (1960) trotz der langen Strichprobe in der Studie von Phillips (1958) nur kurzfristiger Natur ist. Die früher oder später unausweichlich einsetzende Anpassung der Inflationserwartungen an die tatsächlichen Inflationsraten führt letztendlich zu einer Arbeitslosenquote, die von der Inflationsrate – oder generell von nominalen Variablen – unabhängig sei; dieses Niveau der Arbeitslosenquote bezeichnet Friedman dann als ‚natürlich'. – ...

NAIRU steht für non-accelerating inflation rate of unemployment, bezeichnet also die Arbeitslosenquote, die empirisch konsistent ist mit einer – egal auf welchem Niveau – konstanten Inflationsrate. Wir dabei nicht auf die Güterpreis- sondern auf die Nominallohninflation abgestellt, spricht man von NAWRU oder NAWIRU (non-accelerating wage inflation rate of unemployment). ...

Der Vollständigkeit halber seien hier noch die beiden Abkürzungen QERU für quasi equilibrium rate of unemployment und NERU für non-market clearing equilibrium rate of unemployment genannt (...). Dabei geht es um „einen eindeutigen Punkt, bei dem die Arbeitsnachfrage konsistent ist mit dem Reallohnsetzungsverhalten" (Lindbeck 1992: 216; Übersetzung J.J.). Aufgrund dieser Konsistenz spricht man von einer ‚gleichgewichtigen' Rate; die Einschränkung ‚quasi' bzw. ‚non-market clearing' macht deutlich, dass die Konsistenz aufgrund von Marktmacht auf seiten der Lohn- und/oder Preissetzer im Allgemeinen nicht mit einer sinvollen Definition von Vollbeschäftigung einhergeht, der Arbeitsmarkt also nicht geräumt ist – bzw. nicht geräumt sein muss."
Jerger (2003: 57ff.)

---

[95] Gelegentlich wird zwischen NAIRU und ‚natürlicher Arbeitslosenquote' nicht differenziert bzw. beide synonym verwendet. Offensichtlich können wir solchen Interpretationen nicht folgen (vgl. Landmann/Jerger 1999: 124).

Mikrofundierung von Rigiditäten

Damit kommt nun einerseits der Geldpolitik eine aktivere Rolle zu als im Standard-modell, wo sie hinter dem konstanten Preisniveau ‚versteckt‘ blieb, andererseits müssen Gründe für Marktmacht und steigenden Verteilungskampf gefunden wer-den, die eine Abweichung von der ‚natürlichen Arbeitslosenrate‘ erklären. Die Geld-politik begrenzt die Ansprüche, die die Produktionsfaktoren an das nominelle So-zialprodukt stellen können. Indem sie aber Ermessensspielraum erhält, eine Inflationsrate z.B. von 2 oder 3 Prozent als Stabilitätsziel selbständig zu formulie-ren, können Interpretationsunterschiede zwischen der Geldpolitik und den Tarif-parteien darüber aufkommen, was ‚Preisstabilität‘ meint. Diese Interpretationsun-terschiede können als Konflikt zwischen Geld- und Lohnpolitik interpretiert werden, der aber bei konsequenter Zielverfolgung durch die Notenbank allenfalls kurzfristiger Natur sein kann – bis die **Glaubwürdigkeit der Geldpolitik** bestimmt ist.

Abbildung 6.11: Der neukeynesianische Arbeitsmarkt mit Marktmacht

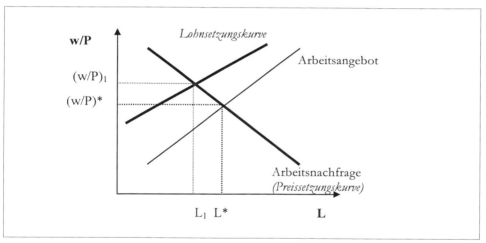

Bedeutsamer ist der Lohnsetzungsspielraum, der den Tarifparteien – und hier in ers-ter Linie den lohntreibenden Gewerkschaften als Vertreter der Arbeitsanbieter – zu-gebilligt wird. In Abb. 6.11 liegt die **Lohnsetzungskurve** oberhalb der Arbeitsan-gebotskurve, d.h. die Gewerkschaften verlangen einen Reallohn, der über den individuellen, aus der Abwägung ‚Freizeit gegen Einkommen‘ resultierenden Lohn-forderungen liegen wird und deshalb einen Schnittpunkt mit der Arbeitsnachfrage-bzw. Preissetzungskurve[96] bildet bei höherem Reallohn $(w/P)_1 > (w/P)^*$ und gerin-

---

[96] Im Gegensatz zur Arbeitsangebotskurve des neoklassischen Arbeitsmarktes kann die Preissetzungskur-ve auch Wettbewerbsbeschränkungen auf dem Gütermarkt Rechnung tragen und Preissetzungsspiel-raum – Grenzproduktivitätsentlohnung der Produktionsfaktoren + mark-up – der Unternehmen zulas-sen. Diese Abweichung vom idealen Markt wird zumeist als ‚keynesianisch‘ inspiriert verstanden und als ‚neukeynesianisch‘ benannt (vgl. z.B. Gordon 1990).

gerer Beschäftigung $L_1 < L^*$. Entsprechende Lohnsetzungsmacht erhalten die Gewerkschaften:

- weil sie nicht nur alle Arbeitnehmer Löhne aushandeln, sondern lediglich für die **beschäftigten Insider**. Gewerkschaften werden hier als Vertreter der Insider verstanden, die lieber betriebliche Rente abschöpfen als arbeitslose Outsider in Beschäftigung zu lassen.[97]
- weil sie **Monopolisten** bzw. zumindest aber **Oligopolisten** sind und entsprechend über eine Verknappung des Angebots den Preis erhöhen können. Selbst wenn wir erkennen, dass auch die Arbeitsnachfrageseite in Form von Arbeitgeberverbänden hochgradig vermachtet sein sollte, könnte in einem ‚right-to-manage'-Modell gezeigt werden, dass der Verhandlungslohn in einem bilateral Monopol vom Gleichgewichtslohn abweichen wird (vgl. Landmann/Jerger 1999: 163ff.)
- weil die Arbeitgeber keine Möglichkeit haben, einen ‚vollständigen Arbeitsvertrag' abzuschließen, in dem nicht nur der Lohnsatz, sondern auch die Leistungserbringung zweifelsfrei geregelt werden kann. Die Arbeitsnehmer können also bei fixiertem Nominallohn und von der Notenbank glaubwürdig gesicherter Inflationsstabilität leicht ihre Leistungsbereitschaft (Bummeln, Drückebergerei, Arbeit nach Vorschrift, etc.) senken und damit den Reallohn über die Grenzproduktivität der Arbeit treiben. Um dieses Verhalten zu verhindern, könnte das einzelne Unternehmen versucht sein, den von ihm gezahlten Lohnsatz über das allgemein herrschende Lohnniveau anzuheben, um Anreize zusetzen, das Bummeln zu unterlassen – der so genannte **Effizienzlohn**. Allerdings müsste dies Verhalten im Konkurrenzkampf der Unternehmen schnell zum allgemeinen Verhalten werden und somit die Anreizfunktion aushöhlen – allerdings sollte die nun entstehende Arbeitslosigkeit die Disziplinierungsfunktion übernehmen.

In allen drei Fällen ist allerdings nicht ganz klar, ob die so erklärte Arbeitslosigkeit tatsächlich ‚unfreiwillig' ist, schließlich geht sie auf durchaus ‚freiwilliges' Verhalten der Marktteilnehmer zurück.

Wirtschaftspolitische Konsequenzen

Die Wirtschaftspolitik zur Bekämpfung der Arbeitslosigkeit nach dem traditionellen Arbeitsmarktmodell hat zwei sehr unterschiedliche Anknüpfungspunkte: (1) Es muss darum gehen, die **Matching-Qualität** des Arbeitsmarktes zu erhöhen, um somit die ‚natürliche Arbeitslosigkeit' zu senken. Hierfür steht die Arbeitsmarktpolitik zur Verfügung, um:

- die regionale Mobilität zu erhöhen
- den Erhalt von Qualifikationen (z.B. durch Kurzarbeiter- oder Schlechtwettergeld) zu gewährleisten

---

[97] Gegen diese Theorie sprechen – zumindest für den deutschen Arbeitsmarkt – zahlreiche empirische Phänomene: So wissen wir, dass der dynamische Arbeitsmarkt ständig arbeitslose Outsider in den Arbeitsmarkt lässt, eine Abschottung von Insidern gegen Outsider findet keineswegs statt. Und auch die für dieses Verhalten typische Determinante der ‚Veränderung der Arbeitslosigkeit' statt ‚Höhe der Arbeitslosigkeit' findet sich nicht signifikant in der deutschen Lohngleichung; vgl. Heise (1996: 147).

- eine Anpassung der Qualifikationen an veränderte Anforderungen zu ermöglichen und damit die ‚Beschäftigungsfähigkeit‘ (Employability) der Arbeitnehmer zu erhalten
- eine Subventionierung besonderer Merkmalsträger (z.B. Alter, Qualifikation, Geschlecht) zu ermöglichen.

(2) Um aber die NAIRU wenigstens auf das Niveau der ‚natürlichen Arbeitslosigkeit‘ zu senken, bedarf es einer Erhöhung der Anpassungsfähigkeit des Lohnsystems und eines Aufbruchs der vermachteten Strukturen des Arbeitsmarktes. Dazu werden folgende Vorschläge unterbreitet (vgl. Berthold 1992; Vaubel 1989, Donges/Schmidt et al. 1988: 86):

- **Dezentralisierung und Individualisierung** der Tarifpolitik durch Zerschlagung der Tarifautonomie und Dezentralisierung der Kollektivvertragsebene.
- Reduktion der sozialen **Sicherungsysteme** (Höhe und Dauer der Lohnersatzleistungen), um das Reservationslohnniveau zu senken und die Suchintensität der Arbeitsuchenden zu erhöhen.
- Reduktion der **Arbeitsmarktregulierungen** (z.B. Kündigungsschutz), um die Marktmacht der betrieblichen Insider zu brechen.

(3) Schließlich lässt die neukeynesianische Variante des traditionellen Modells eine gemäßigte, vorausschauende Konjunkturpolitik zu, um Arbeitslosigkeit erst gar nicht entstehen zu lassen und Hysteresis-Effekte – Pfadabhängigkeiten, die z.B. durch Dequalifizierung entstehen können – gar nicht erst aufkommen zu lassen. Aufgrund der Prognose- und Instrumentierungsprobleme wird diesem beschäftigungspolitischen Aspekt aber zumeist nur wenig Aufmerksamkeit geschenkt.

6.1.3.2 Der postkeynesianische Ansatz[98]

Die Bestimmung der Beschäftigungsmenge und die Erklärung der Arbeitslosigkeit im postkeynesianischen Modell folgt anderen methodischen Überlegungen als die traditionelle Arbeitsmarkttheorie: sie argumentiert totalanalytisch und nimmt eine makroökonomische Sichtweise ein. Totalanalyse meint dabei, dass zur Erklärung des Phänomens ‚Beschäftigung‘ bzw. ‚Arbeitslosigkeit‘ nicht nur auf den Arbeitsmarkt geblickt werden darf, sondern auch die Geschehnisse auf den anderen Märkten von Bedeutung sind. Und die makroökonomische Betrachtungsweise negiert zwar keine individuelle Entscheidungslogik der Marktakteure, doch wird hier mehr Wert auf eine kreislauftheoretische Sichtweise und gesamtwirtschaftliche Funktionszusammenhänge gelegt, um die ‚fallacy of composition‘ – das Aggregationsproblem – zu umgehen. Denn nicht selten gilt gesamtwirtschaftlich noch lange nicht, was einzelwirtschaftlich plausibel ist: Steigt beispielsweise die Sparneigung, so wird unzweifelhaft aus mikroökonomischer Sicht das Sparvolumen des einzelnen Individuums (bei gegebenem Einkommen) steigen. Und obwohl es nun nahe liegend wäre, hieraus zu schließen, dass dann auch die gesamtwirtschaftliche Er-

---

[98] Die Ausführungen basieren auf Heise (2002a).

sparnis steigen müsste (also Summe der Ersparnis der Individuen), so ist dieser Schluss doch falsch: Die gesamtwirtschaftliche Ersparnis hängt nun von Sparneigung und dem nicht länger als gegeben anzunehmenden Einkommen ab. Wenn das gesamtwirtschaftliche Einkommen aber negativ mit einer steigenden Sparneigung korreliert (Multiplikator- und Akzeleratoreffekte), kann eine steigende Sparneigung durchaus mit sinkender gesamtwirtschaftlicher Ersparnis verbunden sein (,Sparparadoxon').

Wenn wir uns im Folgenden dem postkeynesianischen Beschäftigungsmarkt (vgl. Abb. 6.12) zuwenden wollen, müssen wir deshalb immer bedenken, dass es sich hierbei nur um einen Ausschnitt aus einem makroökonomischen Totalmodell handelt (s.

Abbildung 6.12: Der postkeynesianische Beschäftigungsmarkt

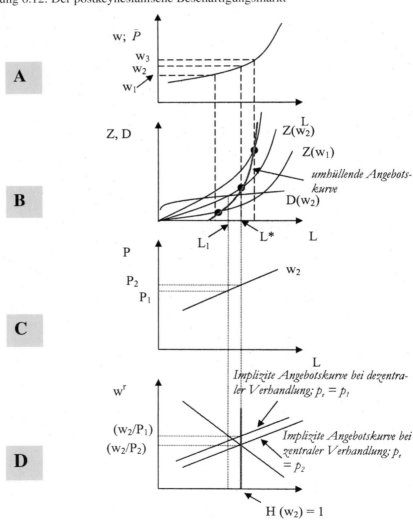

Kap. 5.3), in dessen Markthierarchie die Bestimmung der Beschäftigung erst erfolgt, nachdem andere Entscheidungen auf den Vermögensmärkten (z.B. über Geldangebot und –nachfrage, Portfolioentscheidungen zwischen Finanz- und Realkapitalanlage und die Wahl der Produktionstechnik) längst gefallen sind. Teil (A) der Abb. 6.12 gibt das Optimierungsverhalten der Arbeitsanbieter wider, die bei (für den einzelnen Arbeitsanbieter gegebenem bzw. erwartetem) Preisniveau ein erhöhtes Arbeitsangebot an einen steigenden Nominallohnsatz w knüpfen und somit – trotz Nominallohnpolitik – einer **Ziel-Reallohnorientierung** folgen: Es liegt also keine Nominalillusion vor. (B) ist das Herzstück, der eigentliche postkeynesianische Beschäftigungsmarkt – obwohl dies kein Markt im gewöhnlichen Sinne ist: Hier treffen nicht Anbieter und Nachfrager aufeinander, sondern es wird jenes Beschäftigungsvolumen bestimmt, dass die Unternehmen bei gegebenem Nominallohnsatz (hier: w_2) und subjektiven Erwartungen über Konsum- und Investitionsnachfrage entfalten. In der **aggregierten Angebotsfunktion Z** wird die Beschäftigungsmenge L mit jenem Erlös verknüpft, der die jeweilige Beschäftigungsmenge für die Unternehmen gerade profitabel macht, in der **aggregierten Nachfragefunktion D** sind die erwarteten Erlöse der Unternehmen aus Konsum- und Investitionsgüterverkäufen erfasst. Der Schnittpunkt von Z und D, der **Punkt der effektiven Nachfrage** bzw. die Say'sche Identität, bestimmt nun das Beschäftigungsvolumen, das die Unternehmen in ihrer Gesamtheit unter den herrschenden Bedingungen nachfragen, das Angebot an Arbeitskräften wird bei variablem Nominallohnssatz (und gegebenem Preisniveau) in Teil A bestimmt.

Die aggregierte Nachfragefunktion D setzt sich aus der Konsumgüternachfrage D_1 und der Investitionsgüternachfrage D_2 zusammen. Wenn wir annehmen wollen, dass nur aus Lohneinkommen konsumiert wird (aus Profiteinkommen wird nur gespart = dies entspricht der ‚klassischen Sparhypothese') und die Investitionsnachfrage als unabhängig von der Beschäftigungsmenge sei, dann lässt sich formulieren:

(6.5) $D = cwL + A$; mit c = Konsumquote und A = autonome Investitionen

Die aggregierte Angebotsfunktion Z ergibt sich aus dem Gewinnmaximierungskalkül der Unternehmen. Bei Annahme vollständiger Konkurrenzmärkte gilt im Gleichgewicht die Übereinstimmung von Grenzproduktivität der Arbeit und dem Reallohn. Daraus lässt sich die Preissetzungsfunktion

(6.6) $P = w/\omega$; mit ω = Grenzproduktivität der Arbeit

herleiten, die sich in Abb. 6.12 (C) findet.

Wenn nun beide Seiten mit dem Output Q multipliziert werden und wir uns der Tautologie $Q = (Q/L)L$ erinnern, dann erhalten wir die aggregierte Angebotsfunktion Z:

(6.7) $Z = (w/\omega) \pi L$; mit $\pi = Q/L$ = durchschnittliche Arbeitsproduktivität

Sowohl die aggregierte Angebots- als auch die aggregierte Nachfragefunktion ist also von der Beschäftigungsmenge L und dem Nominallohnsatz w abhängig, dazu die

Nachfragefunktion von der Konsumquote und der (hier zunächst als autonom unterstellten) Investitionsnachfrage, die Angebotsfunktion vom Verhältnis von durchschnittlicher zur Grenzproduktivität der Arbeit (eine technologische Determinante).

Da die Konsumquote $c < 1$ und $\omega < \pi$, gilt somit $c < \pi/\omega$. Da die aggregierte Nachfragefunktion mit der Investitionsnachfrage über eine autonome (d.h. hier: eine von der Beschäftigungsmenge unabhängige) Determinante verfügt, ihr Steigungsparameter aber kleiner ist als der der aggregierten Angebotsfunktion, gibt es immer einen Schnittpunkt beider Funktionen, mithin einen **Punkt der effektiven Nachfrage**. Allerdings ist keineswegs gesichert, dass dieser Punkt der effektiven Nachfrage genau jene Beschäftigungsmenge bestimmt (Arbeitsnachfrage), die die Arbeitsanbieter bei herrschenden Bedingungen (d.h. gegebener Nominallohnsatz und erwartetes Preisniveau) auch unterbreiten wollen. In einem Entwicklungsmodell hat JOHN MAYNARD KEYNES (1943/1980) dargelegt, dass zumindest für hochentwickelte Volkswirtschaften die Gefahr höher ist, dass die nachgefragte Beschäftigungsmenge geringer ausfällt als die angebotene Beschäftigungsmenge – es also Arbeitslosigkeit besteht – als umgekehrt mehr Beschäftigung nachgefragt als angeboten wird (wie z.B. in Deutschland in den sechziger Jahren!).

In Abb. 6.12 (B) sind verschiedene Z-Kurven mit unterschiedlichem Nominallohnsatz w_1, w_2, und w_3 dargestellt. Im Zusammenspiel mit dem Arbeitsangebot aus 6.12 (A) lässt sich somit eine ,**umhüllende Angebotskurve**' konstruieren, die **Vollbeschäftigung** in Abhängigkeit vom Nominallohnsatz (bei gegebenem Preisniveau!) beschreibt – im hier dargestellten Fall eines Nominallohnsatzes von w_2 bei L^*. Die im Punkt der effektiven Nachfrage bestimmte Arbeitnachfrage liegt allerdings bei $L_1 < L^*$. In Teil (D) der Abb. 6.12 ist dann schließlich dargestellt, wie der Reallohnsatz endogen, d.h. im Laufe des Wirtschaftsgeschehens, bestimmt wird – er ist explizit **keine Determinante** der Beschäftigung (und Arbeitslosigkeit) im postkeynesianischen Modell, sondern ebenso wie die Beschäftigungsmenge selbst eine **Resultante**. Haben die Arbeitsanbieter das mit L_1 verknüpfte Preisniveau P_1 bei ihrer Arbeitsangebotsentscheidung richtig antizipiert, gibt es auch bei resultierender Arbeitslosigkeit zunächst keinen Grund zur Revision der eigenen Pläne – **Unterbeschäftigung als Gleichgewichtsphänomen**!

Sollten die Arbeitsanbieter hingegen P_2 bei ihrer Angebotsentscheidung unterstellt haben, so könnten sie nun einen höheren Reallohn realisieren als geplant – worauf sie mit einer Planrevision, d.h. **Reduktion der Nominallohnforderung** – reagieren könnten. Würde in Folge der Reduktion des Nominallohnsatzes von w_2 auf w_1 alles andere – insbesondere die Nachfragebedingungen D – unverändert bleiben, wäre eine Erhöhung der Beschäftigung (und Reduktion der Arbeitslosigkeit) die eindeutige Folge. Aus Gleichung (6.5) ist allerdings ersichtlich, dass die aggregierte Nachfrage bei einer Senkung des Nominallohnsatzes nicht unverändert bleiben kann, sondern ebenfalls sinken muss. Da der Nominallohnsatz gleichermaßen in die Z-wie die D-Funktion eingeht, muss untersucht werden, unter welchen Bedingungen die Einflüsse auf Z und D unterschiedlich stark sein werden. Dies hängt im Wesentlichen davon ab, ob die begleitende Preissenkung (Disinflation; vgl. Gl. 6.6) zu einem positiven oder negativen (reversiven) **Realkassen- bzw. Pigou-Effekt** führt. Mit Realkassen- oder Pigou-Effekt ist die Veränderung der Konsum- bzw. Investitionsnachfrage bei Veränderung des Preisniveaus gemeint. Positiv wird der Effekt sein, wenn bei sinkendem Preisniveau die Geldmenge M konstant (exogen) verbleibt

Abbildung 6.13: Idealtypische Zusammenhänge von Lohnhöhe und Beschäftigung

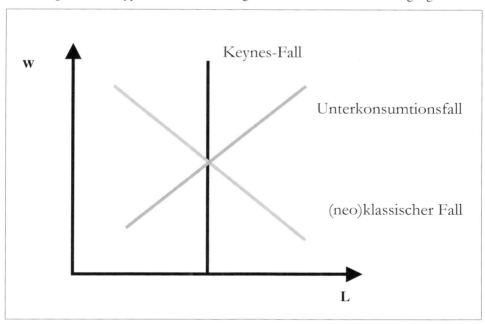

und somit die Realkasse M/P steigt. Konstant oder gar negativ wird der Realkassen- bzw. Pigou-Effekt sein, wenn die Geldmenge (endogen) sinkt, weil der Geldschöpfungsprozess stockt.

Es lassen sich idealtypisch drei unterschiedliche Konstellationen unterscheiden: (a) im **Keynes-Fall** wird davon ausgegangen, dass eine Veränderung des Nominallohnes ohne Effekt auf die Beschäftigung bleibt, (b) im **(neo)klassischen Fall** ergibt sich ein negativer Zusammenhang zwischen Nominallohn- und Beschäftigungshöhe aufgrund eines positiven Realkasseneffektes und (c) im **Unterkonsumtionsfall** ergibt sich gar ein positiver Zusammenhang zwischen Nominallohn- und Beschäftigungshöhe aufgrund eines reversiven Realkasseneffektes. Damit aber muss der Einfluss der Tarifpolitik auf die Beschäftigung **unbestimmt** bleiben und ein einfacher Vollbeschäftigungs-Automatismus zurückgewiesen werden.

Wirtschaftspolitische Konsequenzen

Anders als im traditionellen Modell ist Arbeitslosigkeit im postkeynesianischen Modell nicht auf die Anpassungsverweigerung der Lohnpolitik und, mithin, Verkrustungen oder Machtballungen des Kollektivvertragssystems zurückzuführen – allerdings lassen sich Verteilungskonflikte, wie wir sie vom NAIRU-Ansatz her kennen, durchaus im Rahmen eines postkeynesianischen Modells behandeln (vgl. Hein 2002). Wenn allerdings Arbeitslosigkeit ein **Systemmerkmal** der Vermögensökonomie ist, dann kann es sogar Aufgabe und ‚Nebenprodukt' eines funktionierenden Kollektivvertragssystem sein, eine Deflationsentwicklung, wie sie zumindest im

‚Unterkonsumtionsfall' denkbar wäre, zu verhindern – das Tarifsystem muss also geradezu für **Trägheit** (‚inertia') sorgen. Andererseits sollte das Kollektivvertragssystem auch den im postkeynesianischen Paradigma besonders prominenten ‚Makro-Konflikten' Rechnung tragen, indem es einerseits möglichst geringen inflationären Druck (geringer Verteilungskonflikt) entfaltet, andererseits aber auch in der Lage ist, die in einer Verhaltensabstimmung (Makro-Dialog) festgelegten Kooperationsbeiträge in der eigenen Mitgliedschaft (und dies gilt insbesondere für die Gewerkschaften) zu legitimieren und für Verbindlichkeit zu sorgen. Hierfür ist eine innerverbandliche Koordination – **Zentralität** – der Tarifparteien die empirisch und theoretisch beste Voraussetzung (vgl. Heise 2001: 107ff., Soskice 1990; Soskice 2000).

Um die Beschäftigung zu steigern bzw. die Arbeitslosigkeit abzubauen, darf die Wirtschaftspolitik nicht auf den Arbeitsmarkt fokussieren, sondern die Bedingungen für eine höhere effektive Nachfrage schaffen. Dazu stehen ihr mehrere Möglichkeiten offen:

- **Förderung der privaten Nachfrage**: Durch direkte Investitionsanreize (z.B. Investitionszulagen) oder eine Senkung der Opportunitätskosten mittels expansiver Geldpolitik, aber auch durch steuerliche oder sozialpolitische Formen der Umverteilung können die Komponenten der aggregierten Nachfrage in einer Weise beeinflusst werden, die bei unveränderten Angebotsbedingungen zu einer Erhöhung der Beschäftigung führen.
- **Staatliche Ersatznachfrage**: Indem der staatliche Akteur die ‚automatischen Stabilisatoren' spielen lässt oder gar diskretionäre, defizitfinanzierte Ausgaben tätigt, kann er versuchen, die unzureichende aggregierte Nachfrage auszugleichen – allerdings muss er dabei die Nachhaltigkeitsbedingungen der Finanzpolitik im Auge behalten.
- Im die inhärente Steuerungsunschärfe der Wirtschafts- und Beschäftigungspolitik zu reduzieren, muss er um die Schaffung **sicherheitsstiftender Institutionen** – insbesondere eines ‚Makro-Dialogs' zur Abstimmung der Makropolitiken – besorgt sein.

6.1.3.3 Der strukturalistische Ansatz – Does structure matter?

Die beiden bisher kennen gelernten Theorien hatten jeweils eine Ruhelage – das Vollbeschäftigungs- bzw. das Unterbeschäftigungs**gleichgewicht** – zum Referenzpunkt. Der strukturalistische Ansatz, der eine allokationstheoretische Sicht einnimmt und in sofern dem traditionellen Ansatz zweifellos näher steht, versucht das Problem der Arbeitslosigkeit mit dem Strukturwandel einer dynamischen Volkswirtschaft zu verknüpfen – ist also ausdrücklich nicht an einer normativen Ruhelage, sondern der **dynamischen Entwicklung** (Veränderung) der Wirtschaft und seiner Strukturen interessiert. Allein aus Gründen der Anschaulichkeit wird gleichwohl eine Darstellung statischer Zustände gewählt, die allerdings miteinander verglichen werden sollen, um den Strukturwandel zu belegen – es wird also eine komparativ-statische Methode gewählt.

Die Empirie des Strukturwandels

Ausgangspunkt der Erklärung von Arbeitslosigkeit in diesem Ansatz ist der strukturelle Wandel, also die Veränderung des Anteils der verschiedenen Sektoren – Landwirtschaft, Industrie, Dienstleistungen – an der Wertschöpfung bzw. an der Beschäftigung einer Volkswirtschaft. Was löst den Strukturwandel aus? Hierfür kann eine Reihe von Faktoren einzeln oder in Kombination miteinander verantwortlich sein:

- Veränderung der relativen Preise als Ausdruck veränderter Präferenzen der Wirtschaftssubjekte (Substitutionseffekt)
- Veränderung der relativen Preise als Ausdruck unterschiedlicher Produktivitätsentwicklung in den verschiedenen Sektoren
- Differente Nachfrageentwicklung bei Einkommensveränderungen (Einkommenseffekt)

Schettkat/Appelbaum (1996) weisen auf die empirische Begebenheit hin, dass sich der Zusammenhang zwischen dem Wachstum der Beschäftigung im industriellen Sektor und der Produktivitätsentwicklung in diesem Sektor im Zeitalter des Postindustrialismus (seit Beginn der achtziger Jahre etwa) gegenüber dem Zeitalter des Industrialismus (zwanziger bis siebziger Jahre) umgekehrt hat (vgl. Abb. 6.14 und 6.15): Zu Zeiten der Industrialisierung zeigten jene Industrien des Verarbeitenden Sektors, die die höchste Produktivitätsentwicklung zu verzeichnen hatten auch die höchsten Beschäftigungszuwächse, während im post-industriellen Zeitalter hohes Produktivitätswachstum mit geringem Beschäftigungszuwachs (bzw. sogar Beschäftigungsverlust) verbunden ist. Einerseits kann nach den Gründen der Umkehrung dieses Zusammenhanges gefragt werden, andererseits liegt die Vermutung nahe, dass dieses Phänomen – immerhin war das Zeitalter der Industralisierung mit hohem Beschäftigungsstand (bis hin zur Voll- und gar Überbeschäftigung) verbunden, während das post-industrielle Zeitalter mit Arbeitslosigkeit verknüpft wird – einen eigenständigen Erklärungswert für die steigenden Arbeitslosigkeit haben könnte – **ist Arbeitslosigkeit also eine Begleiterscheinung des Tertiarisierungsprozesses**?

Da der Präferenzwandel ein recht individuelles Phänomen ist, wollen wir die beiden anderen Gründe des Strukturwandels etwas näher betrachten: Hinter dem Einkommenseffekt steht die Überlegung MASLOWs, wonach mit steigendem Einkommen – grob vereinfacht und schematisiert – zunächst grundlegende Bedürfnisse durch Agrarprodukte (z.B. Nahrungsmittel, Kleidung), dann gehobene Bedürfnisse durch Industrieprodukte (z.B. Kühlschränke, Staubsauger) und schließlich Luxusbedürfnisse durch Dienstleistungen (z.B. Finanzdienstleistungen, Feriendienstleistungen) befriedigt werden. Und die differente Produktivitätsentwicklung in den verschiedenen Sektoren – hoch im Agrar- und Industriesektor, gering im Dienstleistungssektor – baut auf einen durch technische Entwicklungen getriebenen Produktivitätsfortschritt, der zu Veränderungen der relativen Preise und, bei unterstellter Preiselastizität der Nachfrage zu Veränderungen der Wertschöpfungsbeiträge und Beschäftigungsstruktur führt.

Abbildung 6.14: Stylisierter Zusammenhang von Produktivität und Beschäftigung im Industrialisierungsprozess

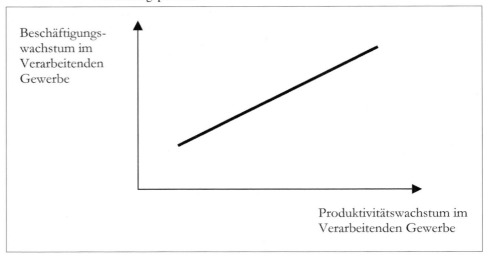

Anmerkung: nach Slater (1960)

Abbildung 6.15: Stylisierter Zusammenhang von Produktivität und Beschäftigung im Tertiarisierungsprozess

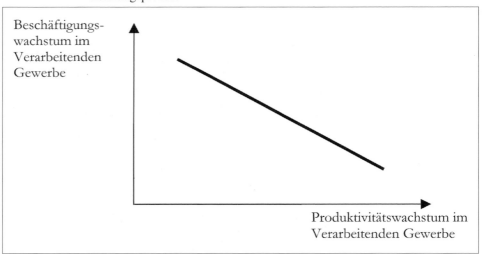

Beide Faktoren zusammen bewirken, dass die Einkommenselastizität der Nachfrage nach den Gütern oder Dienstleistungen eines Sektors (e_y) zunächst – d.h. im zeitlichen Verlaufe einer Einkommenssteigerung – größer als Eins ist und somit die sektorspezifische Konsumquote steigt, um dann nach Erreichen eines Maximums (bei $e_y = 1$) unter Eins zu fallen (vgl. Abb. 6.16). Die sektorale Beschäftigungsentwicklung hängt deshalb ganz entscheidend davon ab, in welcher Phase wir uns befinden und ergibt im historischen Ablauf die so genannte **3-Sektoren-Hypothese** nach Jean Fourastié: „Zunächst wächst der sekundäre Sektor (Industrie) und drängt den Anteil des primären Sektors (Landwirtschaft) zurück. In hochentwickelten reifen Volkswirtschaften geht dann der Anteil des sekundären Sektors wieder zurück, statt dessen expandiert der tertiäre Sektor (Dienstleistungen)" (Meißner/Fassing 1989: 107).

Abbildung 6.16: Einkommenselastizität des Konsums

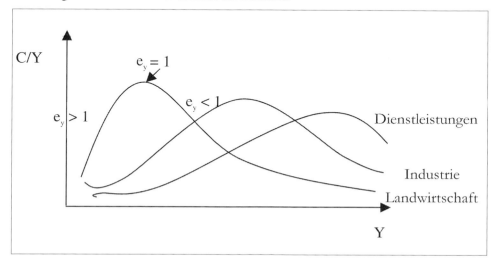

Aus diesen Überlegungen lässt sich nun das strukturalistische Modell destillieren: Ausgangspunkt sei eine Volkswirtschaft, die aus zwei Sektoren A und B bestehe. Sektor A ist durch hohe Produktivitätsentwicklung bei gleichzeitig hoher Preiselastizität der Nachfrage gekennzeichnet, was eine Senkung der relativen Preise und eine Zunahme von Nachfrage und Beschäftigung implizieren soll. Sektor B hingegen wird durch geringe (also unterdurchschnittliche) Produktivitätsentwicklung und gleichfalls geringe Preiselastizität der Nachfrage beschrieben, was eine Erhöhung der relativen Preise bei weitgehender Konstanz von Nachfrage und Beschäftigung implizieren soll.

Abb. 6.17 stellt die Allokation der Erwerbspersonen auf die beiden Sektoren dar, wobei zunächst eine vollkommen **egalitäre Lohnstruktur** $(w_A/P)_1 = (w_B/P)_1$ unterstellt wird. Im Schnittpunkt der beiden Arbeitsnachfragekurven – die Nachfragekurve in Sektor A ist aufgrund der höheren Preiselastizität flacher als in B – ist dann die Beschäftigungsmenge $L_A{}^1$ und $L_B{}^1$ in den beiden Sektoren bestimmt. Lassen wir nun etwas Zeit verstreichen und betrachten die beiden Sektoren auf ein Neues (komparative Statik), dann wird sich die Nachfrage und Beschäftigung in Sektor A auf $L_A{}^2$ erhöht haben. Sollte die Zahl der Erwerbspersonen konstant verblieben sein, dann müsste das egalitäre Lohnniveau auf $(w_A/P)_2 = (w_B/P)_2$ gestiegen sein, damit Arbeitskräfte aus Sektor B für den Einsatz im expandierenden Sektor A freigesetzt werden. Wenn man nun den Sektor A mit ‚Industrie' übersetzt und Sektor B mit

Abbildung 6.17: Strukturwandel im Industrialisierungsprozess

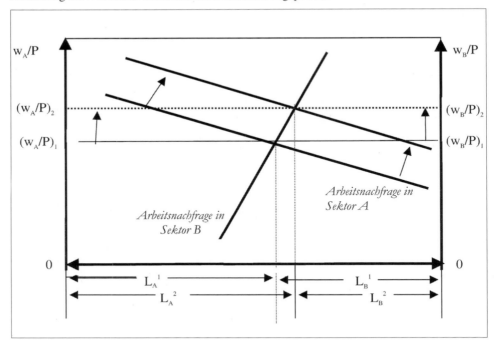

‚Agrarsektor', dann könnte dies ein stilisiertes Modell des **Strukturwandels der Industrialisierung** darstellen. Auffällig und bemerkenswert ist auch, dass die Egalität der sektoralen Lohnstruktur den Strukturwandel in Richtung des dynamischen Sektors A verstärkte, eine Lohndifferenzierung hingegen würde ihn behindern.[99]

Das Bild wandelt sich, wenn wir das Szenario leicht verändern: Nun soll Sektor A weiterhin durch hohe Produktivitätsentwicklung ausgezeichnet sein, aber er sieht sich mit einer geringen Preiselastizität der Nachfrage (Sättigungserscheinungen) konfrontiert – dies impliziert dann bei einer Senkung der relativen Preise nur mehr eine geringe Nachfrageerhöhung und, aufgrund der Wirkungen des Produktivitätsfortschrittes, einen Rückgang der Arbeitsnachfrage. Sektor B zeigt weiterhin geringe Produktivitätszuwächse, die Preiselastizität der Nachfrage hingegen sei hoch, was dann zu einer Erhöhung der relativen Preise, Nachfrage- und Beschäftigungsverlusten führt. Unter diesen Bedingungen wäre der vollständige Einsatz der Erwerbspersonen nur aufrecht zu erhalten, wenn die rückläufige Beschäftigung in Sektor A durch eine entsprechend positive Dynamik in Sektor B aufgefangen werden könnte. Dies wäre unter zweierlei Bedingungen möglich:

- die egalitäre Lohnstruktur bliebe erhalten, aber das Lohnniveau insgesamt müsste deutlich auf $(w_A/P)_2 = (w_B/P)_2$ gesenkt werden.

---

[99] Diese Überlegungen liegen der ‚solidarischen Lohnpolitik' des Rehn-Meidner-Modells zugrunde, dass in den siebziger Jahren insbesondere in Schweden großen Anklang fand; vgl. z.B. Meidner/Hedborg (1984).

Abbildung 6.18: Strukturwandel im Tertiarisierungsprozess

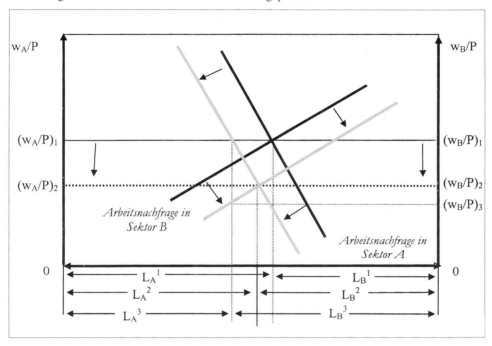

- Die egalitäre Lohnstruktur bricht auf und der Lohnsatz in Sektor B sinkt auf $(w_B/P)_3$, während er in Sektor A auf $(w_A/P)_1$ verbleibt.

Es ist leicht ersichtlich, dass dieser Prozess des Strukturwandels weniger reibungslos zu verlaufen verspricht als der Industrialisierungsprozess: Er setzt die Bereitschaft zur **Beschränkung** der Lohnforderungen und zur **Differenzierung** der Lohnstruktur ebenso voraus wie er von Arbeitnehmern verlangt, vom Hochlohnsektor A in den Niedriglohnsektor B zu wechseln. Wenn wir nun den Sektor A als (reifen) ‚Industriesektor' identifizieren wollen und den Sektor B mit ‚Dienstleistungssektor' übersetzen, dann könnte das eben beschriebene Szenario den **Strukturwandel im Tertiarisierungsprozess** modellhaft erklären und die im Industrialisierungsprozess als förderlich erachtete Lohnegalität könnte nun zur Bremse des Strukturwandels werden. Dies umso stärker, wenn die Lohnersatzleistung an die höhere Entlohnung im industriellen Sektor gebunden ist und somit den Übergang von A nach B behindert.

Obwohl diese Erklärung scheinbar so frappierend mit der Entwicklung der letzten drei Dekaden korrespondiert, so gibt es doch kritische Punkte:

- die Annahme einer geringen Produktivitätsentwicklung im Dienstleistungsgewerbe ist keineswegs evident
- die Annahme einer hohen Preiselastizität der Nachfrage nach Dienstleistungen ist keineswegs unstrittig

- es werden nur Allokationseffekte relativer Preisveränderungen diskutiert, nicht aber die Einkommenseffekte einer Einkommensdifferenzierung (vgl. Heise 1999: 71ff.).

6.1.3.4 Eine kurze Bewertung

Es wäre natürlich wünschenswert, zwischen den verschiedenen Erklärungsansätzen diskriminieren zu können – ist es Fehlverhalten der Tarifparteien, ein verkrusteter Arbeitsmarkt und eine überzogene Sozialsicherung oder ein Mangel an gesamtwirtschaftlicher Nachfrage, der den über die strukturelle Arbeitslosigkeit (Mismatch) hinausgehenden Teil erklärt. Gelegentlich wird ein Ausweg darin gesehen, monokausale Erklärungen gänzlich abzulehnen, sein Heil in der Akzeptanz beider Erklärungen zu suchen und eine Kombination von angebots- und nachfragepolitischen Maßnahmen zu empfehlen: Deregulierung der Arbeitsmärkte, Dezentralisierung des Kollektivvertragssystems und gleichzeitig expansive Geld- und Finanzpolitik (vgl. z.B. Funk 1999). Doch ist dies nicht konsequent: Beschreibt der Postkeynesianismus die Welt einigermaßen stimmig, dann würden die anempfohlenen Maßnahmen lediglich die Koordinierung der Makropolitik erschweren und im Zweifelsfalle die Bewertungsvolatilität des Systems erhöhen. Ist aber die traditionelle Erklärung stimmiger, dann können nachfragepolitische Maßnahmen schlussendlich nur inflationäre, keine realen Effekte erzeugen.

Auch eine empirische Diskriminierung kann nicht ohne weiteres gelingen, weil die entscheidenden Größen – Gleichgewichtsreallöhne – in der Wirklichkeit nicht beobachtet werden können und die Messung und Bewertung von Hilfsgrößen – z.B. Lohnlücken und Konzepte der Lohnzurückhaltung – immer Interpretationsspielräume lassen (vgl. z.B. Lehment 1991, Lehment 1993, Heise 1996: 161ff., von der Vring 1999: 121ff.). Deshalb kann letztlich nur das Vertrauen in die Konsistenz des theoretischen Modells und die Überzeugungskraft der zugrunde liegenden Annahmen die Auswahl beschäftigungspolitischer Strategien bestimmen.

6.2 Handlungs- und Problemfeld ‚Inflation'

In Deutschland wird dem Thema ‚Inflation' gewöhnlich ein besonderer Stellenwert beigemessen, nachdem zu Beginn der zwanziger Jahre des vorigen Jahrhunderts eine Hyperinflation – also eine Inflation mit akzelerierenden, heute kaum vorstellbaren Raten – breite Bevölkerungskreise verarmen lies und sich das Bild von Menschen, die mit Waschkörben voll Geld zum Einkauf gingen, so tief im kollektiven Gedächtnis eingegraben hat, dass das wirtschaftspolitische Ziel der Preisstabilität kaum noch der Begründung bedarf und die Inflationsbekämpfung zu den obersten Tugenden eines glaubwürdigen Politikers zählt.

Wir wollen uns zunächst mit Definition und Messung der Inflation beschäftigen, bevor wir dann der Frage nachgehen wollen, worin das eigentliche Übel der Inflation besteht, welche Ursachen wir identifizieren können und ob deren Bekämpfung selbst Übel verursachen mögen.

6.2.1 Definition und Messung von Inflation

Wir haben gerade im vorangegangenen Abschnitt davon gehört, dass sich die relativen Preise der verschiedenen Güter und Dienstleistungen ständig verändern – dies ist Teil der Dynamik des Wirtschaftssystems. Inflation aber misst nicht die Veränderung einzelner Preise (relative Preisänderungen), sondern des gesamtwirtschaftlichen Preisniveaus.

$$(6.4) \qquad \text{Inflationsrate} = \hat{P} = (P_{t+1} - P_t)/P_t$$

Was aber ist das gesamtwirtschaftliche Preisniveau P? Hierbei handelt es sich um die Aggregation der Preisänderungsraten verschiedener Güter nach deren relativem Anteil in einem Warenkorb. Der Warenkorb könnte aus individueller Sicht zusammengestellt sein – dann allerdings müsste es auch individuelle Inflationsraten geben –, gewöhnlich wird aber der Warenkorb eines repräsentativen Individuums oder eines privaten Haushaltes gewählt. Ebenso kann aber auch der Warenkorb nach der Wertschöpfungsstruktur einer Volkswirtschaft bestimmt werden:

- Preisindex der Lebenshaltung (PIL) = Warenkorb eines repräsentativen Haushaltes
- Preisindex des BIP (BIP-Deflator) = Warenkorb nach der Wertschöpfungsstruktur der Volkswirtschaft
- Harmonisierter Verbraucherpreisindex (HVPI) = Warenkorb eines europäisch harmonisierten Hauhaltes

Wie auch immer der Warenkorb gewählt wird, es ergibt sich zwangsläufig das Problem, dass sich nicht nur die Preise der im Warenkorb befindlichen Produkte im Zeitverlauf ändern (können), sondern auch die Zusammensetzung des Warenkorbs selbst mag sich aufgrund von Präferenzänderungen, relativen Preisänderungen, Innovationen etc. im Laufe der Zeit verändern. Indem wir nun die Zusammensetzung der Güter und Dienstleistungen unverändert lassen, können wir zwar die Inflationsrate exakt messen, müssen aber gleichzeitig deren Aussagekraft beschränken. Würden wir gleichzeitig den Warenkorb beständig zwischen zwei Zeitpunkten t und t+1 anpassen, könnten wir die Inflationsrate nicht mehr methodisch korrekt messen, weil wir dann gleichsam ‚Äpfel mit Birnen' vergleichen würden:

- der **Laspeyres-Index** wählt eine Basisperiode 0 für die Warenkorbbestimmung (‚falsches Mengengerüst'), die zu gelegentlichen Umbasierungen (Neukonstruktion des Warenkorbs) zwingt:

$$\overset{i}{\underset{1}{\sum}} \frac{PtiXoi}{PoiXoi}$$

- der **Paasche-Index** hingegen blickt von der laufenden Periode t zurück (‚falsches Preisgerüst'), zwingt damit zu einer ständigen Neubestimmung des Warenkorbes:

$$\overset{i}{\underset{1}{\sum}} \frac{PtiXti}{PoiXti}$$

In der Realität der statistischen Ämter wird zumeist mit dem Laspeyres-Index gearbeitet, der allein weniger Aufwand bei der Bestimmung des Warenkorbes bedarf.

In Abb. 6.19 ist nun die Entwicklung der Inflation in Deutschland und der Europäischen Union anhand des PIL- und des BIP-Deflators dargestellt: Offensichtlich hat es nur sehr wenige Jahre gegeben, in denen von Preisstabilität im eigentlichen Sinne – also einer weitgehenden Konstanz des Preisniveaus – gesprochen werden könnte. Aufgrund der bereits benannten Probleme der methodisch einwandfreien Messung der Inflationsrate aber wird zumeist eine Preissteigerungsrate von bis zu 2 % als mit dem Kriterium der Preisstabilität vereinbar angesehen (vgl. Görgens/Ruckriegel/Seitz 2001: 147).

Es lässt sich eine Reihe von bemerkenswerten Feststellungen machen:

- BIP- und PIL-Deflator weichen in den meisten Jahren nicht sehr stark von einander ab, allerdings kann dies in einzelnen Jahren durchaus anders sein (z.B. 1986 und 1987).
- Tendenziell zeigt der gesamte Zeitraum 1980 – 2001 eine disinflationäre Entwicklung, die nach den hohen Inflationsraten Ende der siebziger Jahre (2. Ölpreiskrise) einsetzte. Diese Entwicklung wurde allerdings – und ausgeprägter in Deutschland als in der EU – von einem temporären Inflationsschub Anfang der neunziger Jahre im Zuge der deutschen Einheit unterbrochen.

Abbildung 6.19: Inflationsentwicklung in Deutschland und der EU

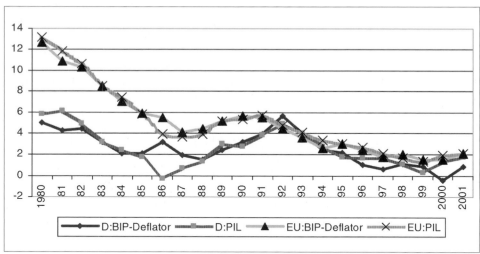

Anmerkung: Veränderungen gegenüber dem Vorjahr in %

Quelle: Europäische Wirtschaft, versch. Jge

- Insbesondere die neunziger Jahre erleben einen deutlichen Konvergenzprozess der Inflationsraten zwischen der Bundesrepublik als dem Land mit der größten Preisstabilität in der EU und dem Rest der EU – dies wird gewöhnlich den gemeinsamen Anstrengungen in der Vorbereitung auf die europäische Währungsunion zugeschrieben

Abb. 6.20: Preisanstieg in Deutschland nach Warengruppen (Veränderungen Mai 1999 gegenüber Mai 1998 in %)

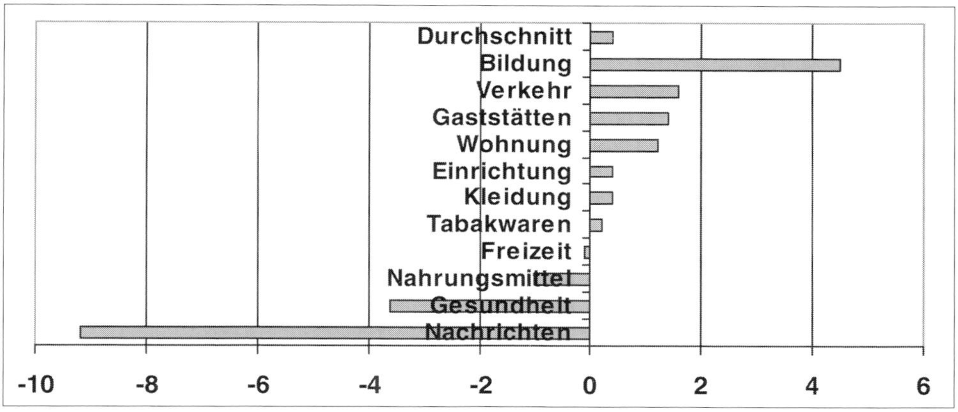

Quelle: Statistisches Bundesamt

Abb. 6.20 zeigt dann allerdings, dass hinter der Entwicklung des gesamtwirtschaftlichen Preisniveaus ein gehöriges Maß an Differenzierung zwischen einzelnen Gütern bzw. Gütergruppen steckt. Je nach individuellem Warenkorb kann deshalb die
‚gefühlte Preissteigerungsrate' von der offiziell ausgewiesenen Inflationsrate der Lebenshaltung (PIL) tatsächlich abweichen, häufig aber handelt es sich auch nur um
subjektive Wertungen, die auf eine gefühlsmäßigen Überbewertung einzelner Güter oder Dienstleistungen des Warenkorbes zurückgehen.

6.2.2 Ursachen und Kosten der Inflation und der Inflationsbekämpfung

Nach der Beschreibung des Phänomens ‚Inflation' muss nun natürlich die Frage gestellt und beantwortet werden, was uns an der Inflation denn überhaupt Sorgen bereitet? Oder ökonomischer ausgedrückt: Worin bestehen die Kosten, die durch
Inflation verursacht werden? Diese Frage muss sich insbesondere die neoklassisch-
monetaristische Theorie stellen lassen, argumentiert sie doch mit der ‚klassischen
Dichotomie' und schreibt der monetären Sphäre nur eine ‚Schleierrolle' zu, die die
wirklich wichtigen Vorgänge in der realen Sphäre lediglich verdecke, nicht aber dauerhaft beeinflussen könne. Mit der Überwindung dieser Dichotomie im postkeynesianischen Paradigma wird dann nicht nur die Frage nach den Kosten der Inflation,
sondern auch nach den Kosten der Inflationsbekämpfung virulent.

Um diese Fragen beantworten zu können, müssen wir zunächst eine scharfe Trennung zwischen (korrekt) **antizipierter** und **nicht- oder unkorrekt antizipierter** Inflation machen. Ist die Änderung der Preise vollständig in die Kalküle der Wirtschaftssubjekte eingegangen – was offensichtlich nur bei antizipierter Inflation
möglich ist – , dann ist tatsächlich nicht damit zu rechnen, dass eine Inflation ir-
gendwelche Kosten verursacht – wenn wir von Auszeichnungskosten (menue cost)

einmal absehen bzw. diese als gering einschätzen wollen.[100] Es ist also nicht die Preisstabilität *per se*, die wünschenswert ist, sondern eine Antizipierbarkeit der Preisentwicklung. Hier wiederum trennen sich das neoklassisch-monetaristische und das postkeynesianische Paradigma: Während die Nicht-Antizipierbarkeit ein konstitutives Element von Geldwirtschaften im Postkeynesianismus darstellt und deshalb den Wirtschaftssubjekten entsprechende Verhaltensnormen auferlegt (Liquiditätspräferenz), ist sie im neoklassisch-monetaristischen Modell lediglich dem institutionellen Fehlverhalten der Geldpolitik zuzuschreiben (vgl. Riese 1986: 117f.).

Wir wollen uns nun diesen **nicht-antizipierten Inflationen** zuwenden, die nicht in den Plänen der Wirtschaftssubjekte adäquat berücksichtigt werden können. Die Signale, die von Preisen ausgehen (relative Knappheiten und Vermögensbewertungen), werden verzerrt und es entsteht Raum für Suboptimalitäten, die als volkswirtschaftliche Kosten interpretiert werden können:

- Langfristige Verträge (z.B. Pacht, Miete, Entgelt) werden beschädigt, wenn eine augenblickliche Anpassung der Nominalwerte nicht geschehen kann (Indexierung) – allerdings ist dies aufgrund der Zeitverzögerungen bei der Erfassung der Inflationsrate nie vollständig möglich. Damit kommt es zu **Umverteilungseffekten** zulasten der Einkommensbezieher.
- Individuelle Preissteigerungen können nicht konsistent von allgemeinen Preissteigerungen unterschieden werden und es kommt zum Fehleinsatz von Produktionsfaktoren – es entstehen also **allokative Verzerrungen**.
- Gläubiger-Schuldner-Verhältnisse werden beschädigt. Dies beinhaltet ebenfalls Einkommensumverteilungseffekte zugunsten der Schuldner, deren Reallast sich reduziert, und Vermögensumverteilungseffekte zulasten des Vermögensbesitzers, dessen Realvermögen ‚unterbewertet‘ wird. Wenn der staatliche Akteur gleichermaßen über die Finanz- wie die Geldpolitik verfügen kann, entsteht der Anreiz für eine (nicht-antizipierte) Überraschungsinflation, die ihn als Schuldner entlasten würde.
- Wird die Nicht-Antizipierbarkeit als konstitutives Element einer Geldwirtschaft aufgefasst, so werden die Vermögensbesitzer sich gegen die Bewertungsunsicherheit ihres liquides Vermögens (Geld) zu schützen suchen, indem sie es mit einer **Liquiditätsprämie** belegen, die den profitablen Einsatz des Realvermögens (Ressourcenbewirtschaftung als Korrelat der Geldaufgabe = Gläubigerposition) begrenzt. Damit entstehen Wachstums- und Beschäftigungsverluste, die nicht unmittelbar von der Inflationshöhe, sondern von der Inflationsvolatilität abhängen. Zwischen Inflationshöhe und –volatilität besteht allerdings ein enger, positiver Zusammenhang.

Allokative Verzerrungen, Umverteilungs- und Wachstumskosten sind also die Kosten einer nicht-antizipierten Inflation, die mit steigender (nicht-antizipierter) Inflationsrate zunehmen. Es scheint deshalb sinnvoll und gesellschaftlich nützlich zu sein, **Preisstabilität zu gewährleisten** bzw. die Antizipierbarkeit der Inflation zu ermöglichen. Kann hieraus auch im Umkehrschluss gefolgert werden, dass eine Inflati-

---

[100] Dieses Vorgehen ist dann gerechtfertigt, wenn wir von akzelerierenden oder Hyperinflationen absehen wollen, in denen die Auszeichnungskosten durchaus beträchtlich sein können.

Abbildung 6.21: Problemfeld ‚Inflation'

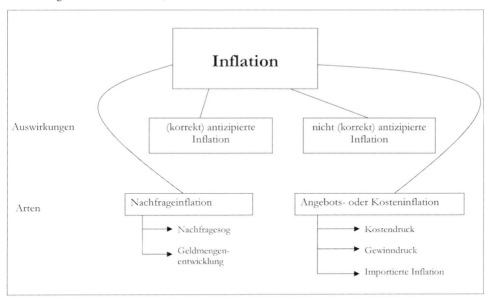

onsbekämpfung notwendig und dass der Erhalt der Preisstabilität unter allen Umständen durchgesetzt werden sollte? Um diese Frage klären zu können wollen wir zunächst zwischen Nachfrage- und Angebotsinflation differenzieren und deren Ursachen näher beleuchten (Abb. 6.21):

• Eine **Nachfrageinflation** kann grundsätzlich auf zwei verschiedene Ursachen zurückgehen: eine Erhöhung von Konsum- oder Investitionsneigungen der Wirtschaftssubjekte oder eine Erhöhung der Geldmenge durch die Notenbank, wobei beide Ursachen in einem inneren Zusammenhang stehen, den die verschiedenen theoretischen Schulen jeweils anders darstellen. Im neoklassisch-monetaristischen Modell muss eine Nachfrageinflation im Kern immer durch eine **Ausweitung der Geldmenge** erklärt werden, wobei der Impuls allerdings aus beiden Richtungen kommen kann: Eine durch die Notenbank motivierte Erhöhung der Geldmenge führt zu einer Erhöhung der Konsum- und Investitionsnachfrage (bei unveränderten Neigungen) und des Preisniveaus. Eine Erhöhung der Konsum- oder Investitionsnachfrage (veränderte Neigungen) kann nur bei gleichzeitiger Erhöhung der Geldmenge zu einem gesamtwirtschaftlichen Preisanstieg führen, ansonsten würden sich nur die relativen Tauschverhältnisse ändern (vgl. dazu Abb. 5.2). Im standard- und postkeynesianischen Modell kann die Nachfrageinflation gleichermaßen durch eine **Veränderung der Präferenzen**, **der Finanzpolitik** und der **Geldpolitik** ausgelöst werden, allerdings ist eine geldpolitische Akkomodation nicht unbedingt erforderlich (vgl. Abb 5.4. und 5.8). Hier zeigen sich allerdings die Grenzen der statischen Analyse, denn für den weiteren Verlauf der Preisentwicklung ist – vor allem im postkeynesianischen Modell – die **Interaktion** der makroökonomischen Akteure entscheidend.

Während in der neoklassisch-monetaristischen Theorie die Bekämpfung der Inflation kostenlos erscheint (,**free lunch**‘), hängen die Kosten in der standard- und postkeynesianischen Theorie wesentlich von der **Reaktion der Lohnpolitik** (Standardkeynesianismus) bzw. der **Interaktion** der makroökonomischen Akteure (Postkeynesianismus) ab. Hier zeigt sich dann die Verknüpfung mit der Angebots- bzw. Kosteninflation, die als nächstes betrachtet werden soll.

- **Angebots- oder Kosteninflationen** ergeben sich aus einer Veränderung der Inputpreise bei gleichzeitiger Konstanz der Nachfrage. Hier ist in erster Linie an eine Erhöhung der Nominallöhne gedacht, aber auch die administrierten Preise (z.B. Steuern, Abgaben oder Gebühren) und die Preise importierter Güter (als Vor- oder Endverbrauchsprodukte) und auch die Gewinne der Unternehmen können steigen und somit einen inflationären Prozess auslösen. Letztere Einflussgröße, der Anstieg der Gewinne, kann einerseits auf eine Veränderung der Wettbewerbssituation auf den Gütermärkten (Erhöhung des Mark-ups als Gleichgewichtssituation) oder das Auftreten von Quasi-Renten (als Ungleichgewichtssituation) zurückzuführen sein. Das Auftreten von Quasi-Renten (**Profitinflation**) ist dann allerdings das Ergebnis eines Nachfrageüberschusses und folglich eigentlich als Nachfrageinflation zu fassen. Allerdings liegt eine Profitinflation, die ja eine Umverteilung des Sozialprodukts zugunsten der Gewinneinkommensbezieher bedeutet, einer Angebotsinflation durch Lohndruck (**Einkommensinflation**) zugrunde und verkoppelt somit beide Prozesse (vgl. Spahn 1999: 144f.). Insgesamt beschreibt eine Angebotsinflation immer eine Überbeanspruchung des Sozialproduktes durch die Produktionsfaktoren und den Staat (**hausgemachte Inflation**) oder externe Akteure (**importierte Inflation**).

Die Kosten der Bekämpfung einer Angebotsinflation hängen nun wesentlich vom **Ausmaß des Verteilungskampfes** ab. Dies soll anhand einer Phillipskurven-Betrachtung verdeutlicht werden. Es gelte also ein Zusammenhang zwischen der Höhe der Arbeitslosigkeit U und der Wachstumsrate des Nominallohnsatzes $\hat{w}$ sowie der Inflationsrate $\hat{P}$ – letzterer Zusammenhang ist im Postkeynesianismus über die Preissetzungsfunktion sichergestellt. U* sei jene Arbeitslosenquote, die mit Preisstabilität ($\hat{P} = 0 = (\hat{w} - \hat{\pi})$; mit = Produktivitätszuwachs) verknüpft ist. Für die neoklassisch-monetaristische Theorie ist die Sachlage einfach: Es herrscht eine langfristig vertikale Phillipskurve, die Preisstabilität bei der ,natürlichen‘ Arbeitslosigkeit ermöglicht, aber auch jede andere Inflationsrate mit der ,natürlichen Arbeitslosigkeit‘ verknüpfen kann – je nach Geld(mengen)politik. Sollte die Lohnpolitik in anbetracht ,natürlicher Arbeitslosigkeit‘ Ansprüche an das Sozialprodukt stellen, die mit Preisstabilität nicht vereinbar sind, entsteht Arbeitslosigkeit, also volkswirtschaftliche Kosten. Bei völliger Flexibilität und Anpassungsfähigkeit wäre auch die originäre Phillipskurve – die die Lohnzuwachsraten mit der Arbeitslosigkeit verknüpft – vertikal und deshalb wäre auch die Bekämpfung einer Angebotsinflation (Bewegung auf der vertikalen Phillipskurve) kostenlos. Allerdings gilt dies konsistent wiederum nur, wenn die dafür verantwortlichen Maßnahmen der Geldpolitik antizipiert werden.

Anders sieht das Bild im standard- und im postkeynesianischen Modell aus, die (zumindest kurzfristig) negativ geneigte Phillipskurven mit dem üblichen Trade-off zwischen Preisstabilität und Arbeitslosigkeit zu lassen (vgl. Abb. 6.22). Die genaue

Lage der Phillipskurve hängt von der Inflationserwartung $\hat{P}_e$ ab. Erwarten die Wirtschaftssubjekte eine Inflationsrate von $\hat{P}_2$, dann wäre A die Lage auf der langfristigen Phillipskurve und U_2 jene Arbeitslosenquote, die Preisstabilität garantierte. U_2 wäre nun deutlich höher als die ‚natürliche Arbeitslosigkeit' oder Vollbeschäftigung U^*. In einem langwierigen Prozess könnten die Inflationserwartungen reduziert und – hier z.B. über die Punkte B, C, D nach E – durch allmähliche Verschiebung der Phillipskurve eine Situation geschaffen werden, in der Preisstabilität mit Vollbeschäftigung vereinbar wäre. Die Arbeitslosigkeit auf diesem Anpassungsweg, deren Persistenz von **Nominallohnflexibilität** (im Standard- bzw. Neukeynesianismus) und dem **Grad der Kooperationsbereitschaft** der makroökonomischen Akteure (im Postkeynesianismus) abhängt, muss als Inflationsbekämpfungskosten betrachtet werden.

Abbildung 6.22: Kosten der Bekämpfung einer Angebotsinflation

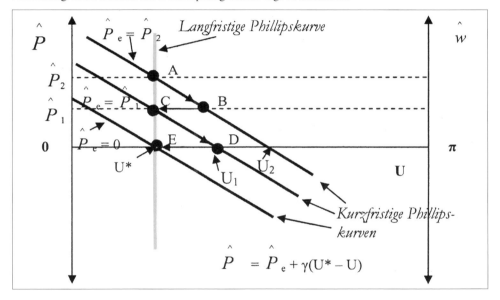

Wollten wir nun die **Kosten der Inflation** – und entsprechend den Nutzen der Preisstabilität – aufrechnen mit den **Kosten der Inflationsbekämpfung** – und entsprechend dem Nutzen einer unbekämpften Inflation –, dann müssten wir zunächst bedenken, dass die Kosten der Inflation dauerhafter Natur sind, wohingegen die Kosten der Inflationsbekämpfung temporär sein sollten. Wenn wir aber annehmen können, dass es Gründe dafür gibt, dass Nominallohn-, Preis- und Erwartungsrigiditäten mit sinkender Inflationsrate – also einer Annäherung an Preisstabilität – zunehmen und dauerhafter werden, lassen sich neuere empirische Erkenntnisse gut erklären, weshalb bei ‚moderaten Inflationsraten' offenbar ein positiver Zusammenhang zwischen der Höhe der Inflationsrate und dem Wirtschaftswachstum existiert[101], der sich dann

---

[101] Vgl. u.a. Akerlof/Dickens/Perry (1996); Andersen (2001), Gosh/Phillips (1998); Schröder (2002); Wyplosz (2001).

mit steigender Inflation in einen negativen Zusammenhang verkehrt (vgl. Abb. 6.23). **Es scheint also, als würde eine moderate Inflation – mit Inflationsraten zwischen 2 – 5% – die realökonomischen Prozesse ‚schmieren‘, während höhere Inflationsraten ‚Sand im Getriebe der Realwirtschaft‘ sind.**

Im Bereich niedriger Inflationsraten würden also die Kosten der Inflationsbekämpfung den Nutzen der Preisstabilität überwiegen, mit steigender Inflation aber würde der Punkt kommen, an dem der Nutzen einer Inflationierung die Kosten der Inflation nicht mehr ausgleichen kann und es zu dauerhaftem Wohlstandsverlust kommt. Bleibt noch die Frage zu klären, weshalb Preis-, Nominallohn- und Erwartungsrigiditäten in der Nähe von Preisstabilität rational sein können und nicht nur Uneinsichtigkeit, Nominalillusion oder anderen Irrationalitäten entspringen:

Abbildung 6.23: Zusammenhang zwischen Inflation und Wachstum

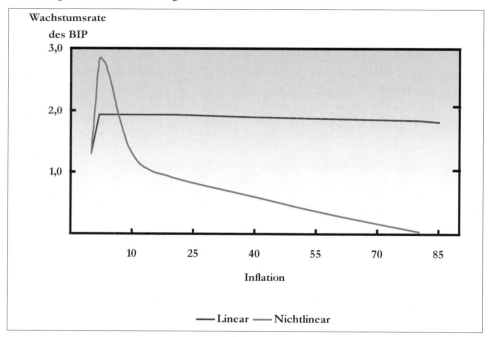

Quelle: Schröder 2002: 140

- Inflationsraten in der Nähe von Null (absolute Preisstabilität) implizieren die Gefahr eines Abkippens in einen **deflationären Prozess**, der – wenn nicht antizipiert – nicht nur zu den bereits benannten Umverteilungseffekten führt, sondern auf Grund der **Asymmetrie** der Schädigungen von Gläubiger-Schuldner-Beziehungen[102], nachhaltige Wachstumsschädigungen beinhalten kann. Daraus lässt sich die

---

[102] Im Falle einer nicht-antizipierten Inflation ‚gewinnt‘ der Schuldner, was der Gläubiger verliert – im Falle einer nicht-antizipierten Deflation gewinnt der Gläubiger nur, wenn der Schuldner den eintretenden Verlust tragen kann. Im Falle der Überschuldung und Insolvenz verliert schließlich auch der Gläubiger.

Erwartung der Wirtschaftssubjekte ableiten, dass die Geldpolitik bereits in der Nähe von Null wieder in einen expansiveren Modus umschlagen könnte. Wer unter diesen Bedingungen gleichwohl Preise und Nominallöhne nach unten flexibel gestaltet, muss damit rechnen, seine Ziel-Realposition (z.B. Reallöhne) zu verfehlen.

- Obiges Argument wird gestärkt, wenn die Unsicherheit der Inflationsberechnung und die Tatsache in Rechnung gestellt wird, dass absolute Preisstabilität bei sich ständig verändernden relativen Preisen in einer dynamischen Wirtschaft bedeuten muss, dass es immer einzelne Unternehmen, Branchen oder gar Sektoren gibt, die sich einer deflationären Entwicklung ausgesetzt sehen – mit der entsprechenden Gefahr der Überschuldung aufgrund steigender realer Schuldenlast (vgl. Abb. 6.20).

6.3 Handlungs- und Problemfeld ‚Staatsverschuldung'

Ziel staatlicher Betätigung ist die Bereitstellung öffentlicher Güter. Damit soll der Einsatz knapper Ressourcen optimiert (Allokationsfunktion), die marktliche Einkommensverteilung korrigiert (Distributionsfunktion) oder die gesamtwirtschaftliche Entwicklung von Wachstum und Beschäftigung beeinflusst werden (Stabilisierungsfunktion). Insbesondere dort, wo prozesspolitische Eingriffe erwogen werden, sind hierfür Ressourcen notwendig, die dem Staat durch Steuer- und Abgabenaufbringung oder Kreditaufnahme zur Verfügung gestellt werden.

Im vorigen Kapitel 5 haben wir bereits gesehen, dass die verschiedenen Paradigmen die kurz- und langfristigen Wirkungen einer defizitfinanzierten Stabilisierungspolitik sehr unterschiedlich bewerten. Unabhängig aber von der Wirkungsweise staatlicher Defizitpolitik müssen Begründungen für die Entwicklung der Verschuldung der öffentlichen Haushalte, deren Konsequenzen und Umgang damit untersucht werden. Gibt es eine objektive Grenze der öffentlichen Verschuldung? Verfügen die öffentlichen Haushalte noch über Handlungsspielräume? Bedarf es der Konsolidierung? Wie soll eine solche Konsolidierung im Bedarfsfalle aussehen? Gibt es eine optimale Verschuldungsregel für die öffentlichen Haushalte?

Wir wollen zunächst aber an einige Definitionen im Zusammenhang mit der Staatsverschuldung erinnern, die für die weitere Behandlung wichtig werden:

- **Staatsschuldenquote** (D/Y): Anteil der Staatsschulden (Bestandsgröße) am Bruttoinlandsprodukt (Stromgröße). Indem hier Bestands- und Stromgrößen zueinander in Beziehung gesetzt werden, wird die Aussagekraft einer solchen Kenngröße fraglich. Wir werden weiter unten eine mögliche Bedeutung kennen lernen.
- **Defizitquote** (S/Y): Staatliche Kreditaufnahme in einer Periode abzüglich der Tilgung von Staatsschulden in der gleichen Periode (Netto-Neuverschuldung; Stromgröße) bezogen auf das BIP.
- **Primärüberschuss- bzw. Primärdefizitquote** (S_P/Y): Überschuss bzw. Defizit des öffentlichen Haushaltes nach Abzug der Zinszahlungen bezogen auf das BIP. Diese Quote gibt an, ob das Defizit für politische Gestaltung (Primärdefizit) oder Zinszahlungen (Primärüberschuss) verwendet werden kann.

6.3.1 Das empirische Bild

Bevor wir über die Staatsverschuldung reden, wollen wir uns zunächst einen Überblick über deren Entwicklung verschaffen. Abb. 6.24 zeigt deutlich, weshalb das
Thema ‚Staatsverschuldung' einen zunehmend dominanten Platz auf der Liste der
wichtigen wirtschaftspolitischen Themen eingenommen hat: Seit 1970 hat sich die
Schuldenquote von unter 20 % des BIP auf etwa 60 % des BIP im Jahr 2000 mehr
als verdreifacht.

Abbildung 6.24: Staatsverschuldung in Deutschland, 1970 – 2002, in % des BIP

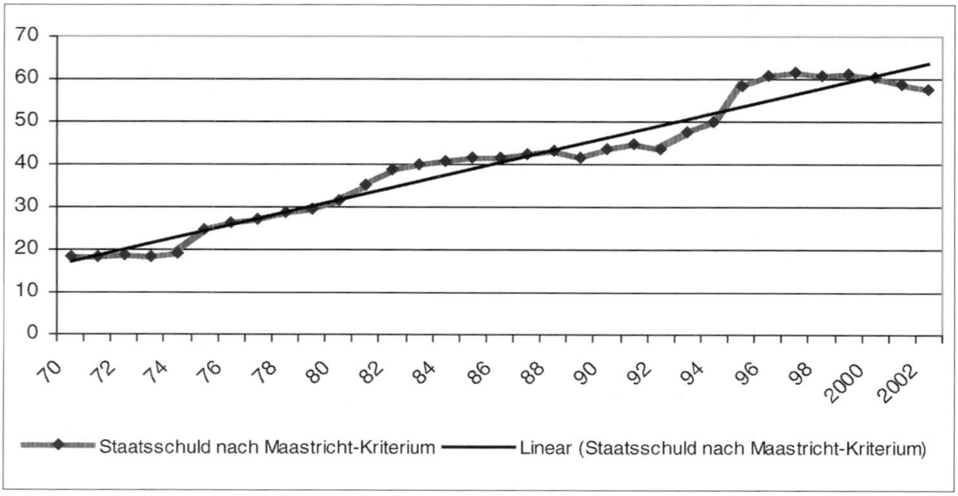

Anmerkungen: Daten für 2001 geschätzt und für 2002 erwartet

Quelle: Europäische Wirtschaft, versch. Jge

Besonders besorgniserregend ist also der stetig steigende, durch konjunkturelle Entwicklungen nur unwesentlich beeinflusste Trend. Es bleibt zu befürchten, dass die
Stabilisierung der Schuldenquote bei 60% seit Mitte der neunziger Jahre keine dauerhafte Situationsbeschreibung ist.

Ein Blick auf die Netto-Neuverschuldung im gleichen Zeitraum zeigt (Abb. 6.25),
dass es seit Mitte der siebziger Jahre nur mehr zwei Jahre (1989 und 2000) gegeben
hat, in denen ein gesamtstaatlicher Überschuss bzw. ein wenigsten ausgeglichener
öffentlicher Haushalt präsentiert werden konnte. Der konjunkturbereinigte, strukturelle Saldo war sogar bis auf das Jahr 1989 stets defizitär.
Der Zeitraum lässt sich in drei Phasen einteilen:

- **Siebziger Jahre**: Im Zuge der ersten und zweiten Ölpreiskrise steigt nicht nur das
  Gesamt-, sondern auch das strukturelle Defizit (3 – 4% des BIP) stark an. Hier
  kann keynesianisch inspiriertes Deficit spending im Rahmen des Stabilitäts- und
  Wachstumsgesetz vermutet werden.

Abbildung 6.25: Netto-Neuverschuldung in Deutschland 1970 – 2002; in % des BIP

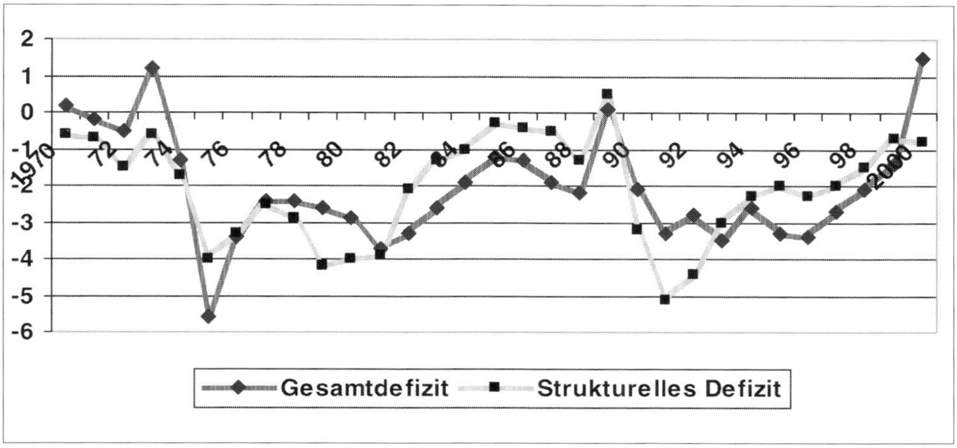

Anmerkung: Haushaltsüberschuss in 2000 aufgrund einmaliger UMTS-Erlöse

Quelle: Europäische Wirtschaft, versch. Jge.

- **Achtziger Jahre**: Sowohl Gesamt- als auch strukturelles Defizit werden kontinu-ierlich zurückgeführt, um im Jahr 1989 ein ausgeglichenes Niveau zu erreichen. Auffällig ist, dass das Gesamtdefizit ständig über dem strukturellen Defizit liegt, also die Konsolidierung der strukturellen Defizite von einer stagnativen Wirt-schaftsentwicklung begleitet war.
- **Neunziger Jahre**: Nach einem massiven Anstieg des strukturellen Defizits An-fang der neunziger Jahre im Zuge der deutschen Einheit wurde dann erneut eine Konsolidierung des strukturellen Defizits in der Vorbereitung auf die Europäische Währungsunion (EWU) im Jahre 1998 eingeleitet. Wie schon in den achtziger Jah-ren verbleiben die Gesamtdefizite zumeist über den strukturellen Defiziten – er-neut ist also der Konsolidierungsprozess von einer stagnativen Wirtschaftsentwick-lung begleitet.

Die Entwicklung des Primärhaushaltes zeigt, dass seit Beginn der achtziger Jahre die gesamte Neuverschuldung und ein geringer Teil der Steuern und Abgaben für Zinszahlungen verwendet werden musste – die Defizite schufen also keine (zusätz-lichen) Handlungsspielräume, sondern ermöglichten ausschließlich eine Umvertei-lung der Ressourcen von heutigen Sparern zu früheren Sparern (Kreditgeber der öf-fentlichen Haushalte) – die hochgradig identisch sein dürften. Der Staat verschuldet sich also bei denen, denen er Zinszahlungen aus zurückliegender Kreditaufnahme schuldig ist.

Abbildung 6.26: Primärsaldo der öffentlichen Haushalte in Deutschland 1970 – 2002; in % des BIP

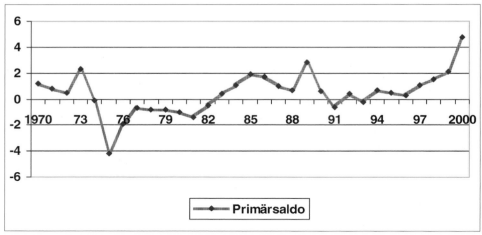

Quelle: Europäische Wirtschaft, versch. Jge

6.3.2 Theorie der optimalen Verschuldung

Die besorgniserregende Entwicklung der öffentlichen Verschuldung scheint also auf eine übermäßig expansive Finanzpolitik zurückzuführen zu sein: Beständige strukturelle Defizite erhöhen den Schuldenstand und erfordern Primärüberschüsse bzw. reduzieren damit die Handlungsfähigkeit der öffentlichen Haushalte. Wie problematisch diese Interpretation ist, zeigt ein Blick auf Abb. 6.27: Obwohl das strukturelle, aber auch das gesamte Defizit der öffentlichen Haushalte in Großbritannien durchweg höher war als in Deutschland sank die Schuldenstandsquote in Großbritannien von 54,7 % des BIP im Jahr 1980 auf 45,7 % im Jahr 2000, während sie in Deutschland von 31,7% auf 61,2% stieg.

Abbildung 6.27: Verschuldung in Großbritannien und Deutschland

	1971-80	1981-1990	1991-2000
Gesamtdefizit[1]			
• Deutschland	-2,0	-2,0	-2,7
• Großbritannien	-3,0	-1,9	-3,5
Strukturelles Defizit[1]			
• Deutschland	-2,5	-1,3	-2,8
• Großbritannien	-3,7	-2,3	-2,7
Schuldenstandsquote[2]			
• Deutschland	31,7	43,8	61,2
• Großbritannien	54,7	35,6	45,7

Anmerkungen: 1 jahresdurchschnittliche Veränderungen; 2 am Ende der angegebenen Periode

Quelle: Europäische Wirtschaft, versch. Jge

Diese scheinbar paradoxe Entwicklung wird verständlich, wenn wir uns an die simple Finanzarithmetik von Evsey Domar (vgl. Kap. 5.3.1) erinnern und die Bedingung für eine nachhaltige Finanzpolitik formulieren:

(6.9) $S/Y = -g (D/Y)$

Nachhaltige Finanzpolitik war hierbei mit der **Konstanz der Schuldenstandsquote** (D/Y) definiert und determiniert eine nachhaltige Defizitquote in Abhängigkeit von der Wachstumsrate g und der zu stabilisierenden Schuldenquote D/Y. Bei einer angenommenen Wachstumsrate g = 5% und einer zu stabilisierenden Schuldenquote (D/Y) = 60% des BIP ergibt sich eine nachhaltige Defizitquote (S/Y) = 3% des BIP. Sei die zu stabilisierende Schuldenquote (D/Y) = 20% des BIP und die Wachstumsrate g = 4%, dann liegt die nachhaltige Defizitquote (S/Y) = 0,8% des BIP.

Offensichtlich ist eine höhere Schuldenquote in dem Sinne leichter zu stabilisieren, dass sie – bei gegebener Wachstumsrate g – eine höhere Neuverschuldung erlaubt, und gleichzeitig kann eine höhere Defizitquote – bei gegebener Schuldenquote – nachhaltig sein, wenn die Wachstumsrate g höher ausfällt. **Daraus ergibt sich nun zwingend, dass die ‚zulässige' Defizitquote immer in Abhängigkeit von der Wachstumsrate und der zu stabilisierenden Schuldenquoten, nie aber allgemeingültig formuliert werden kann**. Im Falle des obigen Ländervergleichs konnte Großbritannien – trotz höherer Defizitquote – deshalb eine scheinbar bessere Performanz (sinkende Schuldenquote) als Deutschland erzielen (steigende Schuldenquote), weil es einerseits ein höheres nominelles BIP-Wachstum realisierte[103], andererseits von einer höheren Schuldenquote als Ausgangspunkt startete.

Von größerer Bedeutung für die Handlungsfähigkeit der öffentlichen Haushalte – und damit auch für die Beurteilung der Stabilisierungsfähigkeit der Schuldenquote – sind die Anforderungen an den Primärsaldo, also der Differenz von Staatsausgaben und –einnahmen nach Abzug der Zinszahlungen. Auch hierfür lässt sich nach Domar eine Nachhaltigkeitsregel bestimmen, die den Primärsaldo in Abhängigkeit von der zu stabilisierenden Schuldenquote (D/Y) und der Differenz vom Zinssatz auf die Staatsschuld i und der Wachstumsrate g bestimmt wird:

(6.10) $(S_P/Y) = (i - g)(D/Y)$

Sobald der Zinssatz i über die Wachstumsrate g steigt, also ein positives Zins-Wachstums-Differenzial entsteht, öffnet sich die so genannte ‚Domarsche Schuldenfalle': Jegliche Neuverschuldung muss vollständig für den Zinsdienst eingesetzt werden und darüber hinaus ein Teil der Steuern und Abgaben, wobei dieser Teil von der zu stabilisierenden Schuldenquote (D/Y) bestimmt wird – es muss also ein Primärüberschuss generiert werden. Gelingt dies nicht oder nicht in ausreichendem Maße, steigt die Schuldenquote unweigerlich.

---

[103] Bei vergleichbarem Wachstum des realen BIP ist dies auf die stärkere Inflationierung zurückzuführen – man spricht deshalb häufig auch von ‚Inflationssteuer'.

Abbildung 6.28: Zins-Wachstumsdifferenzial in Deutschland 1970 – 2000

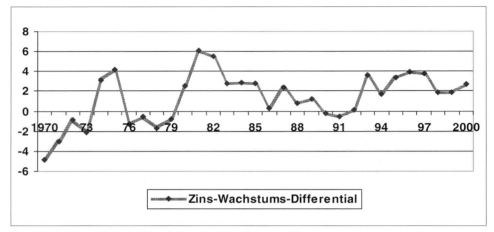

Anmerkung: Zins: Zinssatz der Anleihen der öffentlichen Hand

Quelle: Europäische Wirtschaft, versch. Jge

Seit Ende der siebziger Jahre befindet sich die Bundesrepublik in einer solchen Situation, was auch erklärt, weshalb die restriktive Finanzpolitik der achtziger und neunziger Jahre (Konsolidierung der strukturellen Defizite, hohe Primärüberschüsse) nicht in der Lage war, den ansteigenden Trend der Verschuldung dauerhaft umzukehren. Indem wir nun die beiden Domar'schen Nachhaltigkeitsregeln gemeinsam betrachten, können wir einen **Trade-off** erkennen, der den öffentlichen Haushalt dazu zwingt, eine finanzpolitische Strategie zu wählen: Mit steigender Netto-Neuverschuldung können zwar die Handlungsspielräume in der Gegenwart (Periode t) vergrößert werden, die für wirtschafts- oder sozialpolitische Maßnahmen nutzbar gemacht werden können, dafür aber sinken die künftigen Handlungsspielräume (in Periode t + 1), weil nun die notwendigen (nachhaltigen) Primärüberschüsse steigen müssen. Dieser Sachverhalt ist in Abb. 6.29 dargestellt: Die jeweiligen ‚Nachhaltigkeitslinien' unterstellen eine gegebene Wachstumsrate g_i und verbinden die mit einer Schuldenquote verknüpften Defizit- und Primärsaldoquoten: Steigende Netto-Neuverschuldung ist mit steigender (nachhaltigen) Schuldenquote und, entsprechend, steigendem Primärüberschuss verbunden.

Wenn wir annehmen wollen, der staatliche Akteur verfüge über eine eigenständige **Zeitpräferenz** – also eine nutzentheoretisch fundierte Abwägung zwischen heutigen und künftigen Handlungsspielräumen, die sich in Form einer Indifferenzkurve abbilden lässt –, dann kann nun eine **optimale Schuldenquote** bestimmt werden: Sie ergibt sich im Tangentialpunkt der relevanten Indifferenzkurve mit der ‚Nachhaltigkeitslinie'. Je steiler die Indifferenzkurven, desto stärker wiegt der Erhalt künftiger Handlungsspielräume (Punkt B) und, umgekehrt, je flacher die Indifferenzkurven, desto größer ist das Gewicht, dass der staatliche Akteur heutigen Handlungsspielräumen beimisst (Punkt A). Entsprechend ist die optimale Schuldenquote abhängig von:

Abbildung 6.29: Bestimmung der optimalen Schuldenquote

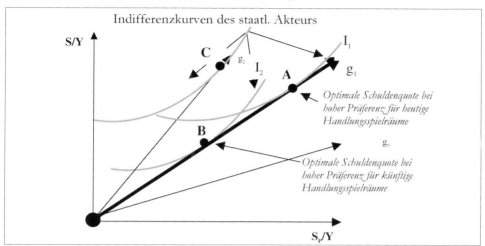

Anmerkung: Die Nachhaltigkeitslinien sind in Abhängigkeit verschiedener Wachstumsrate gi dargestellt mit gi = g1 < g2 < g3. Es wird außerdem ein gegebener Zinssatz i unterstellt

- der erwarteten Wachstumsrate g. Je höher g, desto höher auch die optimale Schuldenquote,
- der Zeitpräferenz des staatlichen Akteurs. Je höher die Zeitpräferenz (für heutige Handlungsspielräume), desto höher die optimale Schuldenquote.[104]

Die Zeitpräferenz des staatlichen Akteurs kann z.B. durch die Aussicht bestimmt sein, in Zukunft für die Folgen heutiger Handlungen verantwortlich sein zu müssen: Je höher die Instabilität eines politischen Systems – z.B. gekennzeichnet durch die Anzahl der Regierungswechsel –, desto größer dürfte die Vernachlässigung künftiger gegenüber heutiger Handlungsspielräume sein. So lässt sich u.a. begründen, weshalb EU-Mitgliedsländer mit häufigen Regierungswechseln wie Italien, Griechenland und Belgien deutlich höhere Schuldenquoten aufweisen als jene EU-Mitgliedsländer mit wenigen Regierungswechseln wie z.B. Deutschland, Frankreich oder Österreich. Andererseits wird auch die ‚Stärke' einer Regierung – z.B. durch die parlamentarische Zustimmung approximiert – in dem Sinne in Verbindung zur Zeitpräferenz des staatlichen Akteurs gebracht, dass eine schwache Regierung (die sich auf nur eine kleine Mehrheit – oder gar Minderheit – im Parlament stützen kann) sich ihre parlamentarische Unterstützung ‚erkaufen' muss (vgl. Roubini/Sachs 1989) –, also heutige Handlungsspielräume höher schätzt als (ungewisse) künftige. Schließlich wird die Regierungscouleur – also bürgerlich, links, Koalition, etc. – in dem Sinne für relevant gehalten, dass entweder linke Regierungen (keynesianisches deficit-spending)

---

[104] Übrigens können wir auch die implizite Annahme aufgeben, die Wachstumsrate g sei unabhängig von der Höhe der Defizitquote. Dann wäre jede Defizitquote über einen korrespondierenden Nachhaltigkeitspfad an eine entsprechende Primärüberschussquote gebunden. Die Verbindung dieser Defizit-Primärüberschuss-Kombinationen würde eine wachstumsvariable Nachhaltigkeitslinie erbringen, mit deren Hilfe in oben demonstrierter Weise die optimale Verschuldungsquote zu bestimmen wäre.

als defizitfreudiger angenommen werden (vgl. Buchanan/Wagner 1977) oder im Ge-
genteil bürgerliche Regierungen im Zielkonflikt zwischen Steuersenkung und Haushaltskonsolidierung stärker auf die Steuersenkung setzen (vgl. Wagschal 1996).

Eine Untersuchung von 19 OECD-Ländern bestätigt nur die erste ‚Instabilitäts-
hypothese‘ (wobei die durchschnittliche Anzahl der Tage pro Regierung als Proxy
für ‚Stabilität‘ gewählt wurde; vgl. Abb. 6.30) – außerdem zeigt sich eine Pfadabhängigkeit des Schuldenstandes (von der Schuldenstandsquote 1990), weshalb auch
nicht die absolute Staatsschuldenquote erklärt wurde, sondern die Differenz der
Schuldenstandsquoten von 1999 und 1970. Weder die Partisantheorie der ‚optimalen Verschuldung‘ noch die ‚Regierungsstärke-Theorie‘ zeigen signifikante Ergebnisse.

Abb. 6. 30: Determinanten der Staatsschuldenquote in 19 OECD-Ländern 1970-1999

	Differenz der Staats-schuldenquote 1999 und 1970	Differenz der Staats-schuldenquote 1999 und 1970
Konstante	55,467 (1,214)	103,821*** (5,193)
Stabilität	-0,405** (-2,466)	-0,684*** (-3,752)
Regierungscouleur[1]	-0,008 (-0,050)	
Stärke[1]	0,017 (0,113)	
Differenz der Schulden-standsquote 1990 und 1970	0,581*** (3,499)	
Korr. R^2	0,656*** (9,110)	0,435*** (14,080)
N	19	19

Anmerkungen: Die Werte sind die standardisierten Regressionskoeffizienten; t-Statistik in Klammern; ***
= 1%-Signifikanzniveau; ** = 5%-Signifikanzniveau; * = 10%-Signifikanzniveau; 1 = nach Woldendorp
et al. (2000: 79); OLS-Schätzung.

Quelle: Obinger (2003) und Woldendorp et al. (2000); eigene Berechnungen

6.3.3 Konsolidierung öffentlicher Haushalte

Es mag für viele unbefriedigend klingen, wenn dem staatlichen Akteur eigenständige Handlungsmotive jenseits der Stimmenmaximierung unterstellt werden. Problemlos kann die obige Analyse auf eine entsprechende Nutzen-Kosten-Analyse
übertragen werden (Abb. 6.31): Mit steigendem Defizit können Wachstums- oder

Verteilungs- und Partikularinteressen bedient und entsprechende Wählerzustimmung ,erkauft' werden, doch ist der Nutzenzuwachs rückläufig, d.h. es wird sinkender Grenznutzen (GN) realisiert. Demgegenüber steigen die Kosten zunehmender Verschuldung – sinkende Wählerzustimmung, weil Verschuldung latent mit ,unsolide' konnotiert ist – überproportional an, d.h. es entstehen steigende Grenzkosten (GK). Im Schnittpunkt von Grenzkosten- und Grenznutzenkurve ist dann der Nutzen des staatlichen Akteurs mit Blick auf die (erwartete) Wählerzustimmung maximal und somit die optimale Schuldenquote bestimmt.

Wenn nun beispielsweise die (politischen) Kosten der Verschuldung dadurch steigen, dass einem ausgeglichenen (laufenden) Haushalt als Symbol einer soliden, verantwortungsvollen Finanzpolitik zunehmende Bedeutung zukommt – hier dargestellt durch eine Verschiebung der Kosten- und Grenzkostenkurven –, dann wird die optimale öffentliche Schuldenquote sinken; es bedarf der Konsolidierung.

Hier nun sind unterschiedliche Konsolidierungpfade denkbar (Abb. 6.32):

• In der **wachstumsneutralen Konsolidierung** liegt der Fall eines ,free lunch' vor, d.h. die Rückführung der Schuldenquote hat keinerlei Auswirkungen auf das Wachstum der Volkswirtschaft (von A nach B). In dem Maße, in dem heutige Handlungsspielräume durch Senkung der Netto-Neuverschuldung eingeschränkt werden, steigen die künftigen Handlungsspielräume, indem der Primärüberschuss gesenkt werden kann.

Abbildung 6.31: Optimale Schuldenquote und Wählerzustimmung

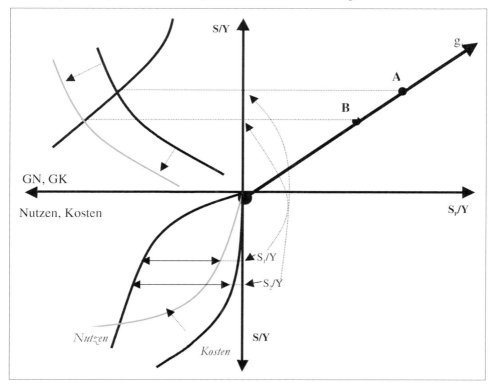

- In einer **wachstumsfördernden Konsolidierung** kann mit der Rückführung der Schuldenquote ein höheres Wirtschaftswachstum realisiert werden (von A nach E, F oder D). Nun müssen die heutigen Handlungsspielräume weniger stark eingeschränkt werden als im Falle der wachstumsneutralen Konsolidierung, während die künftigen Handlungsspielräume sogar noch wachsen – insgesamt also sicher ein wünschenswerte Form der Konsolidierung.
- In einer **wachstumsbeschneidenden Konsolidierung** kann die Rückführung der Schuldenquote sogar misslingen, wenn der negative Wachstumseffekt nur groß genug ist (von A nach I). Dann würde nicht nur die heutigen, sondern auch die künftigen Handlungsspielräume beschnitten werden.

Abbildung 6.32: Verschiedene Konsolidierungspfade

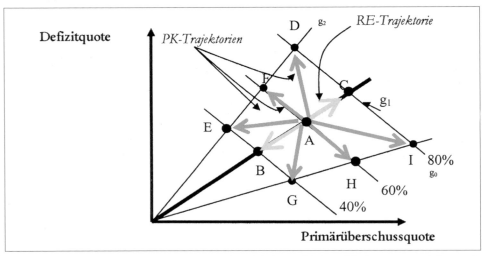

Anmerkung: Die Nachhaltigkeitslinien sind in Abhängigkeit verschiedener Wachstumsraten gi dargestellt mit g0 < g1 < g2; außerdem gilt: i = gegeben

Ob es zu wünschenswerten oder weniger wünschenswerten Formen der Konsolidierung kommt, hängt einerseits von der Wahl des zugrunde liegenden Paradigmas, andererseits aber auch von der Art der Konsolidierung ab: Im neoklassisch-monetaristischen Paradigma mit der Gültigkeit des **Barro-Ricardo-Äquivalenztheorems**[105] ist eine wachstumsneutrale, vielleicht sogar wachstumsfördernde Konsolidierung zu erwarten (vgl. z.B. Alesina/Perotti/Tavares 1998; Stiglitz 1988), im postkeynesianischen Paradigma besteht – insbesondere, wenn öffentliche Investitionen als jene Ausgaben mit geringstem politischen Widerstand zurückgefahren werden – immer die Gefahr, dass das Wachstum der Volkswirtschaft so sehr in Mitleidenschaft gezogen wird (endogene Wachstumsrate g), dass die Konsolidierung misslingt (vgl. z.B. Heise 2001a). Wenn allerdings die Defizitquote als nicht nachhaltig eingeschätzt wird und mithin eine zusätzliche Einschränkung der zukünftigen Handlungsspielräume der öffentlichen Haushalte oder aber Steuererhöhungen drohen, dann kann eine Kon-

---

[105] Für eine kritische Darstellung des Barro-Ricardo-Äquivalenztheorems vgl. Josten (2002).

Abbildung 6.33: Konsolidierungsvorstellungen unterschiedlicher Wirtschaftsparadigmen

	Modell Rationaler Erwartungen	**Postkeynesianisches Modell**
Kennzeichen	Gültigkeit des Barro-Ricardo-Äquivalenztheorems (vollständiges Crowding-out)	Gültigkeit des Havelmoo-Theorems (Erhöhung des Volkseinkommens um eine Einheit bei Erhöhung steuerfinanzierter staatlicher Ausgaben um eine Einheit)
Staatliche Ausgaben	Öffentliche Ausgaben weniger effizient als private Ausgaben; Ausnahme: komplementäre staatliche Investitionen	Öffentliche Ausgaben können die Effizienz des privatwirtschaftlichen Systems steigern
Wachstumspfad	BIP-Wachstumsrate g exogen gegeben	BIP-Wachstumsrate g endogen

solidierung – d.h. eine Rückführung der Defizitquote auf ein nachhaltiges Niveau – auch im postkeynesianischen Paradigma durchaus wachstumsförderlich sein.

Abschließend noch ein Blick auf die Empirie (vgl. Heise 2002a). In Abb. 6.34 wird eine Korrelation zwischen der Defizitquote und der Wachstumsrate g darge-

Abbildung 6.34: Strukturelle Defizite und Wirtschaftswachstum in Großbritannien und Deutschland

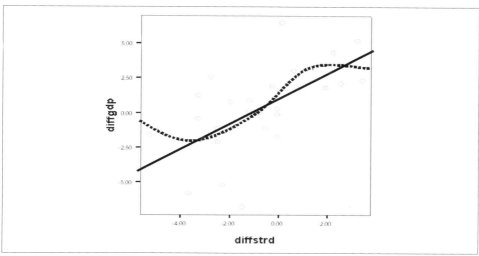

Anmerkungen: diffgdp = Differenz zwischen deutschem Trend-BIP und britischem Trend-BIP. + = höheres deutsches Trend-BIP; – = höheres britisches Trend-BIP; diffstrd = Differenz zwischen deutschem und britischem strukturellem Defizit. + = höheres deutsches strukturelles Defizit; – = höheres britisches strukturelles Defizit; Regressionsfunktion: Diffgdp = a Diffstrd + b; a = 0,576 (3,520***), b = -0,914 (-1,765**); R-Quadrat: 0,33; Durbin-Watson: 0,653; *** = signifikant bei 1 % Irrtumswahrscheinlichkeit, ** = signifikant bei 5% Irrtumswahrscheinlichkeit.

Quelle: Europäische Wirtschaft, Nr. 60, 1995; eigene Berechnungen

stellt. In stilisierter Form liefe die neoklassisch-monetaristische Trajektorie auf eine Vertikale (in Höhe der exogenen Wachstumsrate) hinaus, während die postkeynesianische Theorie einen positiven bzw. polynomischen Zusammenhang prognostizierte. Tatsächlich ist hier die Differenz zwischen deutschem und britischem Strukturdefizit und die Differenz des Trend-BIPs beider Volkswirtschaften miteinander korreliert, um so langfristige Einflüsse der Neu-Verschuldung auf die Wirtschaftsentwicklung herauszustellen. Sowohl ein linearer als auch polynomischer Zusammenhang erweist sich als signifikant gesichert.

6.4 Handlungs- und Problemfeld ,Soziale Sicherung'

Die Bundesrepublik Deutschland versteht sich als ein ,demokratischer und sozialer Bundesstaat' (Grundgesetz Art. 20, Abs. 1). Das Sozialstaatsprinzip steht damit im gleichen (Verfassungs-)Range wie das Bundesstaats-, Demokratie- und, hier nicht weiter erläutert, das Rechtsstaatprinzip (vgl. Pilz/Ortwein 2000: 13ff.). Mit diesem Grundverständnis eines **sozial verpflichteten Staates** ist zunächst einmal in qualitativer Hinsicht nur gemeint, dass die Absicherung gegen die verschiedenen Wechselfälle des Lebens keine rein privat-individuelle, sondern eine gesellschaftliche, kollektive Angelegenheit darstellt: die soziale Sicherung wird damit zu einem öffentlichen Gut erklärt.

Seit geraumer Zeit ist die Diskussion darum entbrannt, ob tatsächliche alle Lebensrisiken als Teil der sozialen Sicherung öffentlichen Gut-Charakter besitzen (sollen) oder in welchem quantitativen Ausmaß eine individuelle Vorsorge bzw. Versorgung gerechtfertigt erscheint und, mit Blick auf die Globalisierungstendenzen moderner Volkswirtschaften, ob bei zunehmender Entgrenzung von Nationalökonomien eine Aufrechterhaltung nationaler Sozialstaaten überhaupt noch funktional ist (Bäcker et al. 2000: 39ff.). Am Ende dieses Kapitels wollen wir uns diesen Herausforderungen widmen.

Bevor wir nun zunächst einen kurzen geschichtlichen Überblick über die Entwicklung des deutschen Sozialstaates geben wollen, sollen erst einmal die Wechselfälle des Lebens, die im Mittelpunkt der sozialen Sicherung stehen, benannt werden:

- Krankheit und Unfall
- Invalidität
- Arbeitslosigkeit
- Alter
- Sicherung des Existenzminimums (Armut)

Es geht also um verallgemeinerbare Lebensrisiken, nicht aber um selbst verantwortete, individualisierte Risiken des Lebens. Und es geht auch nicht um all jene Eingriffe in die marktlichen Abläufe, die distributive Ziele verfolgen wie z.B. die Wohnungsbauförderung, Einkommens- oder Familienpolitik.

6.4.1 Geschichtliche Grundlagen der Sozialsicherung

Die Entwicklung des deutschen Sozialversicherungssystems ist untrennbar mit dem Namen BISMARCK verbunden: Es war der deutsche Reichskanzler OTTO VON BIS-

MARCK, der in den achtziger Jahren des neunzehnten Jahrhunderts die Grund- und Finanzierungsprinzipien des bis heute gültigen Sozialversicherungssystems formte – weshalb auch vom Bismarck-System des Sozialstaates gesprochen wird.Die ‚soziale oder Arbeiterfrage' ist also eine historische Begleiterscheinung des ökonomischen Strukturwandels, der als Industrialisierung beschrieben wird. Vorher ruhte die soziale Sicherung im Wesentlichen auf familialen, zünftisch organisierten und geringfügigen kommunalen (Armenfürsorge) Stützen bzw. Netzwerken. Bevor sich allerdings der Staat der sozialen Sicherung zuwandte, waren es zunächst die sich zahlreich gründenden **Gewerkschaften** und **Arbeitervereine**, die die soziale Sicherung auf Basis privater Initiative (Sicherungskassen und Unterstützungsvereine) – allerdings nicht mit Gewinnabsichten, sondern als ‚Seitenzahlungen' (Anreiz) zur Überwindung des Trittbrettfahrerproblems kollektiver Akteure – mit dem Ziel der inneren Solidarität organisierten (vgl. Mottek 1964: 245ff.). Mit dem gesellschaftlichen Strukturwandel, der den Industrialisierungsprozess begleitete – von im wesentlichen landwirtschaftlicher Produktion mit ihrer bäuerlichen Selbständigkeit in Dorfgemeinschaften bzw. feudaler Abhängigkeit in Gutswirtschaften hin zur industriellen Produktion mit ‚doppelt freien Lohnarbeitern' und zunehmender Proletarisierung –, entstand nicht nur ein Arbeits-Markt und Arbeit wurde zu einer einkommenstiftenden Ware (Lohnarbeit). Es erhöhte sich die Einsicht der Politik, dass neue Formen der sozialen Sicherung an die Stelle der alten familialen und feudalen Unterstützung treten mussten. Nur wenn den in der Landwirtschaft ‚befreiten' Lohnarbeitern die existenzielle Sorge der Daseinsvorsorge genommen wurde, war ein reibungsloser Industrialisierungsprozess denkbar, konnte die ‚innere Landnahme' (vgl. Lutz 1984) für den sich herausbildenden Industriekapitalismus gelingen. Gleichzeitig schuf der Prozess der Industrialisierung die notwendige (allerdings nicht hinreichende) Voraussetzung für die kollektive Sicherung von Lebensrisiken: Mit der zunehmenden **Homogenisierung** der industriell geprägten Lebensverhältnisse wurden massenhaft vergleichbare, nicht länger individualisierte (gleichwohl noch individuelle) Risiken (Arbeitslosigkeit, Krankheit, Invalidität) geschaffen, die die Voraussetzung für eine kollektive (solidarische) Versicherung sind.Der Kanzler des neu gegründeten Deutschen Reiches – OTTO VON BISMARCK – hatte außerdem frühzeitig erkannt, nachdem er die patriarchalische, betriebliche Sozialpolitik der Gründerzeit-Industriekapitäne Siemens, Borsig oder Krupp kennengelernt hatte, dass eine obrigkeitsstaatliche Fürsorge pazifizierende Funktionen erfüllen kann. Die Grundzüge des deutschen Sozialversicherungssystems basieren also auf der als ‚Zuckerbrot und Peitsche' bekannt gewordenen Doppelstrategie zur Stabilisierung des restfeudalen deutschen Kaisertums am Ende des 19. Jahrhunderts:

- Mit dem Verbot der aufstrebenden deutschen Sozialdemokratie (‚Sozialistengesetze') sollte der revolutionäre Impetus der zunehmend stärker thematisierten ‚Arbeiterfrage' gebrochen werden.
- Mit der Hofierung der als weniger revolutionär eingeschätzten Gewerkschaften und der Grundlegung der Sozialversicherung sollte die deutsche Arbeiterschaft für das neu gegründete Deutsche Reich eingenommen und zu Loyalität verpflichtet werden.

In der Entstehung des deutschen Sozialstaates zeigt sich also gleichzeitig eine **teleologische** – die politische Stabilisierung des Staates – wie **funktionale** – die Verringerung von Anpassungskosten im Strukturwandel – Orientierung der Sozialpolitik. Abb. 6.35 macht allerdings klar, dass die Höhe der sozialen Sicherung zunächst auf äußerst geringem Niveau – als Anteil an der Wertschöpfungskraft der Volkswirtschaft – begann und erst in der Bundesrepublik Deutschland nach dem 2. Weltkrieg ein Niveau erreicht hat, das den Terminus ,Wohlfahrtsstaat' rechtfertigt.

Abbildung 6.35: Entwicklung des Wohlfahrtsstaat Deutschland

	1870-1874[1]	1910-1913[1]	1925-1929[1]	1997
Sozial-leistungsquote	4,2	7,8	12,7	27,9

Anmerkungen: 1: Durchschnittliche Sozialausgaben am Nettosozialprodukt   Quelle: Mottek 1964: 142 und Stat. Jahrbuch des Auslands 2000

Schließlich gibt Abb. 6.36 Auskunft über einige Meilensteine der sozialpolitischen Entwicklung:

Abbildung 6.36: Zeittafel wichtiger sozialpolitischer Regulierung

1842	Erste gesetzliche Reglung zur Armenhilfe in Preußen
1883	Gesetz betreffend die Krankenversicherung der Arbeiter
1884	Unfallversicherungsgesetz
1889	Gesetz betreffend die Invaliditäts- und Alterssicherung
1911	Sozialversicherung für Angestellte; Reichsversicherungsordnung (RVO)
1927	Gesetz über Arbeitsvermittlung und Arbeitslosenversicherung
1938	Gesetz über die Alterversorgung für das deutsche Handwerk
1957	Neuregelungsgesetz der Rentenversicherung (Generationenvertrag)

Quelle: Bäcker et al. 2000: 28f.

6.4.2 Grund-, Ordnungs- und Gestaltungsprinzipien der sozialen Sicherung

Die bereits benannten Lebensrisiken Armut, Arbeitslosigkeit, Krankheit, Invalidität und Alter bilden die sozialpolitische Basis unseres Handlungsfeldes ,soziale Sicherung' – massenhaft vergleichbare Wechselfälle des Lebens bilden die versicherungstechnische Grundlage der Sozialpolitik, die bei klar bestimmten, durch die Individuen nicht selbst herbeigeführten (und deshalb nicht selbst verantworteten[106]) Ereignissen die individuelle Einkommenserzielung sicher stellt. Hierfür treten die Arbeitslosen-, die Kranken-, Unfall- und die Rentenversicherung ein, die in ihrer Gesamtheit das System der Sozialversicherung beschreiben. Die Sicherung des Existenzminimums als Schutz gegen Armut fällt aus diesem Grundprinzip heraus, weil es quasi als Gegenpol zur Sozialversicherung – in der Leistung (Beiträge) gegen Gegenleistung (Ansprüche) steht – die Funktion der Grundsicherung übernimmt, die jedem Bürger zusteht (vgl. Bäcker et al. 2000: 203).

---

[106] Diese Einschränkung ist wichtig, weil sonst das bereits bekannte ,moral-hazard-Problem' virulent wird: der Versicherte hätte kein Interesse mehr, den Eintritt des Versicherungsereignisses zu verhindern. Allerdings erscheint diese Problematik allenfalls für die Lebensrisiken Armut und Arbeitslosigkeit grundsätzlich denkbar, nicht aber bei Krankheit, Invalidität oder gar Alter.

Abbildung 6.37: Träger der Sozialversicherung

Sozialrechtsbereich	Träger	Leistungen
Gesetzliche Rentenversicherung	Bundesversicherungsanstalt für Angestellte, Landesversicherungsanstalten, Seekasse, Bundesknappschaft	Rente wegen Alters, Rente wegen verminderter Erwerbsfähigkeit, Rente wegen Todes
Gesetzliche Krankenversicherung	Gesetzliche Krankenkassen	Krankengeld, Mutterschaftsgeld
Gesetzliche Unfallversicherung	Berufsgenossenschaften	Verletztengeld, Übergangsgeld, Unfallrente, Hinterbliebenenrente
Arbeitslosenversicherung[1]	Bundesagentur für Arbeit, Arbeitsämter	Arbeitslosengeld, Arbeitslosenhilfe
Sozialhilfe[1]	Sozialämter	Hilfe zum Lebensunterhalt

[1] Mit den sog. Hartz-Gesetzen wird ab 2005 die Arbeitslosenhilfe und die Sozialhilfe zum ,Arbeitslosengeld II' zusammengelegt
Quelle: Bäcker et al. 2000: 182

Wie bereits beschrieben kann die Leistungsgewährung funktional oder teleologisch begründet werden. Bei funktionaler Orientierung steht die **Funktionsfähigkeit** der ökonomischen Basis im Zentrum der Überlegungen – es geht also um die Beseitigung allokativer Mängel –, bei teleologischer Orientierung ist die Korrektur festgelegter (Markt-)Geschehnisse, die als **Benachteiligungen** verstanden (gesellschaftlich definiert) werden, zentral. Hiermit erhält Sozialpolitik und das System der sozialen Sicherung einen eigenständigen Stellenwert, muss sich allerdings auch mit der Kritik auseinander setzen, dass sie zur eigenständigen Ursache für allokative Mängel (Marktfehler) wird. Häufig wird das Sozialversicherungssystem für Arbeitslosigkeit (zu hohe Brutto-Löhne wegen zu hoher Lohnnebenkosten oder wegen zu hoher Lohnersatzleistungen), Wachstums- (,Es kann nur verteilt werden, was vorher erwirtschaftet wurde') oder Wettbewerbsschwächen (je nach der Finanzierung kann es zu einer unterschiedlichen Belastung der Unternehmen mit ,Sozialkosten' kommen) verantwortlich gemacht und entsprechende Reformen angemahnt.

Viel zu selten wird die sehr grundlegende Frage nach den Ordnungsprinzipien der sozialen Sicherung gestellt[107]: Soll die soziale Sicherung als privates Gut betrachtet werden und deshalb dem Individualprinzip folgen oder stellt die soziale Sicherung ein Kollektiv- oder öffentliches Gut dar und unterliegt folglich dem Sozial- oder Solidarprinzip? Obwohl sich moderne Wohlfahrtsgesellschaften zweifellos konstitutiv dadurch auszeichnen, dass die Sozialversicherung als kollektive Aufgabe verstanden wird und – wie wir bereits gesehen haben – das Sozialstaatsprinzip zumindest im Grundgesetz der Bundesrepublik gar Verfassungsrang einnimmt, muss dennoch – vor allem auch mit Blick auf die gegenwärtigen Diskussionen – grundlegend geprüft werden, warum überhaupt vom – für eine marktwirtschaftlich orientierte Gesellschaft grundlegenden – Individualprinzip abgegangen werden sollte.

---

[107] So findet sich z.B. im Lehrbuch von Bäcker et al. (2000) keinerlei Erörterung dieser Fragestellung.

Abbildung 6.38: Grundprinzipien der sozialen Sicherung

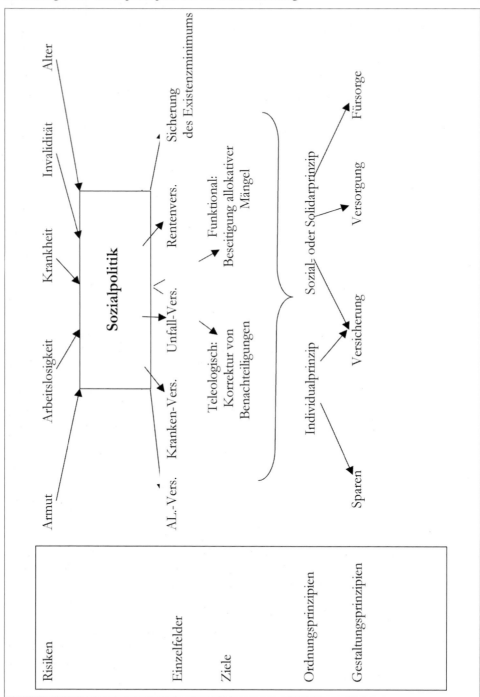

Öffentliche Güter, so hatten wir gesehen (vgl. Kap. 3.1), zeichnen sich durch die **Nicht-Rivalität im Konsum** und die **Nicht-Ausschlussfähigkeit** aus. Für soziale Sicherung aber – egal ob Kranken-, Arbeitslosen-, Alters- oder Invaliditätsversicherung – besteht zweifellos sowohl die Möglichkeit der Ausschlussfähigkeit (indem Individuum A versichert ist, tritt die Versicherung nicht gleichermaßen für Individuum B ein) als auch grundsätzlich Rivalität im Konsum (die für Individuum A zur Verfügung gestellten Mittel stehen für Individuum B nicht mehr zur Verfügung): Damit ist zunächst klar, dass die soziale Sicherung kein **reines öffentliches Gut** darstellt. Dies heißt aber noch nicht, dass das Individualprinzip deshalb automatisch greifen muss. Eine ganze Reihe von Gründen lässt Marktfehler bei der privaten Herstellung des Gutes ‚soziale Sicherung' erwarten:

- Sollte keine Zugangsbeschränkung zum Produkt ‚soziale Sicherung' bestehen, entstehen Größenvorteile durch das Poolen von Risiken – Wettbewerbsbeschränkungen sind deshalb zu erwarten.
- Bestehen hingegen Zugangsbeschränkungen – d.h. der Produzent kann sich seine Kunden frei wählen – , dann ergeben sich Auswirkungen, die wesentlich davon abhängen, wie die Informationsverteilung aussieht:
  - ohne Informationsasymmetrien zwischen Versicherer und Versichertem kommt es zu einer individuellen Differenzierung der Preise (Prämien) nach dem Äquivalenzprinzip. Damit werden aber Menschen für etwas belastet, wofür sie im Zweifel (z.B. bei Krankheit, Invalidität, unfreiwillige Arbeitslosigkeit) gar nichts können.
  - bei Existenz von Informationsasymmetrien (der Versicherte weiß besser über seine Situation bescheid als der Versicherer) besteht die Gefahr der ‚adversen Selektion' (hohe Risiken verdrängen geringe Risiken) mit der Folge einer Unterversorgung.
- Soziale Sicherheit zeigt externe Effekte (z.B. politische Stabilität oder Vermeidung von Reibungsverlusten im Prozess des strukturellen und technologischen Wandels), die nicht notwendigerweise den Zahlern (Versicherten) zugute kommen (z.B. Unternehmen, Selbständige).

Sollte soziale Sicherung also auf privaten Märkten individuell bereitgestellt werden, ist ein Marktversagen nicht auszuschließen. Als weitere Gründe für eine **Meritorisierung** (also die Deklaration eines privaten oder Mischgutes zum öffentlichen Gut) können angeführt werden:

- Bezieher niedriger Einkommen können sich keine oder zumindest nicht im ausreichenden Maße ‚soziale Sicherheit' leisten und wären folglich auf Armenfürsorge, großbürgerliche Barmherzigkeit oder tradierte Familiennetzwerke angewiesen – zweifellos eine atavistische Vorstellung jenseits des selbstverantwortlichen, mündigen Bürgers.
- Menschen haben eine systematisch verzerrte Wahrnehmung zulasten künftiger Ereignisse, d.h. die soziale Sicherung als Befriedigung künftiger Bedürfnisse wird systematisch unterversorgt. Dies kann zwar als Eigenverschulden der Individuen abgetan werden und impliziert noch keinen Kollektivgutcharakter, legt allerdings die ‚Zwangsversorgung' nahe.

Zusammenfassend kann also gesagt werden, dass eine kollektive, soziale Sicherung zwar **notwendig** ist, gleichzeitig aber das exakte **Ausmaß** der Sozialpolitik – sollen z.B. nur lebenserhaltende Operationen oder auch Schönheitsoperationen abgedeckt werden, soll es Wahlmöglichkeiten zwischen verschiedenen Sicherungsstufen geben? – nicht wissenschaftlich bestimmt werden kann, sondern es bedarf der **normativen** Zielsetzung. Damit wird Sozialpolitik ganz wesentlich durch gesellschaftliche Wertvorstellungen und Leitbilder determiniert, deren Formung zwischen verschiedenen gesellschaftlichen Gruppen (solchen, die sich beispielsweise eher als Netto-Zahler und solchen, die sich eher als Netto-Empfänger sehen) umkämpft ist – dies gehört zum (Wirtschafts-)Politikgeschäft.

Das unterschiedliche Ausmaß der sozialen Sicherung zeigt sich auch in den verschiedenen Gestaltungsprinzipien (vgl. Abb. 6.39): Während dem Individualprinzip einerseits die Möglichkeit des ganz persönlichen Sparens, andererseits der gegenseitigen privaten Versicherung zur Verfügung steht, kennt das Sozial- bzw. Solidarprinzip die kollektive (Sozial-)Versicherungsform, das Vorsorge- und Fürsorgeprinzip. Das **Fürsorgeprinzip** setzt auf komplementäre Eigenleistungen, die nachrangig (Subsidiarität) nur bei individueller Bedürftigkeit, häufig ohne festen Rechtsanspruch und durch aus dem allgemeinen Steueraufkommen finanzierte staatliche Leistungen ersetzt werden dürfen – Fürsorge als letztes soziales Fangnetz.

Abbildung 6.39: Gestaltungsprinzipien

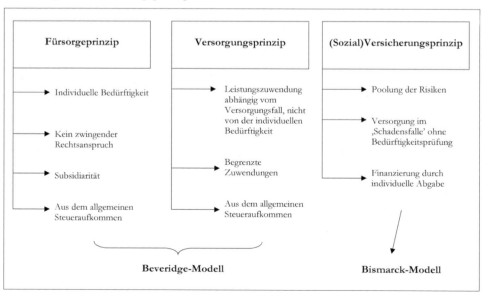

Das **Versorgungsprinzip** definiert statt der individuellen Bedürftigkeit den genau bestimmten Versorgungsfall, in dem begrenzte Leistungszuwendungen eine ebenfalls aus dem allgemeinen Steueraufkommen finanzierte Sicherung ermöglicht. Das **(Sozial-)Versicherungsprinzip** schließlich tritt bei Auftreten eines festgelegten ‚Schadensfalls' unabhängig von der individuellen Bedürftigkeit ein und schafft durch Risikopoolung die Möglichkeit zur solidarischen Lastenverteilung. Da andererseits die Finanzierung durch individuelle Abgaben sichergestellt wird, können gleichzeitig auch Elemente des Äquivalenzprinzips (Identität von Zahlern und Nutzern) durchgesetzt werden. Während das Fürsorge- und Versorgungsprinzip also auf staatliche Sozialsicherung setzen, die Nutzer und Zahler ausdrücklich in keinen direkten Zusammenhang bringen, stellt das Sozialversicherungsprinzip diese Verbindung ausdrücklich her. Das Sozialversicherungsprinzip wird auch als **Bismarck-Modell** bezeichnet, während Fürsorge- und Versorgungsprinzip dem **Beveridge-Modell** entsprechen.

Nirgendwo sind diese Modelle in vollkommener Reinheit umgesetzt, vielmehr haben sich Mischformen etabliert, die sich allerdings durchaus dem einen oder anderen Modell zuordnen lassen (vgl. Abb. 6. 40). In der Bundesrepublik ist beispielsweise die Sozialhilfe als Sicherung des Existenzminimums nach dem Fürsorgeprinzip, das Kindergeld nach dem Versorgungsprinzip und die Kernelement der sozialen Sicherung nach dem Sozialversicherungsprinzip organisiert.

Abbildung 6. 40: Systemmerkmale verschiedener Wohlfahrtstypen in der EU

	Bismarck-Typ		Beveridge-Typ	
	Kontinental-europäisches Modell	Südeuropäisches Model	Angelsächsisches Modell	Skandinavisches Modell
Leistungs-kennzeichen	Einkommens-abhängiges Versicherungs-prinzip	Mischung aus Versicherungs- und Versorgungs-prinzip	Bedürfnis-orientiertes Fürsorgeprinzip	Hochausgestatte-tes Versorgungs-prinzip
Finanzierung	Abgaben	Abgaben und Steuern	Steuern	Steuern
Sozialleistungs-quote	28 – 30 % des BIP	15 – 20 % des BIP	20 – 25 % des BIP	30 – 40 % des BIP
Länder	Deutschland, Frankreich, Österreich, Belgien, Luxemburg, Holland	Griechenland, Spanien, Portugal	Großbritannien, Irland	Schweden, Finnland, Dänemark

Quelle: Heise (2003: 41)

6.4.3 Herausforderungen

Wie wir bereits gesehen haben, ist das genaue Ausmaß sozialer Sicherung beständig zwischen verschiedenen Gesellschaftsgruppen umkämpft – ihre Legitimation also ständig gefährdet. Zu diesen inhärenten Herausforderungen gesellen sich aber auch ‚externe' Herausforderungen, die sich aus der Dynamik unserer Gesellschaften und Ökonomien ergeben. An dieser Stelle sollen diese Herausforderungen nur benannt und beschrieben (vgl. z.B. Butterwegge 2001; Heinze/Schmid/Strünck 1999), aber keine Wertungen oder gar Lösungsvorschläge gemacht werden – dies würde dem Anliegen dieses Buches – ein Lehrbuch zu sein – widersprechen.

1. Die erste Herausforderung der sozialen Sicherung liegt in der zunehmenden **Alterung** der modernen Gesellschaften: Kamen im Jahr 1990 auf 100 Angehörige der arbeitenden, wertschöpfenden Generation 37 ‚junge' und 35 ‚alte' Menschen (also Menschen, die noch nichts oder nicht mehr zur Wertschöpfung beitragen, gleichwohl oder gar in besonderem Maße Empfänger von Leistungen der Sozialpolitik sind)[108], so erhöhten sich diese Zahlen im Jahr 2000 bereits auf 39 ‚junge' und 43 ‚alte' Menschen. Bei einer Fortschreibung gegenwärtiger Geburtentrends könnte sich diese Verhältnis im Jahr 2030 auf 100 : 36 : 73 verschoben haben. Bei unveränderter Leistungsgewährung steigt also die Finanzierungslast der ‚arbeitenden' Generation, wenn nicht ganz besondere Annahmen über die künftige Produktivitätsentwicklung und die Kostenentwicklung der Sozialsysteme unterstellt werden sollen.

2. Die Arbeitsgesellschaft unterliegt einem permanenten Wandel: Einerseits werden massenhafte, homogene Industriearbeitsplätze zugunsten **differenzierterer Dienstleistungsjobs** verdrängt, andererseits sinkt der Anteil des so genannten ‚**Normalarbeitsverhältnisses**' beständig. Waren im Jahr 1970 etwa 83% aller Erwerbstätigen in unbefristeten Vollzeitarbeitsverhältnissen mit regelmäßiger Wochenarbeitszeit beschäftigt, so waren es im Jahr 1995 nur noch etwa 68%. Entsprechend hat sich der Anteil so genannter ‚prekärer' Arbeitsverhältnisse – z.B. geringfügig oder befristet Beschäftigte, Teilzeitbeschäftigte oder Scheinselbstständige von 16% im Jahr 1970 auf 32% 1995 verdoppelt. Da das abgabenfinanzierte Bismarck-Modell der sozialen Sicherung hauptsächlich am ‚Normalarbeitsverhältnis' ansetzt, gerät zumindest dieser Wohlfahrtstyp von der Finanzierungsseite unter Druck. Und mit der zunehmenden Heterogenisierung der Arbeits- und Lebensverhältnisse bröckelt gleichzeitig die Grundlage für kollektive Sicherung.

3. **Globalisierung und europäische Integration** zwingen nicht nur Produkte und Unternehmen in Konkurrenz zueinander, sondern auch deren Produktionsstandorte. Ganz offensichtlich ist es im Bismarck-Modell des Wohlfahrtsstaates, dass die Kosten der sozialen Sicherung, die über Abgaben von den Produktionsfaktoren getragen werden, die internationale Wettbewerbsfähigkeit eines Produktionsstandortes berühren kann, wenn Wechselkursänderungen Lohnstückkostenunterschiede nicht mehr ausgleichen können – dies gilt zumindest innerhalb eines einheitlichen Währungsraumes (wie der Europäischen Währungsunion). Damit

---

[108] Mit ‚junge' Menschen sind nach Abgrenzung der Erwerbspersonen alle Menschen unter 15 Jahren, mit ‚alten' Menschen jene über 65 Jahren gemeint.

tritt ein negativer externer Effekt der sozialen Sicherung auf, der zu einer Unterversorgung und, wenn es nicht zu einer Harmonisierung der Sozialpolitik – wie im ‚europäischen Modell' – kommt, sogar zu einem sozialpolitischen Dumping führen kann (vgl. Bäcker et al. 2000: 95).

Literatur zu Kapitel 6

Akerlof, G.A., Dickens, W.T., Perry, G.I.; The Macroeconomics of Low Inflation; in: Brookings Papers on Economic Activity, No.1, 1996, S. 1-76

Alesina, A., Perotti, R., Tavares, J.; The Political Economy of Fiscal Adjustments; in: Brookings Papers on Economic Activity, No.1, 1998, S. 197 – 266

Andersen, T.M.; Can Inflation be too low?; Kyklos, Vol. 54, Fasc.4, 2001, S. 591 – 602

Bäcker, G. et al.; Sozialpolitik und soziale Lage in Deutschland, Wiesbaden 2000

Berthold, N.; Arbeitslosigkeit in Europa – Ein schwer lösbares Problem? in: Kantzenbach, E., Meyer, O.G. (Hrsg.); Beschäftigungsentwicklung und Arbeitsmarktpolitik – Schriften des Vereins für Socialpolitik, Bd. 219, Berlin 1992, S. 51 – 87

Bongartz, Th., Gröhnke, K.; Soziale Isolation bei Langzeitarbeitslosen? Eine netzwerkanalytische Betrachtung; in: Klein, G., Strasser, H. (Hrsg.); Schwer vermittelbar. Zur Theorie und Empirie der Langzeitarbeitslosigkeit, Opladen 1997, S. 197 – 219

Buchanan, J. M., Wagner, R. E.; Democracy in Deficit. The Political Legacy of Lord Keynes, New York 1977

Butterwegge, Chr.; Wohlfahrtsstaat im Wandel. Probleme und Perspektiven der Sozialpolitik, Opladen 2001

Donges, J., Schmidt, K.-D. et al.; Mehr Strukturwandel für Wachstum und Beschäftigung, Tübingen 1988

Eeckhof, J.; Die Wirtschaftspolitik der neunziger Jahre; in: Orientierungen zur Wirtschafts- und Gesellschaftspolitik, Nr. 59, 1994

Fourastié, J.; Die große Hoffnung des 20. Jahrhunderts, Köln 1969

Friedman, M.; The Role of Monetary Policy; in: American Economic Review, Vol. 58, 1968, S. 1 – 17

Funk, L.; Labour Market Dynamics in Western Europe and the USA; in: Filc, W., Köhler, C. (Hrsg.); Macroeconomic Causes of Unemployment: Diagnosis and Policy Recommendations, Berlin 1999, S.189 – 225

Görgens, E., Ruckriegel, K., Seitz, F.; Europäische Geldpolitik. Theorie-Empirie-Praxis, Düsseldorf 2001 (2. Aufl.)

Gordon, R.J.; What is new-Keynesian economics?; in: Journal of Economic Literatur, Vol. 28, 1990, S. 1115 – 1171

Gosh, A., Phillips, St.; Warning: Inflation May Be Harmful to Your Growth, IMF Staff Papers, Vol. 45, No.4, 1998, S. 672 – 710

Hagemann, H., Kalmbach P. (Hrsg.); Technischer Fortschritt und Arbeitslosigkeit, Frankfurt 1983

Hein, E.; Geldpolitik und Lohnverhandlungssysteme in der EWU; in: Heise, A. (Hrsg.); Neues Geld – alte Geldpolitik? Die EZB im makroökonomischen Interaktionsraum, Marburg 2002, S. 199 – 227

Heinze, R.G., Schmid, J., Strünck, Chr.; Vom Wohlfahrtsstaat zum Wettbewerbsstaat. Arbeitsmarkt- und Sozialpolitik in den 90er Jahren, Opladen 1999

Heise, A.; New Politics. Integrative Wirtschaftspolitik für das 21. Jahrhundert, Münster 2001

Heise, A.; Postkeynesianische Finanzpolitik zwischen Gestaltungsoptionen und Steuerungsgrenzen; in: Prokla – Zeitschrift für kritische Sozialwissenschaft, 31. Jg., Nr.2, 2001a, S. 269 – 284

Heise, A.; Postkeynesianische Beschäftigungstheorie. Einige prinzipielle Überlegungen; in: WiSt – Wirtschaftswissenschaftliches Studium, 31. Jg., H.12, 2002a, S. 682 – 686

Heise, A.; Dreiste Elite. Zur Politischen Ökonomie der Modernisierung, Hamburg 2003

Jeck, A., Kurz, H.-D.; David Ricardo: Ansichten zur Maschinerie; in: Hagemann, H., Kalmbach P. (Hrsg.); Technischer Fortschritt und Arbeitslosigkeit, Frankfurt 1983, S. 38 – 166

Jerger, J.; NAIRU – Theorie, Empirie und Politik; in: Hein, E., Heise, A., Truger, A. (Hrsg.); Neukeynesianismus – ein neuer wirtschaftspolitischer Mainstream?, Marburg 2003, S. 55 – 84

Josten, S.D.; Das Theorem der Staatsschuldenneutralität – Eine kritisch-systematische Rekonstruktion; in: Jahrbuch für Wirtschaftswissenschaften, Vol. 53, 2002, S. 180 – 209

Kalmbach, P., Kurz, H.-D.; Chips & Jobs. Zu den Beschäftigungswirkungen programmgesteuerter Arbeitsmittel, Marburg 1992

Keynes, J.M.; Allgemeine Theorie der Beschäftigung, des Zinses und des Geldes, Berlin 1936 (5. Aufl. 1974)

Keynes, J.M.; The long-term problem of full employment (1943); in: Collected Writings of John Maynard Keynes, herausg. von D. Moggridge, Vol. 27, London 1980, S. 320 – 325

Klein, G., Strasser, H. (Hrsg.); Schwer vermittelbar. Zur Theorie und Empirie der Langzeitarbeitslosigkeit, Opladen 1997

Landmann, O., Jerger, J.; Beschäftigungstheorie, Berlin u.a. 1999

Lederer, E.; Technischer Fortschritt und Arbeitslosigkeit, Tübingen 1938 (Neuauflage: Frankfurt 1981)

Lehment, H.; Lohnzurückhaltung, Arbeitszeitverkürzung und Beschäftigung. Eine empirische Untersuchung für die BRD 1973 – 1990; in: Die Weltwirtschaft, H. 3, 1991, S. 72 – 85

Lehment, H.; Bedingungen für einen kräftigen Beschäftigungsanstieg in der BRD; in: Die Weltwirtschaft, H. 3, 1993, S. 302 – 310

Lutz, B.; Der kurze Traum der immerwährenden Prosperität, Frankfurt 1984

Meidner, R., Hedborg, A; Modell Schweden. Erfahrungen einer Wohlfahrtsgesellschaft, Frankfurt 1984

Meißner, W., Fassing, W.; Wirtschaftsstruktur und Strukturpolitik, München 1989

Mottek, H.; Wirtschaftsgeschichte Deutschlands – Ein Grundriss, Bd. II, Berlin 1964

Obinger, H.; Die Politische Ökonomie des Wirtschaftswachstums; in: Obinger, H., Wagschal, U., Kittel, B. (Hrsg.); Politische Ökonomie, Opladen 2003, S. 113 – 150

Pfahler, Th.; Hysteresis am Arbeitsmarkt in der Bundesrepublik Deutschland, Fuchsstadt 1994

Riese, H.; Theorie der Inflation, Tübingen 1986

Roubini, N., Sachs, J.; Political and Economic Determinants of Budget Deficits in the Industrial Democracies, NBER Working Paper No. 2682, Cambridge (Mass.) 1988

Schettkat, R.; Appelbaum, E.; The Importance of Labor Market Institutions for Economic Development; in: Gerlach, K., Schettkat, R. (Hrsg.); Beiträge zur neukeynesianischen Makroökonomie, Berlin 1996, S. 135 – 155

Schröder, W.; 'Moderate Inflation' – Sand oder 'grease' im Getriebe der Realökonomie?; in: Heise, A. (Hrsg.); Neues Geld – alte Geldpolitik? Die EZB im makroökonomischen Interaktionsraum, Marburg 2002, S. 125 – 156

Schweer, Th.; Entstehungs- und Verlaufsformen von Alkoholkarrieren Arbeitsloser: Eine quantitative Studie; in: Klein, G., Strasser, H. (Hrsg.); Schwer vermittelbar. Zur Theorie und Empirie der Langzeitarbeitslosigkeit, Opladen 1997, S. 221 – 248

Slater, W.E.G.; Productivity and Technical Change, Cambridge 1960

Soskice, D.; Wage Determination: The Changing Role of Institutions in Advanced Industrialised Countries; in: Oxford Review of Economic Policy, Vol. 6, No.4, 1990, S. 36ff.

Soskice, D.; Macroeconomic Analysis and the Political Economy of Unemployment; in: Iversen, T., Pontusson, J., Soskice, D. (Hrsg.); Unions, Employers, and Central Banks, Cambridge 2000, S. 38 – 75

Stiglitz, J.E.; On the Relevance or Irrelevance of Public Financial Policy; in: Arrow, K.J., Boskin, M.J. (Hrsg.); The Economics of Public Debt, London 1988, S. 41 – 76

Vaubel, R.; Möglichkeiten einer erfolgreichen Beschäftigungspolitik; in: Scherf, H. (Hrsg.); Beschäftigungsprobleme hochentwickelter Volkswirtschaften, Schriften des Vereins für Socialpolitik, Bd. 178, Berlin 1989, S. 17 – 36

von der Vring, Th.; Arbeitsangebot und Arbeitsnachfrage, Hamburg 1999

Wagschal, U.; Staatsverschuldung. Ursachen im internationalen Vergleich, Opladen 1996

Woldendorp, J., Keman, H., Budge, I.; Party Governments in 48 Democracies, Dordrecht/Boston/London 2000

Wyplosz, Ch.; Do We Know How Low Should Inflation Be?, CEPR Discussion Paper No. 2722, London 2001

7. Institutionelle und instrumentelle Ausgestaltung der Wirtschaftspolitik: die Polity-Ebene

Lernziele:

1. Wirtschaftspolitisch sinnvolle Ziele müssen widerspruchsfrei formulierbar sein.
2. Stimmt die Anzahl der Instrumente und der unabhängigen Ziele nicht überein, kommt es entweder zu Zielkonflikten oder einem Optimierungszwang.
3. Es kann aus Sicht der Wirtschaftspolitik durchaus rational sein, einen angekündigten Instrumenteneinsatz nicht zu vollziehen.
4. Unabhängige Akteure und Handlungsinterdependenzen schaffen einen Kooperationszwang, der nur bei ausreichender Institutionalisierung erfüllt werden kann.
5. Die Wirtschaftspolitik verfügt durchaus über Mittel der Gestaltbarkeit, muss gleichwohl die Grenzen der Machbarkeit anerkennen.

Ging es bislang um die Bestimmung der Ziele, der Konzepte und Orientierungen der Wirtschaftspolitik, so beschäftigen wir uns in diesem Kapitel mit deren instrumentellen und institutionellen Umsetzung; mit dem **Handwerkskasten** der Wirtschaftspolitik sozusagen.

Dabei wird schnell deutlich, dass wirtschaftspolitische Zielsetzungen nur dann sinnvoll sein können, wenn dem wirtschaftspolitischen Akteur auch die Mittel an die Hand gegeben werden, die gesteckten Ziele zu erreichen. Was wie eine Banalität klingt, wird in der wirtschaftspolitischen Praxis durchaus nicht immer und überall beachtet – schon allein, weil Wirtschaftspolitik ein Teil des politischen Prozesses ist und eben nicht nur eine interessenfreie, administrative Tätigkeit. Da der Grad der tatsächlichen Zielerreichung allenfalls eine untergeordnete Rolle bei der Bestimmung der Wiederwahlchancen einer Regierung – als dem wichtigsten politischen Ziel des (wirtschafts-)politischen Akteurs – spielt (vgl. Kitschelt 1994: 67ff.), ist es durchaus vorstellbar, Ziele und Instrumente getrennt von einander zu denken – dies wird uns in Kapitel 8 (der Politics-Ebene) noch näher beschäftigen. Als Grundannahme der **Polity-Ebene** gilt, dass vorgegebene Ziele erreichbar sein sollen.

7.1 Ziele, Zielbeziehungen und Zielkonflikte

Die 60er und 70er Jahre des letzten Jahrhunderts können als die Hochzeit der der ‚Polity-Analyse' angesehen werden, denn angesichts der weitgehenden Einheitlichkeit des theoretischen Rahmens zu Zeiten des ‚Keynesianischen Konsens' schien die Erfüllung jeglicher Zielwünsche nur eine Frage des richtigen Instrumenteneinsatzes zu sein: teleologische **Ziel-Mittel-Systeme** standen im Mittelpunkt des Erkenntnisinteresses, Wirtschaftspolitik wurde zur planerischen ‚Soziotechnik'[109]. Hat-

---

[109] Vgl. z.B. Dahl/Lindblom (1963), Tinbergen (1964), Tinbergen (1954), Tuchtfeldt (1971). Teilweise wurde bereits von gesamtwirtschaftlicher Kybernetik geträumt: Vgl. z.B. Lange (1970), Kade/Ipsen/Hujer (1968) oder Brauchthäuser/Hauske/Heine (1971).

te uns in den vorangegangenen Kapiteln die Auswahl bzw. Bestimmung der Ziele und die Auswahl und Bestimmung der Instrumente auf der Grundlage verschiedener Theorien vordringlich interessiert, so fragen wir jetzt nach den Kennzeichen und Merkmalen der Ziele und Instrumente.

Das Arrow'sche Unmöglichkeitstheorem hatte uns verdeutlicht, das eine gesamtgesellschaftliche Wohlfahrtsfunktion nicht unter allen Umständen bestimmbar ist. Das Arrow-Paradoxon erläutert darüber hinaus die Probleme bei der Bestimmung stabiler Wahlmehrheiten. Eckstein (1961) spricht sich deshalb für eine ‚bescheidene Zielfunktion‘ aus, die sich auf einige, allgemein akzeptierte Zielvariablen konzentriert und damit (s. Kap. 2.2.2) bei großer Anzahl von Gesellschaftsmitgliedern und kleiner Anzahl von Zielen die Wahrscheinlichkeit instabiler Wahlmehrheiten verringert. Damit aber sind die möglichen Probleme von Ziel-Mittel-Systemen noch nicht vollständig beschrieben, sie können auch in der Charakteristik der Ziele bzw. der Beziehungen zwischen verschiedenen Zielen selbst begründet liegen. Wir unterscheiden zunächst zwischen vertikalen und horizontalen Zielbeziehungen: (1) **Vertikale Zielbeziehungen** beschreiben Zielhierarchien (Zwischen- und Endziele) und verweisen auf die Möglichkeit, dass (Zwischen-)Ziele auch gleichzeitig Mittel- bzw. Instrumentcharakter für (End-)Ziele haben können. Hier ein kurzes Beispiel: Das Ziel eines ausgeglichenen Haushaltes kann (im neoklassisch-monetaristischen Modell mit rationalen Erwartungen) als Mittel einer Förderung des Wirtschaftswachstums (als Ziel z.B. des Stabilitäts- und Wachstumsgesetzes) verstanden werden. Ziele allerdings tragen normativen Charakter, Mittel bzw. Instrumente müssen wissenschaftlich begründet werden. Häufig genug werden dann, wenn es der politischen Kommunikation hilft (Symbolpolitik), Mittel (Haushaltsausgleich) zu eigenständigen Zielen (um)definiert, die nicht mehr wirklich wissenschaftlich hinterfragt werden, sondern normativen Charakter erhalten. (2) **Horizontale Zielbeziehungen** verweisen darauf, dass Ziele nur im seltenen Idealfall vollkommen unabhängig (independent) von einander verfolgt und verwirklicht werden können, im häufigeren Fall aber Rückwirkungen aufeinander vorliegen (Interdependenzen). Wie lassen sich derartige Interdependenzen erklären und welche Folgen haben sie für die Wirtschaftspolitik? Ausgangspunkt sei ein Instrument I_1, das einem Ziel Z_1 zugeordnet werden kann. Gleichzeitig aber mag das Instrument I_1 auch auf Ziel Z_2 einwirken. Zwei Fälle sind nun denkbar:

Ziel Z_1 und Ziel Z_2 können als **vollkommen abhängig** und deshalb **identisch** betrachtet werden. Nun dürfte der Einsatz des Instruments keine weiteren Schwierigkeiten bei der Verfolgung vollkommen abhängiger Ziele bereiten, allerdings deutet die Zielidentität auch auf eine Tautologie hin. Als Beispiel kann der Abbau von unfreiwilliger Arbeitslosigkeit und die Herstellung von Vollbeschäftigung gelten.

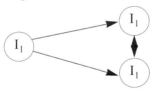

Häufiger dürfte der Fall sein, dass die beiden Ziele nicht identisch sind, es aber Auswirkungen des Instruments I_1 auf beide Ziele feststellbar sind, sie also auch nicht als von einander unabhängig verfolgbar betrachtet werden können. Wirkt der Instrumenteneinsatz von I_1 auf beide Ziele in die gleiche Richtung, dann kann von **Zielkomplementarität oder –harmonie** gesprochen werden – als Beispiel mag hier die im Okun'schen Gesetz[110] festgehaltene Komplementarität von Wirtschaftswachstum und Beschäftigungswachstum dienlich sein. Wirkt der Instrumenteneinsatz hingegen auf beide Ziele in unterschiedliche Richtung, so liegt **Zielkonflikt, -inkompatibilität oder –konkurrenz** vor – der in der Phillipskurve festgehaltene Trade-off zwischen Preisstabilität und Vollbeschäftigung ist vielleicht das bekannteste Beispiel. Im Extremfall, wenn also die Verfolgung des einen Ziels die gleichzeitige Erreichung des anderen Ziels ausschließt, muss gar von **Zielantinomie oder –widersprüchlichkeit** ausgegangen werden. Schließlich lässt sich auch nicht ausschließen, dass Zielbeziehungen in ihrer Zuordnung wechseln können – je nach Ausmaß des Instrumenteneinsatzes. So mag die Konsolidierung der öffentlichen Verschuldung zunächst positive Auswirkungen auf das Wirtschaftswachstum haben, wenn ein nicht-nachhaltiges (strukturelles) Defizit die Ausgangssituation kennzeichnet, während eine weitere Konsolidierung bei dauerhaft ausgeglichenem Haushalt als Wachstumsbremse wirken kann (vgl. Abb. 7.1).

Abbildung 7.1: Zielbeziehungen in der Wirtschaftspolitik

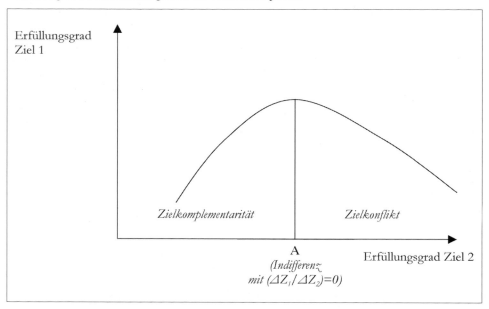

Zielkomplementaritäten und –harmonien sind natürlich des Wirtschaftspolitikers große Hoffnung, Zielkonflikte hingegen die größere analytische, aber auch praktische Herausforderung. Konflikte harren der Befriedung, Zielkonflikte müssen in ir-

---

[110]   Das auf Arthur Okun zurückgehende Gesetz beschreibt einen Zusammenhang von Produktionswachstum und der Veränderung der Arbeitslosenquote bzw. dem Beschäftigungswachstum; vgl. Okun (1971).

gendeiner Weise entschieden werden: (1) Im Falle einer Zielantinomie ist allein die logische Möglichkeit der Verwirklichung aller angestrebten Ziele ausgeschlossen. Von zwei widersprüchlichen Zielen (z.B. Autarkie und Ernte der Früchte der internationalen Arbeitsteilung) muss eines unbedingt aufgegeben werden; (2) im Falle konfligierender Ziele muss ein **Kompromiss** gefunden werden. Tinbergen (1954) weist darauf hin, dass dieser Kompromiss erleichtert wird, wenn der wirtschaftspolitische Akteur unitarisch organisiert ist, also eine einheitliche Präferenzordnung gestaltet werden kann. Ist er hingegen aus unterschiedlichen, eigenständig handelnden Abteilungen (z.B. föderale Ebenen) oder gar quasi-autonomen Akteuren zusammengesetzt, muss ein Kompromiss durch simultanen Austausch von Zugeständnissen (concession bargaining), durch sukzessive Gewährung von Vorteilen zulasten Dritter (log-rolling) oder durch Kooperation gefunden werden – dazu später noch mehr.

7.2 Instrumente und Kriterien des Instrumenteneinsatzes

Bevor wir die Ziel-Mittel-Problematik genauer untersuchen, wollen wir uns einen Moment den Mitteln und Instrumenten zuwenden. In den vorangegangenen Kapiteln hatten wir zwei verschiedene Interventionsbedürfnisse herausgearbeitet: den ordnungspolitischen und den prozesspolitischen Interventionsbedarf. Kennzeichen des ordnungspolitischen Interventionsbedarfs ist der bloß rahmensetzende Eingriff, dessen Instrumente (Gesetze, Regulierungen, Eigentumsrechte, aber auch Informationsbereitstellung, freiwillige Übereinkünfte, etc.) lediglich auf das Verhalten der Wirtschaftssubjekte in einer Art einwirken soll, die ein optimales Allokationsergebnis ermöglicht. Dementsprechend unterliegen die Instrumente der Ordnungspolitik keinem Ressourcenaufwand. Prozesspolitischer Interventionsbedarf hingegen zielt auf einen direkten Steuerungsversuch ökonomischer Zielgrößen (z.B. Finanz- und Fiskalpolitik, Geldpolitik, etc.) durch den (die) wirtschaftspolitischen Akteur(e). Prozesspolitik setzt die Aufbringung und Verwendung von Ressourcen voraus, um stabilitäts- oder verteilungspolitische Ziele zu verwirklichen (vgl. Abb. 7.2)

Abbildung 7.2: Wirtschaftspolitischer Interventionsbedarf

Interventionsbedarf	Instrumente	Funktion
Ordnungspolitik	Instrumente zur Verhaltensbeeinflussung	Allokation
Prozesspolitik	Instrumente mit direkter Zielwirkung	Stabilisierung, Distribution

Die relative Bedeutung von Prozess- und Ordnungspolitik hängt wesentlich vom zugrunde liegenden Paradigma ab. Für die Betrachtungen auf der Polity-Ebene ist gewiss die eingriffsintensivere Prozesspolitik und mithin die Instrumente mit direkter Zielwirkung von größerer praktischer Bedeutung. Insbesondere, wenn es darum geht, Zielkonflikte zu lösen und also den prozesspolitischen Instrumenteneinsatz zu koordinieren, werden allerdings auch ordnungspolitische Mittel eine große Bedeutung erlangen.

Zunächst sollen allerdings einige Kriterien des Instrumenteneinsatzes beleuchtet werden:

- **Zielkonformität:**

$$Z_j = f(\ I_1, I_2, I_3, \dots I_n)$$

Die Instrumente müssen zu den angestrebten Zielen passen (Zweckmäßigkeit). Das setzt natürlich eine Analyse auf der Policy-Ebene voraus und die Auswahl der Instrumente ist vom gewählten Paradigma abhängig. Sollten mehrere Instrumente gleichermaßen für die Verfolgung eines Zieles in Frage kommen, muss ein geeigneter Instrumenten-Mix erstellt werden bzw. die Auswirkungen einzelner Instrumente auf andere Ziele beachtet werden. Zur optimalen Auswahl der Instrumente ist der **Grad ihrer Zielkonformität** zu berechnen, der sich als jeweiliges Maximum aus Nutzen- und Kostenüberlegungen ergibt. Als Nutzen kann nicht nur der Grad der angestrebten Zielverwirklichung gelten, sondern bei Komplementaritäten auch die positiven Externalitäten in Bezug auf weitere Ziele. Als Kosten sind neben dem direkten Ressourcenverbrauch auch die negativen Externalitäten in Rechnung zu stellen. Angemerkt werden muss an dieser Stelle, dass es sich bei den Kosten- und Nutzenüberlegungen um gesamtgesellschaftliche Vorstellungen handelt, nicht aber um Überlegungen aus partikularer Sicht des handelnden wirtschaftspolitischen Akteurs – diese Unterscheidung wird Bedeutung erlangen, wenn wir die Politics-Ebene betrachten (vgl. Kap. 8).

Voraussetzung für eine derartig optimierende Kosten-Nutzen-Rechnung ist allerdings die Kenntnis über Wirkungsmechanismen und –weise. Die oben beschriebene Zielfunktion muss also nicht nur qualitativ, sondern auch quantitativ bekannt sein, erst dann ist eine optimale **Dosierung** des Instrumenteneinsatzes im Sinne des maximalen Grades der Zielkonformität theoretisch denkbar – praktisch kann die Optimierungsaufgabe zwar an Messproblemen scheitern, dennoch stellt ein Denken in solchen Kategorien sicher, das Problembewusstsein des Instrumenteneinsatzes zu schärfen.

- **Konzeptions- und Systemkonformität**

Neben die Frage nach der Zweckmäßigkeit tritt zusätzlich die Frage der Zulässigkeit. Zulässig ist gewiss nur, was zweckmäßig ist, aber nicht alles, was zweckmäßig wäre, muss auch zulässig sein. **Konzeptionskonformität** meint nun die Einordnung von Instrumenten und Mitteln in eine allgemeine Leitlinie (Konzeption), die die ständige und aufwendige Beurteilung einzelner Maßnahmen beschränken soll. Wirtschaftspolitische Konzeptionen folgen politischer Logik, nicht (unbedingt) der wissenschaftlichen Rationalität der Policy-Ebene. Daraus kann durchaus ein Konflikt zwischen Zweckmäßigkeit und Zulässigkeit folgen, wenn beispielsweise einzelne Mittel/Instrumente mit großer Symbolfunktion (herausragende Bestandteile der wirtschaftspolitischen Konzeption, die möglicherweise eigenständige Zielfunktion erhalten) nicht in die – aus einem Paradigma abgeleitete – Zielfunktion passen. So kann etwa eine expansive Finanzpolitik des postkeynesianischen Paradigmas dem Ziel der Vollbeschäftigung dienen, gleichzeitig aber nicht mit der wirtschaftspolitischen Konzeption der ‚Neuen Mitte‛ konform gehen, die auf die Symbolkraft des ausgeglichenen Haushaltes als Ausweis finanzpolitischer Solidität setzt. Die Konzeptionskonformität beschreibt also einen subjektiven Wahrnehmungsfilter, der Handlungsrestriktionen formuliert, indem gewisse Handlungsmöglichkeiten ausgeschlossen werden.

Systemkonformität stellt darauf ab zu prüfen, ob Instrumente zum Koordinationsverfahren passen, das der betrachteten Volkswirtschaft zugrunde liegt – in den hochentwickelten Volkswirtschaften ist es der marktliche Koordinierungsprozess mit seiner Preissteuerung (als Knappheitsindikator), der durch das wirtschaftspolitische Instrumentarium berührt werden kann. Mit Tuchtfeldt (1960) können wir grob zwischen (i) systemadäquaten, (ii) systemgefährdenden und (iii) systemzerstörenden instrumentellen Eingriffen unterscheiden. Systemadäquat sind all jene Maßnahmen, die die marktliche Koordinierung erst ermöglichen (Eigentumsrechte, Regulierungen und Institutionen) bzw. Marktversagen beseitigen. Systemgefährdend sind solche Maßnahmen, die die Signal- bzw. Lenkungsfunktion der Marktpreise verzerren (z.B. Subventionen, Steuern) bzw. Mengenanpassungen verhindern (z.B. Marktzugangsbarrieren). Systemzerstörend schließlich sind Maßnahmen, die den marktlichen Koordinationsmechanismus vollständig außer Kraft setzen wie z.B. Monopolbildungen oder Lohn- und Preiskontrollen. Selbstredend kann die Einordnung eines Instrumentes schwierig sein, vor allem, wenn es mehreren unabhängigen Zielen zugeordnet werden kann.

- **Operationalisierbarkeit**

Die Operationalisierbarkeit greift Überlegen auf, die wir bereits angestellt haben: Einerseits sind Anforderungen an die Zuordnung von Zielen und Instrumenten zu stellen, wenn Ziele überhaupt sinnvoll erfüllbar werden sollen, andererseits impliziert die Forderung der Operationalisierbarkeit Kenntnisse über qualitative und quantitative Wirkungszusammenhänge und die Handlungsweise der wirtschaftspolitischen Akteure – dies gilt insbesondere, wenn Wirkungsverzögerungen (lags) den Entscheidungshorizont verlängern und autonome wirtschaftspolitische Akteure mit Zielinterdependenzen zu kämpfen haben.

Nach der ‚**Tinbergen-Regel**' muss die Anzahl der Instrumente mindestens mit der Anzahl der nicht-komplementären Ziele übereinstimmen. Ist die Anzahl der nicht-komplementären, interdependenten Ziele größere als die Anzahl der Instrumente, so kommt es notwendigerweise zu Zielkonflikten, ist die Anzahl der (nicht-komplementären) Ziele geringer als die Anzahl der Instrumente, so entstehen Freiheitsgrade, die zu einer **Optimierung des Instrumenten-Mix** zwingen. Wir wollen die Ziele des ‚magischen Vierecks' als Beispiel betrachten: (1) hoher Beschäftigungsstand (Vollbeschäftigung), (2) angemessenes Wachstum, (3) Preisstabilität, (4) außenwirtschaftliches Gleichgewicht. Vier Ziele erfordern rein formal vier Instrumente: Beschäftigungspolitik, Finanzpolitik, Geldpolitik, Währungspolitik.

Abbildung 7.3: Das ‚magische Viereck' als Ziel-Mittel-System

Ziele	Politikbereiche	Instrumentenvariablen
Vollbeschäftigung	Beschäftigungspolitik	Haushaltssaldo (s), Zinssatz (i)
Wachstum	Finanzpolitik	Haushaltssaldo (s)
Preisstabilität	Geldpolitik	Zinssatz (i)
Außenwirtschaftliches Gleichgewicht	Währungspolitik	Zinssatz (i)

Bei genauer Betrachtung zeigt sich nun allerdings, dass den vier Zielen nur zwei Instrumentenvariablen gegenüberstehen. Selbst wenn wir – wie im postkeynesianischen Paradigma nachvollziehbar – ‚Vollbeschäftigung' und ‚angemessenes Wachstum' als komplementäre, und mithin nicht unabhängige Ziele betrachten wollen[111], blieben drei Ziele und nur zwei Instrumente. Der Konflikt zwischen interner (Preisstabilität bzw. Vollbeschäftigung) und externer (außenwirtschaftliches Gleichgewicht) Stabilisierung bevölkert deshalb alle Lehrbücher, die sich mit festen Wechselkurssystemen beschäftigen (vgl. Kap. 10). Als Lösung dieses Konfliktes muss also ein weiteres Instrument eingeführt werden: Entweder mit Aufgabe des Festkurssystems der Wechselkurs als Bestandteil der Währungspolitik oder, innerhalb eines Festkurssystems, der Nominallohn als Bestandteil einer Einkommenspolitik, die den Zinssatz für die Währungspolitik freigibt (vgl. Watrin 1971).

Abbildung 7.4: Optimaler Policy-mix bei Zielkomplementarität

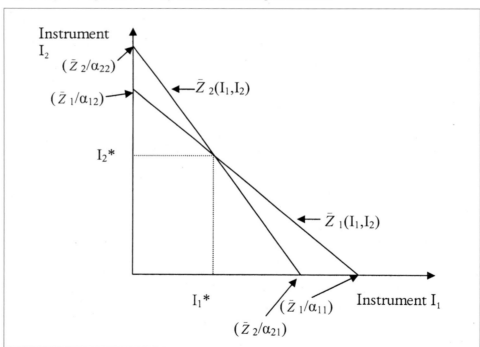

Quelle: Streit (2000: 382)

---

[111] Im neoklassisch-monetaristischen Paradigma sind Beschäftigung und Wachstum über die Variabilität des (endogen bestimmten) Kapitalkoeffizienten von einander getrennt, im postkeynesianischen Paradigma hingegen wird der Kapitalkoeffizient technologisch vorgegeben und damit Wirtschafts- und Beschäftigungswachstum aneinander gekoppelt.

Die **Optimierung eines Policy-mix** soll am abstrakten Beispiel zweier Ziele Z_1 und Z_2 erörtert werden, die mittels der Instrumente I_1 und I_2 derart angesteuert werden können, dass beide Instrumente je beide Ziele berühren, es allerdings eine komplementäre Beziehung zwischen den Zielen besteht:

(7.1) $$Z_1 = \alpha_{11}I_1 + \alpha_{12}I_2$$

(7.2) $$Z_2 = \alpha_{21}I_1 + \alpha_{22}I_2$$

Die Parameter α_{11}, α_{12}, α_{21} und α_{22} beschreiben die Wirkungsstärke der Instrumente. Durch einfache Umformungen lassen sich nun die linearen Beziehungen zwischen den Instrumenten bei Vorgabe eines bestimmen Grades der Zielerreichung $\bar{Z}$ herstellen:

(7.3) $$I_2 = (1/\alpha_{12})\,\bar{Z}_1 - (\alpha_{11}/\alpha_{12})I_1$$

(7.4) $$I_2 = (1/\alpha_{22})\,\bar{Z}_2 - (\alpha_{21}/\alpha_{22})I_1$$

Besteht nun **Komplementarität** zwischen den Zielen, dann darf angenommen werden, dass es eine optimale Kombination von I_1 und I_2 gibt, die beide Ziele erreichen lässt – dieser Punkt kann am einfachsten grafisch bestimmt werden durch den Schnittpunkt der beiden Geraden aus GL. (7.3) und (7.4) in Abb. 7.4.

7.3 Regelbindung versus Diskretionarität

Wirtschaftspolitik reagiert auf Marktversagen (neoklassisches Paradigma) bzw. ermöglicht im Konzept der Marktteilnahme (postkeynesianisches Paradigma) die Verfolgung normativer Ziele. Der Einsatz der entsprechenden Instrumente, deren Kriterien wir gerade kennen gelernt haben, ist damit aber noch nicht hinreichend bestimmt, denn es ist bislang noch nicht die Frage beantwortet worden, welche Handlungsspielräume der (wirtschafts-)politische Akteur erhalten soll. Einerseits beinhaltet der Politik-Begriff ja die Wahl zwischen Optionen, andererseits liegt es in der Logik von Ziel-Mittel-Systemen, dass rationale Wirtschaftspolitik – allemal innerhalb eines gegebenen theoretischen Modells – klaren Regeln folgen sollte. Die Forderung nach Alternativen betrifft nun hauptsächlich die Zielebene (statt die Instrumentenwahl), die Forderung nach klarer Regelbefolgung entscheidet noch nicht den möglichen Konflikt zwischen quasi-automatischer Steuerung (reaktive Regelbindung) oder der Vorgabe von Verhaltensregeln für die Akteure (aktive Regelbindung) einerseits und der Wahl zwischen **fester Regelbindung** (Formelflexibilität) und der Regel **fallweiser Intervention** (Diskretionarität) andererseits (vgl. Streit 2000; Tuchtfeldt 1983: 228ff.).

Abbildung 7.5: Regelbindung versus diskretionärer Interventionismus

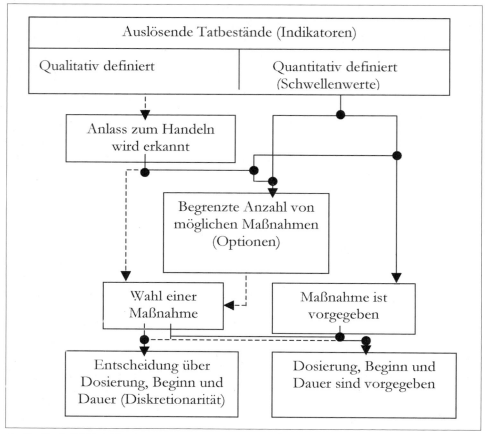

Quelle: Streit (2000: 328)

Anmerkungen: ——————— = Regelbindung; – – – – – – – – – – – – = Diskretionarität

7.3.1 Eine systematische Abgrenzung

Wir wollen uns zunächst Klarheit über die Differenzierung zwischen Regelbindung (Formelflexibilität) und Diskretionarität (fallweise Intervention) verschaffen (vgl. Abb. 7.5), wobei Regelbindung hier als reaktive Regelbindung verstanden werden muss: Sind auslösende Tatbestände eindeutig definier- und überprüfbar, besteht Klarheit über die Instrumentenwahl und ist auch die Dosierung exakt bestimmbar, sollten den politischen Akteuren rationaler Weise keine unnötigen Handlungsspielräume eingeräumt werden – die regelhafte Intervention im Sinne der Sozialkybernetik zwänge dann die Verantwortlichen zu tun, was getan werden muss. Allerdings dürfte klar sein, dass die Bedingungen sehr rigide sind, unter denen Wirtschaftspolitik zu mechanischer Soziotechnik würde: Die Indikatoren, deren erreichter Schwellenwert eine Intervention auslöste, müsste ebenso entweder unabhängig von sich wandelnden Rahmenbedingungen sein oder aber unter allen denkbar verschiedenen Rahmenbedingungen bekannt sein, wie es auch keinen paradigmatischen Streit über die Instrumentenwahl und –dosierung geben darf. Derartige Bedingungen wären wohl nur erfüllt, wenn wir der extremsten Variante des neoklassisch-monetaristischen Modells, der Rationalen-Erwartungs-Theorie, paradigmatischen Monopolstatus schenken würden – allerdings ist es eines der Kennzeichen dieser Theorie, überhaupt nur stark eingeschränkte, durch wenige Formen zulässigen Marktversagens bedingte Interventionen zu kennen. Diese wären dann aber konsequenterweise mit Regelbindung zu versehen.

Vollständige Diskretionarität hingegen wäre zulässig, wenn wir nur wenig über eine Intervention anzeigende Indikatoren und die Wirkungsweise und Dosierung möglicher Instrumente aussagen können – dann allerdings stellt sich folgerichtig die Frage, ob unter derartigen Bedingungen eine Intervention überhaupt rational wäre oder vielleicht nur aktionistisches ‚muddling through' erzeugte? Von größerer Bedeutung sind jene Zwischenformen, die regelhaftes Eingreifen mit Handlungsspielräumen der wirtschaftspolitischen Akteure – z.B. aufgrund der Existenz alternativer theoretischer Ansätze, der Existenz verschiedener Instrumenten(bündel) oder unklarer Dosierung – verknüpfen. Die Abwägung zwischen Regelbindung und Diskretionarität muss – wie in ökonomischen Entscheidungssituationen immer – einer Kosten-Nutzen-Analsyse folgen:

- Der Nutzen des diskretionären Instrumenteneinsatz liegt in seiner **Flexibilität**, die den wirtschaftspolitischen Akteur in die Lage versetzt, die konkreten historischen Rahmenbedingungen einer Situation in Rechnung zu stellen und insbesondere bei mangelnden Informationen und mangelhafter Einschätzung zukünftiger Entwicklungen (z.B. Schocks) kurzfristig und flexibel einzugreifen. Entsprechend bestehen die Kosten der Regelbindung im **Flexibilitätsverlust**, der zu Fehlentscheidungen (fehlerhafter Instrumenteneinsatz) oder zumindest zu Fehldosierungen führen kann.
- Der Nutzen der Regelbindung besteht darin, dass er Richtung und Dosierung der Wirtschaftspolitik besser einschätzbar, verlässlicher oder – aus Sicht des wirtschaftspolitischen Akteurs – **glaubwürdiger** macht und mithin die Erwartungsbildung der Marktteilnehmer erleichtert. Entsprechend bestehen die Kosten diskretionärer Politik darin, die Pläne der Marktteilnehmer zu durchkreuzen, die Erwartungsbildung zu erschweren oder, allgemein ausgedrückt, unsichere Signale zu versenden. Die Begründung für die mangelnde Glaubwürdigkeit bzw. Berechenbarkeit diskretionärer Politik besteht nicht nur in der Charakteristik dieses Mitteleinsatzes *per se*, sondern auch in den Handlungsmotiven des wirtschaftspolitischen Akteurs:

(1) Indem der diskretionäre Mitteleinsatz Handlungsspielräume schafft, die eine gewünschte Anpassung an unerwartete ökonomische Rahmenbedingungen ermöglichen, entstehen gleichzeitig Willkürspielräume für unerwünschte Anpassungen an unerwartete politische Situationen. Die Gefahr kann nicht bestritten werden,

dass Wirtschaftspolitik nicht nur mit Blick auf ökonomische Notwendigkeiten, sondern auch auf **politischen Interessen** betrieben wird (vgl. Kap. 8)

(2) Von größerer, weil systematischer Bedeutung sind folgende Überlegungen, die als **Zeitinkonsistenzproblem** bekannt geworden sind (vgl. Kydland/Prescott 1977): Es kann durchaus rational für den wirtschaftspolitischen Akteur sein, seine zum Zeitpunkt t für den Zeitpunkt t+1 angekündigte Politik im Zeitpunkt t+1 zu ändern – und dies umso mehr, je glaubwürdiger die Ankündigung zum Zeitpunkt t für die Marktteilnehmer war. In intertemporaler Betrachtung wird dann aber einerseits die in t ‚optimale' Politik im Zeitpunkt t+1 sub-optimal und für Wirtschaftssubjekte mit Gedächtnis (egal ob sie adaptive oder rationale Erwartungen formen) muss ‚optimale' diskretionäre Wirtschaftspolitik ihre Glaubwürdigkeit verlieren.

Box 15: Das Zeitinkonsistenzproblem optimaler Wirtschaftspolitik

Als ein Beispiel soll der bekannte amerikanische Ökonom ALAN BLINDER (1985) seinen Studierenden folgende Geschichte erzählt haben: Der Professor möchte, dass seine Studierenden sich eifrig bemühen, den von ihm gelehrten Stoff zu lernen und kündigt deshalb am Beginn des Semesters eine Klausur für das Ende des Semesters an. Nur wer sich vor- und nachbereite, die Veranstaltungen ständig besuche und tatsächlich aufmerksam bei der Sache sei, könne die Klausur am Ende des Semesters bestehen. Aus der Sicht des Professors und auch für die Studierenden nachvollziehbar ist die Ankündigung die optimale Strategie zur Verwirklichung seines Ziels: Die Studierenden zum fleißigen Lernen anzuregen. Nach Ablauf des Semesters, nachdem sich der Professor durch die Überprüfung seiner Anwesenheitslisten und die Erinnerung der interessanten Diskussionen und interessierten und kenntnisreichen Nachfragen seiner Studierenden davon überzeugen konnte, dass sie emsig gelernt haben – die Ankündigung der Klausur hat also zu dem Verhalten bei den Studierenden geführt, dass der Professor gewünscht hatte –, wird es nun am Ende des Semesters rational sein, wenn der Professor seine Ankündigung nicht wahr macht und auf die Klausur verzichtet: Das Ziel ist erreicht, die Mühen und der Zeitaufwand für die Abfassung und Korrektur der Klausuren kann sich der Professor sparen. Allerdings funktioniert diese ‚Politikänderung' nur, wenn die Ankündigung zu Beginn des Semesters als absolut glaubhaft empfunden wurde und sie würde im nächsten Semester nicht mehr funktionieren, weil die Studierenden jetzt Bescheid wüssten. Wenn der Professor dann doch eine Klausur schriebe, würden vielleicht viele Studierenden durchfallen, in jedem Fall aber wäre es für künftige Studierende nicht mehr möglich, sich verlässliche Erwartungen zu bilden.

Die Unterscheidung zwischen reaktiver und aktiver Regelbindung bezieht sich auf den Interventionsbedarf: Während mit **reaktiver Regelbindung** ein prozesspolitischer Eingriff nach Indikatoranalyse (s. Abb. 7.4) gemeint ist (Soziokybernetik), beschreibt eine **aktive Regelbindung** vielmehr einen ordnungspolitischen Rahmen, der sich allerdings auf makroökonomische Interventionsvariablen (z.B. die Geldpolitik, die Finanzpolitik oder die Lohnpolitik) bezieht. Logisch ist die re-aktive Regelbindung also immer an die vorherige Aktion der Marktteilnehmer gebunden, während die aktive Regelbindung dem wirtschaftspolitischen Akteur zeitgleich mit den Marktakteuren eine Handlungsweise vorgibt.

7.3.2 Regelbindung versus Diskretionarität im Paradigmenstreit

Wenn wir im Folgenden versuchen wollen, den Instrumenteneinsatz den verschiedenen in Kap. 4 beschriebenen Paradigmen zuzuordnen, dann kann es selbstverständlich nur um eine grobe Einordnung gehen, denn es dürfte klar sein, dass sich innerhalb aller denkbaren Paradigmen Gründe für einen diskretionären oder regelgebundenen Instrumenteneinsatz finden lassen. Dennoch lässt die Modell- und Argumentationsstruktur der verschiedenen Paradigmen durchaus eine begründete Differenzierung zu.

Wie in Abb. 7.6 dargestellt, neigt jene Theorie, die grundsätzlich als marktoptimistisch und interventionspessimistisch verstanden werden kann – also der neoklassisch-monetaristische Modellansatz in seinen verschiedenen Varianten –, dazu, diskretionären Interventionen wenig Sympathie entgegen zu bringen:

- Unter den Stichworten ‚Staatsversagen‘ (vgl. Kap. 8) und ‚Informationsdefizit‘ wird die Fähigkeit und Bereitschaft zu interessenungebundener, wohlfahrtsfördernder reaktiver, diskretionärer Intervention negiert, stattdessen eine aktive Regelbindung als ‚tying one‘s hand‘-Strategie verkauft.
- Mit der Regelbindung können wirtschaftspolitische Festschreibungen über die Modezyklen der Dominanz verschiedener Paradigmen hinaus erfolgen, die dann auch nachfolgende Akteure (z.B. Regierungen anderer politischer Couleur) binden.
- Wenn sich selbst stabilisierende Systeme durch diskretionäre Eingriffe destabilisiert werden können, muss ein wirtschaftspolitischer Aktionismus verhindert werden.

Abbildung 7.6: Instrumenteneinsatz im Vergleich der Paradigmen *(und prominenten Autoren)*

	Regelbindung	Diskretionarität
Aktiv	Neoklassisch-monetaristisches Paradigma (*Friedman, Hayek*) Postkeynesianisches Paradigma (*Riese, Heine/Herr*)	Muddling through
Reaktiv	Soziokybernetik (*Lange, Tinbergen*)	Standardkeynesianisches Paradigma (*Samuelson, Hansen*) Neukeynesianisches Paradigma (*Mankiw, Stiglitz*)

Jenes Paradigma, welches grundsätzlich marktskeptisch und interventionsoptimistisch ist – also der Standard- und, eingeschränkt, der Neukeynesianismus –, setzt auf Handlungsspielräume, die durch diskretionäres Handeln geschaffen werden können. Vollständiges, und mithin an feste Regeln gebundenes Steuerungshandeln, wie es für die kurzlebige Soziokybernetik kennzeichnend wurde, wird hier nicht unterstellt, wohl aber weitgehend hydraulische, diskretionäre Interventionsfähigkeit. Probleme interessengeleiteter Fehlsteuerung werden nicht diskutiert.

Schließlich setzt das postkeynesianische Paradigma auf Erwartungsstabilisierung und Marktteilnahme statt nachsorgender (reaktiver) Marktreparatur, was die Dominanz einer aktiven Regelbindung erwarten lässt – in dieser Einordnung scheint sie dem neoklassisch-monetaristischen sehr ähnlich[112] und vom standard- und neukeynesianischen Ansatz sehr verschieden, doch lässt die im postkeynesianischen Paradigma begründete Interventionsnotwendigkeit und die bedingte Interventionsfähigkeit darauf schließen, dass sich hinter dieser taxonomischen Parallele sehr unterschiedliche Instrumenteneinsätze verbergen.

7.3.3 Beispiele für wirtschaftspolitische Regelbindungen

Neoklassisch-monetaristische Regelbindungen

Die wahrscheinlich bekanntesten Ansätze wirtschaftspolitischer Regelbindungen entstammen dem gegenwärtig dominanten neoklassisch-monetaristischen Paradigma und beziehen sich auf eine regelhafte Geld- und Finanzpolitik. MILTON FRIEDMANS **Geldmengenregel** geht davon aus, dass Geldpolitik langfristig keinen Einfluss auf die reale Seite der Volkswirtschaft (Einkommen, Output, Beschäftigung) haben kann (klassische Dichotomie), gleichwohl kurzfristig zu Störungen eines ansonsten stabilen Realsektors führen mag. Um diese Störungen zu vermeiden, muss die Geldpolitik eine antizipierbare, verstetigte Geldpolitik verfolgen, die den monetären Rahmen für **inflationsfreies Wirtschaftswachstum** ermöglicht: Im Gleichgewicht entspricht der monetäre Mantel (M = Geldmenge; V = Umlaufsgeschwindigkeit) dem nominellen Volkseinkommen (P = Preisniveau; Y = reales Volkseinkommen).

(7.5) $MV = PY$ $/ : V$

(7.6) $M = (PY)/V$ $/ (1/V) = k$

(7.7) $M = kPY$

In Veränderungsraten ausgedrückt muss die Geldmenge (Geldangebot) also mit der Rate des realen Wirtschaftswachstums (da es sich hier um das Vollauslastungseinkommen handelt, kann auch von Potenzialeinkommen gesprochen werden) und der Veränderungsrate des Kassenhaltungskoeffizienten k (= [1/V]) wachsen:

(7.8) $\hat{M}_S = \hat{k} + \hat{y}$ $/ mit \; \hat{P} = 0$

Würde das Geldangebot M_S stärker wachsen als der Kassenhaltungskoeffizient und das reale Potentialeinkommen, käme es unweigerlich (langfristig) zu ungewünsch-

---

[112] Was zuweilen zu merkwürdigen ‚Koalitionen' exponierter Vertreter der beiden Paradigmen (Hayek und Riese) führt; vgl. Tomann (1990: 21).

ten **inflationären Effekten**, läge das Geldmengenwachstum unter der Summe der beiden Veränderungsraten, so würde sich eine gleichermaßen ungewünschte Deflation einstellen. Die kurzfristig mögliche Beeinflussung des realen Sektors (Ausnahme: Rationale-Erwartungstheorie oder Monetarismus II) soll schließlich deshalb nicht in diskretionärer Weise für die **Abfederung exogener Schocks** eingesetzt werden, weil Informations- und Lag-Probleme als zu bedeutsam empfunden werden: „Wir wissen einfach nicht genug, um vorgegebene Ziele auf dem Wege feiner oder grober Änderungen in der Zusammensetzung geld- und fiskalpolitischer Maßnahmen anstreben zu können. Speziell in diesen Dingen ist es wahrscheinlich am besten, ein Feind des Guten zu sein" (Friedman 1976: 12).

Der so genannte **Gramm-Rudman-Hollings** Act (GRH; 1985 – 1990) bestimmte die Finanzpolitik in den USA in der 2. Hälfte der Regierungszeit von Ronald Reagan und schreibt ein **regelgebundenes ‚Balanced Budget'** (ausgeglichener Haushalt) vor – der GRH kann als Reaktion auf den massiven Anstieg der öffentlichen Verschuldung in der ersten Phase der Reagan'schen Regierungszeit angesehen werden, die so gar nicht zur theoretischen Basis der Reagan'schen Angebotspolitik (vgl. Kap. 4) passen wollte (vgl. Priewe 2001). Der GRH sieht vor, dass ein entstandenes Budgetdefizit der öffentlichen Haushalte innerhalb eines Zeitraumes von fünf Jahren eliminiert werden muss – ansonsten wird eine extra geschaffene, vom Finanzministerium getrennte Behörde (General Accounting Office) generelle Ausgabenkürzungen in allen staatlichen Ausgabenbereichen (sequestration) unabhängig von der jeweiligen Wirtschaftslage durchsetzen. Mit diesem Verfahren sollen nicht nur Anreize für die Finanzpolitik gesetzt werden, eigenständig – also ohne die Sanktion der ‚sequestration' – einen ausgeglichenen Haushalt zu verfolgen, sondern gleichzeitig wurde die politische Durchsetzungsschwäche (in den USA bedingt durch die Konfrontation von Präsidentenamt und Kongress) durch die Schaffung einer quasi-unabhängigen Institution geheilt (vgl. Savage 1988: 235).[113]

Der **Stabilitäts- und Wachstumspakt** (SWP) in der Europäischen (Währungs-)Union macht deutlich, weshalb die Regelbindung auch als ‚Formelflexibilität' bezeichnet wird. Einerseits legt sie die Finanzpolitik der öffentlichen Haushalte der Mitglieder der Europäischen Währungsunion auf einen ausgeglichenen Haushalt (‚nahezu ausgeglichen bzw. im Überschuss befindlich') in konjktureller Normallage fest, andererseits erlaubt sie konjunkturelle Abweichungen, die durch ‚**das Spielen der automatischen Stabilisatoren**' entstehen, wenn im Konjunkturabschwung sozialpolitische Mehrausgaben und fiskalische Mindereinnahmen (passiv) hingenommen werden. Bei empirisch getesteter Konjunkturreagibilität der staatlichen Einnahmen und Ausgaben ermöglicht die Vorgabe des (konjunkturneutralen) Null-Defizits das Einhalten der sanktionsfreien Defizitgrenze von 3%, die unter gewissen Annahmen (vgl. Box 16 und Kap. 6.3) die Stabilität einer Schuldenstandsquote von 60% ermöglicht. Diese Defizitgrenze darf allerdings sanktionsfrei dann überschritten werden – und ermöglicht damit Spielraum für diskretionäre Finanzpolitik –, wenn eine außergewöhnlich tiefe Rezession (mindestens 2%iger Rückgang des BIP) eintritt. Der SWP entstammt ebenso wie die GRH der ‚**Politikinef-**

---

[113] Die Wirkungsmächtigkeit des GRH konnten nie überprüft werden, da es bereits 1990, also genau im Jahr des erzwungenen Budgetausgleichs, durch den Budget Enforcement Act (BEA) ersetzt wurde. Für eine tiefere Befassung mit dem GRH und dem BEA vgl. Blanchard/Illing (2004: 726ff.)

fektivitätshypothese' des neoklassisch-monetaristischen Verständnisses[114], bindet die nationalen Regierungen der Europäischen Währungsunion (‚tying one's hands') und soll so die Externalisierung von ungewünschten Effekten (Zinsanstieg und/oder Wechselkursverfall) eines ‚übermäßigen Defizits' einzelner Mitgliedsländer auf andere Mitgliedsländer verhindern (Restriktionskoordinierung).

Box 16: Der Stabilitäts- und Wachstumspakt (SWP) des Amsterdamer Vertrags

Im *Vertrag von Maastricht* sind einige Konvergenzkriterien benannt worden, an deren Einhaltung die Teilnahme an der EWU gebunden wurde. Neben einem Zins- und einem Inflationsratenkriterium war dies die Vorgabe eines absoluten Schuldenstandskriteriums – 60 Prozent des nationalen Bruttoinlandsproduktes (BIP) – und einer laufenden Netto-Neuverschuldung – 3 Prozent des BIP. Bei beiden Benchmarks handelte es sich um *langfristige, überzyklische Durchschnittsgrößen*. Hintergrund dieser finanzpolitischen Vorgaben war einerseits die Befürchtung, dass eine rein marktliche Sanktion (z.B. durch höhere Risikoprämien für EWU-Teilnehmerländer mit unsolidem Finanzgebahren) nicht ausreichen würde, übermäßige Defizite einzelner Teilnehmerländer zu verhindern, und dass damit die Geldpolitik der EZB unter Druck geraten könnte, einen Kurs zu fahren, der nicht mit Preisstabilität vereinbar wäre. Die Größenordnung der Benchmarks ergibt sich aus der Annahme eines langfristigen, durchschnittlichen Wirtschaftswachstums von real 3 Prozent in der Euro-Zone und einer tolerierten Inflationsrate von 2 Prozent: Unter diesen Bedingungen läßt sich ein Schuldenstand der öffentlichen Haushalte von 60 Prozent – zufälligerweise etwa der aktuelle Schuldenstand der Bundesrepublik Deutschland und Frankreichs zum Zeitpunkt des Inkrafttretens des Maastrichter Vertrags – mit einer durchschnittlichen Netto-Neuverschuldung von 3 Prozent dauerhaft stabilisieren.

Mit dem *Amsterdamer Vertrag* von 1997 wird das ‚*Verfahren bei übermäßigem Defizit*' für die Zeit nach Inkrafttreten der Währungsunion präzisiert und verschärft: Eine Schuldenquote von 60 Prozent gilt weiterhin als Benchmark einer ‚optimalen Schuldenquote', 3 Prozent Netto-Neuverschuldung in den laufenden Haushalten wird aber nun als Obergrenze festgeschrieben, die sanktionsfrei nur überschritten werden darf, wenn das EWU-Teilnehmerland eine scharfe Rezession mit einem negativen Wirtschaftswachstum von mindestens –2 Prozent durchläuft. Wird diese Obergrenze ohne entsprechende Rezession überschritten, so werden automatisch zinslose Einlagen bei der EZB fällig, die nach zweijähriger Dauer des ‚übermäßigen Defizits' in eine entsprechende Geldstrafe umgewandelt werden kann. Beträgt die Rezession eines Teilnehmerlandes eine Größenordnung von –0,75 bis –2 Prozent, so muss die Sanktion im Falle der Überschreitung des 3 Prozent-Benchmarks mehrheitlich durch die Teilnehmer der Euro-Zone beschlossen werden, fällt also nicht automatisch an. Um ein Spielen der ‚automatischen Stabilisatoren' über normale Konjunkturzyklen hinweg uneingeschränkt zu lassen, muss deshalb mittelfristig und überzyklisch ein ‚*nahezu ausgeglichener oder im Überschuß befindlicher Haushalt*' angestrebt werden. Diese Verschärfung ist zweifellos nicht durch die oben ausgeführte ökonomische Argumentation gedeckt. Gemeint ist jedenfalls der 'öffentliche Haushalt' in seiner gesamtwirtschaftlichen Dimension, d.h. er umfasst in einem föderalen System alle staatlichen Ebenen: Bund, Länder und Gemeinden. Mittelfristige und überzyklische Defizite einer Ebene müssen folglich durch kompensierende Überschüsse auf einer anderen Ebene ausgeglichen werden.

---

[114] Selbst im Rahmen des neoklassisch-monetaristischen Modells kann das ‚Null-Defizit' als langfristige Haushaltsregel nicht logisch hergeleitet werden, wenn allein mehrere Generationen mit unterschiedlicher Lebenserwartung angenommen werden; vgl. Heise (2002b).

Die noch im Maastrichter Vertrag erwähnte absolute *Höhe der Staatsverschuldung* – 60 Prozent des BIP – spielt für die aktuelle Haushaltspolitik nach dem SWP keine herausragende Rolle mehr, sie kann lediglich als politisch bestimmte Obergrenze der öffentlichen Verschuldung interpretiert werden, deren Überschreiten einen Konsolidierungskurs auslöst, deren Unterschreiten allerdings auch finanzpolitischen Handlungsspielraum beschreibt. Die Europäische Kommission legt allerdings Wert darauf, dass sich der Grad der Überschreitung der Verschuldungsobergrenze in den Konsolidierungsbemühungen der betroffenen EU-Mitglieder spiegelt.

Postkeynesianische Regelbindungen

Die ‚**Taylor-Regel**‘ ist eigentlich der Versuch, durch eine explizit einfache Regel, die tatsächlich betriebene Geldpolitik verschiedener Notenbanken (mit durchaus unterschiedlichen geldpolitischen Orientierungen) nachzuzeichnen (ex-post-Simulation).[115] Selbstverständlich lässt sich ein solcher Ansatz, wenn er denn gelingt, auch als Prognosemodell oder Regelsetzung modifizieren (vgl. z.B. Bartsch et al. 2002). Die ‚Taylor-Regel‘ beschreibt den (nominellen) Leitzins der Notenbank als eine Funktion der Abweichung der aktuellen (bzw. erwarteten) Inflationsrate $\hat{P}_e$ von der gewünschten (bzw. tolerierten oder Ziel-) Inflationsrate β ‚dem ‚output gap‘ (Differenz von Potentialwachstum des BIP $\hat{Y}_P$ und erwartetem Wachstum $\hat{Y}_e$) und einem den langfristigen Durchschnitt wiedergebenden realen Kurzfristzins r* und der aktuellen Inflationsrate $\hat{P}$:

$$(7.9) \qquad i_T = r^* + \hat{P} + \alpha(\hat{P}_e - \hat{P}_{tol}) + \beta(\hat{Y}_e - \hat{Y}_P)$$

Die Parameter α und β deuten die Reaktionsweise der Notenbank bei Abweichungen vom Inflations- und Outputziel an (und sie werden üblicherweise als gleich stark angenommen), r* kann als jene Einflussgröße verstanden werden, in die Überlegungen hinsichtlich der langfristigen Auswirkungen der Geldpolitik auf den realen Sektor und des Kooperationsbeitrages der Geldpolitik im Rahmen einer **kooperativen Wirtschaftspolitik** einfließen können (vgl. Heise 2001: 100ff. und Bartsch et al. 2002). Eine solche Regel trägt gleichermaßen den Zielen der Preis- und Mengenstabilität Rechnung, wie sie flexibel auf die strategischen Rahmenbedingungen (Kooperationsbereitschaft oder Defektion) reagieren kann.

Für eine erfolgreiche Kooperation der makroökonomischen Akteure im Rahmen des postkeynesianischen Paradigmas bedarf es allerdings zusätzlicher Regeln für die Lohn- und die Finanzpolitik. Die so genannte ‚**Meinhold-Formel**‘ beschreibt eine lohnpolitische Regel (vgl. Meinhold 1965), die auf Stabilität der Lohnstückkosten setzt und mithin zumindest den originären Phillipskurven-Zusammenhang durchbrechen soll, indem der Umverteilungsreflex der Tarifpolitik unterbunden wird:

$$(7.10) \qquad \hat{w} = \hat{\omega} + \hat{P}_{tol}$$

---

[115] Die ‚Taylor-Regel‘ geht auf John B. Taylors (1993) bahnbrechenden Artikel zurück und ist mittlerweile für viele Länder untersucht und weitgehend bestätigt worden: vgl. z.B. Clarida/Gali/Gertler (1998); Filc/Sandte (1998).

Die Nominallohnentwicklung folgt nun der (erwarteten) durchschnittlichen Produktivitätsentwicklung zuzüglich der von der Notenbank tolerierten Inflationsrate. Damit ist aber nicht nur jeder lohnbedingte Inflationsdruck (über das tolerierte Maß hinaus) ausgeschlossen, sondern auch eine Verteilungskonstanz impliziert. Die postkeynesianische Verteilungstheorie (vgl. Riese 1981) legt nahe, dass die Verteilung nicht nur von der Lohn-, Preis- und Produktivitätsentwicklung, sondern auch von der Zinsentwicklung bestimmt wird. Die Gl. (7.10) beinhaltet deshalb keine vollständige Festschreibung einer einmal realisierten Einkommensverteilung, wie sie durch Einführung von Reaktionsparametern (wie in der Taylor-Funktion) auch regelgebunden auf erwartete Arbeitsmarktentwicklungen eingehen kann. Ob eine derartige Lohnleitlinie vor dem Hintergrund von Tarifverhandlungen zwischen Arbeitgeber(organisatione)n und Arbeitnehmer(organisatione)n tatsächlich praktikabel ist, kann nur vor der konkreten institutionellen Ausgestaltung einer kooperativen Wirtschaftspolitik beantwortet werden (vgl. Heise 2001: 101ff. und Kap. 7.4).

Schließlich bedarf es einer finanzpolitischen Regelbindung innerhalb der Strategie einer kooperativen Wirtschaftspolitik. Hierbei soll auf das bereits von JOHN MAYNARD KEYNES (1945/1980) rudimentär entwickelte Konzept des ‚**Capital budgeting**‘ zurückgegriffen werden: Ausgangspunkt sind Keynes‘ Überlegungen zu den langfristigen Akkumulationsbedingungen in hochentwickelten Volkswirtschaften. Der ex post-Identität von Ersparnis und Investition (S=I) stellt er die ex ante-Diskrepanz zwischen einer Vollbeschäftigungs-Ersparnis (jener Erspanis, die ein Vollbeschäftigungseinkommen hervorbringen würde) und der tatsächlich von den Unternehmen profitabel investierten Einkommensteilen entgegen. Da die Investitionen den Einkommensbildungsprozess anleiten, entsteht letztlich ein Volkseinkommen, dass bei gegebener Spareigung eine Ersparnis generiert, die der Investitionshöhe entspricht, das (ex post realisierte) Volkseinkommen entspricht aber nicht (unbedingt) dem Vollbeschäftigungs-Einkommen. Vollbeschäftigungsinkonforme Akkumulation (Wachstum des Kapitalstocks und des Volkseinkommens) ist also der ‚**systematische Defekt**‘ reifer Volkswirtschaften, die Investitionslücke ($S_{\text{Voll}} = I_{\text{Voll}} > I_{\text{expost}}$) wird zudem durch die mangelnde Kooperation der makroökonomischen Akteure verschärft.

Das öffentliche ‚Capital budget‘ muss nun versuchen, die ‚Investitionslücke‘ zu schließen[116]:

(7.11) $I_G = S_{Voll} - I_U$

(7.12) $I_G = sY_P - I_U$

(7.13) $I_G = sY_{expost} + s(Y_P - Y_{expost}) - I_U$

(7.14) $I_G/Y_{expost} = sY_P/Y_{expost} - I_U/Y_{expost}$

Die staatliche Investitionsquote I_G/Y_{expost} wird bestimmt durch die Differenz von ‚Potenzialsparquote‘ sY_P/Y_{expost} und privater Investitionsquote I_U/Y_{expost}. Liegt also beispielsweise die Potenzialsparquote bei 24% und die private Investitionsquote bei 19%, dann muss die staatliche Investitionsquote 5% betragen. Dieses ‚**Capital bud-**

---

[116] Hier wird der Einfachheit halber eine geschlossene Volkswirtschaft angenommen.

get' ist funktional vom '**laufenden Budget**' zu trennen, dessen Aufgabe die Bereitstellung (nicht-investiver) öffentlicher Güter mit Allokations- und Distributionsfunktion ist – ihr Ausmaß wird durch die Präferenzen der Gesellschaftsmitglieder festgelegt. Während das 'laufende Budget' über den Konjunkturzyklus ausgeglichen sein muss – es dürfen also allenfalls die 'automatischen Stabilisatoren' spielen –, kann die Stabilisierungsfunktion des 'Capital budgets' nur voll erfüllt werden, wenn es nicht durch fiskalischen Ressourcenentzug begleitet wird. Allerdings muss sich auch das 'Capital budget' den **Nachhaltigkeitsüberlegungen** öffentlicher Haushalte unterwerfen, d.h. eine Defizitfinanzierung ist nur in der Größenordnung plausibel, die mit der Stabilisierung einer normativ determinierten Schuldenquote vereinbar ist. Die Anforderungen an das Ausmaß der Defizitfinanzierung des 'Capital budgets' hängen (vgl. Kap. 5.3.1) von der zu stabilisierenden Schuldenquote und dem Staatsausgabenmultiplikator ab.

Feedback-Regelbindung[117]

Schließlich wollen wir eine Regelbindung kennen lernen, die nicht paradigmatisch zugeordnet werden soll, sondern die Vorteile der Regelbindung (Glaubwürdigkeit und Planungssicherheit für die Marktakteure) mit den Vorteilen der Diskretionarität (Berücksichtigung von 'Schocks') zu verbinden sucht: die **Feedback-Regelbindung**. Sie sieht einerseits eine ex ante festgelegte Regelverfolgung, andererseits eine – allerdings gleichzeitig regelhaft festgelegte, Indikator gestützte – fallweise Intervention vor. Als Beispiel soll eine Geldpolitik mit Feedback-Regelbindung betrachtet werden:

(7.15) $M = M_0 + \mu(Z^* - Z)$

Der Kurs der Geldpolitik ist abhängig von einem Geldmengenziel M_0 und einer weiteren Komponenten, die vom Grad der Zielerreichung bestimmt wird. Zusätzlich wollen wir simple angebots- und nachfrageseitige Annahmen formulieren, die zumindest die temporäre Nicht-Neutralität der Geldpolitik erlauben:

(7.17) $\hat{P} = \alpha\hat{Y} + s_S$

(7.18) $\hat{Y} = \beta(\hat{M} - \hat{P}) + s_D$

mit s_S und s_D als Angebots- resp. Nachfrageschocks.

Als Zielvariablen können wir nun verschiedene Hypothesen wählen: (1) **Preisstabilität**, d.h. $\hat{P} = 0$. Unter der Annahme unendlich hoher Reaktionsgeschwindigkeit der Geldpolitik (d.h. $\mu = \infty$) ergibt sich als geldpolitische und Output-Reaktion:

(7.19) $\hat{M} = (-s_S/\alpha\beta) - (s_D/\beta)$

(7.20) $\hat{Y} = -s_S/\alpha$

---

[117] Ich stütze mich hierbei wesentlich auf Spahn (1999: 303ff.).

Bei Angebots- wie Nachfrageschock müssen also Geldmenge wie Output invers variiert werden, um Preisstabilität zu garantieren. Insbesondere die Anpassung des Outputs, die zumindest kurzfristig mit einer gleichgerichteten Variation der Beschäftigungsmenge verbunden sein kann, mag als ‚unfair' – insbesondere, wenn der ‚Schock' nicht auf lohnpolitische Aktionen zurückzuführen ist – und volkswirtschaftlich kostspielig verstanden werden. (2) Wählt man hingegen die **Outputstabilisierung** – d.h. $\hat{Y} = 0$ – als Ziel, dann ergeben sich folgende geldpolitische und Preisniveau-Reaktionen:

(7.21) $\hat{P} = s_S$

(7.22) $\hat{M} = s_S - (s_D/\beta)$

Eine negative Angebotsstörung könnte durch eine expansive Geldpolitik bei gleichzeitiger Inkaufnahme steigender Inflation in ihrer Wirkung auf Produktion (und Beschäftigung) kompensiert werden, ein positiver Nachfrageschock erforderte eine restriktive geldpolitische Antwort. Hier zeigt sich allerdings bereits ein Problemkreis, der uns im nächsten Abschnitt noch beschäftigen wird: Die Auswirkungen der Geldpolitik auf die Preisentwicklung beeinflussen den Realwert vertraglich bestimmter Einkommen (z.B. Lohneinkommen), deren Bezieher (z.B. Arbeitnehmer bzw. deren Gewerkschaften) in der nächsten Periode mit entsprechenden Vertragsänderungen neuerliche Angebotsschocks auslösen mögen, die dann einen kumulativen Prozess begründen können – insbesondere wenn die Feedback-Regel weiterhin ausschließlich auf Outputstabilisierung fixiert ist.

(3) Schließlich bliebe als dritte Zielsetzung eine **Stabilisierung des Nominaleinkommens** als Kompromiss zwischen (1) und (2), d.h. $\hat{P}+\hat{Y} = 0$. Folgende Reaktion wären zu erwarten:

(7.23) $\hat{Y} = -s_S/(1+\alpha)$

(7.24) $\hat{P} = s_S/(1+\alpha)$

(7.25) $\hat{M} = [(\beta-1)s_S/ \beta(1+\alpha)] - [s_D/\beta)]$

Das Ziel der Nominaleinkommensstabilisierung lässt nun grundsätzlich offen, wie sich Angebots- oder Nachfragestörungen auf Inflations- oder Outputänderungen aufteilen, wenn zum geldpolitischen Akteur (Notenbank) noch die tarif- und finanzpolitischen Akteure hinzutreten: Eine angebotsseitige Störung würde zwar zunächst eine Preisniveauänderung auslösen und mithin eine kompensierende Outputvariation erfordern, wenn aber die Tarifpolitik die Kompensation der Angebotsstörung ‚anböte', könnte eine geldpolitische Reaktion ausbleiben. Und wenn eine nachfrageseitige Störung in ihrer Wirkung auf die Outputentwicklung durch eine finanzpolitische Reaktion kompensiert würde, könnte die Geldpolitik ebenfalls davon absehen, eine Geldmengenvariation durchsetzen zu müssen.

Eine derartige Koordination verschiedener Politikbereiche wird uns nun im folgenden Abschnitt beschäftigen.

7.4 Assignment versus Kooperation

Wir hatten bereits die Problematik von Zielkonflikten angesprochen: Ein Instrument wirkt nicht nur – gewünscht – auf ein Ziel, sondern – ggf. ungewünscht – auf ein weiteres Ziel. Es entstehen also Externalitäten des Instrumentes bzw. Interdependenzen zwischen verschiedenen Zielen. Der Umgang mit dieser Problematik soll anhand der Ziele des Stabilitäts- und Wachstumsgesetzes (wir konzentrieren uns auf die binnenwirtschaftlichen Ziele ‚Preisstabilisierung‘, ‚Vollbeschäftigung‘ und ‚angemessenes Wachstum‘) veranschaulicht werden (vgl. Abb. 7.7): Im **neoklassisch-monetaristischen Paradigma** entstehen keinerlei Zielkonflikte – weder kurz- noch langfristig: das Preisniveau wird auf dem Geldmarkt mittels Geldpolitik determiniert, das Beschäftigungsniveau auf dem Arbeitsmarkt mittels Tarifpolitik und das Sozialprodukt wird neben den Aktionen der individuellen Marktakteure nur durch die Finanzpolitik des Staates in der Weise beeinflusst, dass mittels der Bereitstellung öffentlicher Güter potenzielle Marktfehler beseitigt werden – hierfür bedarf es allerdings keiner expliziten Defizitfinanzierung. Es liegt hier also eine klare **Rollenzuteilung** (Assignment) vor, die auf einen hydraulisch-independenten Instrumenteneinsatz baut (vgl. z.B. Priewe 2002a: 272ff.).

Das **standard- bzw. neukeynesianische Modell** lässt bekanntlich zumindest kurzfristige (Phillipskurven-trade off) **Zielinterdependenzen** zu: Die Geldpolitik kann auf das Preisniveau, Wachstum und Beschäftigung ebenso gleichzeitig wirken, wie die Finanz- und Lohnpolitik. Erst in der langen Frist, wenn sich die Marktakteure mit ihren Plänen auf die Politik der verschiedenen Politikakteure eingestellt haben und auch Marktfriktionen (z.B. Wettbewerbsbeschränkungen) beseitigt sind, stellen sich die eindeutigen Ziel-Mittel-Zuordnungen ein, die Zielkonflikte ausschließen.

Nur im **postkeynesianischen Paradigma** bleibt die Zielinterdependenz auch langfristig erhalten, wirkt die Geldpolitik auch langfristig auf den realen Sektor (Nicht-Neutralität), wie auch die Tarif- und Finanzpolitik sowohl reale als auch nominelle Auswirkungen verzeichnen können. Damit aber bricht die tradierte hydraulische Teleologie des Ziel-Mittel-Ansatzes zusammen und es zeigen sich **objektive Steuerungsunschärfen** der Wirtschaftspolitik.

Lediglich für das neoklassisch-monetaristische Modell ergeben sich jetzt keine weiteren Fragestellungen, die Empfehlungen sind klar: „Die wichtigsten Zuordnungen zwischen Trägern der Wirtschaftspolitik und den gesamtwirtschaftlichen Zielen sind demnach die folgenden: Der Staat, d.h. die Regierung und das Parlament, jeweils auf Bundesebene und auf Länderebene, sind zuständig für die Rahmenbedingungen zur Erreichung eines angemessenen und stetigen Wirtschaftswachstums, wobei die Finanzpolitik eine Schlüsselrolle spielt. Die Zentralbank ist für die Stabilität des Preisniveaus hauptverantwortlich; seit dem 1. Januar 1999 ist diese Verantwortlichkeit in Deutschland auf das Europäische System der Zentralbanken (Eurosystem), dem neben der Europäischen Zentralbank (EZB) die Notenbanken der Mitgliedsländer der Europäischen Währungsunion (EWU) angehören, übergangen. Der Präsident der Deutschen Bundesbank hat eine Stimme im nunmehr obersten Beschlussorgan für die gemeinsame Geldpolitik, dem EZB-Rat. Für den Beschäftigungsstand sind – bei Tarifautonomie – in erster Linie die Tarifvertragsparteien in der Pflicht. Jede dieser Institutionen soll das machen, was sie jeweils am besten mit

Abbildung 7.7: Instrumente/Politikbereiche, Zielvariablen und Politikregeln

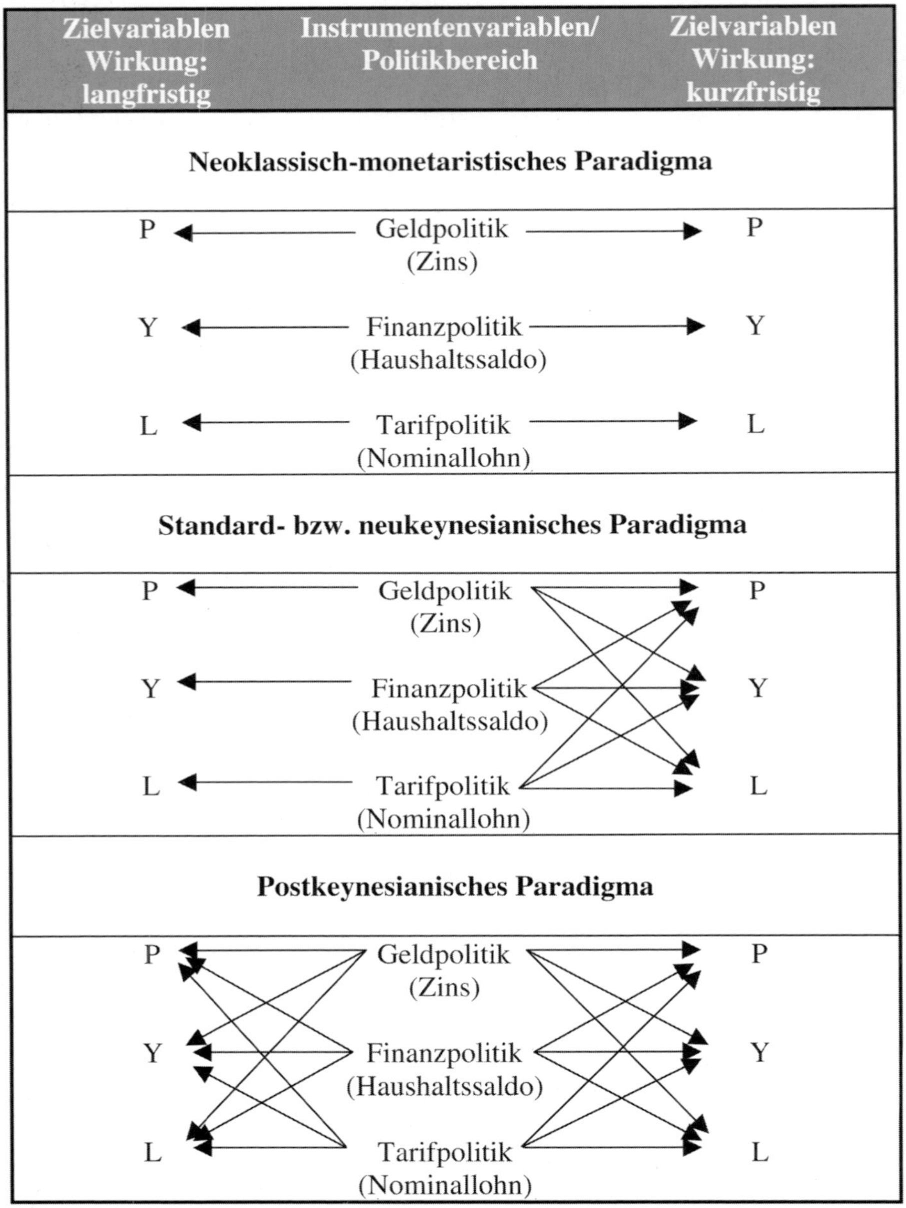

Zielvariablen Wirkung: langfristig	Instrumentenvariablen/ Politikbereich	Zielvariablen Wirkung: kurzfristig

Neoklassisch-monetaristisches Paradigma

P ◄——————— Geldpolitik ——————► P
(Zins)

Y ◄——————— Finanzpolitik ——————► Y
(Haushaltssaldo)

L ◄——————— Tarifpolitik ——————► L
(Nominallohn)

Standard- bzw. neukeynesianisches Paradigma

P ◄——————— Geldpolitik ——————► P
(Zins)

Y ◄——————— Finanzpolitik ——————► Y
(Haushaltssaldo)

L ◄——————— Tarifpolitik ——————► L
(Nominallohn)

Postkeynesianisches Paradigma

P ◄——————— Geldpolitik ——————► P
(Zins)

Y ◄——————— Finanzpolitik ——————► Y
(Haushaltssaldo)

L ◄——————— Tarifpolitik ——————► L
(Nominallohn)

P = Preisniveau; Y = Volkseinkommen; L = Beschäftigung

ihren Mitteln tatsächlich erreichen und verantworten kann. Keine von ihnen soll damit rechnen können, dass Fehler in ihrem Verantwortungsbereich durch Maßnahmen in den anderen Bereichen ausgeglichen werden; z.B. überzogene Lohnsteige-

rungen oder übermäßige Staatsschulden durch eine laxe Geldpolitik. Es geht nicht um Schuldzuweisungen, aber es soll, auch in der Öffentlichkeit, klar sein, wer im Fall einer gesamtwirtschaftlichen Störung, d.h. einer Zielverfehlung, in der Pflicht ist, sein Verhalten zu korrigieren und für Fehlentwicklungen Remedur zu schaffen" (Donges/Freytag 2001: 22). Im standard- und neukeynesianischen Paradigma ergeben sich immerhin kurz-, im postkeynesianischen Paradigma sogar langfristige Interdependenzen, die nun zu einer genaueren Analyse des Verhaltens der einzelnen Politikakteure zwingt.

Zunächst soll aber die Beschreibung der spezifischen Handlungssituation erfolgen, in der sich die Akteure – Politik- wie Marktakteure gleichermaßen – befinden: In einem gemeinsamen Interaktionsraum können Akteure **direkt aufeinander bezogen handeln** (Interaktion) oder aber nur mit ihrem **eigenständig zielbezogenen Handeln Externalitäten für das Handeln anderer** schaffen (Interdependenzen). Die Interaktion kann grundsätzlich als kooperatives Spiel formuliert werden, in dem es möglich sein sollte, durch vertragliche Regelungen ein Positivsummen- (gemeinsames Ziel) bzw. ein Nullsummen-Spiel (keine gemeinsamen Ziele) zu initiieren (vgl. Abb. 7.8 und Holler/Illing 1996: 25).

Abbildung 7.8: Koordinationsformen bei Interaktion und Interdependenz

	Interaktion	Interdependenz
	(Kooperatives Spiel = vertragliche Reglung)	**(Nicht-Kooperatives Spiel = keine vertragliche Regelung möglich)**
Gemeinsames Ziel (Positivsummenspiel)	marktliche oder organisatorische Koordinierung [Markt/Unternehmung]	Selbststeuerung oder Hierarchie [Makro-Policy-mix]
Kein gemeinsames Ziel (Nullsummenspiel)	marktliche Koordinierung oder 'Concession Bargaining' [Markt/Verhandlung wie z.B. betriebliches 'Bündnis für Arbeit']	Konflikt oder 'Concession Bargaining' [Konzertierte Aktion]

Auf Märkten begegnen sich gewöhnlich Interaktionspartner, die zwar **kein gemeinsames Ziel** verfolgen (der Anbieter möchte möglichst teuer verkaufen, der Nachfrager hingegen möglichst billig einkaufen, wobei der Vorteil des einen – hoher Preis für den Anbieter, niedriger Preis für den Nachfrager – gleichzeitig ein Nachteil für den anderen bedeutet), letztlich durch vertraglich spezifizierte Leistungen (Austausch von Ware gegen Ware oder Ware gegen Geld) aber doch zu einer Koordinationslösung kommen. Unter den Bedingungen vollkommener Konkurrenz wird dabei unterstellt, dass keiner der Marktteilnehmer (also weder irgendein Anbieter noch irgendein Nachfrager) eine strategische Position einnehmen kann (vgl. Osborne/Rubinstein 1990).[118] Ist hingegen die Anzahl der Marktteilnehmer beschränkt (z.B. im Duopol oder im beidseitigen Monopol), entstehen Konstellationen, die Verhand-

---

[118]   Zum Koordinationsproblem und Spezialisierungsdilemma einer marktlichen Interaktion vgl. Kliemt (1986).

lungsspiele (,concession bargaining') zulassen: Tarifverhandlungen im Allgemeinen, mehr aber noch die zunehmend populären betrieblichen ,Bündnisse für Arbeit' können als Beispiele gelten.

Werden hingegen **gemeinsame Ziele** anvisiert, so tritt neben die grundsätzlich weiterhin bestehende Form der marktlichen Koordination die Möglichkeit, die Interaktion planvoll (d.h. durch klar spezifizierte Subordinationsverhältnisse) innerhalb einer Organisation (Unternehmen) zu gestalten. Auf RONALD COASE (1937) geht dabei die Erkenntnis zurück, dass die gewählte Koordinationsform letztlich durch die mit der Interaktion verbundenen Transaktionskosten bestimmt wird.

Interdependenzen beschreiben Ziel-Externalitäten, die durch den Einsatz von Instrumenten entstehen, die auf mehr als ein Ziel wirken. Verfolgen die Akteure, die über den Einsatz der Instrumente verfügen, **keine gemeinsamen Ziele**, so kommt es gewöhnlich zum (Ziel-)Konflikt, dessen Lösung – je nach Verhaltensstrategie – ein (nicht-kooperatives) Nash- oder Stackelberg-Gleichgewicht ist (vgl. Box 11). Allerdings ließe sich auch eine Verhandlungslösung denken, wie z.B. in Form der ,Konzertierten Aktion' des Stabilitäts- und Wachstumsgesetzes. Hier sollte ,moralischer Druck' (moral suasion; vgl. u.a. Tuchtfeldt 1971a) auf die Tarifparteien ausgeübt werden, um die Tarifpolitik in den Dienst der Inflationsbekämpfung zu stellen – was mit gesellschaftspolitischem Entgegenkommen gegenüber dem (damals) dominanten Tarifpartner (Mitbestimmungsrechte für die Arbeitnehmer und ihre Gewerkschaften) honoriert wurde. Diese Form der Kooperation wird aus offensichtlichen Gründen auch als **,antagonistische Kooperation'** bezeichnet (vgl. Esser/Schroeder 1999).

Verfolgen die Politikakteure hingegen grundsätzlich das **gleiche Zielbündel** – was durchaus nicht mit gleicher Gewichtung einzelner Ziele im Zielbündel einhergehen muss –, dann könnte mittels **Verhaltensabstimmung** einerseits ein Zielkompromiss erreicht werden, andererseits aber auch die Steuerungsunschärfe reduziert werden, die durch die strategische Handlungssituation der Akteure in interdependenten Politikfeldern entsteht (vgl. Kap. 5.3.2). Hierfür stehen zwei Optionen zur Verfügung:

- **Subordination**: Werden die verschiedenen Politikfelder von einem einzigen Politikakteur vertreten (z.B. wenn die Notenbank einem Ministerium untersteht), dann kann mittels einer fixierten Zielfunktion der optimale Mitteleinsatz bestimmt werden – vorausgesetzt, die qualitative und quantitative Wirkung der Instrumente auf die Ziele ist bekannt. Der somit bestimmte Mitteleinsatz wird nun den jeweiligen Politikträgern zugeordnet, die sich dieser Zuweisung (Assignment) mangels eigenständiger Entscheidungskompetenz unterordnen müssen.
- **Selbststeuerung**: Werden die Politikfelder von (quasi-)autonomen Politikträgern vertreten (wie z.B. im Falle der Autonomie der Notenbank oder der Tarifparteien), dann kann die Verhaltensabstimmung nicht durch schlichte Zuweisung von Instrumenteneinsätzen erfolgen, sondern muss dem eigenständigen Koordinationswunsch der Akteure folgen. Selbststeuerung bedeutet dabei aber nicht ,marktliche Koordination', denn es liegt ja keine direkte Interaktion der Akteure vor[119], sondern eine freiwillige Kooperation, die die Autonomie der Politikträger nicht einschränkt. Damit es zur Selbststeuerung kommen kann, müssen folgende Bedingungen erfüllt sein:

---

[119] Streit (2000: 37) bezieht sich im Gegensatz zu meinem hier verwendeten Sprachgebrauch ,Selbststeuerung' ausdrücklich auf ,marktliche Koordination'.

– Alle Akteure beziehen einen (Netto-)Nutzen aus der Kooperation.
– Alle Akteure verfügen über einen vergleichbaren Analyserahmen (Modell), der die Festlegung kompatibler Kooperationsbeiträge ermöglicht.
– Alle Akteure sind altruistisch-rational, d.h. sie verfolgen die Steigerung ihres eigenen Nutzens, schließen aber die Kooperation mit anderen Akteuren nicht grundsätzlich aus und beziehen auch keinen eigenständigen Nutzen aus dem Schaden anderer.

Aus zahlreichen sozialen Experimenten und der ökonomischen Geschichte vieler Länder (vgl. Heise 2001: 76ff.) wissen wir, dass sich die Selbststeuerung nicht ganz so urwüchsig und automatisch vollzieht, wie es der Terminus ‚Selbst-Steuerung‘ andeutet. Dies kann einerseits daran liegen, dass die oben genannten Bedingungen nicht erfüllt sind, andererseits kennt die Spieltheorie zahlreiche ‚Kooperationsfallen‘, die eine allzu reibungslose Selbststeuerung verhindern – mit dem Ergebnis eines nicht-kooperativen Nash-Gleichgewichts[120]. Allerdings legt die Spieltheorie auch die Bedingungen offen, die erfüllt sein müssen, um eine Verhaltensabstimmung durch Selbststeuerung zu ermöglichen: Es muss darum gehen, einen **‚Vertrag der unsichtbaren Hand‘** zwischen den Akteuren zu schließen, oder etwas weniger metaphorisch: durch **institutionelle Einbettung** der Akteure müssen Anreize geschaffen werden, die die Verfolgung einer kooperativen Strategie glaubwürdig macht. Dazu bedarf es folgender Vorkehrungen, die je nach der spezifischen Situation einer eigenen Institutionalisierung bedürfen:
– **Kommunikation** als grundlegende Voraussetzung für die Überwindung der Kooperationsfalle (Gefangenen-Dilemma, Chicken game etc.).
– Festlegung allgemein akzeptierter **Politikregeln**, die die Kontrolle der Erbringung der Kooperationsbeiträge ermöglicht.
– Festlegung einer **Abfolge der Handlungsschritte** (Sequenzierung), die die ‚Falle des 1. Schrittes‘ (first mover trap) umgeht, aber auch besonderen Akteurskonstellationen Rechnung tragen kann.[121]
– Festlegung einer **Spielstrategie**, die einfach, unraffiniert und vertrauensgewährend, gleichwohl sanktionsfähig ist. Soziale Experimente haben ergeben, dass die alttestamentarische Formel ‚Aug‘ um Aug‘, Zahn um Zahn‘ (tit for tat) diese Charakteristika bestens erfüllt.

Beispiele für eine institutionell eingebettete Selbststeuerung von Handlungsinterdependenzen bei Akteuren mit gleichen Zielen sind die Verhaltensabstimmung der makroökonomischen Akteure (Makro-Dialog, vgl. Kap. 5.3.2)[122] oder eine kooperative Strukturpolitik auf regionaler Ebene.[123]

---

[120] Beckert (1997: 35ff.) weist darauf hin, das die Nicht-Kooperation der Akteure rationalem Verhalten entspricht. Eine Kooperation ist also – da sie ein Positivsummenspiel initiiert – ein Beispiel für ‚irrationales Verhalten **ohne** Bedauern‘.

[121] Im Falle der Kooperation der makroökonomischen Akteure mag z.B. die Notenbank mit Rücksicht auf die Finanzmarktteilnehmer nicht in der Lage sein, eine Kooperationsleistung zu erwidern (Vertrauensnehmer), da sie sonst in den Ruf geriete, ihre ‚Unabhängigkeit‘ einzubüßen – aus diesem Grunde kann die Notenbank nur Kooperationsführer (Vertrauensgeber) sein; vgl. Heise (2001: 94f.).

[122] Vgl. u.a. Heise (2001), Heise (2002c).

[123] Vgl. u.a. Elsner (1998).

Abschließend soll noch einmal die Rollenzuweisung der Politikträger und deren Instrumenteneinsatz in den verschiedenen Paradigmen betrachtet werden (vgl. Abb. 7.9): Das neoklassisch-monetaristische Paradigma weist den Akteuren nicht nur klare Handlungsanweisungen zu, es verlangt gleichzeitig die Befolgung einfacher Handlungsregeln. Damit unterliegt es einem teleologischen Steuerungsoptimismus, der allerdings in dem Vertrauen auf die marktlichen Selbststeuerungsmechanismen, nicht etwa der Steuerungskapazität wirtschaftspolitischer Akteure begründet liegt. Im standard- bzw. neukeynesianischen Paradigma herrscht der diskretionäre Instrumenteneinsatz vor, dessen notwendige Koordination (aufgrund kurzfristiger Wirkungsinterdependenzen) allerdings entweder gar nicht explizit thematisiert wird oder lediglich vor dem Hintergrund spezifischer Konstellationen (Liquiditäts- und Investitionsfalle; s. Kap. 5.2.1) nach dem Wirkungsgrad fragt (vgl. z.B. Felderer/Homburg 2003: 155 oder Spahn 1999: 178). Der Verzicht auf eine genauere Untersuchung kann nur damit gerechtfertig werden, dass implizit eine Subordination verschiedener Politikbereiche als Koordinationsverfahren unterstellt wird – der unitarische wirtschaftspolitische Akteur also, der anhand seiner Zielfunktion den optimalen Instrumenteneinsatz festlegt.

Abbildung 7.9: Dimensionen des Mitteleinsatzes

	Mitteleinsatz	
	Diskretionär	Regelgebunden
Assignment		**Neoklassisch-monetaristische Wirtschaftspolitik** • Geldmengenregel • Null-Defizit-Regel • Produktivitätsorientierte Lohnpolitik
Koordination	**Standard- bzw. neukeynesianische Wirtschaftspolitik** • konjunktur- bzw. stabilitätspolitischer Policy mix	**Postkeynesianische Wirtschaftspolitik** • Lohnpolitik nach Meinhold-Formel • Geldpolitik nach Taylor-Regel • Finanzpolitik als Capital Budgeting

Das postkeynesianische Paradigma hingegen fundiert eine kooperative Wirtschaftspolitik, die explizit eine Koordinierung der verschiedenen makroökonomischen Politikfelder beschreibt, deren zentrales Element die institutionelle Einbettung regelgebundener Intervention ist – nur so kann der Steuerungsunschärfe und der grundsätzlichen Marktinstabilität bedingt begegnet werden.

7.5 Komplexität und rationale Wirtschaftspolitik

Der Begriff der Rationalität spielt in der Wirtschaftswissenschaft eine große Rolle. Er suggeriert eine nachvollziehbare Entscheidungs- und Handlungslogik der ökonomischen Akteure. Ganz grundsätzlich impliziert die **Rationalitätshypothese** ein zielgerichtetes, konsistentes Vorgehen, in engerer Auslegung des ‚Homo Oeconomicus' bedeutet es die egoistische Verfolgung eines materiellen Eigennutzens unter Formung transitiver Präferenzordnungen. Alles ökonomische Handeln wird dann zu einer **Optimierungsaufgabe** nach dem Mini-Max-Prinzip (deshalb auch ‚ökonomisches Prinzip' genannt). In Analogie dazu bedeutet rationales wirtschaftspolitisches Handeln dann, dass unter effizientem Ressourceneinsatz ein bestimmtes Ziel (zur Problematik der Zielfixierung wirtschaftspolitischem Handeln s. Kap. 2.2.2) verfolgt wird (vgl. Streit 2001: 70) in der Terminologie MAX WEBERS kann von **Zweckrationalität** gesprochen werden. Sowohl die Zielauswahl als auch der Instrumenteneinsatz muss dabei nachvollziehbar sein. Besonders deutlich wird die Analogie der rationalen Wirtschaftspolitik zur individuellen Optimierungsaufgabe in der frühen Soziokybernetik, die Wirtschaftspolitik als planvolles Optimierungsverfahren modellierte.

Voraussetzung für ‚rationale Wirtschaftspolitik' in diesem Sinne ist (vgl. Streit 2001; Wrobel 2001; Zinn 2002: 15ff.)

(1) die vollständige Kenntnis der Wirkungskanäle wirtschaftspolitischer Instrumente,
(2) die Determiniertheit (Gültigkeit des Kausalgesetzes) und lineare Dynamik (Bestimmbarkeit endogener Variablen) ökonomischer Entwicklungen,
(3) vollständige Information und Voraussicht (bzw. deren Äquivalent: rationale Erwartungen).

Tatsächlich unterstellen die standard- und neukeynesianischen ebenso wie die tradierten neoklassisch-monetaristischen Modelle eben diese Annahmen und gelangen so zur Teleologie ihrer wirtschaftspolitischen Implikationen. Wir können in diesen Fälle davon sprechen, dass die Modelle sich mit **Systemen organisierter Einfachheit** (oder ‚subkritischer Komplexität', vgl. Cramer 1993: 279) beschäftigen.

Im Gegensatz dazu gehen die postkeynesianischen Modelle, aber auch ordo-liberale und ‚österreichische' Varianten des neoklassischen Grundmodelles von **Systemen organisierter Komplexität** aus, für die Indeterminiertheit aufgrund reflexiver, interdependenter Kausalketten bzw. nicht-lineare Dynamik und ein systematischer Wissensmangel konstituierend sind. Von Komplexität kann hierbei gesprochen werden, weil eine ‚beträchtliche Anzahl von Akteure' (Streit 2001: 69) in einer Weise interagieren (Verknüpfungen herstellen, wie es Gäfgen [1986: 438]) nennt), dass der Handlungsausgang – auch ohne Änderung der Rahmenbedingungen und selbst unter der Bedingung der Auswertung aller im Entscheidungsmoment verfügbaren Informationen – offen ist.[124] Die Welt kann mehr als einen Zustand annehmen, es ent-

---

[124] Der Begriff der Komplexität entstammt den Naturwissenschaften und wird dort folgendermaßen definiert: „Komplexität kann man definieren als den Logarithmus der Anzahl der Möglichkeiten, die ein System zu seiner Realisierung hat oder als den Logarithmus der Zahl der möglichen Zustände des Systems: $K = \log N$, wobei K = Komplexität und N = die Zahl der möglichen unterscheidbaren Zustände

steht somit eine (System-)Kontingenz. Unter diesen Bedingungen kann ökonomisches Handeln im Allgemeinen und wirtschaftspolitisches Handeln im Speziellen nicht mehr als quasi-technisches Optimierungskalkül verstanden werden, sondern muss sich an anderen Bestimmungsfaktoren – Normen, Konventionen, Institutionen, Minimierung des möglichen Schadens, Maximierung des Erwartungsnutzens, Daumenregeln, etc. (vgl. z.B. Schumann 1992: 106) – orientieren. Welche Konsequenzen müssen aber nun aus diesen Überlegungen gezogen werden? Die Antwort auf diese Frage fällt zwischen den ordo-liberalen und ‚österreichischen‘ Varianten des neoklassisch-monetaristischen Paradigmas einerseits und dem postkeynesianischen Paradigma andererseits recht unterschiedlich aus:

(1) Der **Ordo-Liberalismus** bzw. die **‚österreichische Variante‘** des neoklassisch-monetaristischen Paradigmas anerkennt die grundsätzliche Unmöglichkeit der Anwendung von technokratischen Optimierungsverfahren angesichts des spezifischen Wissensmangels der wirtschaftlichen Akteure und konstruiert deshalb den ‚findigen Unternehmer‘, der durch ständige Suche nach ‚besseren‘ Tauschmöglichkeiten seinen Nutzen zu steigern sucht. Dies kann gewiss misslingen, was aber insofern unproblematisch ist, als das Wirtschaftssubjekt grundsätzlich über eigene Ressourcen verfügt und somit lediglich sich selbst verantwortlich ist. Gelingt die Suche hingegen, zwingt er andere Marktteilnehmer zur Revision ihrer eigenen Handlungen unter dem Eindruck neuer Informationen. Der Markt wird in dieser Weise zu einem **Entdeckungsverfahren** (vgl. Hayek 1969a), es entstehen dynamische Evolutionsprozesse, die ständige Anpassungen von allen Marktteilnehmern verlangen und deren Vorhersage allenfalls in groben Bewegungsrichtungen bestehen kann: das allgemeine Gleichgewicht des neoklassisch-monetaristischen Modells wird dann als solche grobe Bewegungsrichtung – **‚Muster-Voraussage‘** (Graf 1978: 46f.) – akzeptiert.[125]
Der wirtschaftspolitische Akteur bewegt sich nun innerhalb dieser Rahmenbedingungen. Er hat keinen systematischen Informationsvorsprung. Unter diesen Bedingungen organisierter Komplexität ist das Postulat der Zweckrationalität „ein ‚olympisches Modell‘ (Simon 1983: 23); olympisch, weil es nur durch Bewohner des Götterberges realisierbar wäre. Die irdischen Möglichkeiten rationalen wirtschaftspolitischen Handelns sind wesentlich bescheidener" (Streit 2001: 71). Ein teleologisches Steuerungsvermögen besitzt der wirtschaftspolitische Akteur nicht – da er allerdings, anders als der individuelle Marktteilnehmer, nicht mit ‚eigenen‘ Ressourcen wirtschaftet, wird ihm die Aufgabe abgesprochen, in Analogie zum individuellen Marktteilnehmer nach zielkonformen Interventionen zu suchen. Vielmehr sollte er die Bedingungen schaffen, innerhalb derer die individuellen Marktteilnehmer die ‚Muster-Voraussage‘ realisieren können: „Die wirtschaftspolitischen Gestalter müssen sich von der Vorstellung befreien, durch bewusste Gestaltung konkrete Ereignisse herbeiführen zu können. ... Durch eine indirekte wirtschaftspolitische Steuerung kann jedoch

---

bedeutet. Die so gegebene Definition von Komplexität lehnt sich an den Informationsbegriff an. Je komplexer ein System ist, um so mehr Informationen kann es tragen" (Cramer 1993: 274).

[125] Aus diesem Grunde wird der Ordo-Liberalismus und die ‚österreichische Variante‘ auch unter das neoklassisch-monetaristische Modell subsummiert – was vermutlich einige deren Vertreter entschieden ablehnen würden.

zur Etablierung bestimmter wirtschaftspolitischer Muster beigetragen werden"
(Wrobel 2001: 228). Da die ‚Muster-Voraussage' – das gesamtwirtschaftliche
Gleichgewicht als Referenz – ein Minimum an Intervention (s. Kap. 5.1.1) benötigt, kann sich der wirtschaftspolitische Akteur auf seine **ordnungspolitische
Funktion** beschränken. Allerdings liegt es in der Natur des evolutorischen Verständnisses, dass ein komplexes Gebilde wie eine Volkswirtschaft hohe Anforderungen an die Wandlungsfähigkeit des ordnungspolitischen Rahmens stellt.

(2) Im **postkeynesianischen Paradigma** spielt der systematische Wissensmangel
insbesondere mit Blick auf künftige wirtschaftliche Entwicklungen (fundamentale Unsicherheit) eine zentrale Rolle – die Komplexität des (Wirtschafts-)Sys-
tems und die Kontingenz der Wirtschaftsentwicklung werden als ‚Non-Ergodi-
zität' bezeichnet. Statt dem Rationalkalkül des ‚Homo Oeconomicus' folgt das
Wirtschaftssubjekt im postkeynesianischen Paradigma einer ‚beschränkten Rationalität' (‚bounded rationality'), die nachvollziehbares Handeln unter Infor-
mationsmängeln und fundamentaler Unsicherheit gleichwohl ermöglicht. Institutionen wie ‚Geld' kommt eine besondere Bedeutung zu, weil sie in dieser
komplexen, kontingenten Umwelt eine rationale **Bewirtschaftung der Ressourcen** erlaubt. Märkte werden dabei als Koordinationsinstrumente anerkannt,
nicht aber als optimale Entdeckungsverfahren glorifiziert. Dies hängt auch damit zusammen, dass die postkeynesianische ‚Muster-Voraussage' allerdings im
Gegensatz zum neoklassisch-monetaristischen Paradigma inklusive der ordo-
liberalen bzw. ‚österreichischen' Varianten ein nicht-deterministisches **Unter-
beschäftigungs-Gleichgewicht** vorsieht.
Vor diesem Hintergrund kommt der zielgeleiteten, prozesspolitischen Intervention eine größere Bedeutung zu als im Ordo-Liberalismus oder der ‚österreichischen' Theorieschule, gleichwohl bleiben die **Steuerungsgrenzen** angesichts
der Komplexität und Kontingenz der Umwelt offenkundig – dies wird gelegentlich nicht ausreichend bedacht (vgl. Barkley Rosser Jr 2001: 60), wenn die (langfristige) Wirksamkeit von Geld- und Finanzpolitik (im Gegensatz zur neoklassisch-monetaristischen Neutralitäts- und Ineffektivitätshypothese) im
postkeynesianischen Modell richtigerweise betont, nicht aber deren Steuerungsschärfe thematisiert wird.[126] Zur Reduktion der Komplexität wirtschaftlicher
Zusammenhänge werden Normen, Regeln, Konventionen, Institutionen, etc.
konstruiert, die die Handlungsoptionen der Wirtschaftssubjekte beschränken
bzw. deren Handlungen prognostizierbarer machen. Da die wirtschaftspolitischen Akteure ihrerseits nicht außerhalb des Systems stehen (Subjekte), sondern selbst – wenn auch besonders gewichtige – Marktteilnehmer sind (Objekte), die durch ihre reflexiven Handlungen zu Komplexität und Kontingenz
beitragen, bleiben logisch nur zwei Möglichkeiten:
– um die Komplexität zu reduzieren, verzichten die wirtschaftspolitischen Akteure auf jegliche eigenständige Intervention und belassen damit die dafür
  notwendigen Ressourcen bei den individuellen Marktteilnehmern. Damit
  wäre die wirtschaftspolitische Empfehlung jener des Ordo-Liberalismus bzw.

---

[126] Andererseits haben Kritiker (vgl. Solow 1979; Coddington 1983) von ‚Nihilismus', also wirtschaftpolitischer Unmöglichkeit' gesprochen.

der ‚österreichischen' Theorieschule vergleichbar, obwohl die ‚Muster-Vo-raussage' des postkeynesianischen Paradigmas so deutlich von der ‚Muster-Voraussage' des Ordo-Liberalismus bzw. der ‚österreichischen' Theorieschule abweicht – ein wenig überzeugendes Ergebnis.[127]
– um die Komplexität zu reduzieren, gleichzeitig aber die grundsätzliche Steuerungsintention beizubehalten, werden institutionelle Arrangements gefunden (s. Kap. 7.4), die die reflexiven Handlungen der wirtschaftspolitischen Akteure berechenbarer machen und somit die **Steuerungsunschärfe** reduzieren. Damit entsteht zwar keine teleologische Steuerungssicherheit, die eine quantitative Zielerreichung ermöglicht, wohl aber eine **‚bedingte Steuerungsfähigkeit'**, die eine qualitative Zielerreichung in Aussicht stellt, wenn es gelingt, gewünschte ‚Marktkonstellationen' (s. Kap. 4.2.3) zu erzeugen.

Auf den französischen Philosophen der Aufklärung RENÉ DESCARTES (1596 – 1650) geht der unverbrüchliche Glaube an die Machbarkeit politischer Gestaltungskraft zurück – häufig wird deshalb von ‚cartesianischem Glauben' oder, deutlich kritischer, von ‚cartesianischem Machbarkeitswahn' gesprochen. Richtig an den Einsichten DESCARTES' ist wohl, dass der Mensch – als Wirtschaftssubjekt und in Form des wirtschaftspolitischen Akteurs – die Bewegungsgesetze und Ergebnisse wirtschaftlicher Aktivität selbst bestimmt und nicht etwa bloß ihr Objekt ist, das er gläubig ergeben akzeptieren muss. Dies sollten Theoretiker der Wirtschaftspolitik und praktizierende Wirtschaftspolitiker sich häufiger in Erinnerung rufen, wenn sie den Glauben an die Selbstregulierungskräfte des Marktes in (ersatz-)religiöser Weise überhöhen.[128] Andererseits ist die Komplexität gesellschaftlichen und wirtschaftlichen Geschehens zu groß, als dass es einzelnen Akteuren gelingen könnte, mit teleologischer Präzision optimale Steuerungsergebnisse zu erzielen. Angesichts dieser Steuerungsunschärfe differenziert EGON TUCHTFELDT (1983: 384ff.) zwischen **Machbarkeit** und **Gestaltbarkeit**: Die lediglich bedingte Steuerungsfähigkeit der Wirtschaftspolitik trägt den Grenzen der Machbarkeit Rechnung, setzt aber gleichzeitig auf die Gestaltbarkeit. Die ordo-liberalen und ‚österreichischen' Varianten des neoklassisch-monetaristischen Modells beschränken diese Gestaltbarkeit auf den ordnungspolitischen Rahmen, das postkeynesianische Modell hält an der Notwendigkeit und Fähigkeit einer prozesspolitischen Gestaltbarkeit – eines Economic Governance – fest.

Literatur zu Teil 7

Barkley Rosser Jr, J.; Uncertainty and Expectations; in: Holt, R.P.F., Pressman, St. (Hrsg.); A New Guide to Post Keynesian Economics, London/ New York 2001

---

[127] Athol Fitzgibbons (2000: 108) resümiert mit Blick auf die Logik wirtschaftspolitischen Interventionsverzichts angesichts komplexer Umwelt: „If partial knowledge was good enough for firms to engage in microeconomic coordination, then it might also be sufficient for the government to engage in macroeconomic coordination."

[128] „Economists have been a modern priesthood, capable of establishing the social legitimacy of market institutions defined in religious terms more acceptable to the modern agre, grounded in ‚scientific' truth" (Nelson 2001: 270).

Bartsch, K. et al.; Zur Interdependenz von Geld- und Lohnpolitik; in: Heise, A. (Hrsg.); Neues Geld – alte Geldpolitik? Die EZB im makroökonomischen Interaktionsraum, Marburg 2002, S. 303 – 345

Beckert, J.; Grenzen des Marktes. Die sozialen Grundlagen wirtschaftlicher Effizienz, Frankfurt 1997

Blanchard, O., Illing, G.; Makroökonomie, München u.a. 2004 (3. Aufl.).

Blinder, A.; The Rules versus Discretion Debate in the Light of Recent Experience; in: Weltwirtschaftliches Archiv, Bd. 123, 1985, S. 399 – 414

Brachthäuser, N., Hauske, G., Heine, G.; Wirtschaftskybernetische Modellversuche; in: Industrielle Organisation, Jg. 40, 1971, S. 62ff.

Clarida, R., Gali, J., Gertler, M.; Monetary policy rules in practice. Some international evidence; in: European Economic Review, Vol. 42, 1998, S. 1033 – 1067

Coase, R. ; The nature of the firm; in: Economica, Vol. 16, 1937, S. 386 – 405

Coddington, A.; Keynesian Economics: The Search for First Principles, London 1983

Cramer, F.; Chaos und Ordnung – Die komplexe Struktur des Lebendigen, Frankfurt 1993

Dahl, R.A., Lindblom, C.E.; Politics, Economics, and Welfare – Planning and Politico-Economic Systems Resolved into Basic Social Processes, New York 1963

Donges, J.B., Freytag, A.; Allgemeine Wirtschaftspolitik, Stuttgart 2001

Eckstein, A.; A Survey of the Theory of Public Expenditure Criteria; in: NBER (Hrsg.); Public Finances: Needs, Sources and Utilization, Princeton 1961, S. 445ff.

Elsner, W.; Theorie kooperativer Strukturpolitik – Modellbildung und Praxiserfahrungen; in: Elsner, W., Engelhardt, W.W., Glastetter, W. (Hrsg.); Ökonomie in gesellschaftlicher Verantwortung, Berlin 1998, S. 421 – 452

Felderer, B., Homburg. St.; Makroökonomik und neue Makroökonomie, Berlin u.a. 2003 (8. Aufl.)

Filc, W., Sandte, H.; Für eine regelgebundene Unabhängigkeit der Zentralbank; in: Heise, A. (Hrsg.); Renaissance der Makroökonomik, Marburg 1998, S. 125 – 139

Fitzgibbons, A.; The Nature of Macroeconomics. Instability and Change in the Capitalist System, Cheltenham 2000

Friedman, M.; Die Rolle der Geldpolitik; in: ders.; Die optimale Geldmenge und andere Essays, Frankfurt 1976

Gäfgen, G.; Komplexität und wirtschaftspolitisches Handeln: Anmerkungen zur Krise der theoretischen Wirtschaftspolitik; in: Kappel, R. (Hrsg.); Im Spannungsfeld von Wirtschaft, Technik und Politik, München 1986, S. 435 – 452

Graf, H.-G.; ,Muster-Voraussagen' und ,Erklärungen des Prinzips' bei F.A. von Hayek, Tübingen 1978

Hayek, F.A.v.; Freiburger Studien, Tübingen 1969

Heise, A.; New Politics. Integrative Wirtschaftspolitik für das 21. Jahrhundert, Münster 2001

Heise, A.; Zur ökonomischen Sinnhaftigkeit von ,Null-Defiziten'; in: Wirtschaft und Gesellschaft, 28. Jg., H. 3, 2002b, S. 291 – 308

Heise, A. (Hrsg.); Neues Geld – alte Geldpolitik? Die EZB im makroökonomischen Interaktionsraum, Marburg 2002c

Holler, M.J., Illing, G.; Einführung in die Spieltheorie, Berlin u.a. 1996 (3. Aufl.)

Kade, G., Ipsen, D., Hujer, R.; Modellanalyse ökonomischer Systeme. Regelung, Steuerung oder Automatismus; in: Jahrbücher für Nationalökonomie und Statistik, Jg. 182, 1968, S. 2ff.

Kitschelt, H.; The Transformation of European Social Democracy, Cambridge 1994

Kliemt, H.; Antagonistische Kooperation. Elementare spieltheoretische Modelle spontaner Ordnungsentstehung, Freiburg/München 1986

Kydland, F.E., Prescott, E.C.; Rules rather than Discretion: The Inconsistency of Optimal Plans; in: Journal of Political Economy, Vol. 50, 1977, S. 473 – 492

Lange, O.; Einführung in die ökonomische Kybernetik, Tübingen 1970

Meinhold, H.; Tarifpolitik in einer wachsenden Wirtschaft; in: Offene Welt. Zeitschrift für Wirtschaft, Politik und Gesellschaft, Nr. 89, 1965, S. 254 – 267

Nelson, R.H.; Economics as Religion from Samuelson to Chicago and Beyond, University Park (PA) 2001

Okun, A.; Potential GNP: Its Measurement and Significance; in: Mueller, M.G. (Hrsg.); Readings in Macroeconomics, Hinsdale 1971

Osborne, M.J., Rubinstein, A.; Bargaining and Markets, San Diego u.a. 1990

Priewe, J.; Vom Defizit zum Überschuss – US-Fiskalpolitik in den 90er Jahren; in: Heise, A. (Hrsg.); USA – Modellfall der New Economy?, Marburg 2001, S. 103 – 130

Priewe, J.; Kooperative makroökonomische Politik für stabile Preise und mehr Beschäftigung in Europa; in: Heise, A. (Hrsg.); Neues Geld – alte Geldpolitik? Die EZB im makroökonomischen Interaktionsraum, Marburg 2002a, S. 259 – 301

Riese, H.; Theorie der Produktion und Einkommensverteilung; in: Kyklos, Vol. 34, Fasc. 4, 1981, S. 540 – 562

Savage, J.D.; Balanced Budgets and American Politics, Ithaca/London 1988

Schumann, J.; Grundzüge der mikroökonomischen Theorie, Berlin u.a. 1992 (6. Aufl.)

Solow, R. M.; Alternative Approaches to Macroeconomic Theory: A Partial View; in: Canadian Journal of Economics, Vol. 12, 1979, S. 339 – 354

Spahn, H.-P.; Makroökonomie. Theoretische Grundlagen und stabilitätspolitische Strategien, Berlin u.a. 1999 (2. Aufl.)

Streit, M.; Theorie der Wirtschaftspolitik, Düsseldorf 2000 (5. Aufl.)

Streit, M.E.; Rationale Wirtschaftspolitik in einem komplexen System; in: Zeitschrift für Wirtschaftspolitik, Jg. 50, H.1, 2001, S. 68 – 76

Taylor, J.B.; Discretion versus Policy Rules in Practice; in: Carnegie-Rochester Conference Series on Public Policy, Vol. 39, 1993, S. 195 – 214

Tinbergen, J.; Centralisation and Decentralisation in Economic Policy, Amsterdam 1954

Tinbergen, J.; Economic Policy: Principles and Design, Amsterdam 1964

Tomann, H.; Kommentar; in: Riese, H., Spahn, H.-P. (Hrsg.); Geldpolitik und ökonomische Entwicklung – Ein Symposium, Regensburg 1990, S. 18 – 21

Tuchtfeldt, E.; Zur Frage der Systemkonformität wirtschaftspolitischer Maßnahmen; in: Seraphim, H.-J. (Hrsg.); Zur Grundlegung wirtschaftspolitischer Konzeptionen, Schriften des Vereins für Socialpolitik, N.F., Bd. 18, Berlin 1960, S. 203 – 238

Tuchtfeldt, E.; Zielprobleme der modernen Wirtschaftspolitik, Walter Eucken Institut, Tübingen 1971

Tuchtfeldt, E.; Moral Suasion in der Wirtschaftspolitik; in: Hoppmann, E.; Konzertierte Aktion – Kritische Beiträge zu einem Experiment, Frankfurt 1971a, S. 19 – 68

Tuchtfeldt, E.; Bausteine zur Theorie der Wirtschaftspolitik, Bern/Stuttgart 1983

Watrin, Chr.; Geldwertstabilität, Konzertierte Aktion und autonome Gruppen; in: Hoppmann, E. (Hrsg.); Konzertierte Aktion – Kritische Beiträge zu einem Experiment, Frankfurt 1971

Wrobel, R.M.; Die Bedeutung der Komplexität ökonomischer Systeme für die Wahl wirtschaftspolitischer Strategien; in: Zeitschrift für Wirtschaftspolitik, Jg. 50, H.2, 2001, S. 217 – 249

Zinn, K. G.; Zukunftswissen. Die nächsten zehn Jahre im Blick der Politischen Ökonomie, Hamburg 2002

8. Positive Theorie der Wirtschaftspolitik: die Politics-Ebene

Lernziele

1. Wirtschaftspolitik muss innerhalb ihrer gesellschaftlichen Bindungen und divergierender Interessen betrachtet werden.
2. Es ist keineswegs gesichert, dass Wirtschaftspolitik tatsächlich ökonomische Probleme lösen will.
3. Bürokratien und öffentliche Verwaltungen leiden unter systematischen Ineffizienzen.
4. Als Wirtschaftspolitik wird handlungsmächtig, was den Interessen der Wählermehrheit unter den Bedingungen einer Medien-Demokratie entspricht.
5. Im Prozess der Formung und Umsetzung von Wirtschaftspolitik spielen mit Agenda-Building- und Agenda-Setting-Prozessen vor allem Kommunikations- und Inszenierungsfähigkeiten der Akteure eine überragende Rolle.

Am Ende des vorigen Kapitels wurde der Begriff ‚Gestaltbarkeit‘ eingeführt – er soll eine (bedingte) Steuerungsfähigkeit, keine allumfassende, cartesianische ‚Machbarkeit‘ ausdrücken. Steuerungs**fähigkeit** setzt allerdings Steuerungs**notwendigkeit** voraus. Diese wurde in Kapitel 3 als ‚Normative Theorie der Wirtschaftspolitik‘ herausgearbeitet. Allzu häufig wundern sich professionelle Ökonomen, wieso die Wirtschaftspolitik bzw. die wirtschaftpolitischen Akteure nicht das tun, was ihnen die Wissenschaft (normativ) anheim stellt. Dies kann einerseits darauf zurückzuführen sein, dass sich der wirtschaftpolitische Akteur einem anderen Paradigma verpflichtet fühlt als der wissenschaftliche Experte. Es kann aber auch daran liegen, dass die Wirtschaftspolitik einer eigenen Logik unterliegt, als ausschließlich einer – wenn auch bedingten – Zweckrationalität zu folgen. Es darf und muss also die Frage nach der Steuerungs**willigkeit** der wirtschaftpolitischen Akteure gestellt werden, also nach deren **Interessengebundenheit** und **gesellschaftlichen Reflexivität**.

Abbildung 8.1 zeigt die gewöhnliche Vorstellung wirtschaftpolitischer Aktivität: Der wirtschaftpolitische Akteur – häufig unitarisch als ‚Staat‘ gefasst – wird als ‚Black Box‘ modelliert, d.h. er formuliert keine eigenständigen Interessen, sondern handelt als **‚benevolenter Diktator‘** ausschließlich im Gemeinwohlinteresse. Anhand des Gemeinwohls werden Ziele konkretisiert (sofern sie sich nicht funktional ergeben), die mithilfe des von der Wissenschaft bereitgestellten Instrumentenapparates (Policy- und Polity-Ebene) verfolgt werden.[129] In diesem zweckrationalen Sin-

---

[129] „Damit enthält der traditionelle Ansatz elitäre Vorstellungen in dem Sinne, dass eine Gruppe – die der Wirtschaftstheoretiker – weiß, was für das Gemeinwesen gut sei, und dieses soll durch die Regierung durchgesetzt werden. Die Träger der Wirtschaftspolitik verhalten sich bei der Durchführung quasi wie ‚wohlwollende Diktatoren‘, deren Ziel die Maximierung des gesellschaftlichen Wohlstandes sei" (Fluhrer 1993: 255). Habermas (1978: 121) lehnt dieses ‚technokratische Modell‘ ab, weil es ‚Politik‘ zu reiner ‚Verwaltung‘ machte: „In letzter Instanz kann sich das politische Handeln nicht rational begründen, es realisiert vielmehr eine Entscheidung zwischen konkurrierenden Wertordnungen und Glaubensmächten, die zwingender Argumente entraten und einer verbindlichen Diskussion unzugänglich bleiben."

ne wird dann zuweilen (z.B. von Bundeskanzler Gerhard Schröder) behauptet, es gäbe keine ideologisch oder wertmäßig gefärbte Wirtschaftspolitik mehr, sondern lediglich moderne oder unmoderne – wobei sich dieses Urteil dann offenbar auf den Instrumenteneinsatz bezieht. Modern ist eine Wirtschaftspolitik dann wohl, wenn sie nach neuesten wissenschaftlichen Erkenntnissen mit einem gegebenen Ressourcenseinsatz ein Höchstmaß an Zielerfüllung bzw. ein vorgegebenes Ziel mit einem Minimum an Ressourcenaufwand erreicht. Die ,Ideologiebefreiung' der Wirtschaftspolitik erscheint deshalb wünschenswert, weil sie einerseits eine Orientierung am Gemeinwohl verspricht, andererseits im Falle von wirtschaftspolitischen Belastungen (so genannte ,hard choices') den Individuen (die ja auch Wähler sind) als ,sachnotwendig' oder ,alternativlos' dargestellt werden kann.

Abbildung 8.1: Wirtschaftspolitische Aktivität nach Lehrbuchdarstellung

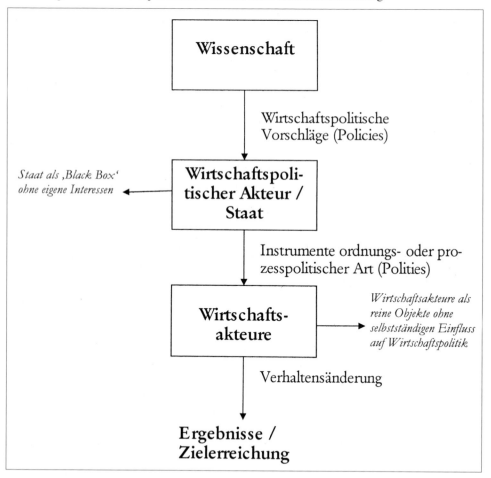

So sympathisch diese Vorstellung von der Durchführung der Wirtschaftspolitik auch ist, sie hat doch eine ganze Reihe von Schwachstellen:

- Die Wissenschaft nimmt hier eine vom ‚Rest des Geschehens‘ getrennte **Beobachterposition** ein, die eine ‚objektive‘ Beratung erlaubt. Aber selbstverständlich sind die Wissenschaftler selbst Teil der Gesellschaft und Volkswirtschaft und können somit schlechterdings nicht ‚neutral‘ sein.
- Die Bestimmung der Ziele kann – unter gewöhnlichen Umständen – nicht durch Aggregation der Interessen der Individuen erfolgen, sondern muss durch Wahl mehrheitlich entschieden werden. Hierbei kommt dem **‚Agenda-Setting‘**, also der Besetzung politischer Themen und Ziele, eine besondere Bedeutung (siehe weiter unten und Kap. 2.2.2) zu. Ökonomische und gesellschaftliche Ziele (Visionen) sind mithin entscheidend ideologisch[130] geprägt.
- Indem der wirtschaftpolitische Akteur als ‚Black Box‘ beschrieben wird, wird eine methodische Dichotomie erkennbar, die zumindest erklärungsbedürftig wäre: Die Wirtschaftswissenschaft geht davon aus, dass die Handlungen der zu untersuchenden Akteure einem Eigeninteresse folgt (z.B. der Nutzenmaximierung). Dem wirtschaftspolitischen Akteur aber wird unterstellt, er verfolge ein **Fremdinteresse** (das der abstrakten Gemeinschaft).
- Indem der wirtschaftspolitische Akteur als **unitarische Einheit** beschrieben wird, wird die Möglichkeit unterschiedlicher Zielsetzungen oder auch nur Interdependenzprobleme unkoordinierten Handelns (s. Kap. 7.4) ausgeblendet.
- Schließlich missachtet diese Vorstellung von ‚technokratischer Wirtschaftspolitik‘ die **Multiparadigmatik** der Wirtschaftswissenschaft, der in diesem Buch ein besonderer Stellenwert beigemessen wird: In den wenigsten Fällen kann sich die Wirtschaftswissenschaft auf eine allgemein akzeptierte Diagnose und ‚Medikamentierung‘ einigen, vielmehr kursiert das Bonmot, wonach 3 Ökonomen mindestens 4 Positionen vertreten.

Wir werden im folgenden eine Reihe von Ansätzen kennen lernen, die wirtschaftspolitische Aktivität in einen **gesellschaftlichen Kontext** einbindet und danach fragt, welche Interessen die Träger der Wirtschaftspolitik in modernen, demokratischen Gesellschaften verfolgen bzw. zu berücksichtigen haben. Dabei greifen wir auf die Erkenntnis von Albert O. Hirschman (1977) zurück, wonach die Betrachtung von Interessen deshalb als ‚progressive Analysemethodik‘ gelten dürfe, weil sie eine rationale Handlungsmotivation (im Gegensatz z.B. zu ‚Leidenschaft‘ oder dem ziellosen Durchwursteln) unterstellt.

8.1 Der systemtheoretische Ansatz

Grundlagen

Der systemtheoretische Ansatz geht auf Niklas Luhmann (1989; 1997; 2000) zurück und kann auch als eine **soziologische Theorie der (Wirtschafts-)Politik** ver-

---

[130] Mit Karl Mannheim (1936/1960) können wir zwei Interpretationen von ‚Ideologie‘ unterscheiden: (1) Ideologie ist eine positive Vision des gesellschaftlichen Soll-Zustandes und ein Interpretationsangebot der komplexen Realität (Ist-Zustand); (2) Ideologie ist eine bewusste Fehlinterpretation der Realität zur Durchsetzung eigener Interessen. Hier wird offensichtlich die erste Interpretation von Ideologie gewählt.

standen werden. Der Zugang zur Systemtheorie wird durch einen elitären Sprachgebrauch und einen vom Rest der Sozialwissenschaften stark unterschiedenen Zugang zu gesellschaftlichen Phänomenen zumindest erschwert. Deshalb sollen zunächst ein paar zentrale Begrifflichkeiten geklärt werden:

- Im Zentrum der systemtheoretischen Betrachtungen steht die **Kommunikation**.

Nicht Menschen, Individuen oder Gruppen – oder allgemeiner: Akteure – sind die zentralen Elemente eines Gesellschaftssystems, sondern Kommunikationsfolgen bzw. ‚Anschlusskommunikationen‘, also reflexive Kommunikationen. Die Systemtheorie ist also – anders als die Wirtschafts-, Politikwissenschaft oder traditionelle Soziologie – nicht akteurs- und handlungszentriert, sondern kommunikationszentriert.

- Zweiter zentraler Begriff ist die **Komplexität**.

Ein System – ein Kommunikationsgeschehen – ist komplex, wenn es mehr als einen möglichen Zustand annehmen kann. Je höher die Anzahl möglicher Zustande, desto höher der Komplexitätsgrad. Zur Reduktion der Komplexität werden schließlich Subsysteme herausgebildet, die sich gegeneinander verschließen (**Autopoiesis**).

- Schließlich wird als Konsequenz von komplexen Kommunikationsfolgen der Begriff der **Kontingenz** eingeführt, der die Zufälligkeit bzw. Offenheit von Ereigniseintritten beschreibt.

In der Kombination dieser zentralen Begriffe entsteht nun der Kern der Systemtheorie: Da Sender und Empfänger von Kommunikationsfolgen niemals identisch sind und zur Kommunikation nicht nur die Übertragung, sondern auch die Verarbeitung bzw. Interpretation oder Entschlüsselung gehört, kann der Kommunikationsprozess nicht als linearer, deterministischer Prozess verstanden werden. Jede noch so simple Übertragung einer Kommunikation vom Sender zum Empfänger schafft Kontingenz – die Offenheit einer Anschlusskommunikation.

Beispiel:

> Sender: „Der Schuh ist schwarz.“
> *Botschaft: Schuhfarbe*
> Empfänger: „Der Schuh gefällt mir nicht.“
> *Botschaftsinterpretation: Den Schuh will ich nicht, weil ich schwarz nicht mag.*
> Sender: „Dann nimm doch einen braunen Schuh.“
>   : „Ich finde ihn ganz toll.“
>   : „Lass uns in einen anderen Laden gehen.“
>   : „Stell dich nicht so an.“
>   usw.

Mit der Kontingenz entsteht die Komplexität des Systems, also die Möglichkeit sehr unterschiedlicher Kommunikationsfolgen. Zur Komplexitätsreduktion spezialisiert das System eine Reihe von autopoietischen Subsystemen (vgl. Abb. 8.2) heraus, deren wesentliche Aufgabe die Selbststeuerung, der Selbsterhalt und die Selbstbeschreibung ist.

Abbildung 8.2: Autopoietische Subsysteme

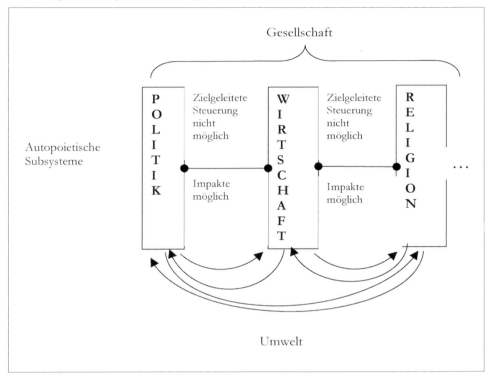

Autopoiesis impliziert dabei einerseits die Herausbildung subsystemsspezifischer Codes zur Verbesserung der Kommunikation durch erhöhte Interpretationssicherheit (z.B. Ideologien als Interpretations-, Übertragungs- und Deutungshilfen), andererseits aber auch die Kommunikationsunfähigkeit zwischen den Subsystemen. Autopoietische Subsysteme sind selbstreferenziell in dem Sinne, dass sie all ihre Kommunikationsfolgen ausschließlich auf den Erhalt des jeweiligen Subsystems, nicht aber auf eine zielgerichtete Beeinflussung (Steuerung) eines anderen Subsystems ausrichten.

Diese sehr abstrakten Überlegungen haben weitreichende Folgerungen für die Steuerungswillig- und -fähigkeit der wirtschaftspolitischen Akteure:

• Aufgrund der Abgeschlossenheit der verschiedenen Subsysteme ist eine direkte, zielgerichtete Steuerbarkeit eines Subsystems – z.B. der Wirtschaft – durch ein anderes Subsystem – z.B. der Politik – nicht möglich. Zwischen den Subsystemen besteht **kein hierarchisches** Verhältnis, sondern ein **kontextuelles** – d.h. die einzelnen Subsysteme bilden für einander Umwelt. Damit kann angenommen werden, dass Kommunikationsfolgen im Subsystem ,Politik' durchaus Auswirkungen auf das Subsystem ,Wirtschaft' haben (Irritationen), doch sind diese Auswirkungen nicht eindeutig prognostizierbar: „Die einzig wirksame Form staatlicher Steuerung, die sie sehen, ist die ,Kontextsteuerung', durch welche nicht in die Operationsweise von Systemen eingegriffen wird, sondern nur die ‚System-umwelt' beeinflusst wird" (Benz 2001: 216).[131]

- Die Akteure eines Subsystems legen es überhaupt nicht darauf an, Ziele in einem anderen Subsystem zu verfolgen. Ihre Kommunikation ist ausschließlich darauf ausgelegt, innerhalb jenes Subsystems Anschlusskommunikationen auszulösen, innerhalb derer sich die Akteure bewegen. Für (wirtschafts-)politische Akteure be-deutet dies den vollständigen Verzicht auf die Verfolgung von Zielen im wirtschaft-lichen Subsystem (z.B. Vollbeschäftigung, Preisstabilität, etc.) zugunsten der Selbstreferenz in jenem Subsystem, auf den der Kommunikationsursprung zurück-geht. Dies kann der Erhalt der Differenz zwischen Regierung und Opposition (al-so die Wiederwahl für Regierungen) ebenso sein wie die Sicherung der Stellung im Kommunikationsgefüge (z.B. die gesellschaftliche Position von Gewerkschaf-ten, etc.). Wenn also der wirtschaftspolitische Akteur die Kommunikationsfolge „Wählt mich wieder, denn ich bin in der Lage, ökonomische Problemlösungen an-zubieten" startet, wird er keineswegs tatsächlich solche Maßnahmen ergreifen, die im wirtschaftlichen Subsystem zielgerichtet identifizierte Probleme (z.B. Arbeits-losigkeit) lösen helfen, sondern lediglich solche, die im politischen Subsystem als Problemlösung definiert bzw. akzeptiert sind – unabhängig davon, welche Aus-wirkungen dies tatsächlich im Subsystem ‚Wirtschaft' haben mag.

Mit dem **Postulat der Steuerungsunfähigkeit und Steuerungsunwilligkeit** über Subsystemgrenzen hinweg versucht sich die Systemtheorie an einer ‚Entzauberung des Staates' (Willke 1983) zugunsten eines evolutionären ‚Durchwurstelns' (vgl. kri-tisch dazu: Willke 1997: 82).

Kritische Bewertung

Der große Wert der Systemtheorie liegt wohl darin, auf die unübersehbaren Kom-munikationsschwierigkeiten und divergenten Rationalitäten[132] zwischen verschiede-nen Subsystemen (oder geläufiger: gesellschaftlichen Bereichen) hingewiesen zu ha-ben. Würde die Politik sich tatsächlich ausschließlich anhand ihrer zielgerichteten Steuerungsbefähigung legitimieren – immerhin die eigentliche Aufgabe der Politik (!) –, dann wären viele Wahlergebnisse schlechterdings nicht erklärbar. Es wird nun auch besser verständlich, weshalb Instrumente wie z.B. Steuersenkungen oder Aus-gabenkürzungen, (als Teile des politischen Systems) häufig als eigenständige Ziele den wirklichen Zielen wie Wachstumssteigerung, Abbau der Arbeitslosigkeit oder Konsolidierung der öffentlichen Haushalte (als Teile und Ergebnisse des wirtschaft-lichen Systems) vorgezogen und symbolhaft übersteigert werden. Bezweifelt aber

---

[131] Allerdings ist gelegentlich nicht ganz klar, ob hier nicht eine zirkuläre Argumentation vorliegt: Auto-poiesis bedeutet die Kommunikations- und mithin Steuerungsunfähigkeit zwischen Subsystemen, gleichzeitig resultiert die Kommunikations- und Steuerungsunfähigkeit (Abgeschlossenheit) der Sub-systeme in Autopoiesis. Wann immer Steuerungserfolge der Politik sichtbar sind, wird dies auf man-gelnde Komplexität und damit fehlender subsystemischer Differenzierung zurückgeführt; vgl. Luh-mann (1988: 324ff., insbesondere S. 333).

[132] Habermas hat in seinem bahnbrechenden Werk ‚Theorie des kommunikativen Handelns' eine Reihe sehr verschiedener Handlungslogiken – teleologisches, kommunikatives, inszenierendes Handeln – dar-gelegt, die durchaus für unterschiedliche Subsysteme gelten mögen.

wird, dass eine Politik, die ihre eigene Steuerungsunfähigkeit und –willigkeit eingestehen müsste, dauerhaft legitimierbar wäre. Ebenso darf aber auch bezweifelt werden, dass die Steuerungsunfähigkeit so absolut ist, wie der Autopoiesis-Ansatz behauptet: Einerseits gibt es reichlich empirische Hinweise für zumindest qualitative Steuerungszusammenhänge, andererseits könnten ‚wahrheitskontrollierte Erfolge‘ (Habermas 1973: 24) im wirtschaftlichen System auch als Kommunikationshilfen im politischen System wirken. Und tatsächlich klingen Überlegungen ‚gemäßigter‘ Systemtheoretiker wie HELMUT WILLKES ‚Supervisions-Staat‘ sehr nach der ‚bedingten (wirtschaftspolitischen) Steuerungsfähigkeit‘ des postkeynesianischen Paradigmas.[133] Fritz W. Scharpf (1989: 18f.) fasst zusammen: „Es gibt keinen theoretischen Grund, die Möglichkeit einer absichtvollen und im Sinne der eigenen Ziele erfolgreichen Intervention (...) der Politik in die Strukturen und Prozesse der Wirtschaft und anderer Funktionssysteme von vorneherein auszuschließen, auch wenn der potentielle Steuerbarkeit durch die dem Staat verfügbaren Instrumente erheblich variiert."

8.2 Public Choice oder die Theorie des Staatsversagens

Ähnlich wie die Theorie des Marktversagens thematisiert die Theorie des Staats- bzw. Bürokratieversagens – Public Choice – nicht etwa individuelles Fehlversagen einzelner Politiker oder Bürokraten, sondern sie bemüht sich um den Nachweis systematischer Ineffizienzen bei der Bereitstellung öffentlicher Güter. Dabei geht es um ein **doppeltes Prinzipal-Agenten-Problem**: einerseits das ‚interne‘ Prinzipal-Agenten-Problem zwischen dem Prinzipal ‚Staat‘ (Regierung) und dem Agenten ‚Bürokratie‘ – das so genannte Bürokratie-Problem – und andererseits das ‚externe‘ Prinzipal-Agenten-Problem zwischen dem Prinzipal ‚Wählerschaft‘ und dem Agenten ‚Staat‘ (Regierung).

Während das Bürokratie-Problem nicht ausschließlich auf öffentliche Verwaltungen anwendbar ist, sondern für alle Organisationsformen gilt, in denen eine **asymmetrische Informationsverteilung** vorliegt, liegt das ‚externe‘ Prinzipal-Agenten-Problem wesentlich in der besonderen Charakteristik von öffentlichen Gütern begründet. Zunächst aber zum ‚internen‘ Prinzipal-Agenten-Problem

8.2.1 Das Bürokratie-Problem – die X-Ineffizienz oder Überversorgung

Der deutsche Soziologe MAX WEBER (1922/1976) glaubte wahrhaftig, dass Beamte ‚schizophren‘ in dem Sinne seien, dass sie sich als Marktteilnehmer (als Konsumenten, Sparer, etc.) **eigennutzorientiert** verhalten würden (wie alle anderen Marktteilnehmer auch), als Bürokraten aber diesen Eigennutz an der Bürotür ablegen würden und sich nun vollkommen **gemeinnützig** verhalten – dazu seien sie durch Pflicht und Gehorsam (Loyalität) erzogen worden (der ‚deutsche Beamte‘). Unter diesen Bedingungen sei die Bürokratie die effizienteste Form der Bereitstellung öf-

---

[133] Folgerichtig werden dann auch korporatistische Koordinationsinstitutionen zwischen Markt und Hierarchie wie die ‚Konzertierte Aktion‘ lobend hervorgehoben; vgl. Willke (1997: 132).

fentlicher Güter. Spätestens mit DOWNS (1967) und NISKANEN (1971) sind erhebliche Zweifel an dieser Vorstellung der Bürokratie geäußert worden, die sich dahingehend zusammenfassen lassen, dass das ökonomische Rationalkonzept – Zielorientierung und Eigennutz – auch auf das Verhalten der Bürokratie bzw. der Bürokraten übertragen wird.

Rationale, selbstsüchtige Bürokraten verfolgen eigene Ziele, nicht die Ziele des Prinzipals (Staat/Regierung) – sie maximieren ihren Nutzen, der durch verschiedene Ausprägungen beschrieben werden kann:

- Macht
- Ansehen und Anerkennung
- Einkommen
- Autonomie
- Geringe Arbeitsbelastung und nicht-pekuniäre Vergütung wie schöne Büros, Dienstautos, etc.

Um aus diesen Ausprägungen eine präskriptive Theorie zu machen, die testbare Prognosen liefern kann, wird ein ‚sparsames Modell‘ vorgeschlagen: Alle Ausprägungen korrelieren positiv mit der Größe des Budgetvolumens, dass dem Bürokraten zur Erfüllung seiner Aufgaben zur Verfügung steht. **Nutzenmaximierung** wird also mit **Budgetmaximierung** gleichgesetzt.

Abbildung 8.3 spiegelt das Kalkül des so beschriebenen Bürokraten wider: Die K-Funktion stellt die technisch mögliche Minimalkostenkombination (X-Effizienz) dar, **die allerdings nur der Bürokrat selbst genau kennt**. So weiß z.B. nur der Bürokrat (Agent), wie viel Stunden ein Finanzbeamter durchschnittlich zur Bearbeitung eines Einkommenssteuerbescheides benötigt, wie hoch der Papier- und Druckerpatronenbedarf, etc. ist. Die B-Funktion hingegen drückt die Zahlungsbereitschaft der Regierung (bzw. der Wählerschaft = Prinzipal) bei steigender Bereitstellungsmenge des öffentlichen Gutes X aus. Die Grenzkostenfunktion GK in Zusammenspiel mit der Grenznutzenfunktion GN bestimmt nun die optimale Bereitstellungsmenge X_{opt} aus Sicht des Prinzipals Regierung bzw. Wählerschaft: Hierbei ist nun das Budgetresiduum – also die Differenz zwischen Zahlungsbereitschaft und Kosten der Bereitstellung maximal. Die absolute Grenze der Bereitstellung X_{max} wird durch die Identität von Zahlungsbereitschaft und Kosten bestimmt – dann allerdings übersteigen die Grenzkosten den Grenznutzen bereits, weshalb der Prinzipal nicht bereit sein wird, diese Bereitstellungsmenge zu akzeptieren.

Allerdings setzt dies voraus, dass der Prinzipal nicht nur über seine Zahlungsbereitschaft, sondern auch über die Minimalkostenkombination Kenntnis hat. Hier aber greift die Annahme **asymmetrischer Informationen**: Nur die Bürokratie (Agent) kennt die Minimalkostenkombination K und sie versucht diesen Informationsvorsprung gegenüber dem Prinzipal auch zu halten. Dann nämlich kann sie das Budgetresiduum in eigener Verantwortung einsetzen: Gilt die Annahme NISKANENS, wonach Budgetmaximierung das Ziel der Bürokratie ist, dann wird X_{max} angesteuert. DOWNS‘ Bürokratie-Modell ist facettenreicher und lässt neben der Budgetmaximierung auch andere Handlungsrationale – z.B. die Maximierung des Budgetresiduums zur Schaffung von Finanzreserven für „ein bequemes und konfliktfreies Leben" (Zimmermann/Henke 2001: 75) – zu, die X_{opt} oder irgendeine Bereitstellungsmen-

Abbildung 8.3: X-Ineffizienz im Bürokratie-Modell von Niskanen

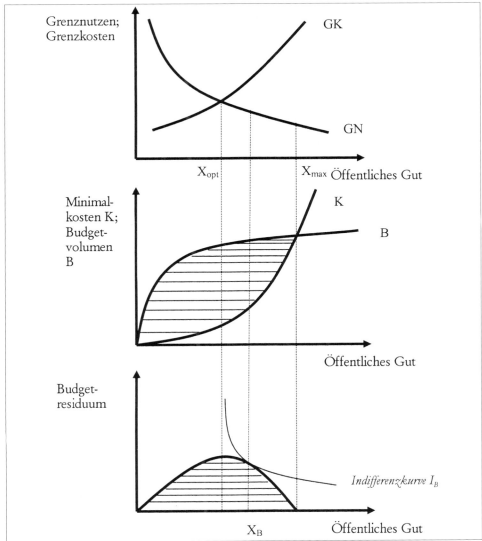

ge dazwischen (X_B) ergibt. Der tatsächlich von der Bürokratie angesteuerte Punkt wird dann durch die multivariate Nutzenfunktion bestimmt, die in Abb. 8.3 als Indifferenzkurve I_B erscheint. Als Ergebnis lässt sich jedenfalls festhalten, dass entweder

- die optimale Bereitstellungsmenge X_{opt} mit unnötig hohem Ressourceneinsatz (X-Ineffizienz)

oder

• eine überhöhte Bereitstellungsmenge realisiert wird (Überversorgung).

Die besondere Praxis der Budgeterstellung in öffentlichen Verwaltungen, die eine Planerstellung ‚von unten nach oben‘ vorsieht – d.h. die einzelnen Verwaltungsstellen melden nach einem festgelegten Verfahren finanzielle Bedarfe an – und die mangelnde Marktbewertung der meisten öffentlichen Güter (Inputorientierung statt Outputorientierung), erleichtert die Verschleierung der Minimalkostenkombination. Allerdings gilt dieses ‚Bürokratie-Problem‘ grundsätzlich für alle Organisationen, in denen Intransparenz (asymmetrische Informationen) nicht ausgeschlossen werden kann. Dennoch verhindert die **fehlende Marktkonkurrenz** zweifellos Entdeckungsprozesse, die es dem Prinzipal bei marktlicher Sanktion ermöglichen könnte, die vorhandenen Informationsasymmetrien zu reduzieren.

So wie Marktversagen staatliche Interventionen in den Markt rechtfertigt, so rechtfertigt Bürokratie- bzw. Staatsversagen Eingriffe in bürokratische Prozesse. Unter dem Stichwort **‚New Public Management‘** werden sowohl interne wie externe Steuerungsmaßnahmen zusammengefasst, die alle darauf abzielen, den Grad der Überversorgung bzw. die X-Ineffizienz staatlicher Verwaltungen zu reduzieren:

• Durch **Kontrollen** (z.B. Rechnungshöfe) oder **externe Prüfer** kann das unterstellte Informationsdefizit des Prinzipals reduziert werden – allerdings dürfen die Kontrollkosten die Kostenreduktionen durch zusätzliche Informationen nicht übersteigen.
• Durch Zulassung **externer Konkurrenz** – z.B. durch Liberalisierung regulierter Märkte (z.B. im Telekommunikations- oder Stromversorgungsbereich, Bildung, etc.) oder Teil-Privatisierung meritorisierter öffentlicher Güter – und Schaffung verwaltungsinterner Konkurrenz (z.B. durch Parallelabteilungen, interne Benchmarking- und Best-Practice-Vergleiche, etc.) können die Agenten zur Offenlegung ihrer Minimalkostenkombinationen verleitet werden.
• Durch **Budgetdeckelung** bzw. **–degression** können die Effizienzreserven der Bürokratie mobilisiert werden.

Obwohl die Kritik an der ökonomischen Bürokratie-Theorie heftig ist (vgl. u.a. Udehn 1996: 75ff., Dunleavy 1991, Braun 1999: 151ff.), so muss ihr wohl zugestanden werden, auf systematische Ineffizienzen von Organisationen im Allgemeinen und öffentlichen Verwaltungen im Speziellen aufmerksam gemacht zu haben. Selbst wenn es nicht gelungen sein sollte, ein präskriptives Modell bürokratischen Handelns präsentieren zu können, so dürfte heute unbestritten sein, dass Bürokratie-Versagen ein ernstzunehmendes Problem der Bereitstellung öffentlicher Güter darstellt und neue (betriebswirtschaftliche) Steuerungsmodelle als Verwaltungsmodernisierung insbesondere in die Verwaltungspraxis Einzug erhalten haben (vgl. Benz 2001: 272ff.).

8.2.2 Das externe Prinzipal-Agent-Problem: Wirtschaftspolitik und der Median-Wähler

Die ökonomische Bürokratie-Theorie stellt im wesentlichen auf operative Entscheidungen ab, die sich von den strategischen Entscheidungen des Prinzipals ‚Staat/Regierung' entfernen können. Das externe Prinzipal-Agenten-Problem wird nun danach fragen, ob es nicht auch Gründe geben mag, die für systematisch verzerrte strategische Entscheidungen in modernen, demokratischen Gesellschaften sprechen – also echtes Staats- bzw. gar Demokratie-Versagen?

Bevor wir dieser Frage weiter nachgehen wollen, sollen noch einmal besondere Charakteristika der öffentlichen Güterproduktion benannt werden:

- **Monopolproduktion**: Wie jegliche Monopolproduktion, so darf auch bei monopolistischer öffentlicher Güterbereitstellung (z.B. im Bereich der Eisenbahn, der Müllentsorgung, etc.) mit Ineffizienzen und Fehlversorgungen gerechnet werden. Diesen Überlegungen ist im Postulat des ,Bürokratie-Versagens' bereits Rechnung getragen.
- **Individuelle Zahlungsbereitschaft**: Aufgrund der fehlenden Ausschlussfähigkeit reiner öffentlicher oder meritorischer Güter werden die Konsumenten öffentlicher Güter ihre Zahlungsbereitschaft nicht (unbedingt vollständig und korrekt) offenbaren. Und selbst bei Mautgütern, die die Ausschlussfähigkeit grundsätzlich ermöglichen, kann das angebotsseitige Optimierungskalkül ,Preis=Grenzkosten' nicht zur Bestimmung der optimalen Bereitstellungsmenge herhalten, da die Grenzkosten aufgrund der mangelnden Konsumrivalität Null sind. Schließlich könnte man durch Opportunitätskostenüberlegungen (Ressourcen, die der Bereitstellung privater Güter entzogen werden) versuchen, auf die Zahlungsbereitschaft der Konsumenten (Nutzer, Wähler) zu schließen, doch ginge dies konsistent nur, wenn eine gesamtgesellschaftliche Wohlfahrtsfunktion konstruierbar wäre. Das ,Arrowsche Unmöglichkeitstheorem' blockiert aber diesen Ausweg. Wenn nun aber sowohl angebots- als auch nachfrageseitige Überlegungen die optimale öffentliche Güterbereitstellung erheblich erschweren, bleibt nur der Weg, über Abstimmungsprozesse (Wahlen) im politischen (Parteien-)Wettbewerb Ziele durch die Wählerschaft (Prinzipal) zu definieren, deren Erfüllung mittels öffentlicher Güter (Wirtschaftspolitik i.w.S.) der Regierung (Agent) überlassen bleibt. Hierzu werden wir gleich noch weitere Ausführungen machen.
- **Zeitliche Verteilung der Bereitstellung öffentlicher Güter:** Insbesondere prozesspolitische Interventionen stabilisierungs- oder verteilungspolitischer Art mögen sich dann nicht an den objektiven Bedürfnissen der Gesellschaftsmitglieder (Wähler=Prinzipal), sondern an Wahlterminen ausrichten, wenn
  - die Wahlentscheidung der Wähler durch die ökonomische Performanz – also den Grad der Erfüllung wirtschaftspolitischer Ziele – (mit-)bestimmt wird,
  - die Wirtschaftspolitik in der Lage ist, die wirtschaftliche Entwicklung ansatzweise zielgerichtet zu beeinflussen,
  - die Wähler (Prinzipal) nur über eingeschränkte Informationen und Voraussicht verfügen, die eine Täuschung durch die Regierung (Agenten) erlaubt.

Hier nun erwächst die Möglichkeit eines ,politischen Konjunkturzykluses', der im Kern darauf hinausläuft, dass die Wirtschaftspolitik nicht zur Stabilisierung der Volkswirtschaft beiträgt, sondern aus wahltaktischen Überlegungen gar eine Destabilisierung anstrebt. Hierauf werden wir etwas später ebenfalls zurückkommen.

Grundzüge des ‚sparsamen' Public Choice-Modells

Wir wollen uns zunächst damit beschäftigen, die Konsequenzen der ökonomischen Theorie der Politik aufzuzeigen, die als **Staats- bzw. Demokratieversagen** bezeichnet werden. Diese Theorie basiert auf der Überlegung, dass die ökonomische Theorie als rationale Entscheidungslehre bestens geeignet sein müsste, um politische Wahlprozesse beurteilen zu können. (Wirtschafts-)Politische Entscheidungen werden als ‚politischer Markt' modelliert, auf dem Anbieter von Wahlprogrammen (Parteien) und Nachfrager von Politiken (Wähler) agieren. Entsprechend der Vorstellung der Mikroökonomik, wo die Konsumenten das Verhalten der Anbieter (Konsumentensouveränität) bestimmen, müssen die gewählten Regierungen (Parteien, die die Mehrheit erzielten) letztlich den Präferenzen der Wähler entsprechen, wenn sie wieder gewählt werden wollen: Regierungen (als Agenten) werden zu den ‚Vikaren der Wähler' (Prinzipal).

Allerdings handelt es sich beim ‚politischen Markt' um einen so genannten ‚Winner takes it all'-Markt, d.h. es gibt nur die binäre Option ‚Regierung oder Opposition': Entweder es gelingt einer Partei (oder einem Parteienkonglomerat) die Regierung zu stellen und ihr Politikangebot umzusetzen oder sie verbleibt in der Opposition und muss politisch passiv verbleiben – ein bisschen regieren bzw. ein bisschen opponieren gibt es nicht.

Vor diesem Hintergrund soll nun ein ‚sparsames' Public Choice-Modell dargelegt werden. Die ‚Sparsamkeit' bezieht sich dabei auf die Reduktion der Komplexität politischer Abläufe, um ein präskriptives Modell mit klarer Prognosekraft konstruieren zu können. Zweifellos hat die Public Choice-Forschung mittlerweile viel komplexere politische Wahlhandlungsmodelle entwickelt, doch sinkt die Prognose- und Aussagekraft mit zunehmender Komplexität. Das hier dargestellte Modell nach ANTHONY DOWNS (1957) und JOSEPH A. SCHUMPETER (1942) soll deshalb lediglich als Annäherung an die Realität betrachtet werden, dessen Aussagen allerdings tentativen Charakter beanspruchen.

Zunächst wird unterstellt, dass Wähler wie Parteien (und, wenn gewählt) Regierungen ausschließlich eigennützig handeln, d.h. Wähler entscheiden sich für jene Partei, deren erwartete Politik den (materiellen) Nutzen des Wählers maximiert (‚Wahlverhalten nach der Geldbörse'; ‚pocketbook voting'), während die Parteien ihre Stimmen maximieren, um so zu politischen Ämtern zu kommen. Damit die Akteure des ‚politischen Marktes' ihr Rationalkalkül erfüllen können, müssen einige weitere Annahmen gemacht werden:

- Alle Akteure sind vollständig informiert (z.B. über die politischen Programme, über die Auswirkungen der einzelnen politischen Maßnahmen auf den individuellen Nutzen, über die Präferenzstrukturen der Wähler, etc.).
- Wähler wählen immer jene Partei, die den eigenen Präferenzen am ehesten entspricht, also den höchsten Nutzenzuwachs verspricht.
- Wahlenthaltung als rationale Wahlentscheidung wird ausgeschlossen.
- Entsprechend der Dyade ‚Regierung-Opposition' lässt sich die Wählerschaft unimodal (‚eingipfelig') über ein antithetisches, eindimensionales Links-Rechts-Spektrum verteilen. Es wird also davon ausgegangen, dass die Wählerschaft nicht-radikal am stärksten zwischen den Extrempositionen vertreten ist und sich die verschiedenen Politikinhalte (‚issues') letztlich eindimensional darstellen lassen.

Es lässt sich nun zeigen, dass das Ergebnis dieses Wählerwettbewerbs darin besteht, dass (a) sich die Parteien mit ihren Wahlprogrammen auf einander zu bewegen, (b) letztlich der Median-Wähler – also jener Wähler, der im Links-Rechts-Spektrum gerade so viele Wähler links wie rechts von sich hat – der wahlentscheidende (weil mehrheitsbeschaffende) Wähler ist. Er wird seine Präferenzen auf dem politischen Markt durchsetzen: „Das Ergebnis der Dynamik des politischen Wettbewerbs läuft dann, wenn die zentripetalen Kräfte sich ungeändert auswirken, darauf hinaus, dass die im Kollektiv verbindlich getroffenen Entscheidungen, also die Regierungspolitik, den Präferenzen des Median-Wählers entspricht" (Kirsch 1993: 231f) und (c) ‚Allerweltsparteien' entstehen, deren Programme nicht mehr unterscheidbar sind (das Parteiendifferential geht zurück auf Null).

Abbildung 8.4: Unimodale Wählerverteilung im Links-Rechts-Spektrum

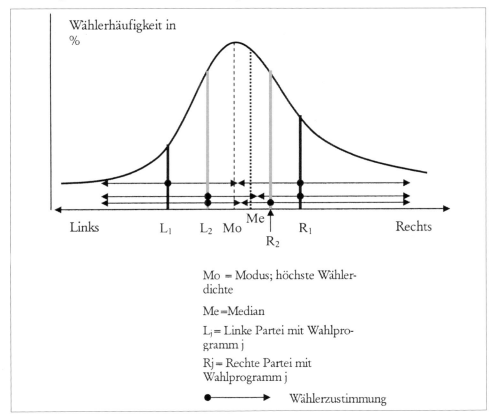

Diese Ergebnisse lassen sich leicht an Abb. 8.4 veranschaulichen: Ausgangspunkt seien zwei Parteien L und R, die sich historisch begründet in angegebener Weise auf dem Links-Rechts-Spektrum einordnen. Die Wähler wählen jene Partei, die ihnen am nächsten steht (weshalb häufig auch von einem ‚räumlichen Wahlmodell' gesprochen wird; vgl. Box 17) – dies sei mehrheitlich in der Ausgangssituation die

Partei R mit dem Wahlprogramm 1. Bei der nächsten Wahl wird die Partei L versuchen, ihre Position in Richtung auf den Median-Wähler zu verschieben, z.B. mit Wahlprogramm 2. Bliebe R bei ihrem alten Wahlprogramm 1, würde sie die Mehrheit verlieren, bewegte sie sich nur ausreichend in Richtung Median-Wähler, könnte sie die Mehrheit verteidigen. Im theoretischen Extremfall würden am Ende dieses Prozesses identische Parteien entstehen, deren Ununterscheidbarkeit eine rationale Wahl-Entscheidung nicht mehr zuließe. Dieses Ergebnis würde übrigens nicht viel anders aussehen, wenn eine bimodale Wählerverteilung oder ein Mehrparteiensystem unterstellt würde.

Box 17: Wähler-Wettbewerb im räumlichen Modell

„Zunächst soll die Grundidee der räumlichen Modelle skizziert werden: Angenommen sei ein z.B. 10 km langer Sandstrand an einer Meerbucht. Die örtlichen Behörden haben zwei Interessenten ohne weitere Auflagen die Genehmigung erteilt, je einen Verkaufsstand zu errichten, um Würstchen, Erfrischungsgetränke, Bier, Spirituosen und Eis zu verkaufen. Es stellt sich nun die Frage, welchen Standort die beiden wählen, um ihre Umsätze zu maximieren. Dazu müssten sie natürlich wissen, wie sich die Besucher des Strandes üblicherweise platzieren. Verteilen diese sich über die gesamte Länge des Strandes absolut gleich – beispielsweise alle 10 Meter ein Badegast – so ist klar, daß die beiden Anbieter ihre Stände möglichst nah an der Mitte aufstellen, weil sich auf diese Weise die Gesamtsumme der Wege minimiert: Für jeden der Badegäste gilt dann, daß es jeweils eine Bude gibt, die näher an seinem gewählten Platz liegt als die andere (...).
Franke 2000: 26f.

Für die Formulierung mehrheitsfähiger (Wirtschafts-)Politik sind also die Interessen des Median-Wählers vorrangig – dies wird als Staats- bzw. Demokratie-Versagen bezeichnet, weil der Median-Wähler keinesfalls als legitime Repräsentanz der Gesamtgesellschaft verstanden werden kann – er muss noch nicht einmal die relative Wählermehrheit (höchste Wählerdichte = Modus; vgl. Abb. 8.4) hinter sich wissen – und schon gar nicht kann hier von zweckrationalem Handeln die Rede sein. Je nachdem, wie der Median-Wähler charakterisiert ist, lässt sich bestimmen, welche Wirtschafts-Politik tatsächlich politikmächtig werden kann: Berthold/Fehn (1996) und Saint-Paul (1995) beispielsweise unterstellen – mit Blick auf die Eigenschaften des Median-Wählers als Arbeitsmarktteilnehmer –, dass der Median-Wähler ein unterdurchschnittlich qualifizierter, (noch) beschäftigter Arbeitnehmer (Insider) sei. Daraus leiten sie ab, dass mehrheitsfähige (Wirtschafts-)Politik ein gehöriges Maß an sozialer Sicherheit und Schutz am Arbeitsmarkt (z.B. Kündigungsschutz) bieten muss und auch starke korporatistische Akteure (Gewerkschaften) als Interessenvertreter präferiert werden, um **betriebliche Renten** (sog. ‚rent seeking') abschöpfen zu können. Oder anders: Eine Wirtschaftspolitik, die durch Arbeitsmarktderegulierung, Marginalisierung der Verbände und Reduktion des Sozialsystems die (Wieder-)Beschäftigungschancen der Arbeitslosen (Outsider) erhöhen würde (wenn dem neoklassisch-monetaristischen Policy-Modell gefolgt wird) hätte keine Chance auf Verwirklichung, da sie den Interessen des Median-Wählers zuwider liefe – damit soll die mangelnde Reformbereitschaft in der Bundesrepublik

Deutschland erklärt werden.[134] Würde der Median-Wähler hingegen als hochquali-
fizierter, mobiler und leistungsbereiter Arbeitnehmer angenommen, wie die Wahl-
forschung zumindest den ‚Neue-Mitte-Wähler‘ zuweilen beschreibt, dann müsste
die (Wirtschafts-)Politik zweifellos ein geringeres Ausmaß an sozialer Sicherung
und ein höheres Ausmaß an investiven öffentlichen Gütern (z.B. Bildung, Forschung, Infrastruktur) bereitstellen als im Falle des ‚beschäftigten Insiders‘, auch
der gewünschte Schutz am Arbeitsmarkt und insgesamt die Staatsquote würde in
nur geringem bzw. sinkendem Maße gewünscht werden. Hiermit ließe sich die ‚Politik der Neuen Mitte‘ (vgl. Kap. 5.4.3) gut erklären.

Abbildung 8.5: Wirtschaft und Politik im Public Choice-Modell

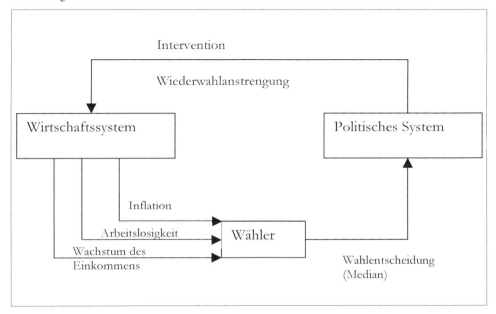

In Abb. 8.5 ist nun schematisch die Verflechtung zwischen dem politischen und dem
Wirtschaftssystem dargestellt – im Gegensatz zur Systemtheorie sind hier nicht nur
klare Wirkungsrichtungen vorgesehen, sondern auch die vikarische Funktion der Politik – als Erfüllungsgehilfe des Median-Wählers – dargelegt.

Kritische Bewertung

Zunächst einmal muss festgehalten werden, dass mit dem Public Choice-Modell eine allzu künstliche Trennung zwischen der Ökonomie und der Politik aufgehoben
wird und – ganz im Gegensatz zur so genannten ‚Zwei-Hüte-These‘ (vgl. Braun
1999: 74) – nicht davon ausgegangen wird, dass es in beiden Subsystemen der Gesellschaft unterschiedliche Handlungsregeln gibt. Die rein normative Theorie des

---

[134] Für eine ausführliche Kritik dieses Ansatzes vgl. Heise (1999).

staatlichen Akteurs als ‚benevolenter Diktator' wird zugunsten einer Eigennutzvorstellung der die Regierung tragenden politischen Parteien aufgegeben, die im demokratischen Gemeinwesen in der **Stimmenmaximierung** gesehen wird. Damit wird einerseits der Klassenorientierung der marxistischen Politischen Ökonomie widersprochen, andererseits eine Orientierung am Wählerwillen – genauer gesagt am Willen des Median-Wählers – bestimmt, die auch zweckrationale Wirtschaftspolitik als Selbstzweck (so genannte ‚TINA-Politik' nach den Initialen von ‚*There Is No Alternative*) ausschließt. Auch Interessen- und Lobby-Gruppen haben – zumindest im ‚sparsamen' Public Choice-Modell – nur dann einen Einfluss auf die (Wirtschafts-)Politik des staatlichen Akteurs, wenn sie zufälligerweise Interessen vertreten, die den Interessen des Median-Wählers entsprechen.

Abbildung 8.6: Wählerverteilung im Links-Rechts-Spektrum in Deutschland

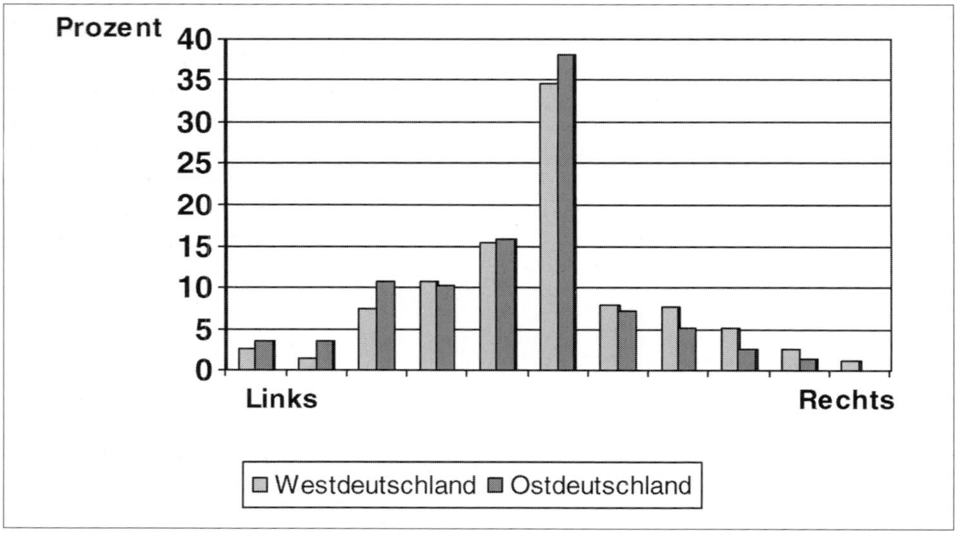

Quelle: Schaub (1998)

Kritischer sind zweifellos die teilweise sehr realitätsfernen Annahmen des Public Choice-Modells zu bewerten. Der Analyserahmen eines 2 Parteien-Systems entspricht sicher eher dem angelsächsischen (‚Westminster-Modell'), als dem kontinentaleuropäischen parlamentarischen System und auch die eindimensionale Strukturierung der Wählerschaft scheint wenig überzeugend angesichts vieler Politikthemen. Gleichwohl bleibt fraglich, ob eine multidimensionale Wählerstrukturierung erkenntnisfördernd wäre, zumal letztlich alle Politikthemen zu einer Wahlentscheidung komprimiert werden müssen. Wählerbefragungen in der Bundesrepublik ergaben jedenfalls ein Selbsteinschätzung der Wähler, die der von der Public Choice-Theorie unterstellten **unimodalen Wählerverteilung** im Links-Rechts-Spektrum sehr nahe kommt (vgl. Abb. 8.6).

Und schließlich sind eine Reihe von faktischen Entwicklungen – die zunehmende **Ununterscheidbarkeit** der großen politischen Parteien (von der Volks- zur Allerweltspartei), der Kampf um den **‚Neue-Mitte-Wähler'** als Fokus der Orientierung der zunehmend ent-ideologisierten Parteien – durchaus mit den Prognosen des Public Choice-Modells kompatibel.

Tiefgreifende Kritik betrifft wesentlich die **innere Konsistenz** des Public Choice-Modells: Würde die grundlegende Annahme der Rationalität der Wählerschaft wirklich ernst genommen werden, könnte die Public Choice-Theorie nicht einmal erklären, wieso überhaupt gewählt würde (‚Wahl-Paradoxon') – denn angesichts der Marginalität der individuellen Stimme in Großgesellschaften wären rationale Wähler nicht bereit, auch nur geringe Mühen (oder Kosten) auf sich zu nehmen, die mit dem Wahlgang verbunden wären (z.B. die entgangene Zeit des Wahlaktes oder die Wahrscheinlichkeit eines Unfalls). Die üblichen Ergebnisse hoher Wahlbeteiligung (auch ohne Wahlzwang) können nur durch die Aufnahme zusätzlicher Überlegungen – z.B. in dem der Stimmabgabe ein eigenständiger Wert (Nutzen) beigemessen wird – ins Modell zurückgeholt werden; dann allerdings nur unter Beugung des Rationalitätspostulates (vgl. Braun 1999: 70). Wenn nun allerdings – trotz des **‚Wahlparadoxons'** – gewählt wird, kann der Wähler, der um den marginalen Einfluss seiner Stimme auf das Wahlergebnis weiß, genauso gut im Sinne des Allgemeinwohls abstimmen (soziotropisches Wahlverhalten) oder jedenfalls in einer Weise, die er für allgemeinwohlförderlich hält.

Außerdem kollidieren zwei Grundannahmen des Modells mit einander: Einerseits wird dem Wähler Rationalität unterstellt, andererseits wird er als vollständig informierter Wähler angenommen – nur dann kann er überhaupt eine rationale Wahlentscheidung treffen und nur dann kann die Vikarfunktion des Prinzipals ‚Regierung' unterstellt werden, indem der (Median-)Wähler seine gegebenen Präferenzen durchsetzen kann. Politisches Marketing der Parteien kann unter diesen Bedingungen nur darauf abzielen, dem wohl informierten Wähler zu signalisieren, dass die Partei seine Wünsche erkannt hat und bereits ist, in politische Praxis einfließen zu lassen. Rationale Wähler, die um die Marginalität ihrer Stimme wissen, müssen aber konsequenter Weise als **‚rationale Ignoranten'**[135] modelliert werden, d.h. sie verzichten bewusst auf die kostenintensive Sammlung und Auswertung von Informationen, die im ‚politischen Markt' von Bedeutung sein könnten. Das heißt nicht, dass alle Wähler als vollständig uninformiert betrachtet werden müssen, denn schließlich erlangt er auch in anderen Zusammenhängen Informationen, die für seine Wahlentscheidung wichtig sein könnten – sie werden ihm also quasi kostenlos zu Verfügung gestellt –, doch kann dies allenfalls auf ‚eingeschränkte Rationalität' schließen lassen.

Unter diesen Bedingungen aber, dem ‚Wahl-Paradoxon' und der Erkenntnis, dass Wähler keineswegs als vollständig informiert angesehen werden können und deshalb schlechterdings nicht in der Lage sind, ‚optimale' Wahlentscheidungen zu treffen, wird die zentrale Aussage des Public Choice-Modells – zumindest in der ‚sparsamen Variante' –, wonach die Politik der Vikar des Median-Wählers sei bzw. sich der Tyrannei des Median-Wählers zu unterwerfen habe, schwer haltbar. Die Konsequenzen werden wir gleich noch genauer betrachten.

---

[135] Das Gegenstück wäre der ‚rationale Narr', der tatsächlich glaubte, seiner Stimme käme wahlentscheidende Bedeutung zu; vgl. Braun (1999: 71ff.).

8.2.3 Theorie politischer Konjunkturzyklen

Auch die auf William D. Nordhaus (1975) zurückgehende Theorie politischer Konjunkturzyklen wird in die Kategorie der Public Choice-Modelle eingeordnet, obwohl hier explizit einige der grundlegenden Annahmen des Downs-Modells aufgegeben werden müssen. Die Verwandtschaft liegt einerseits darin, ein Versagen unregulierten Staatshandelns zu beschreiben, andererseits die Median-Wähler-Hypothese durchaus anzunehmen. Lag das Staats- bzw. Demokratieversagen im Downs-Modell darin, dass die öffentliche Güterbereitstellung nicht einer ‚neutralen‘ Zweckrationalität, sondern der ‚Systemrationalität‘ der Tyrannei des Median-Wählers folgt, so zeigt sich das Staats- bzw. Demokratie-Versagen im Nordhaus-Modell in der künstlich hervorgerufenen Instabilität des ökonomischen Systems zur Erhöhung der Wiederwahlchancen der politischen Partei(en), die die Regierung tragen. Dem in Abb. 8.5 dargestellten Politik-Ökonomie-Nexus wird nun also eine zusätzliche zeitliche Komponente beigefügt.

Das Grundmodell

Nordhaus übernimmt die Rationalitätspostulate der Public Choice-Theorie, lockert aber die Informationsannahme der Wähler auf: Die Wähler sind nun nicht mehr vollständig informiert und sie können sich auch keine ‚rationalen Erwartungen‘ über das Handeln der Regierung bilden, sondern sie formen adaptive Erwartungen, d.h. ihr Umgang mit Informationen ist rückwärtsgewandt. Außerdem wird unterstellt, dass die Wähler ‚myopisch‘ seien, d.h. sie gewichten Informationen der Gegenwart stärker als Informationen der Vergangenheit, d.h. die Erfüllung der Präferenzen der Wähler in der Vergangenheit werden weniger gewertschätzt als die Erfüllung der Präferenzen in der Gegenwart. Daraus lässt sich ableiten, dass die Regierung über die Legislaturperiode bemüht sein wird, die Präferenzen des Median-Wählers (erst) im letzten Jahr der Legislaturperiode – also zum Wahltermin hin – zu erfüllen und, notfalls, in den Jahren zuvor eine Untererfüllung der Zielvorstellungen in Kauf zu nehmen.

Im Mittelpunkt der Betrachtungen müsste nun offensichtlich die Nutzenfunktion des Median-Wählers stehen, die – wenn die ‚pocketbook voting-Hypothese‘ stimmte, wesentlich auf die materiellen Interessen des Individuums abstellen müsste; also z.B. das verfügbare Einkommen, die Beschäftigungswahrscheinlichkeit, etc. Zahlreiche Untersuchungen haben aber ergeben, dass auch eine Policy- bzw. soziotropische Orientierung nachweisbar ist, die gesamtwirtschaftliche Variablen wie Inflation oder Beschäftigungsstand zur Bewertung der Politik einer Regierung heranzieht (vgl. Schneider/Frey 1988; Frey 1997) – beides muss übrigens kein Gegensatz sein, wenn die Ausprägung gesamtwirtschaftlicher Variablen sich mikroökonomisch deuten lässt. Im Nordhaus-Modell wird jetzt der bekannte Phillipskurven-Zusammenhang als Ausgangspunkt gewählt: Eine vom Median-Wähler präferierte Kombination von Inflation und Arbeitslosigkeit stellt somit den Ausgangspunkt (nach gewonnener Wahl) und den Zielpunkt der Wirtschaftspolitik der Regierung (als Wiederwahlversprechen) dar. Unter den Annahme einer kurzfristig negativ geneigten Phillipskurve und einer langfristig vertikalen Phillipskurve durch die ‚natürliche Arbeitslosenquote‘ (hier wird die neoklassisch-monetaristische Basis des Nordhaus-Modells sichtbar) lässt sich nun leicht ein politischer Konjunkturzyklus in 4-jähriger Legislaturperiode herleiten (vgl. Abb. 8.7).

Abbildung 8.7: Der politische Konjunkturzyklus im Nordhaus-Modell

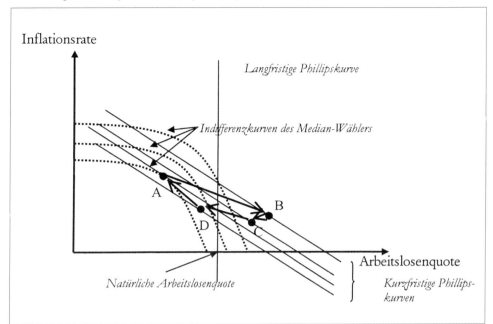

Punkt A stellt den von dem Median-Wähler präferierten Punkt im Inflations-Ar-
beitslosigkeits-trade off dar und soll der Ausgangspunkt des Regierungshandelns
sein. Da in A eine Arbeitslosenquote realisiert ist, die unter der ‚natürlichen‘ Arbeitslosenquote liegt, wäre mittelfristig eine Rückkehr auf die langfristige Phillipskurve bei höherer Inflationsrate zu erwarten. Im ersten Regierungsjahr kann deshalb
die Regierung zunächst (mittels Geld- oder Finanzpolitik) eine Erhöhung der Arbeitslosigkeit zur Brechung einer (möglichen) Inflationsspirale in Punkt B durchsetzen. Da nun die Arbeitslosigkeit höher als die ‚natürliche‘ Arbeitslosenquote ist,
wird eine Disinflation ausgelöst. Im zweiten Jahr kann deshalb die Preisstabilitäts-
politik bereits gelockert werden und ein leichter Rückgang der Arbeitslosigkeit in
Punkt C ermöglicht werden. Im dritten Jahr nun kann die Arbeitslosigkeit bei weiterhin disinflationärer Entwicklung weiter gesenkt werden auf Punkt D. Hier nun
liegt die Arbeitslosenquote bereits unter der ‚natürlichen‘ Arbeitslosigkeit, es beginnt also ein Re-Inflationsprozess, doch liegt das Inflationsausmaß noch unter dem
vom Median-Wähler ‚gewünschten‘ Ausmaß. Zum Wahlzeitpunkt, also am Ende
des 4. Regierungsjahres, würde nun durch expansive Finanz- und Geldpolitik der
Ausgangspunkt A angesteuert, der – wenn sich die Präferenzen des Median-Wählers nicht mittlerweile verändert haben sollten – die Wiederwahl sicherstellt.
   Statt also eine Politik zu verfolgen, die die ‚natürliche‘ Arbeitslosigkeit mit einer
Null-Inflation verknüpft und die inhärente Stabilität des ökonomischen Systems stärkt
(so zumindest die Ergebnisse des neoklassisch-monetaristischen Paradigmas), wird
eine instabile, aber vom Median-Wähler gewünschte Position A angesteuert, die sich

nur durch eine Destabilisierung der Volkswirtschaft verwirklichen lässt. Allerdings lässt sich ein solcher politischer Konjunkturzyklus nicht ständig wiederholen, da unterstellt werden kann, dass die Wähler dieses Regierungsverhalten irgendwann durchschauen (adaptive Erwartungen) und folglich ihre eigenen Kalküle darauf abstellen.

Kritische Bewertung

Die Vorstellung, dass das timing wirtschaftspolitischer Maßnahmen daran ausgerichtet wird, die Abweichungen des Ist- vom Soll-Zustand (sei es, dass dieser durch das allgemeine Marktgleichgewicht oder einen demokratisch legitimierten, normativen Wert beschrieben wird) jederzeit möglichst gering zu halten und folglich die gesamtwirtschaftlichen Kosten zu minimieren, wird durch das Nordhaus-Modell zweifellos erschüttert. Es dürfte einigermaßen plausibel sein, dass angesichts myopischer Wähler erfolgshoffende Regierungen den Einsatz ihrer wirtschaftspolitischen Instrumente zeitlich so planen, dass die gewünschten Ergebnisse möglichst kurz vor dem Wahltermin eintreten. Dies lässt sich bei Maßnahmen, die direkt und ohne große Lag-Probleme von der Regierung umgesetzt werden können, auch empirisch leicht nachweisen: So werden in der Bundesrepublik arbeitsmarktpolitische Maßnahmen – d.h. Maßnahmen zur Weiterbildung und Qualifizierung, die automatisch die registrierte Arbeitslosigkeit senken – zyklisch über die Legislaturperiode verteilt, um kurz vor dem Wahltermin niedrige bzw. sinkende Arbeitslosenzahlen präsentieren zu können.

Dennoch ist die empirische Überprüfung des politischen Konjunkturzyklus' alles andere als eindeutig. Nordhaus' (1975) eigene Analyse kommt erwartungsgemäß zu einer entsprechenden Bestätigung, andere Studien verbleiben skeptisch. Vertreter der ‚Rationale-Erwartungs-Hypothese' weisen die Existenz politischer Konjunkturzyklen ebenso erwartungsgemäß zurück (vgl. McCullum 1977), wie andere Studien (z.B. Tufte (1978) und Paldam [1979]) sehr ambivalent verbleiben. Dies mag einerseits daran liegen, dass sich die Präferenzen des Median-Wählers eben nicht in den Phillipskurven-Variablen einfangen lassen – so zeigt Tufte (1978), dass ein politischer Konjunkturzyklus sehr wohl nachweisbar ist, wenn auf das reale verfügbare Einkommen als Zielvariable abgestellt wird – oder aber derartiges Verhalten der Regierung zu leicht durchschaubar wäre. Vor allem aber unterstellt die Theorie des politischen Konjunkturzyklus eine Steuerungsfähigkeit des staatlichen Akteurs, die im vorigen Kapitel zumindest vom postkeynesianischen, aber auch von der ordoliberalen und österreichischen Variante des neoklassisch-monetaristischen Paradigmas abgelehnt wird. Lars Udehn (1996: 67f.) fasst zusammen: „The impression you get from reading the literature on political business cycles is of something like a mirage; an elusive phenomenon which appears only to disappear again; visible to some, but not to others, yet it must be there, out there, somewhere."

8.3   Das Agenda-Modell – oder: Wirtschaftspolitik in der Mediokratie

Das Public Choice-Modell versucht dem Ideologieverdacht[136] der Politischen Ökonomie zu entkommen, indem es ‚Interessen' mikroökonomisch fundiert und damit gleichsam szientifiziert. Die Ergebnisse des Public Choice-Modells – immerhin ein Staats- bzw. Demokratie-Versagen, dass zu manch problematischer Schlussfolgerung Anlass gegen könnte –, werden als ‚wertfrei‘ dargestellt, der Begriff ‚Ideologie‘ kommt nicht einmal als Untersuchungsobjekt vor. **Public Choice quasi als die Neue Politische Ökonomie des post-ideologischen Zeitalters.** Wenn dann allerdings die Dominanz des Public Choice-Ansatzes in einen Kontrast zu seinen problematischen Annahmen und bislang ungelösten theoretischen Inkonsistenzen gebracht wird, kann durchaus vermutet werden, dass die Ergebnisse einer grundsätzlichen Staatsskepsis selbst als ideologisch verbrämt angenommen werden dürfen.[137]

Das Grundmodell

Das **Agenda-Modell der Politischen Ökonomie** übernimmt zwar die Annahme an Eigeninteressen orientierter Teilnehmer am ‚politischen Markt‘ (also Parteien und Wähler), unterstellt aber gleichzeitig, dass Wähler nur über **unvollständige Informationen** verfügen und deshalb auch allenfalls ‚beschränkt rational‘ wählen können. Vor diesem Hintergrund werden **Ideologien** (also positive Gesellschaftsvisionen und somit Erkenntnis**objekt** der Politischen Ökonomie) nicht etwa zu überkommenen Hilfsmitteln unbelehrbarer Grabenkämpfer, sondern zu unverzichtbaren Entscheidungsstützen in einer komplexen Umwelt. Ideologien bieten **Interpretationsmuster** in einer zunehmend unübersichtlichen Welt an. Parteien sind dann auch nicht bloß ‚Dienstleistungsunternehmen‘, die ohne eigene Weltvorstellung – quasi als ‚black box‘, die mit den Präferenzen des Median-Wählers gefüllt werden kann –, ihre politischen Angebote unterbreiten, sondern Ideologieproduzenten, die durch klare ‚Markenprägung‘ dauerhafte Bindungsfähigkeit (Stammwähler) und Stimmenmaximierung gleichermaßen anstreben. Schließlich können die Präferenzen der Wähler unter diesen Bedingungen nicht als exogen gegeben angenommen und reines ‚pocketbook voting‘ weder als realistisches, noch als allgemeingültiges Verhalten unterstellt werden.

Das Wahlverhalten der Bürger hängt von einer ganzen Reihe von Faktoren – soziostruktureller Prägung (Millieus, die Parteiloyalitäten schaffen), Qualifikation und Informationsverarbeitungskapazität[138], einem kurzfristig als gegeben anzusehendem gesellschaftlich hegemonialen Leitbild (Makro-Klima) und kurzfristig wandlungsfähiger, dominanter (wirtschafts-)politischer Paradigmen – ab, die in ihrer Gewichtung und Ausprägung selbstverständlich über die Zeit veränderlich sein können und

---

136 Der Ideologieverdacht wird immer dann gehegt, wenn gruppen- oder klassenspezifische Interessen als handlungsrelevant für den staatlichen Akteur postuliert werden, ohne dass dies empirisch oder theoretisch erschöpfend dargelegt werden könnte. ‚Ideologie‘ wird dann als bewusste Fehlinterpretation des Gesellschaftsgeschehens übersetzt, sie wird zum Erkenntnissubjekt bzw. Erkenntnisersatz.

137 Lars Udehn (1996: 194f.) schreibt dazu: „The main function of the assumption of self-interest seems to be ideological, in the sense that it favours market solutions (…) – at least according to traditional economic analysis, which sees in the market the sole institution with the wonderful ability of turning private vice into public virtue. In politics, on the contrary, it leads to suboptimal waste and serfdom. *Ergo*: the best society is a free market society.“

138 Qualifikation und Informationsverarbeitungskapazität sind nur Proxi für die Grundvoraussetzung rationalen Umgangs mit der politischen Wahlentscheidung. Es soll auf keinen Fall behauptet werden, dass höher qualifizierte Menschen ‚bessere‘ Wahlentscheidungen treffen als weniger qualifizierte Menschen.

individuell sehr unterschiedlich ausgeprägt sind. Je geringer die Qualifikation und Informationsverarbeitungskapazität des einzelnen Wählers, desto größer die Abhängigkeit von Ideologien oder anderen prägenden Handlungsrationalen (z.B. Parteiloyalitäten und -identifikationen) – es kann deshalb angenommen werden, dass der Median-Wähler am wenigsten ideologisch gebunden (er benötigt die Ideologie als Handlungskrücke am wenigsten) und am ehesten der typische ‚pocketbook voter‘ ist.

Abbildung 8.8: Bi-modale Wählerverteilung bei ideologischer Differenzierung

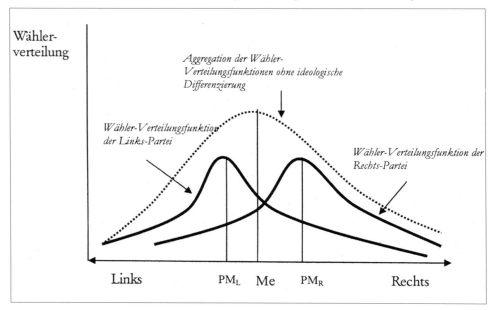

Unter diesen Bedingungen dürfte nun aber der Median-Wähler an Prägekraft zugunsten des **Partei-Median-Wählers** verlieren. Dazu brauchen wir nur anzunehmen, dass sich hinter der unimodalen Wählerverteilung (vgl. Abb. 8.6) eine klare ideologische Differenzierung (Lagerbildung) mit weitgehend abgeschotteter Wählerschaft verbirgt (vgl. Abb. 8.8 und 8.9). Nun ist die zentripetale Tendenz der Parteiprogramme in Richtung Median-Wähler keineswegs gesichert, denn jede ideologische Standortveränderung einer Partei hin zum Median- und weg vom Partei-Median-Wähler (Stammwähler) läuft Gefahr, mehr Stimmen zu kosten als zu bringen (s. Exkurs A). Dies hängt aber wesentlich vom quantitativen Verhältnis von Stamm- zu Wechselwählern einerseits und der ‚Mobilität‘[139] des Stammwählers ab. Je höher die Mobilität des Stammwählers ist – was bei **machtorientierten** Stammwählern (‚Kanzlerwahlverein‘) eher angenommen werden darf, als bei **sachorientierten** Stammwählern –, desto geringer die Gefahr des übermäßigen Stimmverlustes und desto größer folglich die Prägekraft des Median-Wählers.

---

[139] Unter ‚Mobilität‘ soll hier die ideologische Flexibilität innerhalb einer Parteiprägung verstanden werden.

Abbildung 8.9: Bi-modale Wählerverteilung in Deutschland (Angaben in Prozent der jeweiligen Wählerschaft)

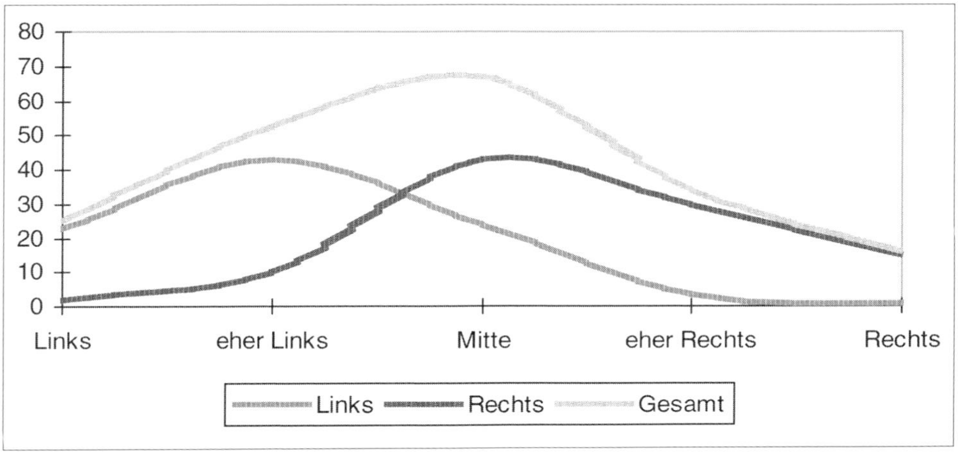

Quelle: Schaub (1998: 100)

In einer Welt, in der die Wahlentscheidungen der Individuen hochgradig von der Fähigkeit der Parteien bestimmt werden, ihre Politik – und dies impliziert **ideologische Visionen** (Welt- und Leitbilder) gleichermaßen wie **Handlungsprogramme mittlerer Reichweite** (für das politische Tagesgeschäft) – zu vermarkten, also zu einer langfristige Bindungen schaffenden ‚Marke‘ zu machen, kommt der Kommunikation und, insbesondere, den **Kommunikationsmedien** eine ganz besondere Bedeutung zu. Umfassten diese Kommunikationsmedien früher traditionelle Formen wie Printmedien, Parteiveranstaltungen und persönliche Netzwerke (weshalb den Parteimitgliedern als Multiplikatoren eine große Rolle zukam), so können wir uns heute weitgehend auf die modernen Massenmedien wie TV, Zeitungen und Internet konzentrieren. Medien stellen dabei keine ‚neutralen‘ Vermittler zwischen den Parteien und dem Wähler dar, sondern filtern und formen in wesentlichem Maße die Informationen und ideologischen Positionen, die sie nach verschiedenen Gesichtspunkten transportieren:

- Ideologische Grundposition (dies gilt wesentlich für Partei- oder religiös gebundene Medien)
- Ökonomisches Interesse (der Medien als Unternehmen, aber auch der Medien als Inszenierungsagenturen, die Kunden suchen)
- Ideologische Grundposition der Medieneliten[140].

In Abbildung 8.10 sind die verschiedenen Kommunikationsebenen schematisch zusammengestellt (vgl. Sarcinelli/Schatz 2002): Die Medien übernehmen dabei den

---

140 Der Elitebegriff ist schwer eindeutig zu definieren. Die Eliteforschung beschreibt jene Personenkreise, die in der Lage sind, einen definitiven Einfluss auf politische und ökonomische Entscheidungen zu nehmen.

Prozess des ‚**Agenda-Settings**‘, d.h. sie kommunizieren Politikagenden (Themen, Inhalte, Wertungen) an die Wähler, und das **Policy-Agenda-Setting**, d.h. sie informieren die politischen Parteien über die ‚öffentliche Meinung‘. Den Parteien bleibt nur das **Agenda-Building**, also der Versuch, bestimmte Themen und deren Formung (vgl. Exkurs B) auf die Liste der Themen zu bekommen, denen sich die Medien als Agenda-Setter annehmen, und Interpretationsangebote zu unterbreiten. Im **Policy-Agenda-Building-Prozess** muss die politische Partei wiederum ihr Ohr an den Wähler halten; hier nun wird der gesamte Prozess reflexiv, denn die Policy-Orientierung der Wähler wird wiederum wesentlich durch das mediale Agenda-Setting bestimmt.

Abbildung 8.10: Interaktion von Medien, Parteien und Wählern

Wirkungsrichtung	Prozess
Parteien → Medien	Agenda-Building
Medien → Parteien	Policy-Agenda-Setting
Medien → Wähler	Agenda-Setting
Wähler (Lobbies) → Parteien	Policy-Agenda-Building

Die zentrale Rolle der Medien – gelegentlich wird bereits von Mediokratie gesprochen (z.B. Meyer 2001) – wird nun offensichtlich (sie sind in 3 von 4 Prozessen beteiligt), zumal die politischen Parteien faktisch keinen eigenen, ungefilterten Zugang zu den Wählern mehr haben, bzw. der Wähler fast keine Gelegenheit hat, sich Informationen ‚aus erster Hand‘ zu beschaffen. Die zentrale Rolle der Medien zwingt aber auch der (Wirtschafts-)Politik eine Unterordnung auf, die bereits als ‚Kolonisierung‘ beschrieben wird und den Agenda-Setting- wie Agenda-Building-Prozess zu einer Art ‚Politainment‘ (vgl. Dörner 2001) macht. Damit werden besondere Anforderungen an (Wirtschafts-)Politik gestellt, die jenseits jeder ökonomischen Zweckrationalität liegen:

- Inszenierungspotential der Politikinhalte (Symbole, Neuigkeitswert, etc.)
- Inszenierungsfähigkeit der politischen Eliten (Promotoren)
- Kampagnefähigkeit der politischen Partei als Organisation

Es rücken nun die gesellschaftlichen Rahmenbedingungen in den Blickpunkt, unter denen der medial gesteuerte Agenda-Building- und Agenda-Setting-Prozess abläuft: Gesellschaftlich hegemoniale Leit- bzw. Weltbilder (Makro-Klima) wie Kollektivismus oder Individualismus, Markt- oder Staatsskepsis, Solidarität oder Wettbewerbsorientierung müssen für den an Wahlzyklen orientierten Politikprozess zunächst als gegeben vorausgesetzt werden. Das **Makro-Klima** stellt so etwas wie einen Wahrnehmungsfilter, einen ‚Policy-Constraint‘ dar. Daneben existieren dominante ‚Themenrahmungen‘ bzw. Policy-Programme (Mikro-Klima) wie Angebots- oder Nachfragepolitik, Preis- oder Konjunkturstabilisierung, Deficit-spending oder Null-Defizit, an deren Formung die Medien wesentlich beteiligt sind. Zwischen Mikro- und Makro-Klima bestehen zwar klar erkennbare Bezüge innerer Konsistenz, doch keine direkten Abhängigkeiten.[141]

---

[141] Merkel (2001) spricht davon, dass das Makro-Klima das ‚feasible set‘ der Policy-Orientierungen (des Mikro-Klimas also) beschränkt.

Abbildung 8.11: Politik und Ökonomie im Agenda-Modell

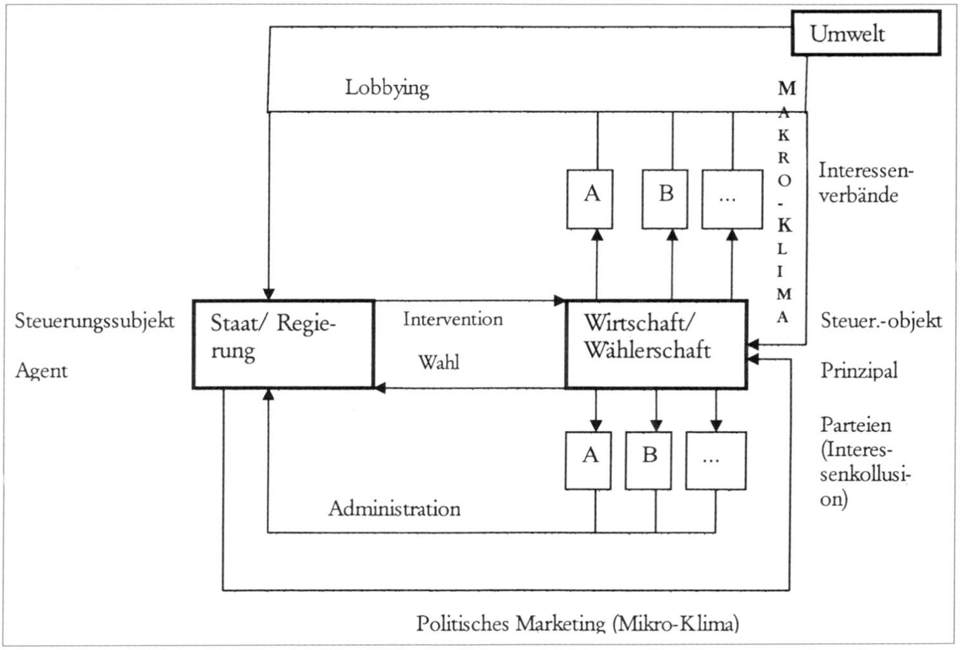

Insgesamt ist der (wirtschafts-)politische Vermittlungsprozess und die Interaktion zwischen Politik und Ökonomie im Agenda-Modell (vgl. Abb. 8.11) deutlich komplexer als im Public Choice-Modell oder in der Systemtheorie.

Kritische Bewertung

Die Agenda-Theorie der politischen Ökonomie durchtrennt, hierin der Systemtheorie ähnlich, weitgehend das Band zwischen zweckrationaler Policy-Orientierung und interessen- bzw. gesellschaftsgebundener Realität der (Wirtschafts-)Politik. Allerdings ist es nicht die Kommunikations- und Steuerungsunfähigkeit autopoietischer Subsysteme, sondern die Kommunikations- und Inszenierungsmacht (Symbolpolitik; vgl. Edelman 1990) der Massenmedien, die diese Einsicht erzwingt. Deshalb wird hier auch nicht die grundsätzliche Steuerungsfähigkeit oder Steuerungsnotwendigkeit bestritten, sondern die Steuerungswilligkeit des (wirtschafts-)politischen Akteurs im Sinne einer zweckrationalen Orientierung ('Gemeinwohl').

Das wesentliche Problem des Agenda-Ansatzes der Politischen Ökonomie liegt darin, dass er keine präskriptive Theorie zu liefern vermag, die klare Wahl(ausgangs-)prognosen oder Policy-Prognosen machen könnte. Es gelingt ihm deshalb allenfalls tentative Aussagen und wahltaktische Perspektiven zu liefern. Damit ist er aber dennoch durchaus in der Lage, interessante Einsichten darüber zu liefern, inwieweit (wirtschafts-)politische Handlungsprogramme tatsächlich politik- bzw. wirkungsmächtig werden: Dies hängt wesentlich davon ab,

- ob und wie sich ein Politikprogramm (Policy-Ebene) dem Infotainment-Anforderungen der Medien unterwirft
- was den Interessen der Medien als Wirtschafts- bzw. Tendenzbetriebe dient. Je größer die wirtschaftliche Orientierung von Medien-Unternehmen (statt einer ideologischen Orientierung von Parteimedien oder religiösen Medien), desto stärker ist der unternehmensfreundliche Bias des Agenda-Setting-Prozesses (,systematisches Glück der Kapitalisten'; vgl. Dowding 1996: 71ff.)
- wie groß die Homogenität der meinungsmachenden Eliten in den Medien, Parteien, Verbänden ist. Je heterogener die soziale Herkunft und das soziokulturelle Umfeld, desto dissonanter das Mikro-Klima und ideologisch diffuser das gesellschaftliche Makro-Klima.

Box 18: Agenda-Setting und –Building der ‚Neuen Wirtschaftspolitik' des US-Präsidenten John F. Kennedy

„The full-employment budget represented not only an approximation of the budget given certain economic conditions, but it also served as a symbol of the government's new responsibilities. 'The power of keynesian ideas', Walter Heller wrote, 'could not be harnessed to the nation's lagging economy without putting them in forms and terms that could be understood in the sense of fitting the vocabulary and the values of the public. At the same time, men's minds had to be conditioned to accept new thinking, new symbols, and new and broader concepts of the public interest'. (...) Kennedy became increasingly convinced that Heller and his other economic advisers were correct about the full-employment budget, and in 1962 Kennedy made his historic speech at Yale University on the role of deficit spending and fiscal policy. Kennedy recognized that as president the primary responsibility for promoting the language of the new economics was his, and he undertook this task at Yale, (...). By 1965 the new economics was also accepted by segments of the nation's media. In January of that year a writer for the New York Times Magazine confidently reported that after President Johnson issued his budget for the coming year, 'the headlines Tuesday morning will once again read »Deficit« and some Americans will again murmur »inflation« and »burden on our grandchildren« and »unsound fiscal policy«. But probably more Americans than ever before will say, () 'Good for the President. It's the right policy'."
Savage 1988: 175ff.

Abschließend soll der Politikprozess aus der Sicht der Agenda-Theorie der Politischen Ökonomie beschrieben werden (vgl. Abb. 8.12): Bereits in der Policy-Phase, in der Probleme identifiziert werden und – anhand der wirtschaftstheoretischen Paradigmen und den wirtschaftspolitischen Konzeptionen – Lösungswege vorgeschlagen werden, beginnt der Agenda-Setting-Prozess, indem in der Identifikationsphase Problemgewichtungen vorgenommen werden. In der Vermittlungs- bzw. Politics-Phase beginnt dann der eigentliche Agenda-Building- und Agenda-Setting-Prozess, der unter den gegebenen gesellschaftlichen Rahmenbedingungen (Makro-Klima) jene wirtschaftspolitische Konzeptionen herausfiltert, die versprechen, am leichtesten inszeniert und symbolhaft im medialen Umfeld ‚vermarktet' zu werden.

Abbildung 8.12: Der (Wirtschafts-)Politikprozess

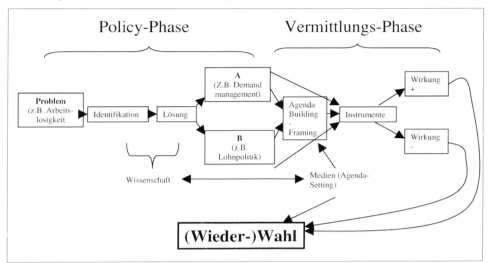

Exkurs A: Das Konzept der Verlustfunktion

Sowohl das Public Choice-Modell als auch der Agenda-Ansatz abstrahieren in ihren Grundmodellen von der Möglichkeit der gezielten **Nicht-Wahl**, der Stimmenthaltung oder, wie es ALBERT O. HIRSCHMAN genannt hat, der Exit-Option des Wählers. In der Public Choice-Theorie ist dies auch noch einigermaßen nachvollziehbar, da unterstellt wird, dass sich der rationale Wähler immer für die ‚am nächsten stehende‘ Partei entscheidet – er nutzt also immer seine Voice-Option. In der Agenda-Theorie aber, die von auf Ideologien gestützte Lager ausgeht, zwischen denen die Wählerwanderung zumindest eingeschränkt ist, muss eine Exit-Option neben der Voice-Funktion entwickelt werden. Ich stütze mich hierbei auf die Arbeit von Siegfried F. Franke (2000: 53ff.) und den dort zitierten Grundlagen.

Ausgangspunkt soll wiederum eine bi-modale Verteilung im Links-Rechts-Spektrum sein. Neben den Wähler-Verteilungsfunktionen werden jetzt zusätzlich Verlustfunktionen eingeführt (gepunktete Linien in Abb. 8.13). Die Verlustfunktionen beschreiben die Reichweite einer Partei und das Ausmaß der Abwanderung (in die Nicht-Wählerschaft oder gar in die Wählerschaft einer anderen Partei) bei einer Differenz des individuellen Standpunktes und des Parteistandpunktes (der hier durch den Partei-Median-Wähler bestimmt sein soll). In Abb. 8.13 deuten die schraffierten Flächen jeweils den potentiellen Wähler-Verlust an, wobei die hier nur sehr kleine Fläche der Überschneidung als eindeutige Nicht-Wähler verstanden werden können, während die ‚Verlust-Wähler‘ der linken Partei zumindest im Rechts-Spektrum durchaus potenziell zu Wähler der rechten Partei werden können (Wechselwähler).

Abbildung 8.13: Bi-modale Wählerverteilung mit Verlustfunktion

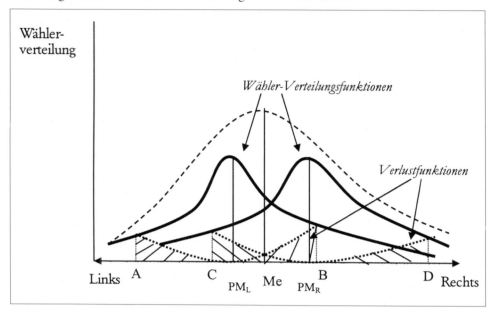

Abb.8.14: Wählerverlust bei Veränderung der Partei-Ideologie

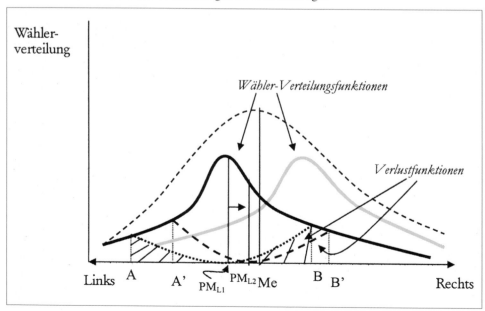

In Abb. 8.14 sind nun die Auswirkungen einer Verschiebung der Partei-Ideologie von PM_{L1} zu PM_{L2} in Richtung auf den Median-Wähler Me dargestellt. Mit der ‚Vermittlung‘ der linken Partei ist eine Veränderung der Verlustfunktion (gestrichelte Linie) und eine Veränderung der Reichweite von AB nach A‘B‘ verbunden – hier sei unterstellt, dass die ideologische Mobilität der Parteimitglieder und Anhängerschaft recht gering ist, wie dies für sachorientierte Mitglieder und Anhänger linker Parteien nicht unrealistisch scheint. Es ist nun unmittelbar einsichtig, dass der Wähler-Verlust – der sich überwiegend in enttäuschten Wählern zusammensetzt, die in die Nicht-Wählerschaft abwandern – den Wähler-Gewinn in der Mitte – der durch Ausweitung der Wählerschaft im Rechts-Spektrum und einer ‚Erweckung‘ von Nicht-Wählern bestimmt wird – deutlich übersteigt. Auch auf Wechselwähler aus den (hier nicht weiter betrachteten Potential der Rechts-Partei) darf nicht zu sehr gebaut werden, da die Verlustfunktion der Rechts-Partei in diesem Spektrum (s. Abb. 8.13) gering ist.

Es kann gemutmaßt werden, dass es solche Prozesse der Wähler-Wanderung – insbesondere zwischen der Stammwählerschaft und dem Nicht-Wähler-Lager – sind, die in Deutschland unmittelbar nach der Bundestagswahl des Jahres 2002 zu beobachten waren, als die in der Bundestagswahl erfolgreiche SPD unter Bundeskanzler Gerhard Schröder nach einer ideologischen Neupositionierung mit der so genannten ‚Agenda 2010‘ (vgl. Heise 2003) historische Tiefststände in der Wählergunst erlebte[142] und bei Landtagswahlen (die von bundespolitischen Themen beherrscht wurden) insbesondere Wähler-Verluste in Richtung des Nicht-Wähler-Lagers erleben musste.

Exkurs B: Das Framing-Konzept der Wirtschaftspolitik

In der Agenda-Theorie spielten zwei Begriffe eine besondere Rolle, deren genauere Betrachtung bislang unterblieb: das Makro-Klima und das Mikro-Klima. Als **Makro-Klima** hatte wir dominante Welt- und Leitbilder definiert, die als ‚political constraint‘ einen kurzfristig gegebenen Wahrnehmungsrahmen beschreiben, als **Mikro-Klima** wurde die wesentlich medial erzeugte ‚öffentliche Meinung‘, herrschende bzw. hegemoniale Policy-Programme umschrieben, die den Agenda-Setting-Prozess ausmachen. Das **Framing-Konzept** kann uns nun etwas Einblick gewähren in diesen Teil des wirtschaftspolitischen Marketings zwischen Agenda-Building und Agenda-Setting.

Unter ‚Framing‘ wird die „Vereinfachung komplexer Strukturen und deren Zuspitzung zu Entscheidungsalternativen" (vgl. Seibel 2002: 225) oder eine „allgemeine(n) Konstruktion von Zuständen, Prozessen und Bewertungen einer gedachten konstruierten Realität" (Ebert 2001: 251) verstanden. Das ‚Framing‘ ist also ein **Kommunikationsprozess**, der in einer unübersichtlichen, komplexen Welt (überbordende Informationsangebote bei begrenzter Verarbeitungskapazität) zwischen dem Auftreten von (ökonomischen) Problemen und deren (wirtschaftspolitischer) Bekämpfung die Problemwahrnehmung, die Probleminterpretation (auf der Policy-

---

[142] Innerhalb weniger Monate fiel die Zustimmung (sog. Sonntagsfrage) von 38 % (Bundestagswahlergebnis) auf unter 25% (Stand: Februar 2004).

Ebene), die Instrumenten-Vermittlung und die Inszenierung stellt (vgl. Abb. 8.12). Gewöhnlich werden nun verschiedene Frametypen als verschiedene, aufeinander aufbauende Vorstrukturierungen der konstruierten Realität differenziert:

Frametype I: Dies meint (wirtschafts-)politische Konzeptionen als Grundlinien der Realitätsinterpretation, wie sie sich aus dem Regierungshandeln direkt ergeben bzw. in deren Rahmen wir Regierungshandeln wahrnehmen.

Frametype II: Die handelnden Akteure – politische Parteien, deren Repräsentanten oder auch Verbände (Lobbies) – versuchen Interpretationssicherheit durch ideologische Differenzierungen, Wertprägungen etc. zu erreichen. Indem sie Konnotationen schaffen, leisten sie sich ein ‚Markenimage‘, dass in dem ‚Vertrauensmarkt‘ Politik Bindungen schafft.

Frametype III: Hierbei handelt es sich um die großen, gesellschaftlichen Grundwertvorstellungen, über die – zumindest im kurz- bis mittelfristig orientierten Politikprozess – nur selten explizit gesprochen wird, sondern über die es unausgesprochene Vorverständigungen gibt.

Der metakulturelle Frametype III entspricht weitgehend dem Makro-Klima, der Frametype II bestimmt die ideologische Verortung (und Vermarktung) der politischen Parteien – auch dieser Frametype zeigt ebenfalls großes Beharrungsvermögen, da eine ideologisch schwankende Partei wenig Interpretationssicherheit bieten kann und deshalb kaum Vertrauen wird gewinnen können. Allerdings können sich die Frametypen II mittel- bis langfristig durchaus verändern, wenn beispielsweise der Frametype III eine Wandlung der gesellschaftlichen Werte und Orientierungen festhält. Der Frametype I schließlich bestimmt den Wahrnehmungsrahmen, in dem (Wirtschafts-)Politik stattfindet bzw. nur handlungsmächtig werden kann. Er beschreibt so etwas wie die Bildung eines ‚Common sense‘ als Interpretationsschema und Handlungsrational. In Erweiterung des Agenda-Building-Prozesses kommt es also nicht nur darauf an, wirtschaftspolitische Probleme zu identifizieren und zu adressieren – also auf die politische Agenda (‚worüber man spricht‘ und wofür Lösungen erwartet werden) zu bringen –, sondern auch die Problemwahrnehmung zu formen (bzw. rahmen = framing) und damit Lösungsansätze und Frametypen II zu präjudizieren.

Dies sei am Beispiel **Arbeitslosigkeit** demonstriert: Obwohl die Arbeitslosigkeit in Deutschland (und gleichermaßen in Europa) seit Mitte der siebziger Jahre in mehreren Stufen (entsprechend der konjunkturellen Krisenzyklen; vgl. Kap. 6.1) anstieg, konnte es über die achtziger und neunziger Jahre hinweg durch andere politische Themen – zunächst die Bekämpfung der Inflation, dann die Bekämpfung der Staatsverschuldung im Zuge der deutschen Einheit – daran gehindert werden, die uneingeschränkte Aufmerksamkeit der Öffentlichkeit zu erringen. Auf der politischen Agenda hatte die Arbeitslosigkeit zweifellos seine Bedeutung, doch stand sie nicht ganz oben. **Inflationsbekämpfung** und die **Konsolidierung der öffentlichen Haushalte** wurden – ganz im Sinne einer angebotspolitischen Konzeption – vielmehr zu den (makroökonomischen) **Voraussetzungen** für einen höheren Wachstumspfad und damit für **mehr Beschäftigung** erklärt. Obwohl der Konnex ‚Wirtschaftswachstum

= Beschäftigungswachstum' in dem der Angebotspolitik zugrunde liegenden neoklassisch-monetaristischen Paradigma unsinnig ist[143] und auch die Zusammenhänge zwischen Inflationsbekämpfung und Beschäftigungswachstum und Haushaltskonsolidierung und Beschäftigungswachstum alles andere als eindeutig sind, gelang ein einschlägiges ‚Framing'. Und als dann zu Beginn des neuen Jahrhunderts – nachdem die Inflationsängste aufgrund der realen Disinflationsentwicklung nicht weiter bedient werden konnten und auch die Konsolidierung der öffentlichen Haushalte im Rahmen des Übergangs in die Europäische Währungsunion hinreichend berücksichtigt schien – Arbeitslosigkeit endlich die Spitze der politischen Agenda erklommen hatte, war längst ein Framing im Sinne des neoklassisch-monetaristischen Paradigmas dominant: Arbeitslosigkeit wurde ausschließlich als mikroökonomisch zu erklärendes Problem eines **fehlfunktionierenden Arbeitsmarktes** dargestellt (vgl. Kap. 6.1.3.1). Die Schwerpunktsetzungen in diesem Framing-Prozess, der zweifellos einen ‚Common sense' zur Arbeitslosigkeit begründet hat, änderten sich zwar entsprechend der konkreten Rahmenbedingungen[144], doch blieb die Rahmung insgesamt konsistent mikroökonomisch.

Der Erfolg dieses Framing-Prozesses (Type I), der durch die Probleme eines alternativen (keynesianischen) Framings in der Stagflationsphase Ende der siebziger Jahre, die zunehmende Dominanz des neoklassisch-monetaristischen Paradigmas in der Wissenschaft und der Politikberatung (z.B. durch den Sachverständigenrat) und die immer einheitlichere Übernahme dieser Realitätsinterpretation durch die Massenmedien erklärt werden kann, zeigt sich schließlich auch darin, dass er längst auf den Frametype II übergesprungen ist: Der Wandel der ideologisch-politischen Konzeption der Sozialdemokratie von der ‚alten sozialdemokratischen Wirtschaftspolitik' (‚Traditionalisten') zur ‚Neuen-Mitte-Politik' (‚Modernisierer') kann als eine Anpassung an diesen Frametype I bei gleichzeitig dominantem, metakulturellem Frametype III individualistischer, wettbewerbs- und leistungsorientierter Prägung verstanden werden (vgl. Heise 2003).

Literatur zu Kapitel 8:

Benz, A.; Der moderne Staat, München 2001

Berthold, N., Fehn, R.; The Positive Economics of Unemployment and Labor Market Inflexibility; in: Kyklos, Vol. 49, Fasc. 4, 1996, S. 583 – 613

Braun, D.; Theorien rationalen Handelns in der Politikwissenschaft. Eine kritische Einführung, Opladen 1999

Dörner, A.; Politainment. Politik und Unterhaltungskultur in Deutschland, Frankfurt 2001

Downs, A.; An Economic Theory of Democracy, New York 1957

Downs, A.; Inside Bureaucracy, Boston 1967

Dunleavy, P.; Democracy, Bureaucracy and Public Choice, New York 1991

---

[143] Aufgrund der Substitutionalität der Produktionsfaktoren und der daraus resultierenden Variablität des Kapitalkoeffizienten ist **jedes Wirtschaftswachstum** mit Vollbeschäftigung (bzw. hohem Beschäftigungswachstum) kombinierbar.

[144] Die angebotspolitische Argumentation der achtziger Jahre stellte zunächst auf die Lohn**höhe** ab, die standortpolitische Argumentation der neunziger Jahre betonte die Lohn**struktur** und, in Ergänzung dazu, kapriziert sich die Argumentation der ‚Neue-Mitte-Politik' auf den Niedriglohnsektor.

Ebert, W.; Die diskurstheoretische Sicht kooperativer Wirtschaftspolitik im Reframing-Modell; in: Frick, S., Penz, R., Weiß, J. (Hrsg.); Der freundliche Staat. Kooperative Politik im institutionellen Wettbewerb, Marburg 2001, S. 233 – 269

Edelman, M.; Politik als Ritual. Die symbolische Funktion staatlicher Institutionen und politischen Handelns, Frankfurt 1990

Fluhrer, M.; Ansätze einer ökonomischen Theorie der Wahlen, Köln 1993

Franke, S.F.; (Ir)rationale Politik? Grundzüge und politische Anwendungen der Ökonomischen Theorie der Politik, Marburg 2000 (2. Aufl.)

Habermas, J.; Technik und Wissenschaft als ‚Ideologie‘, Frankfurt 1978

Heise, A.; Sind Effizienz und Gleichheit ökonomisch unverträglich?; in: Berliner Debatte – Initial, Nr. 3, 1999, S. 115 – 125

Heise, A.; Ende der Sozialdemokratie? Konstruktiv-kritische Anmerkungen zu einer dramatischen Entwicklung, Arbeitspapiere für Staatswissenschaft der Hamburger Universität für Wirtschaft und Politik Nr. 3, Hamburg 2003

Hirschman, A.O.; The Passions and the Interests. Political Arguments for Capitalism before its Triumph, New Jersey 1977

Kirsch, G.; Neue Politische Ökonomie, Düsseldorf 1993 (3. Aufl.)

Luhmann, N.; Die Wirtschaft der Gesellschaft, Frankfurt 1988

Luhmann, N.; Politische Steuerungsfähigkeit: Ein Diskussionsbeitrag; in: Politische Vierteljahresschrift, 30 Jg., H.1, 1989, S. 4 – 9

Luhmann, N.; Gesellschaft der Gesellschaft, 2. Bde., Frankfurt 1997

Luhmann, N.; Die Politik der Gesellschaft, Frankfurt 2000

McCullum, B.T.; The Political Business Cycle. An Empirical Test; in: Southern Economic Journal, Vol. 44, 1977, S. 504 – 515

Mannheim, K.; Ideology and Utopia. Introduction to a Sociology of Knowledge (1936), London 1960

Meyer, Th.; Mediokratie. Die Kolonisierung der Politik durch die Medien, Frankfurt 2001

Niskanen, W. A.; Bureaucracy and Representative Government, Chicago/ New York 1971

Nordhaus, W. D.; The Political Business Cycle; in: Review of Economic Studies, Vol. 42, 1975, S. 169 – 190

Paldam, M.; Is there an Election Cycle? A Comparative Study of National Accounts; in: Scandinavian Journal of Economics, 1979, S, 323 – 342

Saint-Paul, G.; Some Political Aspects of Unemployment, in: European Economic Review, Vol. 39, 1995, S. 575 – 582

Sarcinelli, U., Schatz, H.; Von der Parteien- zur Mediendemokratie. Eine These auf dem Prüfstand; in: dies. (Hrsg.); Mediendemokratie im Medienland?, Opladen 2002, S. 9 – 31

Savage, J.D.; Balanced Budgets and American Politics, Ithaca/London 1988

Scharpf, F.W.; Politische Steuerung und Politische Institutionen; in: Politische Vierteljahreszeitschrift, 30 Jg., H. 1, 1989, S. 10 – 21

Schaub, G.; Politische Meinungsbildung in Deutschland. Wandel und Kontinuität der öffentlichen Meinung in Ost und West, Bonn 1998

Schumpeter, J.A.; Capitalism, Socialism and Democracy, London 1942

Seibel, W.; Politische Lebenslügen als Self-Destroying Prophecies. Die Treuhandanstalt im Vereinigungsprozess; in: Soeffner, H.-G., Tänzler, D. (Hrsg.); Figurative Politik. Zur Performanz der Macht in der modernen Gesellschaft, Opladen 2002, S. 225 – 251

Tufte, E.R.; Political Control of the Economy, Princeton 1978

Udehn, L.; The Limits of Public Choice. A Sociological Critique of the Economic Theory of Politics, London 1996

Weber, M.; Wirtschaft und Gesellschaft. Grundrisse der verstehenden Soziologie (1922), Tübingen 1976 (5. revidierte Aufl.)

Willke, H.; Entzauberung des Staates. Überlegungen zu einer gesellschaftlichen Steuerungs-
   theorie, Königstein 1983
Willke, H.; Supervision des Staates, Frankfurt 1997
Zimmermann, H., Henke, K.-D.; Finanzwissenschaft, München 2001 (8. Aufl.)

TEIL III: WIRTSCHAFTSPOLITIK VOR DEM HINTERGRUND VON GLOBALISIERUNG UND EUROPÄISCHER INTEGRATION

9. Formation einer europäischen Wirtschaftspolitik

Lernziele

1. Durch die Schaffung einer einheitlichen Währung in der EWU und aufgrund der zunehmenden Mobilität innerhalb der EU hat sich der wirtschaftspolitische Entscheidungsraum längst über die nationalen Grenzen hinausbewegt.
2. Statt des nationalen, hierarchischen Regierens bekommen in der EU wirtschaftspolitische Governance-Prozesse zunehmende Bedeutung.
3. Der EU-Governance-Prozess wird von einer Reihe von supranationalen Institutionen und Gremien betrieben.
4. Eine EU-Wirtschaftspolitik ist immer dann notwendig, wenn die notwendigen öffentlichen Güter auf nationaler Ebene nicht mehr (effizient) bereitgestellt werden können.
5. Um einen schadvollen Systemwettbewerb zu verhindern, muss es innerhalb der EU zu einer Kooperation der nationalen Akteure auf der Bereitstellungs- und Finanzierungsseite kommen.

In den bisherigen Ausführungen wurde nicht nur so getan, als ob Wirtschaftspolitik an nationalen Grenzen halt machen würde und sich auf eine nationale Entität begrenzen ließe, es wurde bislang auch weitgehend von internationalem Güter- und Faktoraustausch abgesehen. Konnte dieses Vorgehen aus didaktischen Gründen (,der Einfachheit halber') bislang immer dann gerechtfertig werden, wenn auf spezielle Ausführungen zur Außenwirtschaftstheorie und Handelspolitik verwiesen wurde, so muss es im Zeitalter der Globalisierung und – mehr noch – der Europäischen Integration unbefriedigend werden. Mit der Durchlässigkeit nationaler Grenzen, der zunehmenden Integration aller Märkte und dem Ineinandergreifen von Politikprozessen entstehen Interpendenzen, die die Steuerungsfähigkeit nationaler Politikakteure noch weiter in Frage stellen als dies – je nach zugrunde liegendem Paradigma – eh schon der Fall ist.

Wir wollen uns deshalb, analytisch getrennt, zunächst mit der Europäischen Integration und der Möglichkeit nationaler Wirtschaftspolitik in der Europäischen Union bzw. europäischer Wirtschaftspolitik (Kap. 9) und später mit den Auswirkungen der Globalisierung auf die nationale und europäische Wirtschaftspolitik auseinander setzen (Kap. 10).

9.1. Wirtschaftliche und politische Integration Europas

Nach den kriegerischen Auseinandersetzungen zu Beginn des 20. Jahrhunderts lag für die Gründungsväter und –mütter der Europäischen Union (bzw. deren Vorläufer) das Hauptaugenmerk darauf, den europäischen Kontinent friedlich zu vereinigen und eine Wiederholung solcher grausamer Entwicklungen dauerhaft zu verunmöglichen. Oder anders: Am Beginn des europäischen Integrationsprozesses stand nicht ökonomische Rationalität, sondern **politischer Gestaltungswille**, der in der Schaffung gemeinsamer Institutionen einen (den) Weg sah, eine europäische Identität auszuprägen und gemeinsame Interessen (statt nationaler Gegensätze) hervorzukehren. Von besonderer Bedeutung für die europäische Integration waren Deutschland und Frankreich: Die Einbindung (West-)Deutschlands in ein friedliches Europa wurde als wesentliche Voraussetzung für Stabilität und Frieden angesehen, (West-)Deutschland verstand sich aufgrund seiner Geschichte als wesentliche Triebkraft der europäischen Einigung, stellte nationale Interessen zurück und wurde zum großen Financier der europäischen Integration. Frankreich sah in einer ökonomischen Neuordnung Europas die besten Chancen, seine nationalen Interessen zu vertreten (bis heute wird die Europäische Kommission kulturell und sprachlich von Frankreich dominiert). Deutsch-französische Initiativen waren die wesentlichen Motoren der Integration (s. Europäisches Währungssystem 1978, Europäische Währungsunion 1999).

9.1.1 Grundzüge

Supranationale Integration bedeutet die Aufgabe nationaler Souveränität (z.B. Zollrechte), in jedem Falle aber die Einschränkung nationaler Handlungsspielräume (z.B. der Geldpolitik bei fixen Wechselkurssystemen). Da die Europäische Union bis heute nur ein **Staatenbund** (kein Bundesstaat) ist, ergibt sich ein kompliziertes Spannungsfeld zwischen nationaler und supranationaler EU-Ebene:

1. Bis heute existiert **keine ‚europäische Öffentlichkeit‘** (Medien, Parteien, Interessengruppen), sondern viele nationale Öffentlichkeiten. Dies aber lässt die nationale Ebene auch auf absehbare Zeit zur wesentlichen politischen Entscheidungsebene werden (vgl. Hartmann 2001: 176ff.). Die mangelnde politische Repräsentation bzw. die geringe Entscheidungskompetenz demokratisch legitimierter Gremien (Europäisches Parlament) wird als ‚demokratisches Defizit‘ bezeichnet.
2. Die Europäische Integration ist als **Prozess** zu verstehen, d.h. sie entwickelt sich graduell und häufig als Ergebnis ökonomischer Kräfte (‚spill over‘ nach neofunktionalistischer Theorie; vgl. Haas 1964). Mit wenigen Ausnahmen (z.B. die Europäische Zentralbank) herrscht dabei der Modus der **‚negativen Integration‘** –

d.h. die Reduktion oder Beseitigung nationaler Regulierungen oder Institutionen – gegenüber der **‚positiven Integration‘** – d.h. die Schaffung gemeinsamer, supranationaler Regulierungen oder Institutionen – vor (vgl. Scharpf 1999: 47ff.). Hintergründe dieser Entwicklung liegen im geringeren Veto-Potential eines Politikprozesses, dessen Hauptakteur die (supranationale) Europäische Kommission (oder gar der Europäische Gerichtshof) ist, als in einem Politikprozess, der von den nationalen Regierungen unter breitem Konsens betrieben werden muss (vgl. Pilz/Ortwein 2000: 167ff.).

3. Es ist ein **komplexes Mehrebenensystem** der (wirtschafts-)politischen Steuerung zwischen den nationalen Politikträgern (Intergouvernementalismus) und supranationalem Koordinierungsbedarf (z.B. in der Finanz- und Fiskalpolitik) entstanden.

Die ökonomische Integration (vgl. Abb. 9.1) von reinen Handelsbeziehungen über die Zollunion, den Gemeinsamen Markt und die Europäische Währungsunion (EWU) hatte eine wesentliche Lokomotivfunktion für die politische Integration Europas bis zur politischen Union mit (bald) eigener Verfassung. Immer wieder wechselten sich Phasen der **extensiven Integration** – also der Aufnahme neuer Mitglieder in die jeweilige Integrationsstufe (z.B. die ‚Süderweiterung‘ Mitte der 80er Jahre und die Osterweiterung 2004) – mit Phasen der **intensiven Integration** – also der Vertiefung der ökonomischen Zusammenarbeit (z.B. beinhaltet die Einheitliche Europäische Akte (EEA) von 1986 die beiden größten Integrationsprojekte in der Geschichte der EU: die Vollendung des Binnenmarktes und die Schaffung eines einheitlichen Währungsraumes) – ab. Mit der endgültigen Fixierung der Wechselkurse in der Europäischen Währungsunion ab 1999 und der Ausgabe einer Einheitswährung ab 2002 hat die Europäische Union (der 12 teilnehmenden Mitgliedsländer) nun endgültig einen wesentlichen Schritt in Richtung einer **‚nationalen‘ Volkswirtschaft** – im Gegensatz zur ‚internationalen Wirtschaft‘ als Untersuchungsgegenstand des Globalisierungsprozesses – getan[1].

Bevor wir in dieser knappen Einführung zur Europäischen Integration auf die für die Formation einer europäischen Wirtschaftspolitik (oder Wirtschaftspolitik in der EU) wichtigen Institutionen und Politikträger zu sprechen kommen, sollen kurz die Aufgaben, Politikfelder und die Finanzierungsstrukturen der Europäischen Union dargelegt werden (vgl. Abb. 9.3). Historisch lässt sich die Bedeutung der **Agrarpolitik** (Gemeinsame Agrarpolitik – GAP) als wesentlicher Pfeiler der EU-Politik begründen. Als weitere Pfeiler sind die **Sicherung der Währung** (interne und externe Preisstabilität und die Versorgung der Wirtschaft mit dem Zahlungsmittel) in der EWU, die **Distributions- und Konvergenzfunktion** des Europäischen Fonds für Regionale Entwicklung (EFRE) und des Europäischen Sozialfonds‘ (ESF), die **Stabilisierungsfunktion** in der gemeinsamen Wirtschaftspolitik (Broad Economic Policy Guideline – BEPG) und die **Gemeinsame Außen- und Sicherheitspolitik**

---

[1] Gewöhnlich wird die nationale von der internationalen Wirtschaft dadurch unterschieden, dass sie über eigenständige Souveränitätsrechte (vgl. Krugman/Obstfeld 2000: 2f.) verfügt. Von ökonomischer Bedeutung für eine sinnvolle Differenzierung aber ist eher die Mobilität der Produktionsfaktoren und die Existenz einer einheitlichen Währung. Das erstere Differenzierungskriterium verliert im Globalisierungsprozess, dessen wesentliches Merkmal die zunehmende Faktormobilität ist (Citrin/Fischer 2000), an Bedeutung, weshalb letzteres Merkmal entsprechend bedeutungsvoller wird.

Abbildung 9.1: Entwicklungsstufen der ökonomischen Integration

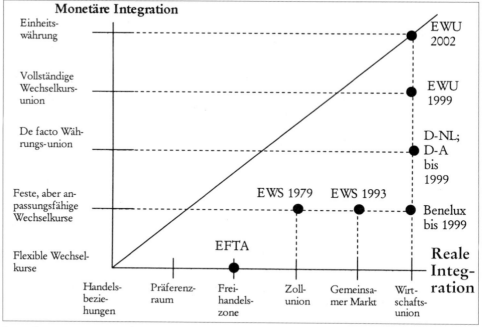

Anmerkungen: EFTA= Europäische Freihandelszone

Quelle: Holthusen (1994)

(GASP) zu nennen. Im Rahmen von Protokollen zu den Europäischen Verträgen sind die sozialregulativen Vorstellungen der früheren ‚Sozialcharta' paraphiert – Ressourcen bewährte Sozialpolitik im traditionellen Sinne (vgl. Kap. 6.4) zählt nicht zu den EU-Aufgaben. Auch die gemeinsame Wirtschaftspolitik (BEPG), die die traditionelle Stabilisierungsfunktion zu übernehmen hat, ist nicht mit eigenen Haushaltsmitteln versehen und kann deshalb allenfalls **prozeduralen Charakter** (Koordinierung bzw. Kooperation) tragen – im Folgenden werden wir uns hiermit noch ausführlicher befassen. Die Geldpolitik schließlich ist einer autonomen Europäischen Zentralbank (EZB) in einem Europäischen System der Zentralbanken (ESZB) übertragen worden – damit ist ein wichtiger makroökonomischer Politikbereich vollständig europäisiert, d.h. der nationalen Kontrolle und Perspektive entzogen (vgl. Görgens/Ruckriegel/Seitz 2001). Die Gemeinsame Außen- und Sicherheitspolitik (GASP) vervollständigt die relevanten Politikbereiche der EU und kann als besonderes Beispiel der intergouvernementalen Politikfindung gelten. Lediglich die Agrar- und die regionale Strukturpolitik (EFRE, ESF) sind – etwa je zur Hälfte – mit eigenständigen EU-Haushaltsmitteln ausgestattet und unterstützen in Form einer **‚Gemeinschaftspolitik'**, d.h. in eigenständiger Kompetenz, gleichgerichtete nationale Politikbereiche (die dadurch nicht ersetzt, sondern komplementiert werden). Insgesamt sind die Ressourcen der EU mit einem ‚gedeckelten' Aufkommen von 1,27 % des EU-BIP allerdings sehr bescheiden (vgl. Abb. 9.2).

Abbildung 9.2: Finanzielle Vorausschau des EU-Gesamthaushaltes bis 2006 in Mrd. Euro
(bzw. Anteil am EU-BIP)

	2003	2004	2005	2006
Landwirtschaft	48,7	49,7	50,6	51,6
Strukturpolitik	35,6	34,4	33,4	32,5
Verwaltung	5,0	5,1	5,2	5,3
Sonstiges	14,9	15,2	15,6	15,9
Gesamt	**104,2**	**104,2**	**104,8**	**105,2**
Obergrenze	*1,27%*	*1,27%*	*1,27%*	*1,27%*

Quelle: EU-Nachrichten – Dokumentation Nr. 2 v. 19.03.1998

Abbildung 9.3: Aufgaben, Politikfelder und Finanzierung der Europäischen Union

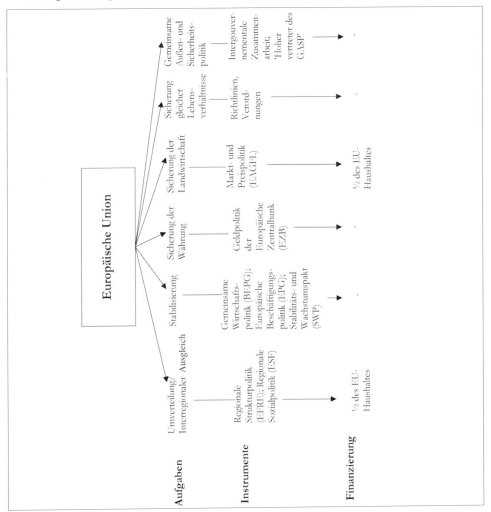

9.1.2 Institutionen des europäischen ‚Economic Governance'

Bislang haben wir uns den Politikträgern – den Akteuren der Wirtschaftspolitik – nicht sehr intensiv und wenn, dann abstrakt-handlungstheoretisch gewidmet. Eine genauere Betrachtung kann dann auch grundsätzlich der Politikwissenschaft überlassen bleiben. Wenn wir uns an dieser Stelle doch ausführlicher den europäischen Politikakteuren und –institutionen zuwenden wollen, dann einerseits, weil deren Bekanntheitsgrade viel geringer sind als im Falle der nationalen Gegenstücke und, andererseits, weil sie als Teil des europäischen ‚Economic Governance' in ihrer Konkretheit mehr Bedeutung erlangen als in traditionellen, mit Ressourcen ausgestatteten und hierarchisch strukturierten Regierungssystemen (Government).

Deshalb wollen wir kurz bei der Differenz zwischen **‚Governance'** und **‚Government'** verharren (Abb. 9.4): Typischerweise werden drei Interaktionskonstellationen in modernen Gesellschaften unterschieden: Verhandlungssysteme, Konkurrenzbeziehungen und Hierarchien. Man ist geneigt, den ‚politischen Markt', also die Wahlentscheidung über Regierung und Opposition Konkurrenzbeziehungen zuzuordnen – mithin die Zielbestimmung der Wirtschaftspolitik –, während die Politikausführung durch die Bürokratie einem hierarchischen Subordinationsverhältnis unterliegt. Verhandlungssysteme kommen ins Spiel, wenn entweder a) der Politikakteur soweit gefasst wird, dass er quasi-autonome Akteure (z.B. Tarifparteien oder die Notenbank) umfasst oder b) der Politikakteur aus mehreren souveränen Einzelakteuren (z.B. nationale Regierungen im System des Intergouvernementalismus) besteht.

Abbildung 9.4: Governance und Government

	Governance		Government
	Verhandlungssystem	Konkurrenzbeziehung	Hierarchie
Interaktionsstruktur	Versammlung; Netzwerk	Autonome Akteure	Subordinantions- verhältnis
Interaktionsmodus	Kommunikation, Verhandlung	Wettbewerb	Anweisung, Anreiz
Entscheidungsmodus	Einigung durch Tausch, Kompromiss oder Konsens	Mehrheits- entscheidung Sieg des Überlegenen	Monokratische Entscheidung
Beispiele	Parlament, Bündnis für Arbeit, Ministerrat	Parteienwettbewerb	Regierung, Bürokratie

Quelle: Benz (2001: 168) und eigene Ergänzungen

Das im Wesentlichen prozedurale, nicht durch eigene Ressourcen bewährte (wirtschafts-)politische Handeln in der EU kann als Governance verstanden werden, während nationalstaatliches Regieren grundsätzlich als Government aufgefasst wird.[2]

---

[2]   Es gibt allerdings reichlich Hinweise darauf, dass selbst Hierarchien in der Praxis häufig eher Verhandlungssystemen gleichen und die kooperative Wirtschaftspolitik des postkeynesianischen Paradigmas

Box 19: Governance versus Government

Der Begriff ‚governance' wird in den Sozialwissenschaften nicht einheitlich verwendet (...). In der Institutionenökonomie bezeichnet er allgemein eine Steuerungsstruktur, und man unterscheidet dabei zwischen Markt, Hierarchie und Netzwerken. In der Politikwissenschaft wird er oft auf eine spezifische Herrschaftsstruktur verengt. Im Unterschied zum Begriff ‚government', der die staatlichen Institutionen eines Regierungssystems bezeichnet, wird mit governance eine Steuerungs- und Regelungsstruktur bezeichnet, die staatliche wie gesellschaftliche Akteure zusammenführt, formelle wie informelle Elemente beinhaltet und nicht ausschließlich auf hierarchischen Über- und Unterordnungsverhältnissen beruht (...). „Governance ist die Gesamtheit der zahlreichen Wege, auf denen Individuen sowie öffentliche und private Institutionen ihre gemeinsamen Angelegenheiten regeln. Es handelt sich um einen kontinuierlichen Prozess, durch den kontroverse oder unterschiedliche Interessen ausgeglichen und kooperatives Handeln initiiert werden kann. Der Begriff umfasst sowohl formelle Institutionen und mit Durchsetzungsmacht versehene Herrschaftssysteme als auch informelle Regelungen, die von Menschen und Institutionen vereinbart oder als im eigenen Interesse liegend angesehen werden" (Commission of Global Governance; zitiert nach: Schneider/Kenis 1996: 39).
Benz 2001: 168

Das oberste Entscheidungsgremium der EU – der **Rat der Europäischen Union (Ministerrat)** – entscheidet (je nach Politikbereich) durch einfache, qualifizierte Mehrheit oder Einstimmigkeit. Seine Zusammensetzung erfolgt nach Bevölkerungsgewichtung (vgl. Abb. 9.5), wobei kleinere Mitgliedsländer eine überproportionale Bedeutung erhalten. Der Ministerrat ist so etwas wie die Legislative und Exekutive in einer Institution, wobei er die Legislativfunktion mit dem Europäischen Parlament und der Europäischen Kommission, die Exekutivfunktion mit der Europäischen Kommission teilt. Organisatorisch besteht der Ministerrat aus einer Reihe von Fach-Ministerräten, wobei für die Wirtschaftspolitik in der EU der Fach-Ministerrat der **EU-Wirtschafts- und Finanzminister (ECOFIN-Rat)** besonders bedeutend ist.

Dem Ministerrat gleichgestellt ist der **Europäische Rat**. Während der Ministerrat die Fachminister der EU-Mitgliedsstaaten umfasst, versammelt der Europäische Rat die Staats- und Regierungschefs und die Außenminister der EU, denen der Präsident der Europäischen Kommission beratend zur Seite gestellt wird. Der Europäische Rat gibt die großen politischen Leitlinien vor, die dann im Ministerrat (bzw. den jeweiligen Fachräten) befasst werden. Beide Gremien sind als Legislative nicht durch die EU-Wählerschaft gewählt, als Exekutive nicht vom Europäischen Parlament bestellt und repräsentieren auch keine ideologische Einheit oder Koalition, sondern sind ein intergouvernementales Gremium mit Verhandlungsauftrag.

(vgl. Kap. 5.3) legt es nahe, dass auch nationalstaatliches Regieren heute längst eher ‚Governance' denn ‚Government' ist.

Abbildung 9.5: Stimmenverteilung im Ministerrat

	Stimmen	Stimmenge-wicht	Bevölkerungs-anteil	BIP-Anteil	Beitragsanteil
	Anzahl	Prozent	Prozent	Prozent	Prozent
Belgien	5	5,7	2,7	3,1	3,1
Dänemark	3	3,4	1,4	1,9	2,0
Deutschland	10	11,5	22,0	26,0	29,1
Finnland	3	3,4	1,4	1,4	1,5
Frankreich	10	11,5	15,7	17,2	19,0
Griechenland	5	5,7	2,8	1,5	1,7
Großbritannien	10	11,5	15,8	16,1	9,6
Irland	3	3,4	1,0	0,8	0,8
Italien	10	11,5	15,4	14,2	12,3
Luxemburg	2	2,3	0,1	0,2	0,2
Niederlande	5	5,7	4,2	4,5	5,1
Österreich	4	4,6	2,2	2,6	3,0
Portugal	5	5,7	2,6	1,2	1,5
Schweden	4	4,6	2,4	2,7	3,2
Spanien	8	9,2	10,5	6,6	7,7
Gesamt	**87**	**100**	**100**	**100**	**100**
Qualifizierte Mehrheit	62	71,3			

Quelle: Brücker/Peters (1996)

Das **Europäische Parlament** ist die demokratisch legitimierte Kontroll- und Mitwirkungsinstanz in der EU, deren legislativen Rechte durch den Amsterdamer Vertrag gestärkt wurden – dennoch ist es, anders als die nationalen Parlamente – keinesfalls die eigentliche Legislative in der EU, auch kennt es den Gegensatz ‚Regierung(sfraktionen)' und ‚Opposition(sfraktionen)' nicht.

Die **Europäische Kommission** schließlich hat klare Exekutivrechte in den wenigen Gebieten von ausschließlich gemeinsamer Kompetenz (z.B. Zollrecht, Einhaltung der EU-Verträge und der Funktion des Binnenmarktes), leitet das legislative Verfahren an (Initiativmonopol) und vertritt die EU in internationalen Gremien. Aufgrund ihrer administrativen Größe und Informationssammlung ist die EU-Kommission zumeist die **‚Hüterin des Verfahrens'** im europäischen Governance-Prozess. Obwohl die Kommission nach fachlichen Gesichtspunkten (so genannte Generaldirektionen) entsprechend einer nationalen Regierung gegliedert ist, verhindert doch die nationale Besetzung der Kommissionsmitglieder eine politisch homogene ‚Regierung'.

Neben diesen weithin bekannten Institutionen spielt im ‚Economic Governance'-Prozess der EU eine Reihe von weiteren Institutionen oder kollektiven Akteuren eine Rolle. So wird mit dem Amsterdamer Vertrag ein **Arbeitsmarkt- und Beschäftigungsausschuss** geschaffen, der sich in die verschiedenen, später noch zu betrachtenden Prozesse der europäischen Beschäftigungspolitik einschalten soll. Jedes EU-Mitgliedsland und die EU-Kommission entsenden je 2 Mitglieder in den Arbeitsmarkt- und Beschäftigungsausschuss. Im **Sozialdialog** findet ein regelmäßiger (institutionalisierter) Austausch zwischen den Vertretern der europäischen Gewerkschaften (Europäischer Gewerkschaftsbund EGB) und den europäischen Arbeitgeberverbänden (Union des Industries de la Communauté Européenne UNICE) und der EU-Kommission statt (vgl. Keller 2001: 123ff.). Der Sozialdialog verfasst Stellungnahmen zu den die Sozialpartner betreffenden Entscheidungen (z.B. Richtlinien oder der Sozialcharta), befasst sich aber auch mit der ökonomischen Entwicklung der EU (in der makroökonomischen Gruppe des Sozialdialogs). Schließlich bleibt noch das **Europäische System der Zentralbanken (ESZB)** und die **Europäische Zentralbank (EZB)** zu erwähnen, die nach dem Konstruktionsprinzip der **zentralen Dezentralisierung**[3] die Geld- und Währungspolitik in der EWU verantworten. Das ESZB setzt sich aus der EZB und den autonomen nationalen Notenbanken (also der Deutschen Bundesbank, der Banque de France, der Banca d'Italia, etc.) zusammen, verfügt aber über keine eigenen Handlungsgremien. Deshalb ist es die EZB, die als der eigentliche Akteur (auf der Entscheidungsebene) verstanden werden kann, während die nationalen Zentralbanken für die Durchführung der Geschäfte (Umsetzung der Politik der EZB nach dem Hierarchie-Muster) verantwortlich sind.

In Anlehnung an die Deutsche Bundesbank wurde die EZB mit weitreichender institutioneller, personeller und finanzieller **Unabhängigkeit** ausgestattet (vgl. Görgens/Ruckriegel/Seitz 2001: 79f.), die zwar jede direkte oder indirekte Weisungsgebundenheit ausschließt, dennoch aber keine gesellschaftliche Verantwortungslosigkeit beinhaltet: Einerseits ist die EZB dem Europäischen Parlament, der EU-Kommission und dem Europäischen Rat berichtsverpflichtet, andererseits verhindert Unabhängigkeit keineswegs mögliche Kooperationen mit anderen wirtschaftspolitischen Akteuren, wenn Zielinterdependenzen dies nahe legen.

Abbildung 9.6: Beschlussorgane der EZB

EZB-Rat	EZB-Direktorium
Zusammensetzung: EZB-Direktorium Präsidenten der nationalen Notenbanken	Zusammensetzung: Präsident Vize-Präsident 4 weitere Mitglieder
Funktion: Festlegung der Geld- und Währungspolitik	Funktion: Geschäftsführung und Vertretung der EZB

---

[3] Als Staatenbund zeichnet sich die EU grundsätzlich durch das Konstruktionsprinzip der **dezentralen Zentralisierung** aus, d.h. die dezentralen (nationalen) Entscheidungseinheiten delegieren Kompetenzen auf die zentrale (EU-)Ebene. Hierin zeigt sich, dass das ESZB und die EZB bereits erste Bestandteile einer veränderten EU-Architektur (Bundesstaat) sind.

9.1.3 Wirtschaftspolitik als supranationales öffentliches Gut

Nach dem Dezentralisierungstheorem von W.E. OATES (1972) ist es bei gleichen Erstellungskosten öffentlicher Güter in verschiedenen Teilgebieten einer Volkswirtschaft (bzw. verschiedenen nationalen Ökonomien in der EWU) immer vorzuziehen, die öffentlichen Güter dezentral bereitzustellen – bei heterogenen Gesellschaften können so die Präferenzstrukturen besser abgebildet werden und Fehlversorgungen geringer gehalten werden. Damit ist der **Subsidiaritätsgrundsatz** begründet, der auch die (Wirtschafts-)Politik der EU unterliegt.[4] Die Finanzwissenschaft hat drei wesentliche Determinanten der Bestimmung der ‚optimalen' Bereitstellungsebene herausgearbeitet (vgl. z.B. Blankart 2001: 547ff.): Die Erstellungskosten, die Allokationskosten und die Externalitäten. Theoretisch kann somit für jedes einzelne öffentliche Gut – von der Müllabfuhr über das Bildungswesen bis zur Äußeren Sicherheit und Stabilisierungspolitik – eine ‚optimale Gemeindegröße' bestimmt werden. Durch Clusterung lässt sich dann daraus eine föderale Struktur mit verschiedenen Bereitstellungsebenen aufbauen. Die Frage, die uns an dieser Stelle interessieren wird, ist: Gibt es Gründe für eine EU-Ebene der Bereitstellung öffentlicher Güter? Und was wird dann aus der nationalen Ebene?

Abbildung 9.7: Öffentliche Güterbereitstellung

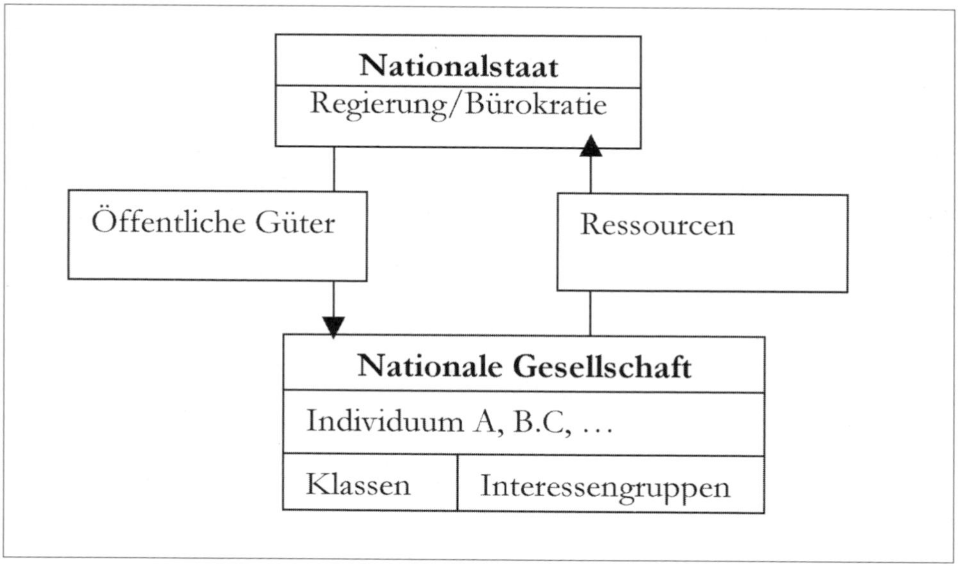

---

4   Art. 5 des EU-Vertrages lautet: "Die Gemeinschaft wird innerhalb der Grenzen der ihr in diesem Vertrag zugewiesenen Befugnisse und gesetzten Ziele tätig. In den Bereichen, die nicht in ihre ausschließliche Zuständigkeit fallen, wird die Gemeinschaft nach dem Subsidiaritätsprinzip nur tätig, sofern und soweit die Ziele der in Betracht gezogenen Maßnahmen auf Ebene der Mitgliedstaaten nicht ausreichend erreicht werden können und daher wegen ihres Umfangs oder ihrer Wirkungen besser auf Gemeinschaftsebene erreicht werden können. Die Maßnahmen der Gemeinschaft gehen nicht über das für die Erreichung der Ziele dieses Vertrages erforderliche Maß hinaus."

Um die Frage beantworten zu können, werden wir uns – aus offensichtlichen Gründen – auf jene Güter beschränken, die nationalstaatlich auf zentraler Ebene bereitgestellt wurden und – aus thematischen Gründen – dabei wesentlich die Arbeitsmarkt- und Beschäftigungspolitik, die Finanz- und Fiskalpolitik und die sozialen Sicherungssysteme im Auge haben. Vorher wollen wir aber noch einmal auf Besonderheiten öffentlicher Güter eingehen (vgl. Abb. 9.7): Die Exekutive (allgemein: der Staat; im Besonderen: die Regierung bzw. die Bürokratie) stellt – entsprechend den von ihr wahrgenommenen Präferenzen – der Gesellschaft (allgemein: verschiedenen Individuen A, B, C, ...; im Besonderen: verschiedenen sozialen Gruppen wie Klassen, Interessengruppierungen, dem Median-Wähler, ...) öffentliche Güter zur Verfügung und beansprucht dafür von der Gesellschaft Ressourcen. Dies geschieht (vgl. Abb. 9.8) in einem Beziehungsrahmen von Wählern (Entscheidern), Zahlern (Zensiten) und Begünstigten (Konsumenten der öffentlichen Güter). Solange ‚fiskalische Äquivalenz‘ – also die Identität von Zahlern und Begünstigten –, ‚Konnexität‘ – also die Identität von Zahlern und Entscheidern – und ‚institutionelle Kongrunenz‘ – also die Identität von Entscheidern und Begünstigten gewährleistet ist, ist die Bereitstellung öffentlicher Güter problemlos und verläuft nach den gleichen Gesetzmäßigkeiten wie die Produktion und Allokation privater Güter (Pareto-Optimalität). Tatsächlich aber sind (viele) öffentliche Güter durch ‚Nicht-Ausschlussfähigkeit‘ gekennzeichnet, d.h. wir können nicht sicherstellen, dass die Gesellschaftsmitglieder ihre Präferenzen (und Zahlungsbereitschaft) offenbaren und eine individuelle Zuordnung der Konsumtion wird unmöglich. Und aufgrund der ‚Nicht-Rivalität im Konsum‘ ist auch die individuelle Präferenzorientierung bei der Bereitstellung öffentlicher Güter gefährdet und folglich ein unerwünschter Versorgungsgrad (gesellschaftliche X-Ineffizienz) denkbar. Hiermit ist dann nicht nur die ‚institutionelle Kongruenz‘ und die ‚Konnexität‘ gefährdet, sondern auch die fiskalische Äquivalenz nicht länger sicher zu stellen. Die Lösung des Problems liegt in einer Ressourcenbereitstellung nach dem **Leistungsfähigkeitsprinzip** und die Aggregation der gesellschaftlichen Präferenzen durch **Wahlen**. Damit aber können Bezieher jenseits ihrer äquivalenten Nutzung öffentlicher Güter zur Bezahlung herangezogen werden und entsprechend Zahler zu Nicht-Entscheidern (Minderheiten) degradiert werden.

In Abb. 9.9 sind nun die möglichen Auswirkungen des Aufbrechens von institutioneller Kongruenz und der Konnexität abgebildet: gesellschaftliche X-Ineffizienz, die sich in einem unerwünschten Versorgungsgrad zeigt oder gar Politikversagen. Aufgrund des Arrow'schen Unmöglichkeitstheorems (vgl. Kap. 2.2.2) ist gesellschaftliche X-Ineffizienz bzw. sogar Politikversagen zwar realistisch, als ‚zweitbeste Lösung‘ (second best)[5] aber im Rahmen von demokratischen Abstimmungsverfahren der Alternative (Nicht-Versorgung mit öffentlichen Gütern) vorzuziehen. Außerdem sind in Abb. 9.9 die Besonderheiten in kursiver Form hervorgehoben, die sich durch die europäische Integration für die nationalen Gesellschaften und nationalen Staaten als Politikträger ergeben: Bei Vorliegen von Konnexität und mangelnder institutioneller Kongruenz können die Individuen bzw. sozialen Gruppen (nur) durch Protest (‚Voice‘) auf den Missstand hinweisen und zu ihren Gunsten (bei Wahlen) zu verändern suchen. Wird ihnen nun aber auch die

---

5 Zur Theorie des ‚second best‘ vgl. z.B. Schlieper (1980).

Abbildung 9.8: Beziehungsrahmen der öffentlichen Güter-Bereitstellung

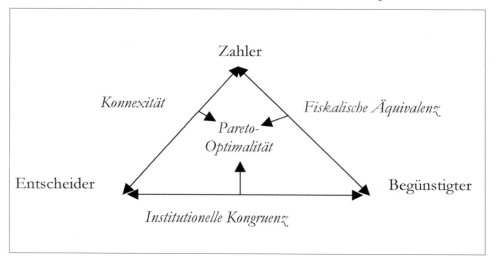

Wanderung zwischen den nationalen Ökonomien (und Gesellschaften) zugestanden (Freizügigkeit in der EU), dann eröffnet sich außerdem die Abwanderungsmöglichkeit (‚Exit‘) in eine Ökonomie (und Gesellschaft), die das öffentliche Güterangebot stärker nach ihren Präferenzen ausrichtet. Häufig aber reicht schon die Drohung mit der ‚Exit-Möglichkeit‘ bzw. die ‚unechte‘ Exit-Option, die darin besteht, nicht den Produktionsfaktor, sondern die Besteuerungsgrundlage (Gewinn oder Einkommen) zu verlagern[6], um die Konnexität aufzubrechen. Das Ergebnis ist eine – von der Gesamtheit der Gesellschaftsmitglieder – **nicht gewünschte Distributionswirkung**, die ‚mobile‘ Produktionsfaktoren entlastet und ‚Gerechtigkeitslücken‘ entstehen läßt bzw. einen ‚Solidaritätsschwund‘ bewirkt. Außerdem ist ein zunehmend integriertes Europa, in dem allerdings die Entscheidungsprozesse national gebunden bleiben, die institutionelle Kongruenz durch ‚Spill-over-Effekte‘ und Externalitäten gefährdet: Mit **‚Spill-over-Effekten‘** ist das Phänomen gemeint, dass sich die Wirkungen von öffentlichen Gütern (z.B. der Stabilisierungspolitik) nicht auf die Entscheider der nationalen Gesellschaft beschränken lassen, sondern auch Individuen anderer Gesellschaften zugute kommen (oder sie auch negativ berühren). Das Ergebnis wären Trittbrettfahrerprobleme, die Schwächung der Effektivität der Wirtschaftspolitik und eine Unterversorgung mit öffentlichen Gütern. Mit **Externalitäten** sind (negative) Wirkungen (z.B. Umweltverschmutzung) oder Interdependenzen (Zielkonflikte wie z.B. der Wunsch nach sozialer Sicherheit und der Wettbewerbsfähigkeit einer Volkswirtschaft, die die Grundlage der Finanzierung der sozialen Sicherheit legt) gemeint, deren Wirkungen ungewünschte Distributionseffekte oder eine Unterversorgung (Dumping-Prozesse) sind. Das Aufbrechen der institutionellen Konvergenz wird auch als Souveränitätsverlust der Entscheider wahrgenommen.

---

6   Dies kann z.B. durch konzerninterne Verrechnungspreise gelingen.

Box 20: Exit versus Voice

The customer who, dissatisfied with the product of one firm, shifts to that of another, uses the market to defend his welfare or to improve his position; and he also sets in motion market forces which may induce recovery on the part of the firm that has declined in comparative performance. This is the sort of mechanism economics thrives on. It is neat – one either exits or one does not; it is impersonal – any face-to-face confrontation between customer and firm with its imponderable and unpredictable elements is avoided and success and failure of the organization are communicated to it by a set of statistics; and it is indirect – any recovery on the part of the declining firm comes by courtesy of the Invisible Hand, as an unintended by-product of the customer's decision to shift. In all these respects, voice is just the opposite of exit. It is a far more 'messy' concept because it can be graduated, all the way from faint grumbling to violent protest; it implies articulation of one's critical opinions rather than a private, 'secret' vote in the anonymity of a supermarket; and finally, it is direct and straightforward rather than roundabout. Voice is political action par excellence.
Hirschman 1970: 15ff

Das Problem der Wirtschaftspolitik als Bereitstellung öffentlicher Güter in der Europäischen Union (bzw. vor dem Hintergrund der europäischen Integration) besteht also darin, dass der **notwendige Bezug** zwischen der Wähler- und Zahlerschaft (constituency) und den Begünstigten/Empfängern (policy domain) verloren geht bzw. aufbricht (vgl. Collignon 203:22ff.). Die grundsätzlich positive Übertragung des marktlichen Wettbewerbgedankens auf die Konkurrenz zwischen nationaler öffentlicher Güterbereitstellung (vgl. z.B. Brennan/Buchanan 1988) stellt auf eine Situation ab (Fiskaläquivalenz), die bei Faktormobilität zwischen Regionen oder Teilwirtschaften nicht gegeben ist. Von besonderer Bedeutung ist hierbei – und dies unterscheidet die Politikprozesse innerhalb der EU von dem allgemeineren Globalisierungsprozess (vgl. Kap. 10)-, dass die Bereitstellungskosten der öffentlichen Güter (Steuern und Abgaben) direkt oder indirekt die Produktionskosten erhöhen und diese Wettbewerbseffekte nicht über **Wechselkursänderungen** kompensiert werden können.[7]

Nun kann auch die oben aufgeworfene Frage beantwortet werden: Welche Gründe sprechen für eine (supranationale) EU-Ebene der öffentlichen Güterbereitstellung (also Wirtschaftspolitik)? Es sind die oben beschriebenen Externalitäten und ,Spill-over-Effekte' sowie die (vor allem unechte) Exit-Option, die die nationale Ebene (fallweise) suboptimal werden lassen. Welche Bedeutung die nationale Ebene der Wirtschaftspolitik behält, hängt von der Art des Umgangs mit den benannten Effekten ab:

1. Grundsätzlich könnte man versuchen, die Entscheidungsebene (constituency) und die Empfängerebene (policy domain) wieder in Übereinstimmung zu bringen – dies würde in letzter Konsequenz auf einen **supranationalen EU-Staat** hinauslaufen. Die nationale Ebene würde dann ihre Bedeutung einbüßen (nicht so dezentrale Eebnen wie Länder oder Gemeinden/Kommunen). Aufgrund fehlen-

---

[7] Der Wechselkurseffekt sorgt letztlich für die distributive Wirkung, die in einem einheitlichen Währungsgebiet die differenzierte Besteuerung zulasten der weniger mobilen Produktionsfaktoren leistet.

Abbildung 9.9: Konnexität und institutionelle Kongruenz

		Konnexität	
		Ja	Nein
Institutionelle Kongruenz	Ja	Pareto-Optimalität	(gewünschte)
		(fiskalische Äquivalenz)	Redistribution nach Leistungsfähigkeit
	Nein	Gesellschaftliche X-Ineffizienz (Voice)	Politikversagen
		Externalitäten Spill-over-Effekte	*Exit – ungewünschte Redistribution*
			Externalitäten Spill-over-Effekte

der EU-weiter Öffentlichkeit, Politikverfahren und Identität ist eine solche ‚Europäische Republik' (vgl. Collignon 2003: 143ff.) allerdings allenfalls ein Vision (Supranationalisierungsmethode der Koordinierung).
2. Steuer- und Sozialsysteme und die Finanzpolitik verbleiben zwar in nationaler Kompetenz, eine **Harmonisierung** aber unterbindet den Wettbewerb. Dadurch wird zumindest die Exit-Option innerhalb der EU unattraktiv gemacht, (Wettbewerbs-)Externalitäten ausgeschlossen und Trittbrettfahrer-Verhalten vorgebeugt. Aufgrund der starken institutionellen Unterschiede in der EU (z.B. der Sozial- und Besteuerungssysteme) und der starken Pfadabhängigkeit bestehender Institutionen ist auch diese Option allenfalls das Ergebnis eines mittelfristigen Prozesses (Hegemonialmethode der Koordinierung).
3. Es bedarf einer **Kooperation der Nationalstaaten** zur Verhinderung von (Wettbewerbs-)Externalitäten und des Trittbrettfahrer-Problems. Damit würde eine **funktionale Konvergenz** bei nationaler Heterogenität der Systeme angestrebt werden. Im Mittelpunkt dieser Option stehen Koordinierungsverfahren verschiedener Politikbereiche. Im Folgenden werden wir die Koordinationsverfahren der Finanz-, Arbeitsmarkt- und Beschäftigungspolitik als bislang ausgeprägteste Teile des europäischen ‚Economic Governance-Prozesses' kennenlernen (Gleichberechtigungsmethode der Koordinierung).

9.2 Koordinierung der Finanzpolitik in der E(W)U

Die Finanzpolitik gehört mit der Geldpolitik zu den wesentlichen Politikbereichen der Stabilitätspolitik, die aufgrund der Vernachlässigbarkeit von Allokations- und Bereitstellungskosten und der Bedeutung der ‚Spill-over-Effekte' für eine Koordination auf EU-Ebene in Frage kommt. Da die Geldpolitik seit Einführung der Europäischen Währungsunion vollständig europäisiert ist, bleibt zu klären, ob und wie die Finanzpolitik in der EU koordiniert wird.

9.2.1 Horizontale Koordinierung

Für eine horizontale Koordinierung der Finanzpolitik – d.h. eine Koordinierung der verschiedenen nationalen Finanzpolitiken auf EU-Ebene – sprechen folgende Gründe:

(1) In einer Währungsunion werden die nationalen Risikoprämien, die finanzpolitisch übermäßig expansive Regierungen zu zahlen haben, eingeebnet. Oder anders: Die begleitende Strafe (also die Kosten) einer exzessiven Inanspruchnahme der Kapitalmärkte durch eine nationale Regierung im Sinne steigender Realzinsen (und gegebenenfalls eines steigenden Wechselkurses) werden ‚externalisiert‘, d.h. an alle Mitgliedsländer in der Währungsunion weitergegeben, während hingegen die Segnungen dieser Politik – realwirtschaftliche Wachstumseffekte oder sozialpolitische Geschenke (als Früchte der Bereitstellung öffentlicher Güter) – weitgehend internalisiert werden können. Damit aber, so die gängige Argumentation, entstehen Anreize für eine übermäßige finanzpolitische Expansion. Ohne Koordinierung – die offensichtlich in diesem Begründungszusammenhang eine Restriktion bzw. Disziplinierung sein muss – entsteht gar der scheinbar perverse Druck auf eigentlich ‚vernünftige‘ Regierungen, eine ebenfalls übermäßige finanzpolitische Expansion anzustreben, um nicht einer gemeinschaftlichen ‚Ausbeutung‘ anheim zu fallen: Wer nicht ebenfalls deficit spending betreibt, muss einseitig die Kosten – gemeinschaftsweiter Zinsanstieg und gegebenenfalls ein Anstieg des Wechselkurses der Gemeinschaftswährung – tragen, ohne einen Nutzen beziehen zu können.

Die Koordinierung der nationalen Finanzpolitiken mit einem klar restriktiven Bias soll also einen dynamischen Verschuldungsprozess verhindern, der als weitere Begleiterscheinung die Notenbank der Währungsunion – sei sie formal auch noch so unabhängig – unter Druck setzen könnte, im Falle dauerhaft nicht-nachhaltiger Finanzpolitik einen monetären ‚bail out‘ zu ermöglichen.

Obwohl die Begründung der Disziplinierungskoordinierung keinesfalls vollends verworfen werden kann, wird doch ihr Aplomb häufig übertrieben. Denn einerseits gilt die Externalisierungsmöglichkeit konsequent nur, wenn eine **gemeinschaftliche Haftung** (bail out) für nationale Verschuldung übernommen wird, ansonsten bleiben die nationalen Zinsdifferentiale, in denen sich unterschiedliche Risikoprämien spiegeln, erhalten. Eine glaubwürdige ‚no-bail-out-Klausel‘, wie sie sich selbstverständlich im Maastrichter und Amsterdamer Vertrag findet[8], unterminiert also die angeführte Begründung erheblich. Andererseits wird Finanzpolitik nicht ausschließlich oder auch nur überwiegend mit Blick auf die Externalisierungsmöglichkeiten betrieben, sondern als Abwägung zwischen heutigen und künftigen Handlungs- und Gestaltungsspielräumen (vgl. Kap. 6.3.2). Hierfür aber ist die Schuldenquote von größerer Bedeutung als die Verzinsung. Damit wäre zumindest das unterstellte Ausmaß der Verschuldungsdynamik in einer Währungsunion deutlich zu reduzieren.

---

8 Die Glaubwürdigkeit einer Bail-out-Klausel hängt wesentlich davon ab, wie weitgehend die Regierungen der ökonomischen Einheiten über ihre Einnahmen- und Ausgabenpolitik selbständig entscheiden können. Dies ist z.B. bei den nationalen Regierungen in der EU wesentlich stärker der Fall als bei den Bundesstaaten der USA oder anderen föderalen Einheiten innerhalb eines Nationalstaates.

(2) Eine völlig, andere, ja nachgerade entgegen gesetzte Begründung für Koordinierung wird von jenen abgegeben, die damit ein 'Trittbrettfahrerverhalten' – also das Warten einzelner Mitgliedsländer einer Währungsunion auf die finanzpolitische Aktivität anderer Mitgliedsländer – verhindern wollen. Diese Form der Koordinierung gilt insbesondere für die Gestaltung expansiver Finanzpolitik, die scheitern müsste, wenn sich alle Mitgliedsländer als 'Trittbrettfahrer' verhielten – und sei es nur aus der Erwartung, alle anderen würden sich ebenso verhalten.

Expansions- und Disziplinierungskoordinierung scheinen sich zu widersprechen: Die einen argumentieren mit der **Gefahr übermäßiger finanzpolitischer** Expansion, die anderen mit der **Gefahr finanzpolitischer Passivität**. Doch dies ist kein grundlegender Widerspruch, sondern verweist auf die unterschiedliche Stellung verschiedener Volkswirtschaften: Große, verhältnismäßig geschlossene Mitgliedsländer einer Währungsunion können nur wenig vom Trittbrettfahrer-Verhalten profitieren, bedeutsamer wäre die Externalisierung negativer Effekte einer expansiven Finanzpolitik. Kleinen, offenen Mitgliedsländern hingegen gelingt die Internalisierung der positiven Effekte einer expansiven Finanzpolitik nur unzureichend, weshalb sie eher bereit sind, auf die Lokomotive zu warten, auf deren Trittbrett sie mitfahren können. In beiden Fällen gelingt **ohne** Koordinierungsverfahren **keine** Bereitstellung des gewünschten öffentlichen Gutes: Finanzpolitische Disziplin einerseits und stabilitätspolitische Intervention andererseits (vgl. Jacquet/Pisani-Ferry 2001).

Das konkrete Verfahren der Koordinierung der Finanzpolitik in der EU greift das Verfahren beim Übergang in die Währungsunion (die so genannten Maastrichter Konvergenzkriterien) auf und härtet sie im ‚**Stabilitäts- und Wachstumspakt**' (vgl. Köhler 2000: 98ff.). Auf Grundlage der Domar'schen Finanzarithmetik (vgl. Kap. 6.3) wurde unter folgenden Annahmen:

- ein Verschuldungsquote von 60% des BIP sei zu stabilisieren
- eine Inflationsrate von 2 % wird von der EZB toleriert
- das reale BIP in der EU wächst mit durchschnittlich 3%

eine nachhaltige Defizitquote (Maastrichter Verschuldungskriterium) von 3% des BIP als durchschnittlicher Richtwert der Finanzpolitik festgelegt (im Protokoll zum ‚Verfahren bei übermäßiger Verschuldung'; vgl. Abb. 9.10). Im 1997 von der deutschen Bundesregierung unter Helmut Kohl (und Finanzminister Theo Waigel) durchgesetzten ‚Stabilitäts- und Wachstumspakt' (SWP) wird das Koordinierungsverfahren ‚gehärtet' und auf die Zeit nach dem Eintritt in die EWU ausgerichtet (vgl. Box 16 und Box 21):

- Die Defizitquote von 3% ist nicht länger der durchschnittliche Richtwert, sondern die **sanktionsfreie Obergrenze** der Neuverschuldung. Als durchschnittlicher Richtwert wird jetzt ein nahezu ausgeglichener oder im Überschuss befindlicher Haushalt (‚Null-Defizit') proklamiert, deren Rationalität sich aus dem Fiskalelastizitäten ergibt.
- Bei Überschreiten der Obergrenze von 3% wird automatisch ein Sanktionsverfahren durch die Europäische Kommission eingeleitet.

Nur in klar festgelegten Ausnahmefällen (Rezession von -2% oder anderen außergewöhnlichen Ereignissen) kann von der Eröffnung des Sanktionsverfahrens abgesehen werden.

Box 21: Überwachung der Haushaltslage in den Mitgliedstaaten

(1) Die Mitgliedstaaten vermeiden übermäßige öffentliche Defizite.

(2) Die Kommission überwacht die Entwicklung der Haushaltslage und der Höhe des öffentlichen Schuldenstandes in den Mitgliedstaaten im Hinblick auf die Feststellung schwerwiegender Fehler. Insbesondere prüft sie die Einhaltung der Haushaltsdisziplin anhand von zwei Kriterien, nämlich daran,

    (a) ob das Verhältnis des geplanten oder tatsächlichen öffentlichen Defizits zum Bruttoinlandsproduktes einen bestimmten Referenzwert überschreitet, sei es denn, dass,

    – entweder das Verhältnis erheblich und laufend zurückgegangen ist und einen Wert in der Nähe des Referenzwertes erreicht hat

    – oder der Referenzwert nur ausnahmsweise und vorübergehend überschritten wird und das Verhältnis in der Nähe des Referenzwertes bleibt;

    (b) ob das Verhältnis des öffentlichen Schuldenstandes zum Bruttoinlandsproduktes einen bestimmten Referenzwert überschreitet, es sei denn, dass das Verhältnis hinreichend rückläufig ist und sich rasch genug dem Referenzwert nähert.

    (...)

(3) Erfüllt ein Mitgliedstaat keines oder nur eines dieser Kriterien, so erstellt die Kommission einen Bericht. In diesem Bericht wird berücksichtigt, ob das öffentliche Defizit die öffentlichen Ausgaben für Investitionen übertrifft; berücksichtigt werden ferner alle sonstigen einschlägigen Faktoren, einschließlich der mittelfristigen Wirtschafts- und Haushaltslage des Mitgliedstattes.

    (...)

(6) Der Rat entscheidet mit qualifizierter Mehrheit auf Empfehlung der Kommission und unter Berücksichtigung der Bemerkungen, die der betreffende Mitgliedstaat gegebenenfalls abzugeben wünscht, nach Prüfung der Gesamtlage, ob ein übermäßiges Defizit besteht.

(7) Wird nach Absatz 6 ein übermäßiges Defizit festgestellt, so richtet der Rat an den betreffenden Mitgliedstaat Empfehlungen mit dem Ziel, dieser Lage innerhalb einer bestimmten Frist abzuhelfen. Vorbehaltlich des Absatzes 8 werden diese Empfehlungen nicht veröffentlicht.

(...)

(9) Falls ein Mitgliedstaat den Empfehlungen des Rates weiterhin nicht Folge leistet, kann der Rat beschließen, den Mitgliedstaat mit der Maßgabe in Verzug zu setzen, innerhalb einer bestimmten Frist Maßnahmen für den nach Auffassung des Rates zur Sanierung erforderlichen Defizitabbau zu treffen.

(...)

(11) Solange der Mitgliedstaat einen Beschluß nach Absatz 9 nicht befolgt, kann der Rat beschließen, eine oder mehrere der nachstehenden Maßnahmen anzuwenden oder gegebenenfalls zu verschärfen, nämlich

    – von dem betreffenden Mitgliedstaat verlangen, vor der Emission von Schuldverschreibungen und sonstigen Wertpapieren vom Rat näher zu bezeichnende zusätzliche Angaben zu veröffentlichen,

    – die Europäische Investitionsbank zu ersuchen, ihre Darlehnspolitik gegenüber dem Mitgliedstaat zu überprüfen,

– vom dem Mitgliedstaat verlangen, eine unverzinsliche Einlage in angemessener Höhe bei der Gemeinschaft zu hinterlegen, bis das übermäßige Defizit nach Ansicht des Rates korrigiert worden ist,

– – Geldbußen in angemessener Höhe verhängen.

– (...)

Artikel 104c des EG-Vertrages

Abbildung 9.10: Verfahren bei einem übermäßigen Defizit

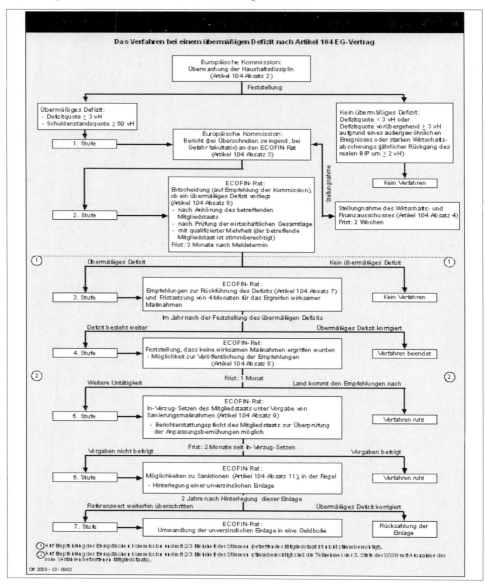

Es ist klar, dass das Koordinationsverfahren der Finanzpolitik – mit der Sanktions-bewährung handelt es sich um das einzige ‚harte‘ Koordinationsverfahren des EU-Governance-Prozesses – sich die Logik des neoklassisch-monetaristischen Po-licy-Modells (vgl. Kap. 5.1 und 6.3) zu eigen gemacht hat und eine klare **Diszipli-nierungskoordinierung** darstellt.

9.2.2 Vertikale Koordinierung

Neben dieser horizontalen wird zunehmend und vor allem vor dem Hintergrund des neu- bzw. postkeynesianischen Paradigmas auch die Notwendigkeit vertikaler Koordinierung zwischen den verschiedenen Politikbereichen Geld-, Finanz- und Lohnpolitik thematisiert[9]. Sobald Interdependenzen zwischen den verschiedenen Politikbereichen angenommen werden können – also Auswirkungen z.B. der Fi-nanzpolitik auf jene Zielvariable(: das Preisniveau), die die Zentralbank kontrol-lieren soll – entsteht Raum für Koordinierungsbedarf (vgl. von Hagen/Mundschenk 2002 und kritisch Issing 2002). Vertikal Koordinierung der Finanzpolitik spielt in der EU im Rahmen der **gemeinsamen Wirtschaftspolitik** (Art. 99.1 EGV) und in der **Europäischen Beschäftigungsstrategie** (Art. 125 EGV) eine Rolle. Zur Europäischen Beschäftigungsstrategie wollen wir im nächsten Kapitel noch einige Ausführungen machen, die auf den hier gelegten Grundlagen aufbauen wer-den.

Die (zumindest kurzfristigen) Interdependenzen der verschiedenen Politikbereiche können im Rahmen einer Phillipskurvenbetrachtung begründet werden, worin die Politikträger zwar dem gemeinsamen Ziel einer gewünschten Kombination aus Preisstabilitäts- und Arbeitsmarktentwicklung nachstreben, allerdings unterschied-liche Präferenzen zwischen Inflation und Arbeitslosigkeit geltend machen.[10] Es läs-st sich in einem formalen Modell zeigen[11], dass ohne eine Verhaltensabstimmung keiner der Politikakteure seine gewünschte Position auf der Phillipskurve – als Aus-druck des angestrebten Nutzens – erreichen kann. In Abb. 9.11 ist, der Kürze und Übersicht halber, nur eine 2-Akteure-Interakation (die Zentralbank und der staatli-che Akteur) im Inflations-Wirtschaftswachstums-Raum angedeutet, um das Koor-dinationsproblem zu illustrieren: Punkt A gibt den von der Zentralbank präferierten Punkt der aggregierten Nachfrage (die flacheren Indifferenzkurven I_{ZB} bedeuten ei-ne größere Preisstabilitätsorientierung) an, Punkt B die vom staatlichen Akteur an-gestrebte Nachfrage. Beide gleichzeitig können selbstverständlich nicht realisiert werden. Aufgrund der höheren Sanktionsmacht der Zentralbank – ihr Sanktionsmit-tel steigender monetärer Restriktion verschleißt sich nicht, während die Sanktion

---

[9] Vgl. z.B. Kromphardt (1997); Krupp (1994); Krupp (1995) und Kap. 5.3.2.

[10] Gelegentlich wird bezweifelt, dass zumindest die Deutsche Bundesbank und die EZB je die Arbeits-marktentwicklung als zweite Komponente – nach der Preisentwicklung – in ihre Ziel- bzw. Nutzen-funktionen aufgenommen hätten. Bei ausschließlicher Preisstabilitätsorientierung aber (und gleiches gilt bei ausschließlicher Beschäftigungsorientierung der anderen Politikakteure) wäre eine Kooperati-on nicht zu plausibilisieren. *Damit aber würde die Kooperationsbereitschaft der EZB zum Lackmus-Test der Glaubwürdigkeit ihrer im EZB-Statut ausdrücklich festgelegten Berücksichtigung der Arbeits-markt- und Wachstumsentwicklung im Euroland.*

[11] Vgl. Carlin/Soskice (1990), Nordhaus (1994), Heise (2001a: 56ff.) und Kap. 5.3.2.

des staatlich Akteurs, mit zunehmender finanzpolitischer Expansion zu antworten, mit steigendem Zinssatz immer mehr ins Leere läuft – kann sie ihre aggregierte Nachfrage immer durchsetzen. Akzeptiert der staatliche Akteur eine ‚Stackelberg-Führerschaft' der Zentralbank, könnte Punkt C realisiert werden. Im unkoordinierten Nash-Gleichgewicht wäre Punkt D das Ergebnis.

Damit aber müssen alle Akteure – die Zentralbank, die Regierung (und gleiches lässt sich auch für die Tarifparteien nachweisen; vgl. Heise 2001a: 66ff.) – eine Nutzeneinbuße gegenüber der Situation einer Kooperation hinnehmen: Es zeigt sich, dass die Geldpolitik restriktiver ausfällt als für den Erhalt der Preisstabilität allein notwendig, und die Finanzpolitik muss sich gegenüber der autonomen Zentralbank einer ‚hegemonialen Koordinierung' unterwerfen, die mit höherer Neuverschuldung und geringerem fiskalischen Handlungsspielraum (Primärsaldo) verbunden ist. Die Tarifpolitik, und hier insbesondere die lohntreibenden Gewerkschaften, schließlich muss höhere Arbeitslosigkeit ohne Verbesserung der Verteilungssituation hinnehmen. Wäre es möglich, eine Volkswirtschaft *mit* horizontaler Koordination mit einer Volkswirtschaft *ohne* horizontale Koordination zu vergleichen, so würde letztere nicht nur ein höheres Zins- und Preisniveau (bzw. Inflationsrate) aufweisen, sondern auch eine höhere Arbeitslosenquote und höhere Staatsverschuldung (vgl. Heise 2001a: 62) – gewiss also eine insgesamt ungünstigere Situation. Dieses Modellergebnis wird mittlerweile von einer Reihe von ökonometrischen Simulationsstudien bestätigt[12].

Abbildung 9.11: Unkoordinierte Geld- und Finanzpolitik

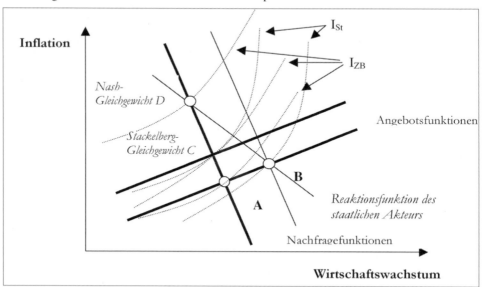

Wenn also nicht nur aus gesamtwirtschaftlicher Sicht, sondern auch aufgrund der Interessenlage der einzelnen Akteure eine Kooperation sinnvoll, weil nutzenstei-

---

[12] Vgl. z.B. Demertzis/Hughes Hallet/Viegi (2001); Breuss/Weber(2001).

gernd, erscheint[13], muss es dann nicht automatisch (spontan) zu einer derartigen Kooperation kommen? Empirische Studien (vgl. Horn 1999, Krupp 1985) belegen nachdrücklich, dass es allenfalls zufällig zur erforderlichen Verhaltensabstimmung kommt. Sind also die Akteure ignorant, fehlgeleitet oder gar bösartig? Nein, aber sie sind rational (d.h. sie verhalten sich zielgesteuert und konsistent) und eben auch egoistisch (d.h. sie bewerten ihre eigene Nutzensteigerung höher als den Nutzenzuwachs der anderen Akteure). Unter diesen Bedingungen schnappt die ‚Kooperationsfalle‘ immer dann zu, wenn das klassische ‚Gefangenen-Dilemma‘ vorliegt: Wenn nicht sichergestellt ist, dass alle interagierenden Akteure ihren Kooperationsbeitrag leisten – der im Falle der makroökonomischen Verhaltensabstimmung darin bestehen würde, dass die Zentralbank eine expansivere Geldpolitik ermöglicht, der staatliche Akteur eine expansivere, gleichwohl nachhaltige Finanzpolitik betreibt und die Tarifparteien eine nicht-inflationäre Lohnpolitik (‚Lohnmoderation‘) betreiben –, dann ist es aus der Sicht des einzelnen Akteurs immer noch besser und geradezu notwendig, in einer Situation der allseitigen Nicht-Kooperation ein gesamtwirtschaftlich unterlegenes Ergebnis zu akzeptieren, denn als ‚gutmütiges Opfer‘ zu enden und durch die Erbringung des Kooperationsbeitrages von den anderen Akteuren, die ihren Kooperationsbeitrag nicht beisteuern, ausgebeutet zu werden.

Die spieltheoretischen Überlegungen (vgl. Kap. 5.3.2 und 7.4) warnen uns aber nicht nur davor, zu leichtfertig auf eine ‚spontane Koordinierung‘ zu bauen, sie geben uns auch Hinweise auf die Bedingungen, die erfüllt sein müssen, wenn es doch zur Kooperation – also zur Überwindung des ‚Gefangenen-Dilemmas‘ – kommen soll: Der eleganteste, im Falle der makroökonomischen Kooperation aber ausgeschlossene Weg, wäre ein vertragliche Bindung der Akteure, die den Defektions-(also Nicht-Kooperations-)Fall unter Strafe stellte. Eine derart harte Bindung, die zudem von einem Dritten – jemand muss ja darüber entscheiden, ob die Kooperationsbeiträge vertragsgerecht erbracht wurden – abhängig macht, kommt für autonome Akteure kaum in Frage. Es bleibt nur ein impliziter ‚Vertrag der unsichtbaren Hand‘, der als Sanktion die Kosten der entgangenen Kooperation (‚langer Schatten der Zukunft‘) benennt. Es müssen also institutionelle Strukturen gefunden werden, die die Gefahr minimieren, als ‚gutgläubiges Opfer‘ ausgebeutet zu werden (vgl. Heise 1999, Heise 2001a: 73ff.): (1) Absolut notwendig ist die Bereitschaft und Fähigkeit zur **Kommunikation** zwischen den Akteuren. Ohne Kommunikation ist ein ‚kooperatives Spiel‘, wie es uns vorschwebt, nicht denkbar. Kommunikation bedeutet aber nun nicht nur den Austausch von Informationen, die ohnedies den einschlägigen Mitteilungsblättern oder Presseverlautbarungen der Akteure zu entnehmen wären. Kommunikation impliziert den Austausch über das intendierte Kooperationsspiel, über die möglichen Kooperationsgewinne und Defektionsverluste, über eine Spielstrategie und alles, was das Vertrauen der Akteure darin erhöhen kann, dass ihr kooperatives Verhalten mit entsprechender Kooperationsbereitschaft der anderen Akteure beantwortet wird. (2) Kommunikation ist eine notwendige, aber keine hinreichende Bedingung für Kooperation. Es bedarf zusätzlich der Möglich-

---

[13] Um explizit zu sein: Es bedarf keiner Veränderung der Präferenzen der Akteure, um durch eine Kooperation Nutzenzuwächse zu erzielen. Dies wäre nur dann erforderlich, wenn einer der Akteure ausschließlich einem Ziel – Preisstabilität *oder* hoher Beschäftigungsstand – nicht aber einer Kombination beider Ziele verpflichtet wäre.

keit, die Kooperationsbeiträge spezifizieren und **kontrollieren** zu können. Erst wenn klar und allgemein akzeptiert ist, dass die Kooperationsbeiträge von allen Partnern erbracht wurden, kann das Verhalten ,in der nächsten Runde', also bei der zukünftigen Interaktion bestimmt werden. Dies impliziert allerdings auch die Festlegung von allseits akzeptierten **Politikregeln**, die einer Überprüfung der Kooperationsbereitschaft zugrunde liegen müssen. (3) Indem eine **Sequenz**, also eine Abfolge der Kooperationsvorgabe und –erwiderung festgelegt wird, kann nicht nur die ,first-mover-trap' (das ,Dilemma des ersten Schrittes') umgangen werden, sondern vor allem auch der Problematik begegnet werden, die dadurch entsteht, dass einzelne Akteure ihre Politik nicht nur mit Blick auf die am ,Spiel' beteiligten anderen Politikakteure betreiben können, sondern darüber hinaus andere Marktakteure berücksichtigen müssen. Im konkreten Fall kann eine Zentralbank die Finanzmarktakteure nicht ignorieren, will sie ihre Politik einigermaßen zielgerichtet umsetzen können. Verlangen die Finanzmarktakteure aber vollständige Unabhängigkeit der Zentralbank als Voraussetzung für Glaubwürdigkeit, so wird die Zentralbank nicht in der Position einen ,Folgers' – also eines Akteurs, der Kooperationsvorgabe durch eigene Kooperationsbereitschaft erwidert – auftreten können, sondern muss ,Führer' – Kooperationsgeber – sein. (4) Schließlich bedarf es einer **,Spielstrategie'**, die die Nutzeneinbußen minimiert, sollte ein Akteur doch als ,gutgläubiges Opfer' enden. Mit der alttestamentarischen Formel ,Aug um Aug, Zahn um Zahn' (Tit for Tat) hat die Spieltheorie eine ausgezeichnet geeignete Strategie entdeckt, die einfach und unraffiniert ist, Kooperationsbereitschaft signalisiert, aber auch Defektion unnachgiebig bestraft.

Die konkrete Form der horizontalen Koordinierung der Finanzpolitik mit den anderen makroökonomischen Politikbereichen (also der Koordinierung der Wirtschaftspolitik) wollen wir dort betrachten, wo sie im EU-Politikprozess verortet ist: in der Europäischen Beschäftigungsstrategie.

9.3 Die Europäische Beschäftigungsstrategie

Lange Zeit haben sich die EU-Mitgliedsstaaten dagegen gewehrt, der EU Kompetenz in der Beschäftigungspolitik zuzuweisen, weil sie nach dem Subsidiaritätsprinzip hier die entscheidende Handlungsebene in nationaler bzw. gar regionaler Verantwortung sahen. Erst mit der Aufnahme eines **Beschäftigungskapitels** (Art. 125 EGV) in die Amsterdamer Revision des Vertrages zur Gründung der Europäischen Gemeinschaft (EGV) entstand hier ein eigenständiges EU-Handlungsfeld.

Bevor wir uns der EU-Beschäftigungsstrategie inhaltlich nähern wollen, soll aber zunächst die Frage geklärt werden, ob die Beschäftigungspolitik denn ein genuin europäisches Politikfeld ist. Nach den Ausführungen in Kap. 9.1 ist es dass nur dann, wenn Externalitäten und Spill-over-Effekte die Deckungsgleichheit von Policy-Domäne und den Begünstigten aufbricht. Dies lässt sich recht einfach nachvollziehen, wenn **Beschäftigungspolitik** in standard-, neu- oder postkeynesianischer Orientierung als makroökonomische Wirtschaftspolitik (Nachfragepolitik) verstanden wird. Wird sie hingegen in neoklassisch-monetaristischer Orientierung als mikroökonomische Angebotspolitik verstanden – in Unterscheidung zur Beschäftigungs- soll dann von **Arbeitsmarktpolitik** gesprochen werden –, ist keineswegs einsichtig, weshalb dies auf EU-Ebene erfolgen soll.

Abb. 9.12: Die drei Säulen des EU-Beschäftigungspaktes

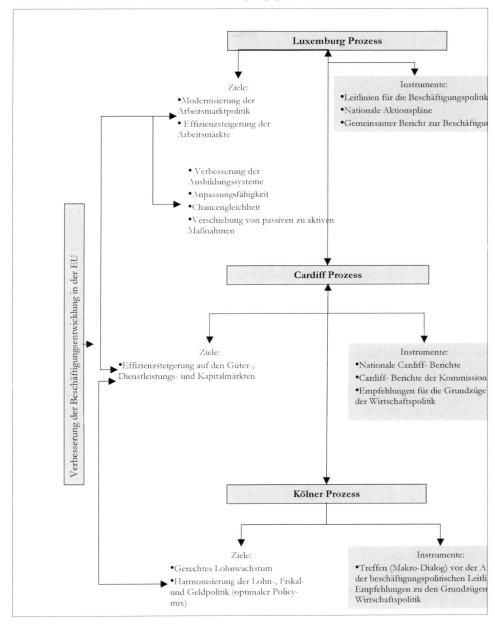

Da die europäische Beschäftigungs- und Arbeitsmarktpolitik über keine eigenen Ressourcen auf EU-Ebene verfügen kann, kann es sich hier nur um eine **prozedurale Ausgestaltung des Politikfeldes** handeln. Abb. 9.12 zeigt die drei Säulen der EU-Beschäftigungsstrategie, deren Prozesse nach den jeweiligen Tagungsorten der EU-Gipfeltreffen des Europäischen Rates benannt sich:

(1) Der Luxemburg-Prozess: Hierin ist eine Koordinierung der nationalen Arbeitsmarktpolitiken mit dem Ziel der Verbesserung der Funktionsfähigkeit der europäischen Arbeitsmärkte vorgesehen. Der Schwerpunkt liegt dabei (gegenwärtig) auf 4 Maßnahmebereichen:

- Qualifikation von Geringqualifizierten (Employability)
- Förderung des Unternehmergeistes (Entrepreneurship)
- Flexibilität des Arbeitsmarktes (Reform der Tarifvertragssysteme, Reduzierung des Kündigungsschutzes, etc.)
- Chancengleichheit – Reduzierung jeglicher Diskriminierung

Der Luxemburg-Prozess stellt einen hochgradig selbstreflexiven Prozess (multilaterale Überwachung) dar, der durch die **Beschäftigungspolitischen Leitlinien** der EU-Kommission (Employment Policy Guidelines – EPG) angestoßen wird. Darin informiert die EU-Kommission die Mitgliedsländer (nach Beschlussfassung durch den Ministerrat) über quantitative und qualitative Ziele in den Maßnahmebereichen (‚benchmarks‘) und berichtet von exemplarischen Fällen (‚best practice‘). Die nationalen Regierungen nehmen hierzu in **Nationalen Aktionsplänen** (NAP) Stellung und die EU-Kommission legt schließlich dem Ministerrat und dem EU-Parlament einen **Jahresbeschäftigungsbericht** vor, der die Empfehlungen, die nationalen Reaktionen und die Entwicklungen abbildet.

Der Luxemburg-Prozess ist ein Beispiel einer ‚weichen Koordinierung‘, d.h. er sieht keine Sanktionsmaßnahmen vor, sondern arbeitet nach dem ‚peer-review- und peer-pressure-Verfahren‘, d.h. die selbstreflexive Kommunikation allein soll zu einer Verhaltenskonvergenz führen. Damit aber bleibt gesichert, dass Arbeitsmarktpolitik letztendlich in nationaler Kompetenz verbleibt.

(2) Der Cardiff-Prozess: Hierin ist einer Modernisierung der Güter-, Finanz- und Dienstleistungsmärkte (‚strukturelle Reformen‘) vorgesehen, um die europäische Marktintegration (Binnenmarkt) voranzutreiben und die EU im Übergang zur wissensbasierten Ökonomie (‚New Economy‘) zu positionieren (vgl. Green 2002). Gemeint ist eine Deregulierung und Liberalisierung insbesondere von solchen Märkten, die in der Vergangenheit durch öffentliche Monopolproduktion gekennzeichnet waren (vgl. Foden/Magnusson 2002): Strom-, Wasserversorgungs-, Telekommunikations-, Transportmärkte, etc. Im Kern des Cardiff-Prozesses geht es also um eine neue Balance zwischen privater und öffentlicher Güterbereitstellung.

Auch der Cardiff-Prozess vertraut der Methode der ‚weichen Koordinierung‘ eines multilateralen Überwachungsverfahrens ohne Sanktionsmechanismen. Die nationalen Regierungen beschreiben in nationalen Cardiff-Berichten ihre Schwerpunkte, Politikvorhaben und ‚best practice-Beispiele‘ zum Cardiff-Prozess. In den Grundzügen der Wirtschaftspolitik (Broad Economic Policy Guidelines – BEPG) und Cardiff-Berichten formuliert die EU-Kommission dann ihre Position zu strukturellen Reformen und kommuniziert ihre Standpunkte zu den nationalen Cardiff-Berichten.

Die Bedeutung des Cardiff-Prozesses liegt weniger darin, Maßnahmen auf nationaler Ebene durchgesetzt oder eine koordinierte Strategie der strukturellen Reform bereitgestellt zu haben, als vielmehr darin, Marktliberalisierung und –deregulierung und die Privatisierung öffentlicher Monopolproduzenten weiterhin auf der politischen Agenda der EU zu halten (vgl. Jacobsson 2002: 137ff.).

(3) Der Kölner Prozess: Der ‚Kölner Prozess‘ schließlich ist von anderem Charakter, da er makroökonomisch orientiert ist und nachfragetheoretisch argumentiert. Es geht um die Koordination der makroökonomischen Politikbereiche Geld-, Finanz- und Lohnpolitik zur Schaffung eines für Wachstum und Beschäftigung günstigen Policy mix. Insbesondere der zeitgeschichtliche Hintergrund lässt vermuten, weshalb der Kölner Prozess bereits als **‚eurokeynesianische Strategie‘** bezeichnet wurde: (1) Mit dem Stabilitäts- und Wachstumspakt von 1997 wurde die finanzpolitischen Konvergenzkriterien des Maastrichter Vertrages insbesondere von der deutschen Bundesregierung unter Helmut Kohl in die EWU hinein verlängert und verschärft und eine angebotspolitische Orientierung festgeschrieben. (2) Mit dem Regierungswechsel in mehreren EU-Mitgliedsländern, insbesondere in Deutschland im Herbst 1998, stellte sich kurzzeitig ein Stimmungswechsel ein, der dem angebotspolitisch und mikroökonomisch ausgerichteten Kurs der europäischen Wirtschafts- und Beschäftigungspolitik eine neue Orientierung geben wollte. Die deutsche Bundesregierung unter Finanzminister Oskar Lafontaine nutze dieses ‚window of opportunity‘, indem es Vorarbeiten der beschäftigungspolitisch besonders engagierten österreichischen Bundesregierung aufgriff und auf dem Kölner EU-Gipfel 1999 den **makroökonomischen Dialog** institutionalisierte und die drei Politikprozesse zu einem ‚Beschäftigungspakt‘ vereinte.

Bereits im EU-Weißbuch ‚Wachstum, Wettbewerbsfähigkeit, Beschäftigung‘ von 1994 hatte die EU-Kommission herausgearbeitet, dass eine nachhaltige Verbesserung der Beschäftigungssituation in der EU nur durch eine Abstimmung der Geldpolitik, der Finanzpolitik und der Lohnpolitik zu erreichen ist. Aufgrund von Wirkungsinterdependenzen zwischen den Politikbereichen können die einzelnen Akteure – die Europäische Zentralbank (EZB), die europäischen Finanzminister (ECOFIN-Rat) und die europäischen Tarifparteien (Sozialdialog) – ihre Zielgrößen – Preisstabilität, hoher Beschäftigungsstand, hohe Einkommen – nicht unabhängig voneinander erreichen. Eine eindeutige Zielzuweisung und lineare Politikverfolgung ist deshalb nicht möglich, es müssten notwendigerweise Zielkonflikte entstehen. Eine Verhaltensabstimmung führt deshalb nicht nur zu einem gesamtwirtschaftlich überlegenen Ergebnis, sondern ermöglicht es auch den einzelnen Akteuren, ihre Ziele (und damit ihren Nutzen) besser zu verfolgen. Dennoch gelingt eine solche Kooperation nicht ohne institutionelle Ausgestaltung, denn ohne vertragliche Beziehungen – die im Falle des Makro-Dialogs allerdings unmöglich sind – befinden sich die Akteure in der so genannten Kooperationsfalle: sie müssen befürchten, bei gutmütigem Verhalten (Kooperation) von den anderen Akteuren zu deren Vorteil ausgenutzt zu werden.

Mit dem Kölner Prozess sind diese Zusammenhänge offiziell anerkannt und erstmals die unabhängige EZB in eine EU-weites Koordinierungsverfahren einbezogen worden. Der ‚Makro-Dialog‘ des Kölner Prozesses teilt sich in eine ‚politische‘ und eine ‚technische‘ Ebene (vgl. Abb. 9.13). Auf **technischer Ebene** tauschen sich Experten der beteiligten Akteure – also der EZB, des Wirtschafts- und des Arbeitsmarkt- und Beschäftigungsausschusses, der makroökonomische Gruppe der EU-Sozialpartner unter Anleitung der EU-Kommission – halbjährlich über die konjunkturelle Entwicklung und die Wirkungsweise der Wirtschaftspolitik in der EURO-Zone aus. Auf der **politischen Ebene** treffen sich die politischen Vertreter der beteiligten Akteure ebenfalls zwei Mal pro Jahr in einem Forum, in dem Strategien verhaltensabstimmender und vertrauensbildender Maßnahmen besprochen werden können. Die bisherigen Erfahrungen zeigen, dass diese Zusammenkünfte über den **Austausch weitgehend bekannter Informationen und Standpunkte** bisher nicht hinausgegangen sind. Dieses enttäuschende Ergebnis, dass mit der weitgehenden Ignoranz des Kölner Prozesses in der europäischen Öffentlichkeit in Einklang steht, hat mehrere Ursachen: (1) Nach dem Rücktritt des damaligen deutschen Finanzminister Oskar Lafontaine hat sich das ‚window of opportunity' für eine makroökonomisch ausgerichtete Wirtschafts- und Beschäftigungspolitik wieder geschlossen. (2) Die Rahmenbedingungen des EU-Makrodialogs (Unantastbarkeit der Unabhängigkeit der Akteure, Dominanz der Bestimmungen des Stabilitäts- und Wachstumspaktes, Gültigkeit des Subsidiaritätsprinzips) konterkarieren die wirtschaftspolitische Ausrichtung des Makrodialogs und (3) die institutionelle Ausgestaltung ist nicht in der Lage, die ‚Kooperationsfalle' zu überwinden, in der sich die Akteure befinden.

Abbildung 9.13: Institutionelle Struktur des Kölner Prozesses

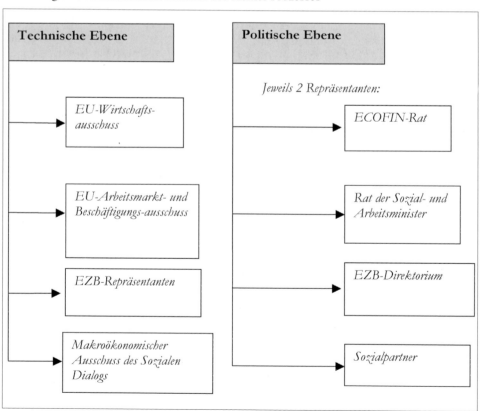

Insbesondere fehlen einem effektiven EU-Makrodialog bislang die EU-weit handlungsfähigen Akteure (lediglich die Geldpolitik ist ja in der EWU europäisiert, nicht so aber die Finanz- oder Tarifpolitik) oder eine Unterfütterung des EU-Makrodialogs mit nationalen Makrodialogen auf der Ebene der jeweiligen Mitgliedsstaaten. Bestenfalls verbleibt der Kölner Prozess damit eine leere Hülle ohne Inhalt, schlechtestenfalls könnte er als ein Verfahren missbraucht werden, um die Sozialpartner auf den Kurs einer ‚moderaten Lohnpolitik‘ einzuschwören, wenn sich die EZB aufgrund ihrer Unabhängigkeit und der ECOFIN-Rat aufgrund des Stabilitäts- und Wachstumspaktes für verhandlungsunfähig erklären.

9.4 Stand und Ergebnisse der Koordinierung in der EWU

Die EU-Mitgliedstaaten haben sich sowohl im Maastrichter als auch im Amsterdamer Vertrag für eine Koordinierung ihrer Wirtschaftspolitik ausgesprochen haben. Den Nukleus der Koordinierung der Wirtschaftspolitik in der EU stellt das 'multilaterale Überwachungsverfahren' der Ausarbeitung der **Grundzüge der Wirtschaftspolitik** (Broad Economic Policy Guidelines; BEPG) durch die Europäische Kommission dar, in denen allgemeine, wirtschaftspolitische Richtlinien und national-spezifische Empfehlungen hinsichtlich der Finanz-, Lohn- und Strukturpolitik gegeben werden. Die nationalen Regierungen haben die Grundzüge und Empfehlungen aufzugreifen und in ihren **Jahreswirtschaftsberichten** darauf einzugehen. Diese Grundzüge tragen allenfalls allgemeinverbindlichen Charakter und spiegeln lediglich die grobe wirtschaftspolitische Ausrichtung neoklassisch-monetaristischer Orientierung wider: Allenthalben wird finanzpolitische Zurückhaltung, lohnpolitische Moderation und arbeitsmarktpolitische Flexibilisierung eingefordert.

Reflexive Kommunikation (multilaterale Überwachung), die im Rahmen der europäischen Beschäftigungspolitik mit einer Unmenge von Richtlinien, Papieren der EU-Kommission und nationalen Berichten (die nationalen Aktionspläne (NAP) im Rahmen des Luxemburger Prozesses, die nationalen Cardiff-Berichte im Rahmen des Cardiff-Prozesses) auf die Spitze getrieben wird (vgl. Abb. 9.14), wird landläufig und aus offensichtlichen Gründen als **'weiche Koordinierung'** bezeichnet: Es gibt weder klare Festlegungen, noch Sanktionen bei Zuwiderhandlung. Als einziges Druckmittel im Falle einer Abweichung von der grundsätzlich neoliberalen Orientierung wird der 'Gruppendruck' – peer pressure – eingesetzt. Ein Verfahren, das allerdings durchaus zielführend sein kann (vgl. Schelkle 2002).

Eine harte Form der Koordinierung auf dieser Ebene kann auch deshalb unterbleiben, weil sie der horizontalen Koordinierung der nationalen Finanzpolitiken vorbehalten ist: Im Rahmen des Stabilitäts- und Wachstumspaktes (SWP) sind nicht nur klare Verhaltensregeln aufgestellt, sondern auch Sanktionsmaßnahmen benannt worden (vgl. Box 21). Die Ziele der horizontalen Koordinierung des SWP sind eindeutig: Es geht erstens um eine finanzpolitische Disziplinierung im Sinne eines 'tying one's hand'. Zweitens soll die finanzpolitische Knebelung der nationalen Regierungen die Glaubwürdigkeit der Europäischen Zentralbank stärken, sich ganz auf die Preisstabilität als Ziel konzentrieren zu können. Und drittens soll der SWP gerade eine Art 'Koordinierung' ermöglichen, die als **Assignment** bezeichnet wird und eine strikte Trennung der Zuständigkeiten vorsieht (vgl. Kap. 7.4). Der **SWP** also als

Abbildung 9.14: Der EU-Politikprozess im Überblick Akteure

Aktionsfelder	EU-Kommission	Minister- bzw. Fachräte	Wirtschafts-ausschuss; Beschäftigungs-ausschuss	Sozialpartner	EZB	Europäisches Parlament	Nationale Regierungen
Beschäftigungs-politik • Luxemburg-Prozess	*Erstellt:* • Grundzüge der Beschäftigungs-politik (EPG) • Jahresbe-schäftigungs-bericht • Empfehlungen	*Beschließt:* • Grundzüge der Beschäftigungs-politik • Jahresbe-schäftigungs-bericht	*Stellungnahme:* • Grundzüge der Beschäftigungs-politik • Jahresbe-schäftigungs-bericht	*Stellungnahme:* • Grundzüge der Beschäftigungs-politik • Jahresbe-schäftigungs-bericht		*Stellungnahme:* • Grundzüge der Beschäftigungs-politik • Jahresbe-schäftigungs-bericht	*erstellen:* • Nationale Aktionspläne (NAP) • nationale Cardiff-Berichte
• Cardiff-Prozess	• Cardiff-Berichte		• Cardiff-Berichte				
• Kölner Prozess	*Teilnahme:* • Makro-Dialog – technische Ebene – politische Ebene	*Teilnahme:* • Makro-Dialog – politische Ebene (ECOFIN-Rat)	*Teilnahme:* • Makro-Dialog – technische Ebene	*Teilnahme:* • Makro-Dialog – technische Ebene – politische Ebene	*Teilnahme:* • Makro-Dialog – technische Ebene – politische Ebene		
Allgemeine Wirtschafts-politik • Koordinierung	*Erstellt:* • Grundzüge der Wirtschafts-politik (BEPG) • Jahreswirt-schaftsbericht	*Beschließt:* • Grundzüge der Wirtschafts-politik • Jahreswirt-schaftsbericht	*Stellungnahme:* • Grundzüge der Wirtschafts-politik • Jahreswirt-schaftsbericht	*Stellungnahme:* • Grundzüge der Wirtschafts-politik • Jahreswirt-schaftsbericht		*Stellungnahme:* • Grundzüge der Wirtschafts-politik • Jahreswirt-schaftsbericht	
• Finanzpolitik (SWP)	*überwacht:* • Verfahren bei übermäßigem Defizit	*beschließt:* • Sanktionen bei übermäßigem Defizit					*erstellen:* • Stabilitäts- oder Konver-genzprogramme

Abbildung 9.15: Ausgewählte Indikatoren im Euroland (EU-12)

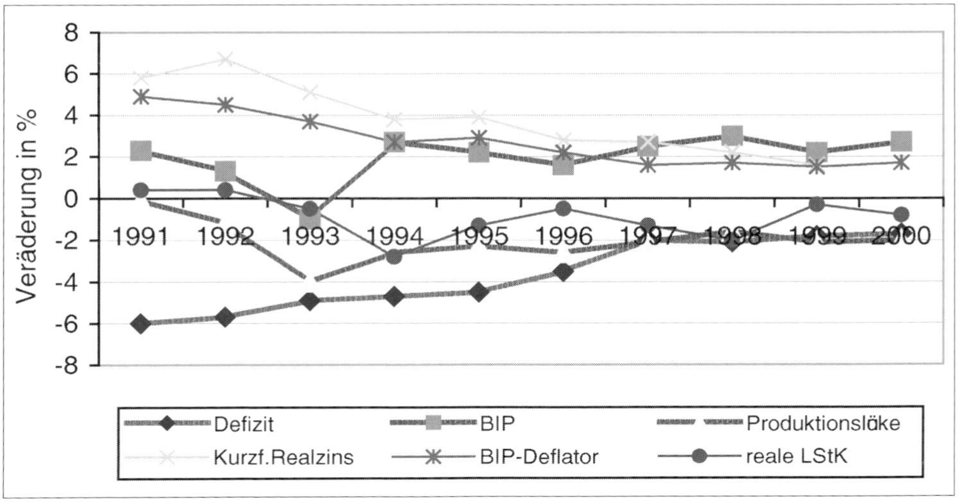

Anmerkungen: Defizit = konjunkturbereinigter staatlicher Finanzierungssaldo; BIP = Wachstumsrate des realen BIP; Produktionslücke = Abweichung der Produktionskapazität vom Produktionspotential; Kurzf. Realzins = kurzfristiger Nominalzins – BIP-Deflator; Daten für 2000 und 2001 sind geschätzt.

Quelle: Europäische Wirtschaft versch. Jge.

Ersatz für eine Kooperation der Akteure (vgl. z.B. Artis/Winkler 1998, Gatti/Wijnbergen 1999).

In der Praxis der europäischen Finanzpolitik lässt sich das Ergebnis der 'Disziplinierungskoordination' bereits wiederfinden. Lag die Defizitquote in der EU in den Jahren 1990-1995 noch bei durchschnittlich 4,8% des EU-BIP, so fiel sie in den Jahren 1996-2000 auf durchschnittlich 2,2% ab. Dass sich hier nicht nur konjunkturelle Entwicklungen spiegeln, zeigen die Daten für das konjunkturbereinigte Defizit: Dieses fiel von durchschnittlich 5,3% in den Jahren 1990- 1995 auf durchschnittlich 1,9% in den Jahren 1996-2000. Auch in der deutlich reduzierten Streuung der Defizite – 1991 lag das höchste Defizit in Griechenland bei 11,5%, während Luxemburg einen Überschuss von 1,9% auswies, 1999 lag das höchste Defizit in Frankreich bei 2,4%, während Dänemark einen Überschuss von 2,8% auswies – lässt sich ein deutlich restriktiver Konvergenzeffekt erkennen (vgl. Abb. 9.16). Die hiervon ausgehenden negativen Auswirkungen auf Wachstum und Beschäftigung hät-

Abbildung 9.16: Konvergenz in der Euro-Zone (EU-12); Standardabweichungen der jeweiligen Variablen in %

	1990 – 1995	1996 – 2001
BIP	2,2	2,2
PIL	3,6	1,1
Netto-Neuverschuldung	3,9	2,3

Quelle: Hein/Truger 2002

ten allenfalls kompensiert werden können, wenn die Geld- und Lohnpolitik in einen entsprechend expansiven Modus umgeschwenkt wären.

Abbildung 9.15 hegt den Verdacht, dass dies nicht im ausreichenden Maße gelungen ist, um das Wachstum in der zweiten Hälfte der 1990er Jahre deutlicher über die 2%-Marke zu heben, bzw. die Produktionslücke, die sich Anfang der 1990er Jahre auftat, wieder zu schließen. Zwar sinken die kurzfristigen Realzinsen von etwa 7% in 1992 auf 2% im Jahre 2000, doch folgen sie damit wesentlich nur der rückläufigen Inflationsrate, was durch die sinkenden (realen) Lohnstückkosten ermöglicht wurde. Wenn aber Finanz- und Lohnpolitik moderat bzw. restriktiv verbleiben, muss die Geldpolitik deutlichere Expansionssignale setzen, als dies von der Deutschen Bundesbank als Leitwährung im EWS bis 1998 und später von der EZB geschehen ist – in den 70er Jahren lag der kurzfristigere Realzins in Europa durchschnittlich bei etwa 0% und selbst in den monetaristischen 80er Jahren stieg er nur auf durchschnittlich 2,5% – bei realen Wachstumsraten, die deutlich über denen der 90er Jahre lagen.

Diese mäßige gesamtwirtschaftliche Entwicklung, deren Ausmaß insbesondere auch im Vergleich zur 90er-Jahre Prosperität in den USA deutlich wird (vgl. Abb. 9.17), muss also zumindest teilweise auf einen misslungenen makroökonomischen Policy-Mix zurückgeführt werden[14]: Die Geldpolitik verblieb über die gesamten 1990er Jahre mit Blick auf die stagnierende Wachstumsentwicklung viel zu restriktiv, die Finanzpolitik geriet in die Domar'sche Verschuldungsfalle und wurde zu Primärsaldoüberschüssen bzw. einem nicht-nachhaltigen, gleichwohl restriktiven Kurs gezwungen und die Lohnpolitik schöpfte die Verteilungsspielräume nicht mehr aus.

Abbildung 9.17: Vergleich USA-Japan-EU

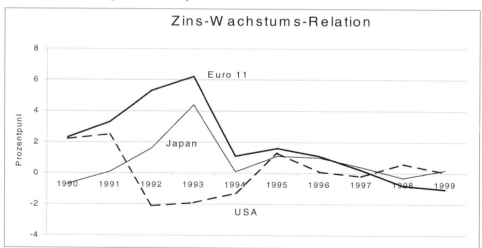

Quelle: Flassbeck 2001

---

[14] Vgl. Flassbeck (2001); Lombard (2000); Semmler (2000); Schulmeister (2001).

Abbildung 9.18: Ausgewählte Variablen im Vergleich zwischen der Euro-Zone (EU-12), Großbritannien, Dänemark, Schweden und den USA 1991 – 2001 *(1999 – 2001)*

	EU-12	**GB**	**DK**	**SWE**	**USA**
BIP[1]	2,2 *(3,4)*	2,3 *(2,8)*	2,4 *(2,4)*	2,0 *(3,3)*	3,1 *(3,5)*
PIL[1]	2,8 *(1,9)*	3,0 *(1,4)*	2,2 *(2,8)*	2,9 *(1,2)*	2,2 *(2,1)*
Gesamtdefizit	-3,1*(-0,5)*	-2,7 *(1,8)*	-0,3 *(2,9)*	-3,0 *(3,3)*	-1,9 *(1,7)*
Strukturelles Defizit	-3,3*(-0,7)*	-2,5 *(1,1)*	0,1 *(2,5)*	-2,3 *(2,5)*	
Kurzfristige Realzins	3,7 *(2,1)*	4,1 *(4,2)*	4,1 *(1,6)*	4,3 *(2,6)*	2,9 *(3,1)*

Anmerkungen: 1 = jahresdurchschnittliche Veränderungsraten;

Quelle: Europäische Wirtschaft, versch. Jge.

Abb. 9.18 macht allerdings deutlich, dass es nicht ausschließlich die Institutionen der Europäischen Währungsunion – also die EZB, der SWP und die mangelnde Institutionalisierung des Makro-Dialogs – sind, die für die unbefriedigende Entwicklung verantwortlich gemacht werden können: In jenen Länder der EU, die bislang der Währungsunion ferngeblieben sind und deshalb geld- und finanzpolitische Eigenständigkeit bewahrt haben, zeigt sich – besonders ausgeprägt seit Beginn der Währungsunion in den 12 Mitgliedstaaten der Euro-Zone (EU-12) – ein noch restriktiverer Policy mix. Trotz des SWP ist die Finanzpolitik in der Euro-Zone expansiver als in Großbritannien, Dänemark oder Schweden, trotz EZB ist die Geldpolitik in der Euro-Zone expansiver als in Großbritannien oder Schweden. Letztlich aber bedeutet dies nur, dass die Wachstums- und Beschäftigungsprobleme in der Euro-Zone nicht auf die EWU und ihre Institutionen allein geschoben werden können. Im Umkehrschluss kann, das zeigt der Vergleich mit den USA, dem makroökonomischen Policy-mix in der Euro-Zone aber auch kein gutes Zeugnis ausgestellt werden.

9.5 Systemwettbewerb in der EU

Die EU – und insbesondere der Kern der Europäischen Währungsunion – zeichnet sich durch zunehmende nominelle Konvergenz bei unverändert großer realwirtschaftlicher Divergenz aus (vgl. Abb. 9.16). Auch die ‚Modelle' bzw. Systeme öffentlicher Güterbereitstellung – also die sozialen Sicherungssysteme und deren Finanzierung, die Arbeitsbeziehungssysteme und die makroökonomischen Stabilisierungssysteme – variieren erheblich zwischen den EU-Mitgliedstaaten. Wir sind also weit von einem ‚europäischen Modell' entfernt. Dies mag gleichermaßen Ausdruck unterschiedlicher nationaler Präferenzen (‚Kulturen') wie auch simpler historischer Zufälligkeit sein. Die Frage, die in diesem Kapitel gestellt wird, knüpft an die Frage des Kap. 9.1 an: Unter gewissen Bedingungen – wenn nämlich Fiskaläquivalenz und institutionelle Kongruenz auseinander fallen – ist die optimale Bereitstellung öffentlicher Güter auf nationaler Ebene gefährdet. In Kap. 9.1 haben wir nach Remeduren gefragt, hier nun sollen ausführlicher die Konsequenzen des Systemwettbewerbs beleuchtet werden. Können in der Europäischen Union und insbesondere in der Euro-Zone verschiedene nationale Systeme nebeneinander existieren oder entsteht ein Druck zur Konvergenz?

Was spricht zunächst für positive, d.h. wünschenswerte Ergebnisse eines Systemwettbewerbs? Wie jeder Wettbewerb, so soll auch der Systemwettbewerb bestmöglich garantieren, dass mit Minimalkosten den Bedürfnissen der Konsumenten (Gesellschaftsmitgliedern) entsprochen wird – der Wettbewerb als ‚**optimales Entdeckungsverfahren**‘ (Hayek) für die systematisch beste Bereitstellung öffentlicher Güter. Diese Überlegung impliziert zwei Aspekte:

- Durch ‚institutionelle Konkurrenz‘ kann das Prinzipal-Agent-Problem reduziert und die X-Ineffizienz der öffentlichen Güterproduktion verringert werden (vgl. Kap. 8.2.1).
- Das so genannte ‚**Tiebout-Modell**‘ erklärt, wie eine Konkurrenz der Bereitstellungsebenen (nationale Systeme oder auch föderale Ebenen in Nationalstaaten) zu einer optimalen Berücksichtigung der Präferenzen der Konsumenten öffentlicher Güter führt: Entsprechend der privaten Produktion bestimmen die Bereitstellungsebenen selbstständig über ihr Angebot an öffentlichen Gütern (Höhe und Struktur), während die Konsumenten (Gesellschaftsmitglieder = Zahler = Wähler) sich in jener (regionalen) Bereitstellungsebene ansiedeln, die den eigenen Präferenzen am besten entspricht (vgl. Tiebout 1956). Unter der Annahme vollständiger Mobilität aller Produktionsfaktoren, der Sicherstellung der Fiskaläquivalenz und einer Heterogenität der Gesellschaftsmitglieder (d.h. unterschiedliche Präferenzen hinsichtlich der Nachfrage nach öffentlichen Gütern) führt die Systemkonkurrenz nun zu
  - homogenen Teilwirtschaften (regionalen Bereitstellungsebenen)
  - heterogener Gesamtwirtschaft, d.h. sehr unterschiedliche Systeme bestehen nebeneinander. Gelegentlich wird die Homogenität in der Heterogenität als ‚Gettoisierung‘ bezeichnet.

Das Ergebnis dieses Systemwettbewerbs wäre kein ‚race to the bottom‘ (‚Dumping‘) von Steuersätzen, Sozialstandards und anderen öffentlichen Gütern, sondern eine sehr differenzierte, divergente und plurale **Systemvielfalt**.

Box 22: Das Tiebout-Modell

Der Ökonom *Ch. M. Tiebout* (1956) hat die Gemeinden in den USA betrachtet. Einzelstaaten und Bund klammert er aus. Er geht von der Überlegung aus, dass jeder Bürger irgendwo wohnen muß und dort kommunale Dienstleistungen in Anspruch nimmt. Folglich können die Gemeinden ‚Wohnortpreise‘ verlangen und dem Bürger dafür Dienste anbieten. Sagt dem Bürger das vorgefundene Güterbündel nicht zu oder ist das Preis-Leistungsverhältnis seiner Meinung nach schlecht, so wählt er sich eine andere Gemeinde. Es findet eine **Abstimmung mit den Füßen** statt. Der Wettbewerb unter den Gemeinden führt nach *Ch. M. Tiebout* nicht nur zu einem optimalen Angebot an Gemeindedienstleistungen, sondern auch zu einer effizienten Gemeindestruktur. Die Gemeinden spezialisieren sich auf bestimmte Kundengruppen, und diese reagieren mit Wanderung auf das Angebot der Ge-

meinden. So haben sich Unternehmer in Florida, Nevada und Kalifornien auf Rentner spezialisiert und für solche Gruppen dort Gemeinden entwickelt, die ihrer Nachfrage entsprechen. Im Gegenzug gibt es typische Industriegemeinden, die Fasziläten für Unternehmen
anbieten usw.
Blankart 2001: 563

Selbstverständlich sind die Annahmen sehr unrealistisch. Während aber Einschränkungen der Mobilitätsannahme letztlich das Modell allenfalls modifizieren (z.B. um
Mobilitätskosten), ist die Annahme der Gültigkeit der Fiskaläquivalenz ebenso zentral wie unhaltbar (vgl. Kap. 9.1). Bedeutet dies aber nun automatisch die Gefahr von
Dumping-Prozessen? Wird Systemwettbewerb nun zu ‚unfairem Wettbewerb'? Ein
‚race to the bottom' ist aus verschiedenen Gründen nicht zu erwarten:

- Wenn auch die Präferenz für die Versorgung mit öffentlichen Gütern nicht gleich
  sind, so darf unterstellt werden, dass jedes Wirtschaftssubjekt Interesse an der Bereitstellung von öffentlichen Gütern (z.B. Infrastruktur, aber auch der Sozialsicherung zur Schaffung politisch und ökonomisch stabiler Verhältnisse) hat. Es sollte
  deshalb auf jeden Fall eine untere Bereitstellungsgrenze existieren, die immer wenigstens angeboten wird (normative Sicht).
- Die Reduktion des Angebots öffentlicher Güter muss politisch vermittelt werden
  (positivistische Sicht). Im Public Choice-Modell würden sich deshalb immer die
  Präferenzen des Median-Wählers durchsetzen, im Agenda-Modell käme der Voice-Funktion (bei eingeschränkter Exit-Option aufgrund unvollständiger Mobilität, s. die Annahmensetzung) und dem anschließenden Agenda-Building- und
  Agenda-Setting-Prozess eine besondere Rolle zu.

Doch auch wenn Dumping-Prozesse nicht unmittelbar zu erwarten sind, müssen Konsequenzen eines unregulierten Systemwettbewerbs befürchtet werden: Einerseits wird
das Ausmaß an umverteilender Wirkung der öffentlichen Güterbereitstellung und Finanzierung (z.B. durch Besteuerung nach dem Leistungsfähigkeitsprinzip) grundsätzlich begrenzt, wenn echte oder unechte Exit-Optionen bestehen. Andererseits sind die
Exit-Optionen nicht gleichmäßig über alle Wirtschaftssubjekte und Faktorbesitzer verteilt – je mobiler ein Produktionsfaktor, desto geringer kann er zu Besteuerung herangezogen werden. Schließlich ist die Besteuerung der Einkommens**entstehung** (direkte Steuer) stärker von der Abwanderungsdrohung betroffen als die Besteuerung der
Einkommens**verwendung** (indirekte Besteuerung). Hieraus lassen sich nun einige
Konsequenzen ableiten (vgl. Feld/Kirchgässner (2001) und Büttner [2001]):

- Die Distributionsfunktion der Wirtschaftspolitik leidet im unregulierten Systemwettbewerb – und dies auch dann, wenn politische Mehrheiten unverändert Umverteilung präferieren.
- Die Belastung der direkten Besteuerung wird zunehmend von den weniger mobilen Produktionsfaktoren (Arbeitnehmer) getragen werden. Diese empirisch bereits
  feststellbare Entwicklung wird gelegentlich als ‚Weg in den Lohnsteuerstaat' bezeichnet.
- Insgesamt wird die Finanzierung der öffentlichen Güter zunehmend von der direkten zur indirekten Besteuerung verlagert werden.

Vor dem Hintergrund der verschiedenen europäischen ‚Modelle' bzw. ‚Systeme' darf deshalb gemutmaßt werden, dass das **‚Beveridge-Modell'** – gekennzeichnet durch einen hohen Anteil indirekter Steuern und geringerer Umverteilung – dem **‚Bismarck-Modell'** – gekennzeichnet durch ein hohes Umverteilungsniveau und einen höheren direkten Steuer(- bzw. Abgaben)anteil – überlegen ist.

Literatur zu Kapitel 9:

Artis, M., Winkler, B.; The Stability Pact: Trading Off Flexibility for Credibility?; in: Hughes Hallett, A., Hutchison, M.M., Jensen, S.E.H. (Hrsg.); Fiscal Aspects of European Monetary Integration, Cambridge 1999, S. 157 – 188

Benz, A.; Der moderne Staat, München 2001

Blankart, Ch. B.; Öffentliche Finanzen in der Demokratie, München 2001 (4. Aufl.)

Brennan, G., Buchanan, J.M.; Besteuerung und Staatsgewalt. Analytische Grundlagen einer Finanzverfassung, Hamburg 1988

Breuss, F., Weber, A.; Economic Policy Coordination in the EMU: Implications for the Stability and Growth Pact; in: Hughes Hallet, A., Mooslechner, P., Schuerz, P. (Hrsg.); Challenges for Economic Policy Coordination within European Monetary Union, Bosten u.a. 2001, S. 143 – 167

Büttner, T.; Empirie des Steuerwettbewerbs: Zum Stand der Forschung; in: Müller, W., Fromm, O., Hansjürgens, B. (Hrsg.); Regeln für den europäischen Systemwettbewerb, Marburg 2001, S. 53-69

Carlin, W., Soskice, D.; Macroeconomics and the Wage Bargain, Oxford 1990

Citrin, D.; Fischer, S.; Meeting the Challenges of Globalization in Advanced Economies; in: Wagner, H. (Hrsg.); Globalization and Unemployment, Berlin 2000, S. 19 – 37

Collignon, St.; The European Republic. Reflections on the Political Economy of a Future Constitution, London 2003

Demertzis, M., Hughes Hallet, A., Viegi, N.; Can the ECB be Truly Independent? Should It Be?; in: Hughes Hallet, A., Mooslechner, P., Schuerz, P. (Hrsg.); Challenges for Economic Policy Coordination within European Monetary Union, Bosten u.a. 2001, S. 105 – 125

Feld, L.P., Kirchgässner, G.; Vor- und Nachteile des internationalen Steuerwettbewerbs; in: Müller, W., Fromm, O., Hansjürgens, B. (Hrsg.); Regeln für den europäischen Systemwettbewerb, Marburg 2001, S. 21 – 51

Flassbeck, H.; Der amerikanische Aufschwung und die New Economy in: Heise, A. (Hrsg.); USA – Modellfall der New Economy?, Marburg 2001, S. 23 – 40

Foden, D., Magnusson, L. (Hrsg.); Trade Unions and the Cardiff Process. Economic Reform in Europe, Brüssel 2002

Gatti, D., Wijnbergen, G.; The Case for a Symmetric Reaction Function of the European Central Bank, Discussion Paper No. FS I 99-305, WZB 1999

Görgens, E., Ruckriegel, K., Seitz, F.; Europäische Geldpolitik. Theorie, Empirie, Praxis, Düsseldorf 2001 (2. Aufl.)

Green, R.; Structural reform in Ireland: deregulation and the knowledge-based economy; in: Foden, D., Magnusson, L. (Hrsg.); Trade Unions and the Cardiff Process. Economic Reform in Europe, Brüssel 2002, S. 27 – 65

Haas, E.B.; Beyond the Nation-State, Stanford 1964

Hartmann, J.; Das politische System der Europäischen Union. Eine Einführung, Frankfurt 2001

Hein, E., Truger, A.; European Monetary Union: Nominal Convergence, Real Divergence and Slow Growth? WSI-Discussion Paper 107, Düsseldorf 2002

Heise, A.; New Politics. Integrative Wirtschaftspolitik für das 21. Jahrhundert, Münster 2001a

Horn, G. A.; Zur Koordination von Geld- und Lohnpolitik. Eine empirische Analyse für die USA und Deutschland; in: Filc, Wolfgang, Köhler, Claus (Hrsg.); Macroeconomic Causes of Unemployment: Diagnosis and Policy Recommendations, Berlin 1999, S. 419 – 439

Issing, O.; Anmerkungen zur Koordinierung der makroökonomischen Politik in der WWU; in: Vierteljahreshefte zur Wirtschaftsforschung, 71. Jg., H. 3, 2002, S. 312 – 324

Jacobsson, K.; The Cardiff process of structural reform in Sweden; in: Foden, D., Magnusson, L. (Hrsg.); Trade Unions and the Cardiff Process. Economic Reform in Europe, Brüssel 2002, S. 101 – 147

Jacquet, P., Pisani-Ferry, J.; Economic policy co-ordination in the Eurozone: what has been achieved? What should be done?; Sussex European Institute Working Paper No. 40, University of Sussex, 2001

Keller, B.; Europäische Arbeits- und Sozialpolitik, München 2001 (2. Aufl.)

Kromphardt, J.; Beschäftigungspakte als Mittel der Beschäftigungspolitik; in: Sadowski, D., Schneider, M. (Hrsg.); Vorschläge zu einer neuen Lohnpolitik, Frankfurt 1997, S. 239 – 259

Krugman, P.R., Obstfeld, M.; International Economics. Theory and Policy, Reading (Mass.) u.a. 2000 (5. Aufl.

Krupp, H.-J.; Koordination von Geld-, Finanz- und Einkommenspolitik; in: Wirtschaftsdienst, 74. Jg., H. 4, 1994, S. 208 – 216

Krupp, H.-J.; Eine neue konzertierte Aktion ist wünschenswert und machbar; in: Wirtschaftsdienst, 75. Jg., H. 2, 1995, S. 63 – 67

Lombard, M.; Restrictive Macroeconomic Policies and Unemployment in the European Union; in: Review of Political Economy, Vol. 12, No.3, 2000, S. 317 – 332

Nordhaus, W.D.; Policy Games: Coordination and Independence in Monetary and Fiscal Policies; Brookings Papers on Economic Activity, No.2, 1994, S. 139 – 216

Oates, W.E.; Fiscal Federalism, New York 1972

Pilz, F., Ortwein, H.; Das politische System Deutschlands, München 2000 (3. Aufl.)

Scharpf, F.W.; Regieren in Europa. Effektiv und demokratisch?, Frankfurt 1999

Schelkle, W.; Disciplining Device or Insurance Arrangement? Two Approaches to the Political Economy of EMU Policy Coordination, European Institute Working Paper 2002-01, London School of Economics and Political Science, London 2002

Schlieper, U.; Art. 'Wohlfahrtsökonomik II: Theorie des Zweitbesten'; in: Albers, W. et.al. (Hrsg.); Handwörterbuch der Wirtschaftswissenschaften, Bd. 9, Stuttgart u.a. 1980, S. 486 – 493

Schulmeister, St.; Die unterschiedliche Wachstumsdynamik in den USA und Deutschland in den neunziger Jahren; in: Heise, A. (Hrsg.); USA – Modellfall der New Economy?, Marburg 2001, S. 131 – 167

Semmler, W.; The European Monetary Union: Success or Failure?; in: Political Economy, Issue 7, 2000, S. 5 – 24

Tiebout, Ch. M.; A Pure Theory of Local Expenditures; Journal of Political Economy, Vol. 64, 1956, S. 416 – 424

von Hagen, J., Mundschenk, S.; Koordinierung der Geld- und Fiskalpolitik in der EWU; in: Vierteljahreshefte zur Wirtschaftsforschung, 71. Jg., H. 3, 2002, S. 325 – 338

10. Globalisierung und nationale Handlungsspielräume der Wirtschaftspolitik

Lernziele

1. Als Globalisierung wird jener durch technologische und politische Entwicklungen ausgelöste Prozess zunehmender Faktormobilität zwischen nationalen Wirtschaftsstandorten verstanden.
2. Die empirisch messbare Mobilität des Produktionsfaktors Kapital darf nicht einseitig als Wettbewerbsfähigkeitskriterium eines Standortes verstanden werden.
3. Die Handlungsspielräume nationale Geld- und Finanzpolitik im Globalisierungszeitalter hängen vom Währungssystem und Globalisierungsgrad ab.
4. Ähnlich den Governance-Prozessen auf EU-Ebene muss auch eine ‚Weltwirtschaftspolitik‘ als Koordinierungsprozess nationaler Politikbereiche verstanden werden (internationale Regime).

Wurde in den siebziger Jahren noch von der ‚Internationalisierung der Wirtschaften‘ gesprochen, so hat seit etwa Anfang der neunziger Jahre ein neuer Begriff Karriere gemacht: **Globalisierung**. Mit der Globalisierung scheint plötzlich alles in Frage gestellt, was bislang galt – insbesondere das **Primat der Politik**. Politisches Handeln geht davon aus, als Korrektiv dem grundlegenden ökonomischen Handeln der einzelnen Wirtschaftssubjekte übergeordnet zu sein. Besonders deutlich wird dies im tradierten Ziel-Mittel-Verständnis der (Wirtschafts-)Politik, aber auch die postkeynesianische Theorie der Marktteilnahme mit bedingten Steuerungskapazitäten geht grundsätzlich vom Primat der (Wirtschafts-)Politik aus, die den Zustand des ‚Seins‘ dem Zustand des ‚Seinsollens‘ anzunähern versucht. Gelegentlich wird nun mit Hinweis auf die Globalisierung der Zusammenhang geradezu umgedreht und das **Primat der Ökonomie** über die Politik postuliert – was eigentlich nur heißen kann, das die Globalisierung die Differenz zwischen (wirtschafts-)politischem ‚Seinsollen‘ und (wirtschafts-)politischem ‚Sein‘ verringert. So zumindest die positive Interpretation der Globalisierung[15], während die kritische Interpretation den Verlust der (wirtschafts-)politischen Souveränität beklagt.[16] Ulrich Beck (2002: 96)

---

[15] „Die Globalisierung diszipliniert die Wirtschaftspolitik, macht sie aber nicht ohnmächtig. Der Zwang zu mehr Rationalität in der Wirtschaftspolitik bedeutet Zwang zu sachgerechtem Handeln, in den Worten dieses Kapitels zu mehr Ordnungspolitik, Regelbindung der Wirtschaftspolitik und zu mehr Angebotspolitik" (Donges/Freytag 2001: 271). Diese Sichtweise der Globalisierung wird häufig auch als ‚Globalismus‘ bezeichnet.

[16] „Indem sich multinationale Unternehmen, Anleger und Spekulanten in zunehmendem Maße von ihrem ‚Heimatland‘ lösten und die Arbeiter(innen), die Gewerkschaften und die Regierung der einzelnen Länder gegeneinander ausspielten, konnten sie den Druck an allen Fronten viel weiter erhöhen, als sie das in einem Land hätten tun können. Alle diese Faktoren tragen zur Erhöhung der Profitrate bei: Niedrige Steuersätze, ‚sonst gehen wir ins Ausland‘; mehr Subventionen für die Unternehmen, ‚sonst gehen wir ins Ausland‘; weniger direkte und indirekte Löhne für dieselbe Arbeit oder mehr, ‚sonst gehen wir ins Ausland‘; weniger Mitspracherecht und Kontrolle der Gewerkschaften oder des Staates bei Dingen, die in den Unternehmen passieren, ‚sonst gehen wir ins Ausland‘; weniger strenge Umweltvorschrif-

benennt die allgemeine Einschätzung: „Globalisierung muß als eine schleichende, postrevolutionäre, epochale Transformation des nationalen und internationalen, staatlich dominierten Systems der Machtbalance und Machtregeln entschlüsselt werden."

Nachdem wir zunächst eine klarere Abgrenzung des Begriffs Globalisierung und ihrer Erscheinungsformen geben werden, wollen wir schauen, ob die Handlungsfähigkeit der Wirtschaftspolitik – und hier wird die makroökonomische Stabilisierungspolitik im Mittelpunkt stehen – tatsächlich durch die Globalisierungsprozesse beeinträchtigt ist. Schließlich soll kurz die Diskussion um eine ‚Weltwirtschaftspolitik' – **Global Public Policy** – gestreift werden.

10.1 Globalisierung – Begrifflichkeit und Erscheinungsform

Der Begriff ‚Globalisierung' ist ebenso wenig klar definiert wie der Begriff ‚Internationalisierung' oder deren Verhältnis zueinander. Mit Beck (1997: 26ff) soll zunächst eine erste Annäherung gewagt werden:

„Mit **Globalismus** bezeichne ich die Auffassung, dass der Weltmarkt politisches Handeln verdrängt oder ersetzt, d.h. die Ideologie der Weltmarktherrschaft, die Ideologie des Neoliberalismus. (...) **Globalität** meint: Wir leben längst in einer Weltgesellschaft, und zwar in dem Sinne, dass die Vorstellung geschlossener Räume fiktiv wird. (...) **Globalisierung** meint demgegenüber die Prozesse, in deren Folge die Nationalstaaten und ihre Souveränität durch transnationale Akteure, ihre Machtchancen, Orientierungen, Identitäten und Netzwerke unterlaufen und querverbunden werden."

Es wird also um den Prozess der Globalisierung und dessen Interpretation als Globalismus gehen. Aus der Außenwirtschaftstheorie wissen wir, dass freier Güterverkehr zwischen nationalen Ökonomien zu einem **Ausgleich der Faktorpreise** führt (Heckscher-Ohlin-Samuelson[HOS]-Theorem), und dass dieser Güterverkehr entlang der Linien komparativer Kostenvorteile verlaufen muss – mit dem Ergebnis einer starken internationalen Arbeitsteilung, zementierter Technologieunterschiede zwischen den kapitalintensiv (hochentwickelten) und den arbeitsintensiv (geringoder unterentwickelten) produzierenden Ländern, einheitlicher Markt- und Faktorpreise.[17] Mit der Öffnung nationaler Märkte – insbesondere nach dem 2. Weltkrieg – müsste also der Außenhandel entlang der vorgezeichneten Linien zunehmen und die angedeuteten Effekte haben – dies wurde als zunehmende **Internationalisierung** der Volkswirtschaften bezeichnet. Faktisch lassen sich die gleichen Ergebnisse erzielen, wenn statt der Güter (und Dienstleistungen) die Produktionsfaktoren zwischen den Volkswirtschaften ‚wandern', also die Güter- durch die Faktormobilität ersetzt oder zumindest ergänzt wird – die zunehmende Mobilität insbesondere des

---

ten, denn ‚in anderen Ländern machen sie nicht solche Schwierigkeiten'; weniger Behinderungen beim Absatz, egal welcher Produkte in egal welchen Ländern, denn ‚wenn wir nichts mehr absetzen können, dann macht uns die Konkurrenz platt'; und weniger Vorschriften und Forderungen nach Minimallöhnen, Kündigungsschutzgesetzen, Sozialleistungen, die das Funktionieren des Arbeitsmarktes beeinträchtigen, denn ‚in den USA geht es auch mit weniger'" (Went 1997: 115).

17 All dies gilt natürlich nur bei völlig freiem Handeln (also keine Zölle oder Subventionen) und unter Vernachlässigung von Transaktionskosten.

Faktors Kapital – Portfolio- wie auch Realkapital (Direktinvestitionen) – kann als das entscheidende Charakteristikum der **Globalisierung** verstanden werden.[18]

Abbildung 10.1: Internationalisierung und Globalisierung

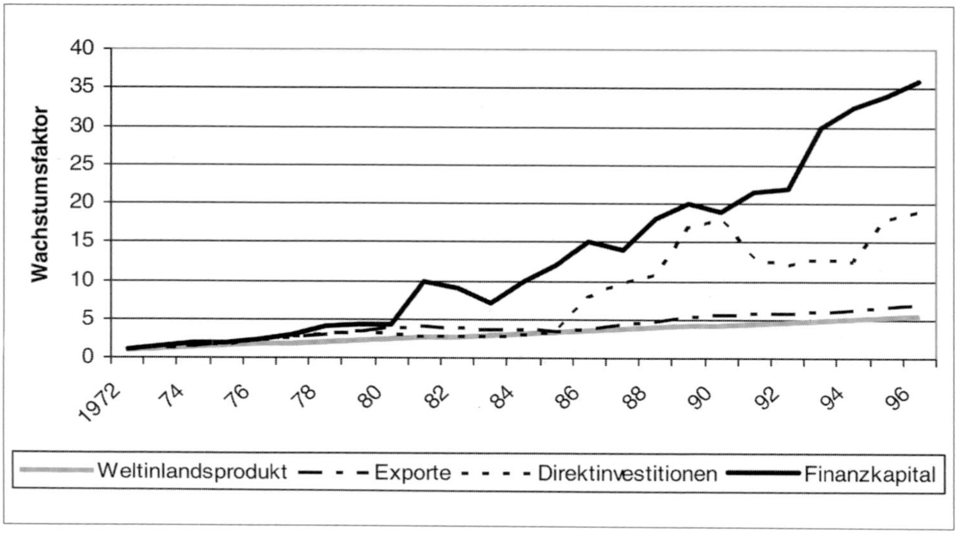

Quelle: OECD; JWF verschiedene Datenbanken

Abb. 10.1 zeigt, dass sich der Export etwa entlang des Wachstums des Weltinlandsproduktes entwickelt hat, während das internationale Finanzkapital bereits seit Anfang der achtziger Jahre und das Realkapital seit Ende der achtziger Jahre sich deutlich dynamischer entwickelten. Als Hauptgründe werden folgende Änderungen der politischen und technischen Rahmenbedingungen angeführt[19]:

- Reduktion von Handelshemmnissen, Liberalisierung von Märkten und Privatisierung öffentlicher Unternehmen insbesondere, aber nicht nur, in den Ländern des ehemaligen Ostblocks (so genannte Reformländer oder Mittel- und Osteuropäische Länder MOE).
- Reduktion der Informations- und Transaktionskosten durch technische Entwicklung und die weltweite Vernetzung durch das Internet.
- Zunehmende Homogenisierung von Konsummustern, Moden und weltweite kulturelle Konvergenzen.

Allerdings hat sich dieser Internationalisierungs- und Globalisierungsprozess nicht wesentlich zwischen den Ländern mit ausgeprägt unterschiedlichen Faktorproportionen (komparative Kosten) entwickelt, sondern zwischen Ländern mit **vergleichbaren Faktorproportionen** (vgl. Abb. 10.2 und Abb. 10.3) und hier insbesondere

---

[18] Damit folge ich ausdrücklich nicht der Definition von Koch (2000: 5), der Internationalisierung als den Oberbegriff für die Phänomene von Globalisierung und Regionalisierung gebraucht.

[19] Vgl. z.B. Koch (2000: 7ff.) und Donges/Freytag (2001: 262ff.).

in der so genannten Triade[20]. Und gerade zwischen diesen Ländern spielt der intra-industrielle Handel und die intra-industrielle Kapitalverflechtung eine besondere Rolle, die nicht durch das HOS-Theorem erklärt wird (vgl. Krugman/Obstfeld 2000: 135ff.). Stattdessen spielen **Marktgrößenvorteile** (economies of scale), **Agglomerationsvorteile** (economies of scope) und **strategische Überlegungen von Multinationalen Unternehmen** (z.B. globale Präsenz, Marktnähe, etc.) eine bedeutende Rolle – allerdings wird damit die Vorhersage von Handels- und Kapitalverflechtungsmustern kaum mehr möglich. Jedenfalls aber sind komparative und absolute Kostenvorteile von geringer Bedeutung für die Wettbewerbsfähigkeit eines Wirtschaftsstandortes (vgl. Dunning 1993 und Porter 1991)[21]: Absolute Kostenvorteile können jederzeit durch Wechselkursänderungen kompensiert werden, komparative Kostenvorteile (die auf Faktorproportionen beruhen) stellen Rahmenbedingungen, aber keine politischen Stellgrößen dar.

Abbildung 10.2: Anteile am Welthandel in % *(Anteile am deutschen Außenhandel in %)*

	1985	1990	1995	1998
Industrieländer	75	83 *(80)*	85 *(77)*	84 *(76)*
Davon: EU	40	48 *(60)*	44 *(58)*	44 *(56)*
Entwicklungsländer	17	14 *(13)*	12 *(15)*	12 *(14)*
MOE	8	3 *(7)*	3 *(8)*	4 *(10)*

Quelle: Koch (2000: 24)

Box 23: Wettbewerbsfähigkeit von Nationen

"Most people who use the term ‚competitiveness' do so without a second thought. It seems obvious to them that the analogy between a country and a corporation is reasonable and that to ask whether the United States is competitive in the world market is no different in principle from asking whether General Motors is competitive in the North American minivan market. In fact, however, trying to define the competitiveness of a nation is much more problematic than defining that of a corporation. The bottom line for a corporation is literally its bottom line: if a corporation cannot afford to pay its workers, suppliers, and bondholders, it will go out of business. So when we say that a corporation is uncompetitive, we mean that its market position is unsustainable – that unless it improves its performance, it will cease to exist. Countries, on the other hand, do not go out of business. They may be happy or unhappy with their economic performance, but they have no well-defined bottom line. As a result, the concept of national competitiveness is elusive.

---

[20] Zur Triade werden die regionalen Integrationsräume Nordamerikas, Europas und Südostasiens gezählt.
[21] Die Argumente gelten nicht ohne weiteres für die Wettbewerbsfähigkeit von Teilwirtschaften in einer Währungsunion. In Kap. 9 ist dies als (Wettbewerbs-)Externalitäten auch benannt worden.

(...) The competitiveness metaphor – the image of countries competing with each other in world markets in the same way that corporations do – derives much of its attractiveness from its seeming comprehensibility. Tell a group of businessmen that a country is like a corporation writ large, and give them the comfort of feeling that they already understand the basics. Try to tell them about economic concepts like comparative advantage, and you are asking them to learn something new. It should not be surprising if many prefer a doctrine that offers the gain of apparent sophistication without the pain of hard thinking.

(...) Thinking and speaking in terms of competitiveness poses three real dangers. First, it could result in the wasteful spending of government money supposedly to enhance U.S. competitiveness. Second, it could lead to protectionism and trade wars. Finally, and most important, it could result in bad public policy on a spectrum of important issues."

Krugman (1994: 30ff.)

Abbildung 10.3: Anteile an den Direktinvestitionen in %

	1985-1990		1991-1995		1996-1998	
	Geber-länder	Empfänger-länder	Geber-länder	Empfänger-länder	Geber-länder	Empfänger-länder
Industrie-länder	93	82	87	64	88	64
Entwick-lungsländer	7	18	13	33	12	32
MOE	–	–	–	3	–	4

Quelle: Koch (2000: 27)

Für die weiter unten zu untersuchende Frage nach den Handlungsbeschränkungen der nationalen Wirtschaftspolitik bedeutet dies zunächst, dass es mächtige Faktoren gibt, die die Mobilität des Faktors (Real-)Kapital stark einschränken, die Mobilität des Faktors Arbeit wird ohnedies gewöhnlich aufgrund kultureller und personeller Überlegungen als (noch) nur wenig mobil angesehen.[22] Damit soll keineswegs bestritten werden, dass nationale Systemfaktoren (wie das Steuer-, Sozial- oder Arbeitsbeziehungssystem) nicht Einfluss auf die preisliche Wettbewerbsfähigkeit einzelner Unternehmen oder ganzer Branchen haben (für die der Wechselkurs ein gegebenes Datum darstellt), wohl aber, dass sie die preisliche Wettbewerbsfähigkeit ganzer Nationen bestimmen – auch in Zeiten der Globalisierung können verschiedene Systeme koexistieren (vgl. Freeman 1998). Die empirisch messbare Mobilität des Faktors (Real-)Kapital (aus- und einfließende Direktinvestitionen) kann deshalb nicht ohne weiteres als Gebrauch der ‚Exit-Option' (also als ‚Bestrafung' eines Standortes oder einer dort betriebenen Wirtschaftspolitik) verstanden werden, sondern sind Ausdruck einer **strategischen Ausrichtung** zunehmend global agierender Multinationaler Unternehmen, die gewöhnlich dennoch stark in ihren nationalen Volkswirtschaft verwurzelt bleiben (vgl. Hirst/Thompson 1996: 76ff.).

---

[22] Die Mobilität des Faktors Arbeit ist allerdings positiv mit dem Qualifikationsniveau korreliert.

Obwohl auch bestritten wird, dass wenigstens der internationale Finanzmarkt – aufgrund der deutlichen höheren Mobilität des Finanzkapitals – vollständig integriert sei (sog. **Feldstein-Horioka-Hypothese**; vgl. Feldstein/Horioka (1980) und die daraus entstandene Diskussion: Krugman/Obstfeld [2001: 668ff.]), kann die Ungebundenheit des Finanzkapitals als wesentliche Herausforderung der Globalisierung verstanden werden.

10.2 Das Mundell-Fleming-Modell und die Handlungsspielräume nationaler Stabilitätspolitik in der Globalisierung

Wenn von einer Beschränkung der Handlungsspielräume der Wirtschaftspolitik gesprochen wird, ist damit keineswegs gemeint, dass der Staat als Träger der Wirtschaftspolitik i.e.S. funktionslos würde, sondern vielmehr, dass er seine Aktivität von stabilitätsorientierter (keynesianischer) auf angebots- bzw. standortorientierte (neoklassisch-monetaristische) Ausrichtung umstellen müsse (vgl. z.B. Donges/Freytag (2001: 271) und Koch [2000: 114]). Derartige Aussagen werden allerdings zuweilen gemacht, ohne sie aus einer sauberen Analyse herzuleiten. Mit dem **Mundell-Fleming-Modell** offener Volkswirtschaften steht uns aber ein anerkanntes Analyseinstrument zu Verfügung (vgl. Mundell (1968) und Fleming [1962]). Da es für die Anwendung auf stabilitätspolitische Fragestellungen konzipiert ist, verwundert es wenig, dass es auf einer standardkeynesianischen ISLM-Basis beruht, die durch eine weitere Gleichgewichtsbedingung – je für die Zahlungs- bzw. Devisenbilanz – erweitert wurde. Da das ISLM-Modell bereits in Kap. 5.2 behandelt wurde, können wir uns hier ganz auf die außenwirtschaftliche Erweiterung konzentrieren.

Die Zahlungsbilanz (ZB) setzt sich grob definiert aus zwei Teilbilanzen – der Leistungsbilanz (LB) und der Kapitalbilanz (KB) zusammen. In der Leistungsbilanz sind die bewerteten Güter- und Dienstleistungsströme – also Ex- und Importe – erfasst, in der Kapitalbilanz sind es die Real- und Finanzkapitalströme. Exporte und Kapitalimporte konstituieren eine Nachfrage nach heimischer Währung (und entsprechend ein Angebot an Fremdwährung), Importe und Kapitalexporte konstituieren eine Nachfrage nach Fremdwährung (und entsprechend ein Angebot an heimischer Währung). Der Ausgleich von Angebot und Nachfrage wird auf dem Devisenmarkt über den Preis der Währungen – den **Wechselkurs** (definiert als X Einheiten heimischer Währung pro 1 Einheit Fremdwährung) – erzielt. Vereinfachend wollen wir annehmen, dass die Leistungsbilanz durch die Höhe des heimischen BIP (Importe) und des ausländischen BIPs (Exporte) gesteuert wird, während die Kapitalbilanz durch das Verhältnis von heimischen zu ausländischem Kapitalmarktzins determiniert wird. Das Zahlungsbilanzgleichgewicht (BB) lässt sich also folgendermaßen formalisieren:

(1) $BB = f([i_I - i_A]; Y_I; Y_A)$;

wobei i_A und Y_A als exogen gegeben betrachtet werden sollen.

Abbildung 10.4: Das Zahlungsbilanzgleichgewicht

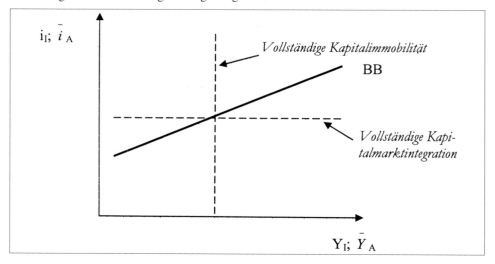

Im Zins-Volkseinkommen-Raum ergibt die Zahlungsbilanzgleichgewichtsbedingung BB eine positiv ansteigende Funktion, da die mit steigendem Volkseinkommen zunehmenden Importe (bei Konstanz der Exporte, da das ausländische Volkeinkommen als exogen – und d.h. zunächst unverändert – angenommen wird) durch entsprechend zunehmende Kapitalimporte ausgeglichen werden müssen – dies aber bedeutet, dass das Zinsdifferenzial des heimischen Zinsniveaus gegenüber dem ausländischen Zinsniveau größer werden muss (vgl. Abb. 10.4).

Die genaue Lage der BB-Kurve hängt vom Grad der Kapitalmarktintegration (oder anders: der Globalisierung) ab: Bei vollständiger Kapitalmarktintegration ist die BB-Kurve eine horizontale Linie, d.h. jedes noch so geringe Zinsdifferential würde zu einer totalen Kapitalflucht in die eine oder andere Richtung führen, so dass eine unendlich große Einkommensreaktion zur Kompensation erforderlich würde. Oder einfacher ausgedrückt: Ein vollständig integrierter Kapitalmarkt erlaubt nur mehr **ein** weltweit gültiges Zinsniveau.[23] Bei völliger Kapitalimmobilität hingegen – z.B. aufgrund von Kapitalverkehrkontrollen – müsste die BB-Kurve einen vertikalen Verlauf nehmen, d.h. das die Höhe des nationalen Volkseinkommens durch die Leistungsbilanz restringiert wäre. Die positiv geneigte BB-Kurve schließlich gibt den (Normal-)Fall eines nicht vollständig integrierten internationalen Kapitalmarktes wieder, wobei zunehmende Globalisierung eine Abflachung der BB-Kurve bedeutet. Jede Zins-Einkommens-Kombination, die nicht auf der BB-Kurve liegt, deutet ein Zahlungsbilanzungleichgewicht an: oberhalb der BB-Kurve herrscht ein Zahlungsbilanzüberschuss, unterhalb der BB-Kurve ein Zahlungsbilanzdefizit.

Das ISLMBB-Modell ergibt nun ein gesamtwirtschaftliches Gleichgewicht i_I^* und Y_I^* bei Zahlungsbilanzausgleich (wobei die fette BB_h-Kurve einen hochintegrier-

---

[23] Selbstverständlich geht es hier um Realzinsniveaus, d.h. die Nominalzinsniveaus können um die (erwartete) Inflationsrate differieren. Indem Erwartungen eine Rolle spielen, gibt es selbstverständlich viel Platz für Spekulationen bzw. spekulative Kapitalbewegungen. Hierzu später noch mehr.

Abbildung 10.5: Das gesamtwirtschaftliche Gleichgewicht

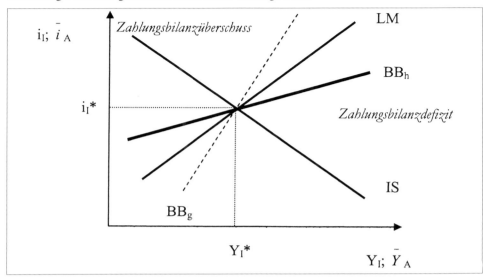

ten und die gestrichelte BB_g einen geringintegrierten internationalen Kapitalmarkt unterstellt; vgl. Abb. 10.5). Für das Thema der Handlungsspielräume von entscheidender Bedeutung ist aber nun, welche Möglichkeiten Geld- und Finanzpolitik in einer offenen, globalisierten Welt (noch) haben. Dazu müssen wir, wie wir gleich sehen werden, zwei Fälle unterscheiden: (1) ein festes Wechselkurssystem oder (2) ein flexibles Wechselkurssystem. In der Realität treffen wir auch Mischformen, die die Vorteile beider Systeme miteinander zu verbinden suchen. Doch bevor wir hierauf zu sprechen kommen, wollen wir zunächst die Reinformen studieren.

Geld- und Finanzpolitik bei festen Wechselkursen

Ausgangspunkt sei ein gesamtwirtschaftliches Gleichgewicht bei Zahlungsbilanzausgleich. Wir wollen annehmen, dass Y_I^* (in keynesianischem Sinne) einen Unterbeschäftigungspunkt angibt, der durch Stabilitätspolitik in Richtung Vollbeschäftigung Y_{Voll} verändert werden soll. Im standardkeynesianischen Modell sind sowohl Geld-, als auch Finanzpolitik bzw. ein ausgewogener Policy-mix dafür anwendbar. Wir wollen zunächst die Geldpolitik betrachten, die durch einen expansiven Kurs die LM-Kurve in Richtung LM' verschieben kann (vgl. Abb. 10.6).

Der neue Gleichgewichtspunkt A ist nun allerdings mit einem Zahlungsbilanzdefizit verbunden, dass – ohne kompensierende Maßnahmen durch die Notenbank – zu einer Reduktion des Wechselkurses führen müsste, weil auf dem Devisenmarkt eine Überschussnachfrage nach ausländischer Währung (bzw. ein entsprechendes Überschussangebot an heimischer Währung) entsteht. Da aber der Wechselkurs im Festkurssystem unveränderlich ist, muss die Notenbank eingreifen und die heimische Währung durch ein Angebot an Fremdwährung aufkaufen – dies kann sie allerdings allenfalls solange tun, bis ihr Bestand an Fremdwährung (Devisenreserven) aufgebraucht ist. Spätestens dann, wahrscheinlich aber schon früher, denn die No-

Abbildung 10.6: Geld- und Finanzpolitik bei festen Wechselkursen

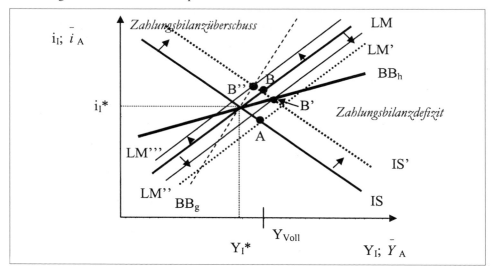

tenbank will zweifellos nicht ihren gesamten Devisenbestand aufgeben, **muss die expansive Geldpolitik wieder zurückgenommen werden**. Geldpolitik bei offenen Märkten und festen Wechselkursen ist also unwirksam – allerdings gilt dies nur, wenn nicht eine **gleichgerichtete Reaktion** des Auslands erfolgt, die den Druck vom Wechselkurs der heimischen Währung nimmt. Solange es also einen **Währungshegemon** (Leitwährungsland) gibt, der die internationale Geldpolitik bestimmt, kann die Geldpolitik wirkungsvoll verbleiben.

Allerdings kann der staatliche Akteur auch durch kreditfinanzierte Ausgaben die Gesamtnachfrage erhöhen und die IS-Kurve in Richtung IS' verschieben. Der neue Gleichgewichtspunkt B ist aber wiederum ein Punkt, der kein Zahlungsbilanzgleichgewicht darstellt – abhängig vom Grad der internationalen Kapitalmarktintegration zeigt sich ein Zahlungsbilanzüberschuss (starke Globalisierung) oder ein Zahlungsbilanzdefizit (geringe Globalisierung). In jedem Fall muss die Geldpolitik intervenieren, um den Wechselkurs in der neuen Situation stabil halten zu können: Im Falle des Zahlungsbilanzüberschusses muss die Geldpolitik durch Expansion in Richtung LM'' den heimischen Zinssatz senken und durch Ausweitung der zinselastischen Investitionen das Volkseinkommen (und mithin die Importnachfrage) so weit erhöhen, bis der Zahlungsbilanzausgleich hergestellt ist. Im Falle des Zahlungsbilanzdefizits muss die Geldpolitik durch Restriktion den heimischen Zinssatz erhöhen und den expansiven Effekt der Finanzpolitik soweit kompensieren, bis die geringere Importnachfrage das Zahlungsbilanzgleichgewicht wiederherstellt. Um es klar herauszustellen: **Je stärker die Globalisierung, desto größer ist der Stabilitätseffekt einer expansiven Finanzpolitik**. Dieses scheinbar paradoxe Ergebnis lässt sich leicht erklären: Je höher die Kapitalmarktintegration, desto stärker reagiert die Kapitalbilanz auf Zinssatzänderungen, die die Finanzpolitik induziert.

Erstes vorläufiges Ergebnis ist also, dass die nationale Finanzpolitik mit zunehmender Globalisierung im Falle eines Festkurssystems an Wirksamkeit zulegt, weil der Crowding-out-Effekt steigender Zinssätze bei staatlicher Inanspruchnahme des Kapitalmarktes ausbleibt bzw. in jedem Falle geringer ausfällt als bei völlig disintegrierten (nationalen) Kapitalmärkten und die Geldpolitik zur Wechselkursstabilisierung unterstützend tätig werden muss. Die Geldpolitik hingegen kann ihre Wirksamkeit nur bewahren, wenn es Mechanismen der Koordination der Geldpolitik (hegemonialer oder kooperativer Art) gibt.

Geld- und Finanzpolitik bei flexiblen Wechselkursen

Die Betrachtung eines Festkurssystem hatte ihre spezielle Bedeutung zu Zeiten des Weltwährungssystems von Bretton Woods (bis 1971 bzw. 1973). Aber auch nach den Turbulenzen in den Weltwährungssystemen während der neunziger Jahre sind die Rufe nach einer Fixierung der Wechselkurse wieder lauter geworden[24] – allerdings werden die Realisierungschancen als eher gering eingeschätzt (vgl. Herr 2001). Es erscheint deshalb realistischer, von flexiblen Wechselkursen als Rahmenbedingung des Globalisierungsprozesses auszugehen.

Abbildung 10.7: Geldpolitik bei flexiblen Wechselkursen

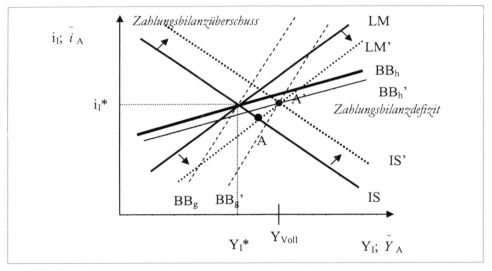

Wir wollen wieder von einem Gleichgewicht bei Zahlungsbilanzausgleich ausgehen, dessen Volkseinkommen Y_I^* allerdings unterhalb des Vollbeschäftigungseinkommens Y_{Voll} liegt (vgl. Abb. 10.7). Nun ergreift die Notenbank mittels expansiver Geldpolitik die Initiative (und verschiebt die LM-Kurve in Richtung LM'). Der resultierende Punkt A zeigt wiederum ein Zahlungsbilanzdefizit aufgrund steigender Importe an – die implizierte Überschussnachfrage nach ausländischer Währung lässt nun aber den Wechselkurs der heimischen Währung steigen (die heimische Währung erfährt eine Abwertung).[25] Diese Abwertung der heimischen Währung er-

---

[24] Vgl. z.B. Bergsten (1997); Bryant (1995) Eichengreen (1999).

[25] In allgemeinen Sprachgebrauch wird in einer solchen Situation davon gesprochen, dass der Wechselkurs fällt – die heimische Währung wird – in Einheiten der ausländischen Währung betrachtet – billi-

höht die Exporte und mithin die gesamtwirtschaftliche Nachfrage – was in einer offenen Volkswirtschaft eine Verschiebung der IS-Kurve in Richtung IS' impliziert.[26] Außerdem bewirkt die Abwertung eine Verschiebung der BB-Kurve, denn bei unverändertem Zinssatz (Kapitalbilanz) kann das Volkseinkommen (Leistungsbilanz) nun größer sein, um einen Zahlungsbilanzausgleich zu erzeugen. Im Ergebnis – und dies ist unabhängig vom Globalisierungsgrad – bleibt die **Geldpolitik nicht nur voll wirksam**, durch die ausgelöste Währungsabwertung wird der initiale Effekte sogar noch verstärkt.

Alternativ könnte der staatliche Akteur durch kreditfinanzierte Ausgabenausweitung die gesamtwirtschaftliche Nachfrage zu stärken versuchen (Verschiebung der IS-Kurve in Richtung IS'; vgl. Abb. 10.8).

Abbildung 10.8: Finanzpolitik bei flexiblen Wechselkursen

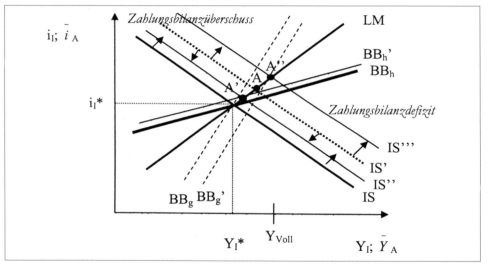

Der zunächst realisierte Punkt A zeigt nun – je nach Globalisierungsgrad – entweder ein Zahlungsbilanzüberschuss (hoher Globalisierungsgrad) oder ein Zahlungsbilanzdefizit (geringer Globalisierungsgrad) an. Dieser Unterschied ist durchaus von Bedeutung, denn es zeigen sich deutliche Auswirkungen auf die Wirksamkeit der Finanzpolitik: Liegt in Punkt A ein Zahlungsbilanzüberschuss vor, dann werden wir eine Aufwertung der heimischen Währung erleben (Verschiebung der BB_h-Kurve nach BB_h'), was den **expansiven Effekt der Finanzpolitik eindämmt** (Verschiebung der IS' nach IS"). Im Extremfall der vollständigen Kapitalmarktintegration (vollständige Globalisierung bei horizontaler BB-Kurve) würde die Finanzpolitik sogar völlig unwirksam werden. Im Falle eines geringen Globalisierungsgrades aber

---

ger. Nach unserer obigen Definition des Wechselkurses als die Menge heimischer Währung, die für eine Einheit Fremdwährung bezahlt werden muss, steigt der Wechselkurs.

[26] Dies gilt konsistent allerdings nur, wenn die Marshall-Lerner-Bedingung gilt, wonach die Summe der Preiselastizitäten der Ex- und Importe größer ist als eins.

würde eine zusätzliche Abwertung der Währung (Verschiebung der BB_g-Kurven nach BB_g') den **expansiven Effekt der Finanzpolitik noch verstärken**.

Kritische Einschätzung

Wir wollen die Ergebnisse noch einmal schematisch zusammenfassen (vgl. Abb. 10.9). Es zeigt sich dreierlei:

- Wesentliche Unterschiede in der Politikwirksamkeit zwischen den Zuständen ‚geringe Globalisierung' und ‚hohe Globalisierung' zeigen sich nur, wenn wir ein **System flexibler Wechselkurse** als Rahmenbedingung unterstellen.
- Bei flexiblen Wechselkursen leidet die Politikwirksamkeit tatsächlich, weil die **Finanzpolitik** bei zunehmender Kapitalmobilität durch ausgelöste Aufwertungen der heimischen Währung ‚neutralisiert' werden.
- Auch bei zunehmender Globalisierung und flexiblen Wechselkursen bleibt die **Geldpolitik** wirksam und durch Koordinierungen könnte auch die Finanzpolitik wieder wirksam gemacht werden.

Abbildung 10.9: Globalisierung und die Handlungsfähigkeit der nationalen Stabilisierungspolitik

	Fester Wechselkurs		Flexibler Wechselkurs	
	Finanzpolitik	Geldpolitik	Finanzpolitik	Geldpolitik
Geringe Globalisierung	+	°	++	++
Hohe Globalisierung	++	°	°+	++

+ = wirksam, aber weniger als in der geschlossenen Wirtschaft; ++ = wirksamer als in der geschlossenen Wirtschaft; ° = unwirksam

An dieser Stelle soll kein optimales Wechselkursregime beschrieben werden, wohl aber noch einige weiterführende Anmerkungen zu den Handlungsspielräumen bei zunehmender Globalisierung unter den Bedingungen flexibler Wechselkurse gemacht werden, die im statischen Mundell-Fleming-Modell bislang nicht erfasst werden konnten.

(1) Die positiven Effekte (++) der Geldpolitik leiteten sich aus dem einhergehenden Abwertungseffekt her. Dieser trägt selbstverständlich nur, wenn es nicht in dem zum ‚Ausland' aggregierten anderen Ländern der Weltwirtschaft ebenfalls zu Abwertungen (wie auch immer verursacht) kommt. Oder anders ausgedrückt: Es besteht die Gefahr von **Abwertungsspiralen**.

(2) Derartige Abwertungswettläufe lassen sich durch eine **Koordinierung der Geldpolitik** verhindern, wie auch eine **Koordinierung der Finanzpolitik** die Wirksamkeit der (nationalen) Finanzpolitik erhalten kann – allerdings müssen dafür geeignete Koordinierungsmaßnahmen und –institutionen gefunden werden.

(3) Abwertungen und Aufwertungen ebenso wie reale Effekte (Volkseinkommen, Beschäftigung) können zu **Veränderungen des Preisniveaus** im Inland führen.

Preisniveauveränderungen ihrerseits bzw. genauer: Erwartungen über Preisniveauveränderungen gehen in die Bestimmung der Wechselkurse ein. Eine (erwartete) Wechselkursänderung berührt deshalb nicht nur Export- und Importnachfrage, sondern auch den Kapitalexport- bzw. –import. In der Folge kann es zu überschießenden Wechselkursentwicklungen bzw. kumulativen Wechselkurs-Preisniveau-Effekten kommen, die eine Rücknahme der initialen Geldpolitik notwendig macht – dies gilt wohl besonders für Notenbanken, die nicht die Reputation konsequenter Preisstabilitätssicherung haben (so genannte Schwachwährungsländer).

(4) Die Unwirksamkeit der Finanzpolitik beruht auf zwei Annahmen: (a) Die Belastung des Kapitalmarktes durch die öffentliche Kreditfinanzierung zeigt Zinsniveaueffekte. Bleibt dieser aber aus – weil die öffentliche Kreditnachfrage zu unbedeutend ist oder weil der internationale Kapitalmarkt einen Anstieg verhindert –, dann kann zumindest bei (endogener) Erweiterung der Geldmenge (monetäre Akkomodation) die Wirksamkeit der Finanzpolitik durchaus gewahrt bleiben. (b) Unter (3) beschriebene Preiseffekte bleiben aus. Treten sie hingegen ein und werden auch antizipiert, dann mag die Folge expansiver Finanzpolitik eine Ab- und nicht Aufwertung der heimischen Währung sein, die die Wirkung der Finanzpolitik verstärkt. Allerdings dürfen ebenfalls die oben beschriebenen kumulativen Prozesse nicht ausgelöst werden, sonst wäre die Finanzpolitik zur Revision gezwungen oder die Geldpolitik würde die Finanzpolitik konterkarieren.

Insgesamt gibt es wenig Grund, die Stabilitätspolitik im Globalisierungszeitalter für nicht mehr handlungsmächtig zu halten. Allerdings besteht durchaus Grund, **zusätzliche Steuerungsunsicherheiten** zuzugestehen und zusätzlichen Koordinierungsbedarf zu benennen. Ob dieser Bedarf realistischer Weise gedeckt werden kann, soll uns im letzten Kapitel dieses Buches beschäftigen.

10.3 Global Public Policy?

Die Frage nach einer ‚Global Public Policy‘, einer Weltwirtschaftspolitik also[27], kann auf vieles verweisen, was bereits zur Bereitstellung öffentlicher Güter auf EU-Ebene gesagt wurde. Global Public Policy ist dann ein ernstzunehmendes Thema, wenn die Politikdomäne und die Begünstigenschaft auseinanderfallen (können). Und dies ist immer dann der Fall, wenn ‚Exit-Möglichkeiten‘, Externalitäten oder Spill-over-Effekte bestehen.

Zweifellos betrifft dies nur einen kleinen Teil aller öffentlichen Güter, sicher aber so wichtige Bereiche wie die Stabilisierungs- und Beschäftigungspolitik, vielleicht auch die Sozialpolitik und die Arbeitsbeziehungssysteme – eben das, was wir als ‚Systeme‘ oder ‚Modelle‘ bezeichnet hatten. Der wesentliche Unterschied zu den Überlegungen, die wir bereits in Kap. 9.4 angestellt haben, besteht darin, dass

- der **Wechselkursmechanismus** in der Lage ist, alle (Wettbewerbs-)Externalitäten, die durch die Ressourcenaufbringung entstehen mögen, zumindest für die

---

[27] Die umfassendsten Analysen dazu haben Wolfgang Reinicke (1998) und Ulrich Beck (2002) vorgelegt.

Volkswirtschaft insgesamt aufzufangen. Preisliche Wettbewerbsprobleme, die eine glaubhafte Exit-Drohung auslösen, können also allenfalls auf sektoraler und betrieblicher Ebene entstehen und würden durch entsprechende Attraktivität für andere Sektoren ausgeglichen. Standortpolitik ist dann nicht in erster Linie neo-klassisch-monetaristisch inspirierte Angebotspolitik, sondern Strukturpolitik zur Betonung der nationalen Stärken in der globalen Arbeitsteilung (wie z.B. die Nutzung oder Schaffung von Agglomerationsvorteilen, Netzwerkexternalitäten, Infrastrukturexternalitäten, etc.; vgl. Porter 1991)

- die (Real-)Kapital- und Arbeitskräftemobilität weiter eingeschränkt ist und deshalb Exit-Drohungen weniger glaubhaft werden lassen. Allerdings bestehen auch in der globalen Wirtschaft (also über die EU hinaus) ‚unechte' Exit-Optionen (Gewinnverlagerungen), die potentiell leichter zu kontrollieren sind als in der EU, potenziell aber Koordinierungsbedarf der Kapitalbesteuerung schaffen.

Gemeinsamkeiten bestehen vor allem darin, dass es für supranationale Wirtschaftspolitik – weder auf EU- und erst recht nicht auf globaler Ebene – keine eigenständigen Ressourcen gibt, ‚Weltwirtschaftspolitik' also ebenso wie Wirtschaftspolitik auf EU-Ebene im wesentlich als **Governance-Prozess** verstanden werden muss. Auf der Ebene der ‚Weltwirtschaftspolitik' wird von **‚internationalen Regimen'** gesprochen, die Institutionen, Regeln, Normen und Politikverfahren zusammenfassen (vgl. Krasner 1983). Im Gegensatz zu dem bereits außerordentlich dichten, kodifizierten (im EGV) und teilweise gar sanktionsbewährten Governance-Prozess auf EU-Ebene, zeichnet sich das Post-Bretton-Woods-Regime der Weltwirtschaftspolitik lediglich durch ordnungspolitische Regelungen und einige wenige supranationale Institutionen aus – mehr noch als die Europäische Integration ist die Globalisierung durch den Modus der ‚negativen Integration' gekennzeichnet. Bevor wir die Grundlagen und gegenwärtige Praxis des internationalen Regimes betrachten wollen, soll kurz noch einmal die Hauptaufgabe von ‚Global Public Policy' herausgestellt werden: Es geht für die nationalen politischen Akteure darum, die durch den Globalisierungsprozess entstandenen **Einschränkungen ihrer Steuerungskapazitäten** – und wir werden uns auf die Geld- und Finanzpolitik als wesentliche Bestandteile einer makroökonomischen Stabilisierungs- und Beschäftigungspolitik konzentrieren – **einzudämmen** oder, wie es Reinicke (1998: 62ff.) nennt, die **interne Souveränität**[28] in Zeiten der Globalisierung zu erhalten. Da die interne Souveränität eine wesentliche Legitimationsgrundlage der nationalen politischen Akteure ist, haben alle Nationalstaaten ein Interesse an ‚Global Public Policy', wenngleich die Einschränkungen der internen Souveränität nicht für alle Volkswirtschaften gleich groß ist: Hart- bzw. Leitwährungsländer genießen größeren geldpolitischen Spielraum, größere (bzw. genauer: geschlossenere) Volkswirtschaften müssen ‚Spill-over-Effekte' finanzpolitischer Maßnahmen weniger fürchten.

Grundlagen und gegenwärtige Praxis internationaler Regime

Nach Reinicke (1998: 75ff.) können die nationalen wirtschaftspolitischen Akteure – abgesehen von der als unrealistisch betrachteten Möglichkeit einer ‚Weltregierung'

---

[28] Reinicke unterscheidet zwischen juristischer und operationaler Souveränität. Obwohl die Nationalstaaten zwar weiterhin ihre juristische Souveränität bewahren, ist die operationale Souveränität betroffen.

– in drei verschiedenen Reaktionsweisen auf die Gefährdungen der ‚internen Souveränität' reagieren:

- **passive Intervention**: Durch protektionistische Maßnahmen (Zölle, Kapitalverkehrsbeschränkungen, etc.) werden Exit-Optionen für die nationalen Akteure verunmöglicht bzw. negative Externalitäten (Schutz heimischer Branchen) unterbunden.
- **aktive Intervention**: Durch Anreize (Subventionen, standortpolitische Maßnahmen im Sinne des Globalismus, etc.) wird den nationalen Akteuren die Exit-Option unattraktiv gemacht und negative Externalitäten kompensiert.

In beiden Fällen – die selbstverständlich auch in Kombination praktiziert werden können – wird der Globalisierungsprozess als ‚win-lose-Situation', als Nullsummen- bzw. reines Verteilungsspiel gesehen. Die Reaktionen rufen notwendigerweise vergleichbare Schritte bei den Handelspartnern hervor und eine Disintergration ist die offensichtliche Folge.

- **Global Public Policy**: Durch verschiedene Kooperationsformen werden gemeinsame ordnungs- und prozesspolitische Interventionen festgelegt. Die Überwachung der ordnungspolitischen Interventionen (multilaterale Abkommen) wird zumeist einer internationalen Organisation (z.B. der Welthandelsorganisation – World Trade Organisation WTO) übertragen, das internationale Regime für prozesspolitische Interventionen ist komplizierter.

Abbildung 10.10: Das inkonsistente Dreieck

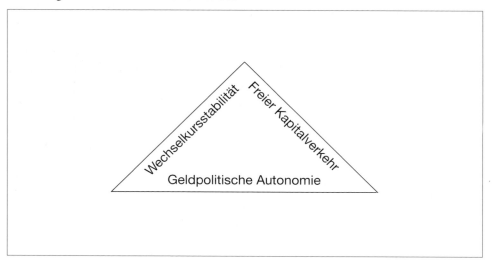

Wir wollen uns im Folgenden nur mit der Global Public Policy als dem einzigen globalisierungsverträglichen Verfahren beschäftigen und sie auf die internationale Koordinierung der Geld- und Finanzpolitik beziehen. Als Erstes wäre dann zu klären, ob wir bereits eine Koordination bzw. Fixierung der Wechselkurse – also ein Festkurssystem – unterstellen wollen oder die Flexibilität der Wechselkurse annehmen wollen. Ein Blick auf Abb.10.9 legt zunächst einmal den Schluss nahe, eine flexibles Wechselkurssystem sei einem festen Wechselkurssystem überlegen, weil es insgesamt den nationalen Handlungsspielraum weniger einschränkt als ein Festkurssystem – dies wird besonders deutlich, wenn das ‚**inkonsistente Dreieck'** in den Blick genommen wird. Mit dem ‚inkonsistenten Dreieck' ist der Zielkonflikt zwischen Wechselkursstabilisierung, stabilitätspolitischer Orientierung der Geldpolitik und freier Kapitalmobilität gemeint (vgl. Abb. 10.10). Im Einklang mit der Vorstellung von der Überlegenheit freier Märkte präferiert deshalb das neoklassisch-monetaristische Paradigma ein flexibles Wechselkurssystem. Im postkeynesianischen Paradigma werden hingegen die mit flexiblen Wechselkursen einhergehenden Bewertungsvolatilitäten stärker berücksichtigt und auch die Wirksamkeit der Geldpolitik je nach Stellung einer Währung in der Währungshierarchie in Frage gestellt.

Ein Festkurssystem impliziert nun die Festlegung eines Interventionsverfahrens, dass die Stabilität der Wechselkurse garantiert:

- Im **Hegemonialverfahren** legt die Notenbank des Leitwährungslandes (Währungshegemon) die geldpolitische Richtung fest (und bewahrt sich so auch geldpolitische Autonomie und löst für sich das inkonsistente Dreieck), während alle anderen Notenbanken ihre Geldpolitik vollständig auf die Wechselkursstabilisierung ausrichten müssen. Die Hegemonialmethode zeigt einige Stabilität, solange der Hegemon unangefochten ist und er seine Geldpolitik auch an den stabilitätspolitischen Bedürfnissen der Weltwirtschaft ausrichtet (vgl. Thomasberger 1993). Der große Vorteil besteht zweifellos im geringen institutionellen und regelhaften Bedarf. Das **Bretton-Woods-System** (BWS) kann als exemplarisches Beispiel für eine derartige Kooperationsmethode, deren Funktionsweise und letzliches Scheitern angesehen werden (Herr 1992).
- Im **Gleichberechtigungsverfahren** werden die Interventionslasten symmetrisch auf alle Notenbanken verteilt. Dazu bedarf es eines klaren Interventionssystems (z.B. ein Paritätengitter) und einer Beistandshilfe von Aufwertungsländern (die mit unbegrenzt vorhandener eigener Währung intervenieren können) für Abwertungsländer (die mit begrenzt vorhandenen Fremdwährungsreserven intervenieren). In der Geschichte der Währungssysteme haben sich Währungskooperationen nach dem Gleichberechtigungsverfahren als wenig stabil herausgestellt, weil die Marktteilnehmer immer einen Hegemon bestimmt haben, dessen Höchstmaß an interner wie externer Wertstabilität der Währung mit der Leitwährungsfunktion innerhalb des ‚symmetrischen Währungssystems' belohnt wurde. Das **Europäische Währungssystem** (EWS) kann als gutes Beispiel gelten, in dem die D-Mark die Leitwährungsfunktion übernahm und die Deutsche Bundesbank zum Währungshegemon mit größerer geldpolitischer Autonomie wurde.
- Schließlich besteht die Möglichkeit, alle Währungen an einen **exogenen Wertstandard** zu binden. Wiederum benötigt eine solche Kooperationsmethode wenig Regelwerk und Institutionen, wohl aber einen Wertstandard, dessen Werterhalt glaubwürdig gesichert erscheinen muss. Der **Gold-Standard** mit dem bereits von den klassischen Ökonomen beschriebenen Gold-Automatismus wird gerne als Beispiel einer solchen ‚**neutralen' Koordinierung** beschrieben. Tatsächlich aber war der Gold-Standard immer ein Gold-Devisen-Standard, in dessen Zent-

rum ein Währungshegemon (bis zum 1. Weltkrieg war dies das britische Pfund) stand (Herr 2001: 181f.).

Auch alle semi-fixen Wechselkurssysteme (z.B. ‚managed floating' oder ‚crawling peg') lassen sich diesen Regimeformen zuordnen, wobei hier der Hegemonialcharakter zumeist noch offensichtlicher ist als zumindest im Falle der ‚Gleichberechtigungs- oder neutralen Koordinierung'. Denkbar wäre es, die aus dem alten Bretton-Woods-System bestehenden Institutionen – den **Internationalen Währungsfonds** (IWF – International Monetary Funds IMF) und die **Weltbank** – in ihre im BWS vorgesehene Rolle wieder einzusetzen, doch lassen die wirtschaftlichen und politischen Rahmenbedingungen eine offene oder verdeckte Hegemonie eines nationalen Akteurs heute nicht zu – zu stark ist die Konkurrenz der Europäischen Union und den USA bzw. der EZB und der US-Federal Reserve Bank (FED).

Box 24: Der Internationale Währungsfonds (IWF)

„Der Internationale Währungsfonds (IWF) mit Sitz in Washington D.C. wurde 1944 auf Beschluss einer internationalen Währungskonferenz gegründet, die in Bretton Woods, einem kleinen Ort im US-Bundesstaat New Hampshire, stattfand und nahm 1947 seine Tätigkeit auf. Er berät die Mitgliedsländer in *Konsultationen*, überwacht ihre Wirtschaftspolitik (*Surveillance*) und gewährt vor allem Ländern mit vorübergehenden Zahlungsbilanzschwierigkeiten Liquiditätshilfen (*Ziehungsrechte*) in Form von Währungskrediten. Damit trägt er dazu bei, die Weltwirtschaft zu stabilisieren, binnen- und außenwirtschaftliche Folgen von internationalen Währungs- und Finanzkrisen zu verringern und damit Störungen des Welthandels und Wohlstandseinbußen so gering wie möglich zu halten. Die derzeit 182 Mitgliedstaaten des IWF sind verpflichtet, die Regeln des Fonds zur Wechselkursstabilisierung einzuhalten, Beschränkungen im zwischenstaatlichen Zahlungsverkehr zu vermeiden und sich zur Überwindung außenwirtschaftlicher Ungleichgewichte gegenseitig zu unterstützen.

(...) Die Zur-Verfügungs-Stellung von internationaler Liquidität verknüpft der IWF mit Auflagen (*Konditionen*), die die im Schnitt 60 bis 70 Länder, die hiervon Gebrauch machen, zu wirtschaftspolitischen Anpassungsmaßnahmen verpflichten. Obwohl die genaue Ausgestaltung der Konditionen auf IWF-Prognosen über den erforderlichen Anpassungsbedarf beruht, weisen sie ähnliche Grundmuster auf. So soll die öffentliche und private Inanspruchnahme von Devisenkrediten sinken, wobei die öffentliche Anpassungsleistung im allgemeinen stärker betont wird. Defizite in der *Leistungsbilanz* sollen verringert werden, indem die Exporte bei gleichzeitiger Reduzierung der Importe gesteigert werden sollen. Der *Staatshaushalt* soll durch Einnahmensteigerung und Ausgabensenkung saniert und die nationalen *Finanzmärkte* durch Deregulierung und Inflationsbekämpfung, also i.d.R. durch Zinssteigerungen, effizienter werden."
Koch (2000: 203f.)

Es spricht deshalb gegenwärtig viel dafür, von einem flexiblen Wechselkurssystem – durchaus kombiniert mit regionalen (hegemonialen) Fixkurssystemen bzw. gar regionalen Währungsunionen wie der EWU – als Rahmenbedingung des Globalisierungsprozesses auszugehen. Nun wäre eine **weltweite Koordinierung der Finanzpolitik** zur Erhöhung der Wirksamkeit der nationalen Finanzpolitik wünschenswert.

Da es sich bei der Finanzpolitik – mehr noch als im Falle der Geldpolitik, die auch in nationalen Volkswirtschaften zumeist autonomen Autoritäten (Notenbanken) überantwortet ist – um ein ganz wesentliches Merkmal der nationalen, internen Souveränität handelt, käme überhaupt nur die Gleichberechtigungsmethode der Koordinierung in Frage. Bei dieser auf multilateralen Verhandlungen beruhenden Governance-Form muss eine Reihe von Voraussetzungen erfüllt sein, damit es zu einer effektiven Koordinierung kommen kann:

- Es muss **Einigkeit über die Ziele** der Finanzpolitik und dem Paradigma bestehen, aus dem die zu koordinierenden Instrumente abgeleitet werden.
- Es müssen glaubwürdige **Verfahren** gefunden werden, die das Kooperationsproblem überwinden helfen oder
- es müssen **Anreizmechanismen** existieren, die ein koordiniertes Verhalten belohnen.

Anders als in der EU gibt es bislang keine internationalen, finanzpolitischen Regime, die eine Koordinierung der weltweiten Finanzpolitik erlaubte oder auch nur erstrebte. Allerdings gibt es im Rahmen des so genannten ‚**Washington Consensus**‘ (vgl. Williamson 1993) des IWF eine weitgehende Einigung auf eine finanz(- und geld-)politische Orientierung (vgl. Box 25), die dem neoklassisch-monetaristischen Modell entspringt und bei Kreditvergaben des IWF und der Weltbank ebenso als finanzieller Anreiz eingesetzt wird wie es der IWF in seiner Überwachung der Wirtschaftspolitik der Mitgliedstaaten (Surveillance) als ‚peer pressure‘ verwendet.

Box 25: Der Washington-Consensus

„Die Wirtschaftspolitik der letzten zwei Jahrzehnte stand weltweit im Zeichen der Durchsetzung der marktradikalen Wirtschaftsdoktrin. Diese ist in der angloamerikanischen Welt als Washington-Consensus bekannt. Zu diesem fanden sich Anfang der 80er Jahre die Spitzen der amerikanischen Regierung, des IMF, der Weltbank und anderer einflussreicher Institutionen, um zu einer gemeinsamen Vorgehensweise gegenüber den von Schulden geplagten lateinamerikanischen Ländern zu gelangen. Ausgangspunkt hierfür bildete eine Liste von 10 wirtschafts- und finanzpolitischen Empfehlungen, die vom jetzigen Weltbankökonomen, John Williamson, 1989 zusammengestellt wurde. Auf diesen geht auch der Ausdruck ‚Washington-Consensus‘ zurück, obwohl Williamson selbst den Ausdruck ‘Global Governance‘ ... bevorzugt hätte. Die 10 Punkte Williamsons schrumpften in der Praxis aber auf die Konditionen, unter denen der IMF zur Erteilung von Beistands-Krediten an Schuldnerländer bereit war. Seither bildet dieser informelle Konsens gleichsam die Gesetzestafel, an die sich nationale Regierungen sowie internationale und intergouvernmentale Institutionen wie OECD, WTO oder EU halten. Seine größte Wirkung erzielt der Washington-Consensus bei der Kreditvergabe an Schuldnerländer. Er legt nämlich die Konditionen fest, an deren Erfüllung die Erteilung von Beistandskrediten gebunden sind. Die drei wichtigsten sind: 1. die Stabilisierung der Währung nach monetaristischem Muster, also strikte Verknappung des Geldangebotes und Abbau der Defizite von Staatshaushalt und Leistungsbilanz; 2. Deregulierung aller Marktbeschränkungen, insbesondere aller Preise, und Subventionsabbau, und 3. rasche Privatisierung der Unternehmen sowie der Güter und Leistungen produzierenden Einrichtungen und Behörden. Dieses Programm wurde unter Reagan und Thatcher zuerst in den USA und in Großbritannien in Angriff ge-

nommen. Es wurde im Wesentlichen von der EU und den übrigen OECD-Ländern übernommen."
Matzner (2000: 166f.)

„The market fundamentalist ideas were reflected in the basic strategy for development (and
for managing crises and transition from communism to the market) advocated, beginning
in the 1980s, by the IMF, the World Bank, and the U.S. Treasury, a strategy various refer-
red to as 'neo-liberalism' or, because the major players planning it were all in Washington,
the 'Washington Consensus'. It involved minimizing the role of government, through pri-
vatizing state-owned enterprises and eliminating government regulations and interventions
in the economy. Government had a responsibility for macrostability, but that meant getting
the inflation rate down, not getting the unemployment rate down."
Stiglitz (2003: 229f.)

Wolfgang Reinicke, einer der Vordenker einer 'Weltwirtschaftspolitik', fast zusammen: „(G)lobal public policy requires political leadership and institutional change,
both of which are in short supply. ... Considering the data on globalization, there can
be little doubt that the world economy is characterized by a growing number of global corporate networks. The current state of global governance, however, at best res-
embles a loose set of cross-national policy patchworks conspicuous for its missing
links and unnecessary overlaps. ... , for global public policy to become a viable and
workable alternative to interventionism, it is time for governments to step in and en-
sure that these patchworks can evolve into networks of governance that can opera-
tionalize internal sovereignty in the global economy" (Reinicke 1998: 227f.).

Literatur zu Kapitel 10:

Beck, U.; Was ist Globalisierung? Irrtümer des Globalismus, Antworten auf die Globalisierung, Frankfurt 1997

Beck, U.; Macht und Gegenmacht im globalen Zeitalter. Neue weltpolitische Ökonomie,
Frankfurt 2002

Bergsten, C. F.; The impact of the Euro on Exchange Rates and International Policy Cooperation; in: Masson, P., Krueger, T.H., Turtelboom, B.G. (Hrsg.); EMU and the International Monetary System, Washington 1997

Bryant, R.C.; International Cooperation in the Making of National Macroeconomic Policies:
Where Do We Stand?; in: Kenen, P.B. (Hrsg.); Understanding Dependence. The Macroeconomics of the Open Economy, Princeton 1995

Donges, J.B., Freytag, A.; Allgemeine Wirtschaftspolitik, Stuttgart 2001

Dunning, J.H.; Multinational Enterprises and the Global Economy, Wokingham 1993

Eichengreen, B.; Towards a New International Financial Architecture. A Practical Post-Asia
Agenda, Washington 1999

Feldstein, M., Horioka, Ch.; Domestic Savings and International Capital Flows; in: Economic Journal, Vol. 90, 1980, S. 314 – 329

Fleming, J.M.; Domestic Financial Policies under Fixed and under Floating Exchange Rates;
in: IMF Staff Papers, Vol. 9, 1962

Freeman, R.; War of the models: Which labour market institutions for the 21st century; in: Labour Economics, Vol. 5, 1998, S. 1 – 24

Herr, H.; Geld, Währungswettbewerb und Währungssysteme. Theoretische und historische Analysen der internationalen Geldwirtschaft, Frankfurt 1992

Herr, H.; Weltwährungssysteme im Rückblick – Lehren für die Zukunft?; in: Heise, A. (Hrsg.); Neue Weltwährungsarchitektur, Marburg 2001, S. 161 – 199

Hirst, P., Thompson, G.; Globalization in Question, Cambridge 1996

Koch, E.; Globalisierung der Wirtschaft, München 2000

Krasner, St. D.; Structural Causes and Regime Consequences: Regimes as Intervening Variables; in: ders. (Hrsg.); International Regimes, Ithaca 1983

Krugman, P.; Competitevness: A Dangerous Obsession; in: Foreign Affairs, March/April 1994, S. 28 – 44

Matzner, E.; Monopolare Weltordnung. Zur Sozioökonomie der US-Dominanz, Marburg 2000

Mundell, R.; International Economics, New York 1968

Porter, M.; Nationale Wettbewerbsvorteile, München 1991

Reinicke, W. H.; Global Public Policy. Governing without Government? Washington 1998

Stiglitz, J.; The roaring nineties. Seeds of destruction, London 2003

Thomasberger, C.; Europäische Währungsintegration und globale Währungskonkurrenz, Tübingen 1993

Went, R.; Ein Gespenst geht um... Globalisierung – Eine Analyse, Zürich 1997

Williamson, J.; Democracy and the ‚Washington Consenus‘; in: World Development, Vol. 21, Nr.8, 1993, S. 1329 – 1336

Literatur

Adam, H.; Wirtschaftspolitik und Regierungssystem der Bundesrepublik Deutschland, Opladen 1995 (3. Aufl.)

Ahrns, H.-J.; Grundzüge der Volkswirtschaftlichen Gesamtrechnungen, Regensburg 1989

Akerlof, G.A., Dickens, W.T., Perry, G.I.; The Macroeconomics of Low Inflation; in: Brookings Papers on Economic Activity, No.1, 1996, S. 1-76

Alesina, A., Perotti, R., Tavares, J.; The Political Economy of Fiscal Adjustments; in: Brookings Papers on Economic Activity, No.1, 1998, S. 197 – 266

Altmann, J.; Wirtschaftspolitik. Eine praxisorientierte Einführung, Stuttgart 2000 (7. Auf.)

Andel, N.; Finanzwissenschaft, Tübingen 1998 (4. Aufl.)

Andersen, T.M.; Can Inflation be too low?; Kyklos, Vol. 54, Fasc.4, 2001, S. 591 – 602

Arestis, P., Sawyer, M.; Economics of the ‚third way‘: Introduction; dies. (Hrsg.); The Economics of the Third Way – Experiences from Around the World, Cheltenham 2001, S. 1 – 10

Arestis, P., Sawyer, M.; New labour, new monetarism; in: Soundings, Vol. 9 (Summer), S. 24 – 41

Arlt, H.-J., Nehls, S. (Hrsg.); Bündnis für Arbeit. Konstruktion-Kritik-Karriere, Opladen/Wiesbaden 1999

Arrow, K.J.; Social Choice and Individual Values, New York 1963 (2. Auflage)

Artis, M., Winkler, B.; The Stability Pact: Trading Off Flexibility for Credibility?; in: Hughes Hallett, A., Hutchison, M.M., Jensen, S.E.H. (Hrsg.); Fiscal Aspects of European Monetary Integration, Cambridge 1999, S. 157 – 188

Axelrod, R.; Die Evolution der Kooperation, München,Wien 1995

Bach, St.; Die Unternehmenssteuerreform; in: Truger, A. (Hrsg.); Rot-grüne Steuerreformen in Deutschland. Eine Zwischenbilanz, Marburg 2001, S. 47 – 94

Bäcker, G. et al.; Sozialpolitik und soziale Lage in Deutschland, Wiesbaden 2000

Baisch, H., Kuhn, W.; Risikowirtschaft. Eigen- und Fremdfinanzierung im gesamtwirtschaftlichen Kontext, Berlin 2001

Barkley Rosser Jr, J.; Uncertainty and Expectations; in: Holt, R.P.F., Pressman, St. (Hrsg.); A New Guide to Post Keynesian Economics, London/ New York 2001

Bartsch, K. et al.; Zur Interdependenz von Geld- und Lohnpolitik; in: Heise, A. (Hrsg.); Neues Geld – alte Geldpolitik? Die EZB im makroökonomischen Interaktionsraum, Marburg 2002, S. 303 – 345

Baßeler, U., Heinrich, J.; Grundlagen und Probleme der Volkswirtschaft, Stuttgart 2001 (16. Aufl.)

Baumol, W.J.; Macroeconomics of Unbalanced Growth: The Anatomy of Urban Crisis, in: American Economic Review, Vol. 57, 1967, S. 415 – 426

Beck, U.; Erfindung des Politischen – Zu einer Theorie reflexiver Modernisierung, Frankfurt 1993

Beck, U.; Was ist Globalisierung? Irrtümer des Globalismus, Antworten auf die Globalisierung, Frankfurt 1997

Beck, U.; Macht und Gegenmacht im globalen Zeitalter. Neue weltpolitische Ökonomie, Frankfurt 2002

Beckert, J.; Grenzen des Marktes. Die sozialen Grundlagen wirtschaftlicher Effizienz, Frankfurt 1997

Benz, A.; Der moderne Staat, München 2001

Bergson, A.; A Reformulation of Certain Aspects of Welfare Economics; in: Quarterly Journal of Economics, Vol. 52, 1938, S. 310 – 354

Bergsten, C. F.; The impact of the Euro on Exchange Rates and International Policy Cooperation; in: Masson, P., Krueger, T.H., Turtelboom, B.G. (Hrsg.); EMU and the International Monetary System, Washington 1997

Bernholz, P., Breyer, F.; Grundlagen der Politischen Ökonomie, Bd 1: Theorie der Wirtschaftssysteme, Tübingen 1993

Berthold, N.; Arbeitslosigkeit in Europa – Ein schwer lösbares Problem? in: Kantzenbach, E., Meyer, O.G. (Hrsg.); Beschäftigungsentwicklung und Arbeitsmarktpolitik – Schriften des Vereins für Socialpolitik, Bd. 219, Berlin 1992, S. 51 – 87

Berthold, N.; Beschäftigungspakt – Ein gefährlicher Irrweg; in: Wirtschaftsdienst, H.2, 1995, S. 67-71

Blanchard, O., Illing, G.; Makroökonomie, München u.a. 2004 (3. Aufl.).

Blankart, Ch.B.; Öffentliche Finanzen in der Demokratie, München 2001 (4. Aufl.)

Blinder, A.; The Rules versus Discretion Debate in the Light of Recent Experience; in: Weltwirtschaftliches Archiv, Bd. 123, 1985, S. 399 – 414

Bongartz, Th., Gröhnke, K.; Soziale Isolation bei Langzeitarbeitslosen? Eine netzwerkanalytische Betrachtung; in: Klein, G., Strasser, H. (Hrsg.); Schwer vermittelbar. Zur Theorie und Empirie der Langzeitarbeitslosigkeit, Opladen 1997, S. 197 – 219

Brachthäuser, N., Hauske, G., Heine, G.; Wirtschaftskybernetische Modellversuche; in: Industrielle Organisation, Jg. 40, 1971, S. 62ff.

Brennan, G., Buchanan, J.M.; Besteuerung und Staatsgewalt. Analytische Grundlagen einer Finanzverfassung, Hamburg 1988

Breuss, F., Weber, A.; Economic Policy Coordination in the EMU: Implications for the Stability and Growth Pact; in: Hughes Hallet, A., Mooslechner, P., Schuerz, P. (Hrsg.); Challenges for Economic Policy Coordination within European Monetary Union, Boston u.a. 2001, S. 143 – 167

Brittain, S.; What Is Really Wrong with Today's Economics; in: Financial Times v. 21.12.2000; hier zitiert nach: Stadermann, H.-J., Steiger, O.; Eigentum und Verpflichtung – Freiheit, Transformation und Entwicklung; in: dies. (Hrsg.); Verpflichtungsökonomik. Eigentum, Freiheit und Haftung in der Geldwirtschaft, Marburg 2001, S. 9 – 30

Brown, C.V., Jackson, P.M.; Public Sector Economics, Oxford-Cambridge (Mass.) 1996 (4. Auflage)

Brümmerhoff, D.; Finanzwissenschaft, München 2001 (8. Aufl.)

Bryant, R.C.; International Cooperation in the Making of National Macroeconomic Policies: Where Do We Stand?; in: Kenen, P.B. (Hrsg.); Understanding Dependence. The Macroeconomics of the Open Economy, Princeton 1995

Buchanan, J.M., Wagner, R.; Democracy in Deficit: The Political Legacy of Lord Keynes, New York 1977

Büttner, T.; Empirie des Steuerwettbewerbs: Zum Stand der Forschung; in: Müller, W., Fromm, O., Hansjürgens, B. (Hrsg.); Regeln für den europäischen Systemwettbewerb, Marburg 2001, S. 53-69

Butterwegge, Chr.; Wohlfahrtsstaat im Wandel. Probleme und Perspektiven der Sozialpolitik, Opladen 2001

Caesar, R.; Crowding out in der Bundesrepublik Deutschland: Eine empirische Bestandsaufnahme; in: Kredit und Kapital, H. 2, 1985

Calmfors, L., Driffil, J.; Bargaining structure, corporatism and macroeconomic performance; in: Economic Policy, No.1, 1988, S. 14 – 61

Carlin, W., Soskice, D.; Macroeconomics and the Wage Bargain, Oxford 1990

Citrin, D.; Fischer, S.; Meeting the Challenges of Globalization in Advanced Economies; in: Wagner, H. (Hrsg.); Globalization and Unemployment, Berlin 2000, S. 19 – 37

Clarida, R., Gali, J., Gertler, M.; Monetary policy rules in practice. Some international evidence; in: European Economic Review, Vol. 42, 1998, S. 1033 – 1067

Clower, R.; Die Keynesianische Gegenrevolution: eine theoretische Kritik; in: Schweizerische Zeitschrift für Volkswirtschaft und Statistik, Bd. 99, 1963, S. 8 – 31

Coase, R. ; The nature of the firm; in: Economica, Vol. 16, 1937, S. 386 – 405

Coase, R.; The Problem of Social Cost; in: Journal of Law and Economics, Vol. 3, 1960, S. 1 – 44

Coase, R.; The Lighthouse in Economics; in: Journal of Law and Economics, Vol. 17, 1974, S. 357 – 376

Coddington, A.; Keynesian Economics: The Search for First Principles, London 1983

Collignon, St.; The European Republic. Reflections on the Political Economy of a Future Constitution, London 2003

Coriat, B., Dosi, G.; The institutional embeddedness of economic change: an appraisal of the 'evolutionary' and 'regulationist' research programmes; in: Hodgson, G. (Hrsg.); A Modern Reader in Institutional and Evolutionary Economics, Cheltenham 2002, S. 95 – 123

Corrales-Diez, N., Heise, A. ; Modernisierung im europäischen Kontext – der Cardiff-Prozess; in: perspektiven ds – Zeitschrift für Gesellschaftsanalyse und Reformpolitik, 19. Jg., H.1, 2002, S. 66 – 83

Cramer, F.; Chaos und Ordnung – Die komplexe Struktur des Lebendigen, Frankfurt 1993

Dahl, R.A., Lindblom, C.E.; Politics, Economics, and Welfare – Planning and Politico-Economic Systems Resolved into Basic Social Processes, New York 1963

Davidson, P.; Rational Expectations: A Fallacious Foundation for Analyzing Crucial Decision making; in: Journal of Post Keynesian Economics, Vol. 5, 1982-83

Davidson, P.; International Money and the Real World, London/Basingstoke 1982

Davidson, P.; A Post-Keynesian View of Theories and Causes for High Real Interest Rates; in: Arestis, Ph. (Hrsg.); Post-Keynesian Monetary Economics, Aldershot 1988, S. 152 – 181

Davidson, P.; Post Keynesian Macroeconomic Theory. A Foundation for Successful Economic Policies for the Twenty-first Century, Cheltenham 1994

Demertzis, M., Hughes Hallet, A., Viegi, N.; Can the ECB be Truly Independent? Should It Be?; in: Hughes Hallet, A., Mooslechner, P., Schuerz, P. (Hrsg.); Challenges for Economic Policy Coordination within European Monetary Union, Bosten u.a. 2001, S. 105 – 125

Domar, E.D.; The 'burden of debt' and National Income; in: American Economic Review, Vol. 34, 1944, S. 798 – 827

Donges, J.B., Freytag, A.; Allgemeine Wirtschaftspolitik, Stuttgart 2001

Donges, J., Schmidt, K.-D. et al.; Mehr Strukturwandel für Wachstum und Beschäftigung, Tübingen 1988

Dowding, K.; Power, Buckingham 1996

Dunning, J.H.; Multinational Enterprises and the Global Economy, Wokingham 1993

Eckstein, A.; A Survey of the Theory of Public Expenditure Criteria; in: NBER (Hrsg.); Public Finances: Needs, Sources and Utilization, Princeton 1961, S. 445ff.

Eeckhof, J.; Die Wirtschaftspolitik der neunziger Jahre; in: Orientierungen zur Wirtschafts- und Gesellschaftspolitik, Nr. 59, 1994

Eichengreen, B.; Towards a New International Financial Architecture. A Practical Post-Asia Agenda, Washington 1999

Eisner, R.; Extended Accounts for National Income and Product; in: Journal of Economic Literature, Vol. 26, No.4, 1988, S. 1611 ff.

Elsner, W.; Theorie kooperativer Strukturpolitik – Modellbildung und Praxiserfahrungen; in: Elsner, W., Engelhardt, W.W., Glastetter, W. (Hrsg.); Ökonomie in gesellschaftlicher Verantwortung, Berlin 1998, S. 421 – 452

Esping-Anderson, G. (Hrsg.); Welfare States in Transition. National Adaptions in Global Economics, London 1996

Feld, L.P., Kirchgässner, G.; Vor- und Nachteile des internationalen Steuerwettbewerbs; in: Müller, W., Fromm, O., Hansjürgens, B. (Hrsg.); Regeln für den europäischen Systemwettbewerb, Marburg 2001, S. 21 – 51

Felderer, B., Homburg, St.; Makroökonomik und neue Makroökonomik, Heidelberg-Berlin-New York, 2003 (8. Aufl.)

Feldstein, M., Horioka, Ch.; Domestic Savings and International Capital Flows; in: Economic Journal, Vol. 90, 1980, S. 314 – 329

Filc, W., Sandte, H.; Für eine regelgebundene Unabhängigkeit der Zentralbank; in: Heise, A. (Hrsg.); Renaissance der Makroökonomik, Marburg 1998, S. 125 – 139

Finsinger, J.; Wettbewerb und Regulierung, München 1991

Fitzgibbons, A.; The Nature of Macroeconomics. Instability and Change in the Capitalist System, Cheltenham 2000

Flassbeck, H.; Der amerikanische Aufschwung und die New Economy in: Heise, A. (Hrsg.); USA – Modellfall der New Economy?, Marburg 2001, S. 23 – 40

Fleming, J.M.; Domestic Financial Policies under Fixed and under Floating Exchange Rates; in: IMF Staff Papers, Vol. 9, 1962

Foden, D., Magnusson, L. (Hrsg.); Trade Unions and the Cardiff Process. Economic Reform in Europe, Brüssel 2002

Fourastié, J.; Die große Hoffnung des 20. Jahrhunderts, Köln 1969

Franz, W.; Reagan versus Keynes. Eine Zwischenbilanz der angebotsorientierten Politik; in: Jahrbuch für Sozialwissenschaften, Bd. 36/3, 1985, S. 240 – 261

Franz, W.; Arbeitsmarktökonomik, Berlin u.a., 1999 (4. Aufl.)

Franzese, R.J., Hall, P.A.; Institutional Dimensions of Coordinating Wage Bargaining and Monetary Policy; in: Iversen, T., Pontusson, J., Soskice, D. (Hrsg.); Unions, Employers, And Central Banks. Macroeconomic Coordination and Institutional Change in Social Market Economies, Cambridge 2000, S. 173 – 203

Freeman, R.; War of the models: Which labour market institutions for the 21st century; in: Labour Economics, Vol. 5, 1998, S. 1 – 24

Friedman, M.; The Role of Monetary Policy; in: American Economic Review, Vol. 58, 1968, S. 1 – 17

Friedman, M.; Die Rolle der Geldpolitik; in: ders.; Die optimale Geldmenge und andere Essays, Frankfurt 1976

Friedrich, H.; Stabilisierungspolitik, Wiesbaden 1986 (2. Aufl.)

Fritsch, M., Wein, Th., Ewers, H.-J.; Marktversagen und Wirtschaftspolitik, München 2001 (4. Aufl.)

Funk, L.; Labour Market Dynamics in Western Europe and the USA; in: Filc, W., Köhler, C. (Hrsg.); Macroeconomic Causes of Unemployment: Diagnosis and Policy Recommendations, Berlin 1999, S. 189 – 225

Gäfgen, G.; Komplexität und wirtschaftspolitisches Handeln: Anmerkungen zur Krise der theoretischen Wirtschaftspolitik; in: Kappel, R. (Hrsg.); Im Spannungsfeld von Wirtschaft, Technik und Politik, München 1986, S. 435 – 452

Gatti, D., Wijnbergen, G.; The Case for a Symmetric Reaction Function of the European Central Bank, Discussion Paper No. FS I 99-305, WZB 1999

Gerlach, D.; Nachwort: Radikale Keynes-Auslegung und finanzielle Instabilität: Zu Minskys John Maynard Keynes; in: Minsky, H.P.; John Maynard Keynes. Finanzierungsprozesse, Investition und Instabilität des Kapitalismus, Marburg 1990, S. 217 – 228

Giddens, A.; Jenseits von Rechts und Links, Frankfurt 1997

Giddens, A.; Der dritte Weg. Die Erneuerung der sozialen Demokratie, Frankfurt 1999

Gilder, G.; Reichtum und Armut, Berlin 1981

Glyn, A.; Die Wirtschaftspolitik von New Labour; in: Hein, E., Truger, A. (Hrsg.); Perspektiven sozialdemokratischer Wirtschaftspolitik in Europa, Marburg 2000, S. 51 – 88

Görgens, E., Ruckriegel, K., Seitz, F.; Europäische Geldpolitik. Theorie-Empirie-Praxis, Düsseldorf 2001 (2. Aufl.)

Gordon, R.J.; What is new-Keynesian economics?; in: Journal of Economic Literatur, Vol. 28, 1990, S. 1115 – 71

Gosh, A., Phillips, St.; Warning: Inflation May Be Harmful to Your Growth, IMF Staff Papers, Vol. 45, No.4, 1998, S. 672 – 710

Graf, H.-G.; ‚Muster-Voraussagen‘ und ‚Erklärungen des Prinzips‘ bei F.A. von Hayek, Tübingen 1978

Green, R.; Structural reform in Ireland: deregulation and the knowledge-based economy; in: Foden, D., Magnusson, L. (Hrsg.); Trade Unions and the Cardiff Process. Economic Reform in Europe, Brüssel 2002, S. 27 – 65

Grigat, H.-G.; Verlagerung von Unternehmensgewinnen in das Ausland und Steuerdumping; in: WSI-Mitteilungen, H. 6, 1997, S. 404 – 414

Grözinger, G.; Unternehmensbesteuerung in der Europäischen Union: eine politisch-praktikable Alternative zur Nirvanaharmonisierung; in: Heise, A. (Hrsg.); Makropolitik zwischen Nationalstaat und Europäischer Union, Marburg 1999, S. 233 – 286

Grüner, Hans Peter; Wirtschaftspolitik. Allokationstheoretische Grundlagen und politisch-ökonomische Analyse, Berlin-Heidelberg-New York 2001

Haas, E.B.; Beyond the Nation-State, Stanford 1964

Habermas, J.; Theorie des kommunikativen Handels, 2 Bde, Frankfurt 1981

Hagemann, H.; Zu Malinvauds Neufundierung der Unterbeschäftigungstheorie; in: Hagemann, H., Kurz, H.-D., Schäfer, W. (Hrsg.); Die neue Makroökonomik, Frankfurt 1981, S. 163 – 203

Hagemann, H., Kalmbach P. (Hrsg.); Technischer Fortschritt und Arbeitslosigkeit, Frankfurt 1983

Hahn, F.; General Equilibrium Theory; in: The Public Interest, Special Issue, 1980, S. 123 – 138

Hahn, F.H.; Die allgemeine Gleichgewichtstheorie; in: Bell, D., Kristol, I. (Hrsg.); Krise der Wirtschaftstheorie, Berlin 1984

Hall, P.A., Soskice, D. (Hrsg.); Varieties of Capitalism. The Institutional Foundations of Comparative Advantage, Oxford 2001

Hartmann, J.; Das politische System der Europäischen Union. Eine Einführung, Frankfurt 2001

Hayek, F.A.v.; Die Sprachverwirrung im politischen Denken, Freiburger Studien, Tübingen 1969, S. 206 – 231

Hayek, F.A.v.; Freiburger Studien, Tübingen 1969a

Hedtke, R.; Kontroversität in der Wirtschaftsdidaktik; in: Gesellschaft, Wirtschaft, Politik, 51. Jg., Nr.2, 2002, S. 173 – 186

Heilbroner, R.L.; Where is Capitalism going? In: Challenge, Vol. 35, N0.6, 1992

Hein, E.; Geldpolitik und Lohnverhandlungssysteme in der EWU; in: Heise, A. (Hrsg.); Neues Geld – alte Geldpolitik? Die EZB im makroökonomischen Interaktionsraum, Marburg 2002, S. 199 – 227

Hein, E., Truger, A.; European Monetary Union: Nominal Convergence, Real Divergence and Slow Growth? WSI-Discussion Paper 107, Düsseldorf 2002

Heine, M., Herr, H.; Keynesianische Wirtschaftspolitik – Mißverständnisse und Ansatzpunkte; in: Heise, A. (Hrsg.); Renaissance der Makroökonomik, Marburg 1998, S. 51 – 81

Heine, M., Herr, H.; Volkswirtschaftslehre. Paradigmenorientierte Einführung in die Mikro- und Makroökonomie, München 2000 (2. Aufl.)

Heinsohn, G., Steiger, O.; Eigentum, Zins und Geld. Ungelöste Rätsel der Wirtschaftswissenschaft, Marburg 2002 (2. Aufl.)

Heinsohn, Gunnar, Steiger, Otto; Eigentumstheorie des Wirtschaftens versus Wirtschaftstheorie ohne Eigentum, Marburg 2002

Heinze, R.G., Schmid, J., Strünck, Chr.; Vom Wohlfahrtsstaat zum Wettbewerbsstaat, Opladen 1999

Heise, A.; Tauschwirtschaft und Geldökonomie. Historiographie, Dogmengeschichte und positive Theorie der monetären Produktion, Frankfurt 1991

Heise, A.; Geldpolitik im Disput; in: Konjunkturpolitik, 38. Jg. H.4, 1992, S. 175 – 194

Heise, A.; Arbeit für Alle – Vision oder Illusion?, Marburg 1996

Heise, A.; Grenzen der Deregulierung. Institutioneller und struktureller Wandel in Großbritannien und Deutschland, Berlin 1999

Heise, A.; New Politics. Integrative Wirtschaftspolitik für das 21. Jahrhundert, Münster 2001

Heise, A.; Postkeynesianische Finanzpolitik zwischen Gestaltungsoptionen und Steuerungsgrenzen; in: Prokla – Zeitschrift für kritische Sozialwissenschaft, 31.Jg., H.2, 2001a, S. 269 – 284

Heise, A.; Bedeutung und Perspektiven des EU-Makrodialogs; in: ders. (Hrsg.); Neues Geld – alte Geldpolitik? Die EZB im makroökonomischen Interaktionsraum, Marburg 2002, S. 3, S. 373 – 395

Heise, A.; Postkeynesianische Beschäftigungstheorie. Einige prinzipielle Überlegungen; in: WiSt – Wirtschaftswissenschaftliches Studium, 31. Jg., H.12, 2002a, S. 682 – 686

Heise, A.; Zur ökonomischen Sinnhaftigkeit von ‚Null-Defiziten‘; in: Wirtschaft und Gesellschaft, 28. Jg., H. 3, 2002b, S. 291 – 308

Heise, A. (Hrsg.); Neues Geld – alte Geldpolitik? Die EZB im makroökonomischen Interaktionsraum, Marburg 2002c

Heise, A.; Dreiste Elite. Zur Politischen Ökonomie der Modernisierung, Hamburg 2003

Herr, H.; Geld, Währungswettbewerb und Währungssysteme, Frankfurt 1992

Herr, H.; Weltwährungssysteme im Rückblick – Lehren für die Zukunft?; in: Heise, A. (Hrsg.); Neue Weltwährungsarchitektur, Marburg 2001, S. 161 – 199

Hirsch, J.; Der nationale Wettbewerbsstaat. Staat, Demokratie und Politik im globalen Kapitalismus, Berlin 1995

Hirsch, J.; Postfordismus: Dimensionen einer neuen kapitalistischen Formation; in: Hirsch, J., Jessop, B., Poulantzas, N.; Die Zukunft des Staates, Hamburg 2001, S. 171 – 209

Hirsch, J.; Herrschaft, Hegemonie und politische Alternativen, Hamburg 2002

Hirst, P., Thompson, G.; Globalization in Question, Cambridge 1996

Hobbes, Th.; Leviathan oder Stoff, Form und Gewalt eines bürgerlichen und kirchlichen Staates (1651), Neuwied und Berlin 1966

Hodgson, G.; Post-Keynesianism and Institutionalism: The Missing Link; in: Pheby, J. (Hrsg.); New Directions in Post-Keynesian Economics, Aldershot 1989, S. 94 – 123

Hoffmann, Jochen; ‚Kinder-Inder-Clementinen‘. Ein Blick aus der Akteursperspektive auf Themenrahmung und Image-Building im nordrhein-westfälischen Landtagswahlkampf 2000; in: Scarcinelli, U., Schatz, H. (Hrsg.); Mediendemokratie im Medienland?, Opladen 2002, S. 119 – 154

Holler, M., Illing, G.; Einführung in die Spieltheorie, Berlin 1996

Horn, Gustav Adolf; Zur Koordination von Geld- und Lohnpolitik. Eine empirische Analyse für die USA und Deutschland; in: Filc, Wolfgang, Köhler, Claus (Hrsg.); Macroeconomic Causes of Unemployment: Diagnosis and Policy Recommendations, Berlin 1999, S. 419 – 439

Hüning, W., Teuscher, J.; Medienwirkungen von Parteistrategien. Agenda-Buildingprozesse im nordrhein-westfälischen Landtagswahlkampf 2000; in: Scarcinelli, U., Schatz, H. (Hrsg.); Mediendemokratie im Medienland?, Opladen 2002, S. 289 – 317

Issing, O.; Anmerkungen zur Koordinierung der makroökonomischen Politik in der WWU; in: Vierteljahreshefte zur Wirtschaftsforschung, 71. Jg., H.3, 2002, S. 312 – 324

Jacobsson, K.; The Cardiff process of structural reform in Sweden; in: Foden, D., Magnusson, L. (Hrsg.); Trade Unions and the Cardiff Process. Economic Reform in Europe, Brüssel 2002, S. 101 – 147

Jacquet, P., Pisani-Ferry, J.; Economic policy co-ordination in the Eurozone: what has been achieved? What should be done?; Sussex European Institute Working Paper No. 40, University of Sussex, 2001

Jeck, A., Kurz, H.-D.; David Ricardo: Ansichten zur Maschinerie; in: Hagemann, H., Kalmbach P. (Hrsg.); Technischer Fortschritt und Arbeitslosigkeit, Frankfurt 1983, S. 38 – 166

Jerger, J.; NAIRU – Theorie, Empirie und Politik; in: Hein, E., Heise, A., Truger, A. (Hrsg.); Neukeynesianismus – ein neuer wirtschaftspolitischer Mainstream?, Marburg 2003, S. 55 – 84

Jessop, B.; Kritischer Realismus, Marxismus und Regulation; in: Candeias, M., Deppe, F. (Hrsg.); Ein neuer Kapitalismus?, Hamburg 2001, S. 17 – 40

Josten, S.D.; Das Theorem der Staatsschuldenneutralität – Eine kritisch-systematische Rekonstruktion; in: Jahrbuch für Wirtschaftswissenschaften, Vol. 53, 2002, S. 180 – 209

Kade, G., Ipsen, D., Hujer, R.; Modellanalyse ökonomischer Systeme. Regelung, Steuerung oder Automatismus; in: Jahrbücher für Nationalökonomie und Statistik, Jg. 182, 1968, S. 2ff.

Kahn, A.E.; The Economics of Regulation, Cambridge (Mass.) 1988

Kaldor, N.; Die Irrelevanz der Gleichgewichtsökonomie; in: Vogt, W. (Hrsg.); Seminar: Politische Ökonomie, Frankfurt 1973, S. 80 – 102

Kalmbach, P., Kurz, H.-D.; Chips & Jobs. Zu den Beschäftigungswirkungen programmgesteuerter Arbeitsmittel, Marburg 1992

Keller, B.; Europäische Arbeits- und Sozialpolitik, München 2001 (2. Aufl.)

Keynes, J.M.; Allgemeine Theorie der Beschäftigung, des Zinses und des Geldes, Berlin 1936 (5. Aufl. 1974)

Keynes, J.M.; The long term problem of full employment (1943); in: Moggridge, D. (Hrsg.); The Collected Writings of John Maynard Keynes, Vol. 27: Activities 1940-1946, London 1980, S. 320 – 325

Kitschelt, H.; The Transformation of European Social Democracy, Cambridge 1994

Klein, G., Strasser, H. (Hrsg.); Schwer vermittelbar. Zur Theorie und Empirie der Langzeitarbeitslosigkeit, Opladen 1997

Kliemt, H.; Antagonistische Kooperation. Elementare spieltheoretische Modelle spontaner Ordnungsentstehung, Freiburg/München 1986

Koch, E.; Globalisierung der Wirtschaft, München 2000

Krasner, St. D.; Structural Causes and Regime Consequences: Regimes as Intervening Variables; in: ders. (Hrsg.); International Regimes, Ithaca 1983

Kregel, J.A.; Markets and institutions as features of a capitalist production system; in: Journal of Post Keynesian Economics, Vol. 3, No.1, 1980, S. 32 – 48

Kromphardt, J.; Beschäftigungspakte als Mittel der Beschäftigungspolitik; in: Sadowski, D., Schneider, M. (Hrsg.); Vorschläge zu einer neuen Lohnpolitik, Frankfurt 1997, S. 239 – 259

Kromphardt, J.; Grundlagen der Makroökonomie, München 2001 (2. Aufl.)

Krugman, P.; Competitivness: A Dangerous Obsession; in: Foreign Affairs, March/April 1994, S. 28 – 44

Krugman, P.R., Obstfeld, M.; International Economics. Theory and Policy, Reading (Mass.) u.a. 2000 (5. Aufl.)

Krupp, H.-J.; Koordination von Geld-, Finanz- und Einkommenspolitik; in: Wirtschaftsdienst, 74. Jg., H.4, 1994, S. 208 – 216

Krupp, H.-J.; Eine neue konzertierte Aktion ist wünschenswert und machbar; in: Wirtschaftsdienst, 75. Jg., H.2, 1995, S. 63 – 67

Künzel, R.; Zum Verhältnis von Nationalökonomie und Politischer Ökonomie; in: Vogt, W. (Hrsg.); Politische Ökonomie heute, Regensburg 1988, S. 223 – 237

Kuhn, Th.S.; Die Struktur wissenschaftlicher Revolutionen, Frankfurt 1962

Kydland, F.E., Prescott, E.C.; Rules rather than Discretion: The Inconsistency of Optimal Plans; in: Journal of Political Economy, Vol. 50, 1977, S. 473 – 492

Lakatos, I.; Falsification and the Methodology of Research Programmes; in: Lakatos, I., Musgrave, A.; Criticism and the Growth of Knowledge, Cambridge 1970

Landmann, O., Jerger, J.; Beschäftigungstheorie, Berlin u.a. 1999

Lange, O.; Einführung in die ökonomische Kybernetik, Tübingen 1970

Lederer, E.; Technischer Fortschritt und Arbeitslosigkeit, Tübingen 1938 (Neuauflage: Frankfurt 1981)

Lehmbruch, G., Schmitter, P.; Patterns of Corporatist Policy Making, London 1982

Lehment, H.; Lohnzurückhaltung, Arbeitszeitverkürzung und Beschäftigung. Eine empirische Untersuchung für die BRD 1973 – 1990; in: Die Weltwirtschaft, H.3, 1991, S. 72 – 85

Lehment, H.; Bedingungen für einen kräftigen Beschäftigungsanstieg in der BRD; in: Die Weltwirtschaft, H.3, 1993, S. 302 – 310

Lindlar, L.; Das mißverstandene Wirtschaftswunder, Tübingen 1997

Littmann, K.; Definition und Entwicklung der Staatsquote. Abgrenzung, Aussagekraft und Anwendungsbereiche unterschiedlicher Typen von Staatsquoten, Göttingen 1975

Lombard, M.; Restrictive Macroeconomic Policies and Unemployment in the European Union; in: Review of Political Economy, Vol. 12, No.3, 2000, S. 317 – 332

Lutz, B.; Der kurze Traum der immerwährenden Prosperität, Frankfurt 1984

Mäki, U.; The one world and the many theories; in: Hodgson, G. (Hrsg.); A Modern Reader in Institutional and Evolutionary Economics, Cheltenham 2002, S. 124 – 146

Malinvaud, E.; The Theory of Unemployment Reconsidered, Oxford 1977

Malinvaud, E.; Mass Unemployment, Oxford 1984

Mankiw, N.G.; The Reincarnation of Keynesian Economics; in: European Economic Review, Vol. 36, 1992, S. 559 – 565

Mankiw, N.G.; Grundzüge der Volkswirtschaftslehre, Stuttgart 2001

Mannheim, K.; Ideologie und Utopie, Frankfurt 1952

Marx, K., Engels, F.; Manifest der Kommunistischen Partei (1848), Berlin (Ost) 1983

Maslow, A.; Motivation and Personality, New York 1954

Matzner, E.; Monopolare Weltordnung. Zur Sozioökonomie der US-Dominanz, Marburg 2000

Meidner, R., Hedborg, A; Modell Schweden. Erfahrungen einer Wohlfahrtsgesellschaft, Frankfurt 1984

Meinhold, H.; Tarifpolitik in einer wachsenden Wirtschaft; in: Offene Welt. Zeitschrift für Wirtschaft, Politik und Gesellschaft, Nr. 89, 1965, S. 254 – 267

Meißner, W., Fassing, W.; Wirtschaftsstruktur und Strukturpolitik, München 1989

Meyer, Th; Was ist Politik?, Opladen 2000

Mottek, H.; Wirtschaftsgeschichte Deutschlands – Ein Grundriss, Bd. II, Berlin 1964

Mundell, R.; Optimum Currency Area; in: American Economic Review, Vol. 51, 1961, S. 657 – 664

Mundell, R.; International Economics, New York 1968

Musgrave, R.A.; The Theory of Public Finance, New York u.a. 1959

Nelson, R.H.; Economics as Religion from Samuelson to Chicago and Beyond, University Park (PA) 2001

Nolte, D., Schaaff, H.; Keynes als Stagnationstheoretiker. Eine Interpretation; in: Heise, A. et al. (Hrsg.); Marx und Keynes und die Krise der Neunziger, Marburg 1994, S. 169 – 202

Nordhaus, W.D.; Policy Games: Coordination and Independence in Monetary and Fiscal Policies; Brookings Papers on Economic Activity, No.2, 1994, S. 139 – 216

Nowotny, E.; Der öffentliche Sektor. Einführung in die Finanzwissenschaft, Berlin u.a. 1999

Oates, W.E.; Fiscal Federalism, New York 1972

Oberhauser, A.; Das Schuldenparadox; in: Jahrbücher für Nationalökonomie und Statistik, Bd. 200, H.4, 1985, S. 333 – 348

Obinger, H.; Die Politische Ökonomie des Wirtschaftswachstums; in: Obinger, H., Wagschal, U., Kittel, B. (Hrsg.); Politische Ökonomie, Opladen 2003, S. 113 – 150

OECD; Harmful Tax Competition. An Emerging Global Issue, Paris 1998

Olson, M.; Aufstieg und Niedergang von Nationen. Ökonomisches Wachstum, Stagnation und soziale Starrheit, Tübingen 1985

Okun, A.; Potential GNP: Its Measurement and Significance; in: Mueller, M.G. (Hrsg.); Readings in Macroeconomics, Hinsdale 1971

Osborne, M.J., Rubinstein, A.; Bargaining and Markets, San Diego u.a. 1990

Peacock, A.T., Wiseman, J.; The Growth of Public Expenditure in the United Kingdom, London 1961

Pfahler, Th.; Hysteresis am Arbeitsmarkt in der Bundesrepublik Deutschland, Fuchsstadt 1994

Pierson, P.; The New Politics of the Welfare State; in: World Politics, Vol. 48, Nr.2, 1996, S. 143 – 179

Pigou, A.C. ; The Economics of Welfare, London 1932 (3. Aufl.)

Pilz, F., Ortwein, H.; Das politische System Deutschlands, München 2001

Porter, M.; Nationale Wettbewerbsvorteile, München 1991

Power, S., Rowe, N.; Independent Central Banks: Coordination Problems and Budget Deficits; in: Economic Issues, Vol. 3, 1998, S. 69 – 75

Pridatt, B.; Linke Angebotspolitik; in: Schroeder, W. (Hrsg.); Neue Balance zwischen Markt und Staat?, S. 99 – 115

Priewe, J.; Vom Defizit zum Überschuss – US-Fiskalpolitik in den 90er Jahren; in: Heise, A. (Hrsg.); USA – Modellfall der New Economy?, Marburg 2001, S. 103 – 130

Priewe, J.; Fünf Keynesianismen. Zur Kritik des Bastard-Keynesianismus; in: Heseler, H., Huffschmid, J., Reuter, N., Troost, A. (Hrsg.); Gegen die Markt-Orthodoxie, Hamburg 2002, S. 33 – 47

Priewe, J.; Kooperative makroökonomische Politik für stabile Preise und mehr Beschäftigung in Europa; in: Heise, A. (Hrsg.); Neues Geld – alte Geldpolitik? Die EZB im makroökonomischen Interaktionsraum, Marburg 2002a, S. 259 – 301

Radner, R.; Competitive Equilibrium Under Uncertainty; in: Econometrica, Vol. 36, No.1, 1968, S. 31 – 58

Rankin, N.; Is Delegating Half of Demand Management Sensible?; in: International Review of Applied Economics, Vol. 12, No. 3, 1998, S. 415 – 422

Rasmusen, E.; Games and Information, Oxford 1989

Reinicke, W. H.; Global Public Policy. Governing without Government? Washington 1998

Rieger, E., Leibfried, St.; Grundlagen der Globalisierung: Perspektiven des Wohlfahrtsstaates, Frankfurt 2001

Riese, H.; Wohlfahrt und Wirtschaftspolitik, Reinbek 1975

Riese, H.; Theorie der Produktion und Einkommensverteilung; in: Kyklos, Vol. 34, Fasc. 4, 1981, S. 540 – 562

Riese, H.; Theorie der Inflation, Tübingen 1986

Riese, H.; Wider den Dezisionismus der Theorie der Wirtschaftspolitik; in: Vogt, W. (Hrsg.); Politische Ökonomie heute, Regensburg 1988, S. 91 – 115

Riese, H.; Das Grundproblem der Wirtschaftspolitik; in: Betz, K., Riese, H. (Hrsg.); Wirtschaftspolitik in einer Geldwirtschaft, Marburg 1995, S. 9 – 27

Riese, H.; Zur Reformulierung der Theorie der Makropolitik; in: Heise, A. (Hrsg.); Renaissance der Makroökonomik, Marburg 1998, S. 25 – 39

Ritsert, J.; Ideologie. Theoreme und Probleme der Wissenssoziologie, Münster 2002

Rodrik, D.; Why Do More Open Economies Haver Bigger Governments?, in: Journal of Political Economy, Vol. 106, 1998, S. 999 – 1032

Roubini, N., Sachs, J.; Political and Economic Determinants of Budget Deficits in the Industrial Democracies, NBER Working Paper No. 2682, Cambridge (Mass.) 1988

Rousseau, J.-J.; Der Gesellschaftsvertrag, o.J., Essen

Rowley, Ch.K., Tollison, R.D.; Peacock and Wiseman on the growth of public expenditure; in: Public Choice, Vol. 78, No.2, 1994, S. 125 – 128

Samuelson, P. A.; The Foundations of Economic Analysis, Cambridge (Mass.) 1947

Savage, J.D.; Balanced Budgets and American Politics, Ithaca/London 1988

Scarcinelli, U., Schatz, H.; Von der Parteien- zur Mediendemokratie. Eine These auf dem Prüfstand; in: dies. (Hrsg.); Mediendemokratie im Medienland?, Opladen 2002, S. 9 – 32

Scharpf, F.W.; Regieren in Europa. Effektiv und demokratisch?, Frankfurt 1999

Schelkle, W.; Disciplining Device or Insurance Arrangement? Two Approaches to the Political Economy of EMU Policy Coordination, European Institute Working Paper 2002-01, London School of Economics and Political Science, London 2002

Schettkat, R.; Appelbaum, E.; The Importance of Labor Market Institutions for Economic Development; in: Gerlach, K., Schettkat, R. (Hrsg.); Beiträge zur neukeynesianischen Makroökonomie, Berlin 1996, S. 135 – 155

Schiller, K.; Wirtschaftspolitik (1962); in: ders.; Der Ökonom und die Gesellschaft. Das freiheitliche und soziale Element in der modernen Wirtschaftspolitik, Stuttgart 1964, S. 63 – 91

Schiller, K.; Das Stabilitäts- und Wachstumsgesetz und die Globalsteuerung; in: Kurlbaum, G., Jens, U. (Hrsg.); Beiträge zur sozialdemokratischen Wirtschaftspolitik, Bonn 1983, S. 79 – 88

Schlieper, U.; Art. 'Wohlfahrtsökonomik II: Theorie des Zweitbesten'; in: Albers, W. et.al. (Hrsg.); Handwörterbuch der Wirtschaftswissenschaften, Bd. 9, Stuttgart u.a. 1980, S. 486 – 493

Schmidt, M.G.; Does Corporatism Matter?, in: Lehmbruch, G., Schmitter, P. (Hrsg.); Pattern of Corporatist Policy Making, London 1982

Schmidt, M.G.; Politische Bedingungen erfolgreicher Wirtschaftspolitik; in: Journal für Sozialforschung, Jg. 26, 1986, S. 251 – 273

Schmitter, P.; Interest Intermediation and Regime Governability in Western Europe and North America; in: Berger, S. (Hrsg.); Organizing Interests in Western Europe, Cambridge 1981, S. 287 – 327

Schmitter, P., Lehmbruch, G. (Hrsg.); Trends towards corporatist intermediation, London 1979

Schroeder, W. (Hrsg.); Neue Balance zwischen Markt und Staat? Sozialdemokratische Reformstrategien in Deutschland, Frankreich und Großbritannien, Schwalbach/Ts. 2001

Schröder, W.; 'Moderate Inflation' – Sand oder 'grease' im Getriebe der Realökonomie?; in: Heise, A. (Hrsg.); Neues Geld – alte Geldpolitik? Die EZB im makroökonomischen Interaktionsraum, Marburg 2002, S. 125 – 156

Schotter, A.; The economic theory of social institutions, Cambridge 1981

Schulmeister, St.; Die unterschiedliche Wachstumsdynamik in den USA und Deutschland in den neunziger Jahren; in: Heise, A. (Hrsg.); USA – Modellfall der New Economy?, Marburg 2001, S. 131 – 167

Schumann, J.; Grundzüge der mikroökonomischen Theorie, Berlin u.a. 1992 (6. Aufl.)

Schweer, Th.; Entstehungs- und Verlaufsformen von Alkoholkarrieren Arbeitsloser: Eine quantitative Studie; in: Klein, G., Strasser, H. (Hrsg.); Schwer vermittelbar. Zur Theorie und Empirie der Langzeitarbeitslosigkeit, Opladen 1997, S. 221 – 248

Seibel, W.; Politische Lebenslügen als Self-Destroying Prophecies. Die Treuhandanstalt im Vereinigungsprozeß; in: Soeffner, H.-G., Tänzler, D. (Hrsg.); Figurative Politik. Zur Performanz der Macht in der modernen Gesellschaft, Opladen 2002, S. 225 – 251

Semmler, W.; The European Monetary Union: Success or Failure?; in: Political Economy, Issue 7, 2000, S. 5 – 24

Shy, O.; The Economics of Network Industries, Cambridge 2001

Siepmann, U.; Das Konzept angebotsorientierter Wirtschaftspolitik; in: List Forum, Bd. 11, H. 1- 6, 1981/82

Slater, W.E.G.; Productivity and Technical Change, Cambridge 1960

Smithin, J.N.; The composition of Government Expenditures and the Effectivness of Fiscal Policy; in: Pheby, J. (Hrsg.); New Directions in Post-Keynesian Economics, Aldershot 1989, S. 209 – 227

Snowdon, B., Vane, H.R.; New Keynesian Economics: Introduction; in: dies. (Hrsg.); A Macroeconomic Reader, London/New York 1997, S. 439 – 444

Solow, R. M.; Alternative Approaches to Macroeconomic Theory: A Partial View; in: Canadian Journal of Economics, Vol. 12, 1979, S. 339 – 354

Soskice, D.; Wage Determination: The Changing Role of Institutions in Advanced Industrialized Countries; in: Oxford Review of Economic Policy, Vol. 6, No.4, 1990, S. 36ff.

Soskice, D.; Macroeconomic Analysis and the Political Economy of Unemployment; in: Iversen, T., Pontusson, J., Soskice, D. (Hrsg.); Unions, Employers, and Central Banks, Cambridge 2000, S. 38 – 75

Spahn, H.-P.; Stagnation in der Geldwirtschaft, Frankfurt 1986

Spahn, H.-P.; Makroökonomie. Theoretische Grundlagen und stabilitätspolitische Strategien, Berlin 1999 (2. Aufl.)

Stadermann, Hans-Joachim, Steiger, Otto; Allgemeine Theorie der Wirtschaft, Erster Band: Schulökonomik, Tübingen 2001

Stiglitz, J.E.; On the Relevance or Irrelevance of Public Financial Policy; in: Arrow, K.J., Boskin, M.J. (Hrsg.); The Economics of Public Debt, London 1988, S. 41 – 76

Stiglitz, J.; The roaring nineties. Seeds of destruction, London 2003

Streeck, W.; German Capitalism: Does It Exist? Can It Survive?; in: New Political Economy, Vol. 2, 1997, S. 237 – 256

Streit, M.; Theorie der Wirtschaftspolitik, Düsseldorf 2000 (5. Aufl.)

Streit, M.E.; Rationale Wirtschaftspolitik in einem komplexen System; in: Zeitschrift für Wirtschaftspolitik, Jg. 50, H.1, 2001, S. 68 – 76

Tanzi, V., Schuknecht, L.; Reconsidering the Fiscal Role of Government: The International Perspective, in: American Economic Review, Papers & Proceedings, Vol. 87, 1997, S. 164 – 168

Taylor, J.B.; Discretion versus Policy Rules in Practice; in: Carnegie-Rochester Conference Series on Public Policy, Vol. 39, 1993, S. 195 – 214

Tiebout, Ch. M.; A Pure Theory of Local Expenditures; Journal of Political Economy, Vol. 64, 1956, S. 416 – 424

Tiepelmann, K., Dick, G.; Grundkurs Finanzwissenschaften, Hamburg 1995 (3. Aufl.)

Tinbergen, J.; Centralisation and Decentralisation in Economic Policy, Amsterdam 1954

Tinbergen, J.; Economic Policy: Principles and Design, Amsterdam 1964

Thomasberger, C.; Europäische Währungsintegration und globale Währungskonkurrenz, Tübingen 1993

Tomann, H.; Kommentar; in: Riese, H., Spahn, H.-P. (Hrsg.); Geldpolitik und ökonomische Entwicklung – Ein Symposium, Regensburg 1990, S. 18 – 21

Tuchtfeldt, E.; Zur Frage der Systemkonformität wirtschaftspolitischer Maßnahmen; in: Seraphim, H.-J. (Hrsg.); Zur Grundlegung wirtschaftspolitischer Konzeptionen, Schriften des Vereins für Socialpolitik, N.F., Bd. 18, Berlin 1960, S. 203 – 238

Tuchtfeldt, E.; Zielprobleme der modernen Wirtschaftspolitik, Walter Eucken Institut, Tübingen 1971

Tuchtfeldt, E.; Moral Suasion in der Wirtschaftspolitik; in: Hoppmann, E.; Konzertierte Aktion – Kritische Beiträge zu einem Experiment, Frankfurt 1971a, S. 19 – 68

Tuchtfeldt, E.; Bausteine zur Theorie der Wirtschaftspolitik, Bern/Stuttgart 1983

Vaubel, R.; Möglichkeiten einer erfolgreichen Beschäftigungspolitik; in: Scherf, H. (Hrsg.); Beschäftigungsprobleme hochentwickelter Volkswirtschaften, Schriften des Vereins für Socialpolitik, Bd. 178, Berlin 1989, S. 17 – 36

von der Vring, Th.; Arbeitsangebot und Arbeitsnachfrage, Hamburg 1999

von Hagen, J., Mundschenk, S.; Koordinierung der Geld- und Fiskalpolitik in der EWU; in: Vierteljahreshefte zur Wirtschaftsforschung, 71. Jg., H.3, 2002, S. 325 – 338

Wagner, A.; Grundlegungen der politischen Ökonomie, Leipzig 1876

Wagschal, U.; Staatsverschuldung. Ursachen im internationalen Vergleich, Opladen 1996

Watrin, Chr.; Geldwertstabilität, Konzertierte Aktion und autonome Gruppen; in: Hoppmann, E. (Hrsg.); Konzertierte Aktion – Kritische Beiträge zu einem Experiment, Frankfurt 1971

Went, R.; Ein Gespenst geht um... Globalisierung – Eine Analyse, Zürich 1997

Williamson, J.; Democracy and the ,Washington Consensus'; in: World Development, Vol. 21, Nr.8, 1993, S. 1329 – 1336

Woldendorp, J., Keman, H., Budge, I.; Party Governments in 48 Democracies, Dordrecht/Boston/London 2000

Wrobel, R.M.; Die Bedeutung der Komplexität ökonomischer Systeme für die Wahl wirtschaftspolitischer Strategien; in: Zeitschrift für Wirtschaftspolitik, Jg. 50, H.2, 2001, S. 217 – 249

Wyplosz, Ch.; Do We Know How Low Should Inflation Be?, CEPR Discussion Paper No. 2722, London 2001

Zimmermann, H., Henke, K.-D.; Finanzwissenschaften, München 2001 (8. Aufl.)

Zinn, K. G.; Zukunftswissen. Die nächsten zehn Jahre im Blick der Politischen Ökonomie, Hamburg 2002

Zürn, M.; Regieren jenseits des Nationalstaates. Globalisierung und Denationalisierung als Chance, Frankfurt/Main 1998

Register